2025年度版　春4月試験対応

SA

情報処理技術者試験

システムアーキテクト

TAC情報処理講座

ALL IN ONE

オールインワン

パーフェクトマスター

TAC出版
TAC PUBLISHING Group

本書は，2024年７月１日現在において公表されている「試験要綱」及び「シラバス」に基づいて作成しております。

なお，2023年７月２日以降に「試験要綱」又は「シラバス」の改訂があった場合は，下記ホームページにて改訂情報を順次公開いたします。

TAC出版書籍販売サイト「サイバーブックストア」
https://bookstore.tac-school.co.jp/

解答用紙ダウンロードサービスについて

本書の第３部・第４部の「記述式・論述式問題の演習」に収録した，午後Ⅰ試験と午後Ⅱ試験の過去問題について，下記のＵＲＬに，解答用紙ＰＤＦを用意してありますので，必要に応じてダウンロードしてご利用ください。

ＴＡＣ出版 サイバーブックストア内「解答用紙ダウンロード」ページ
https://bookstore.tac-school.co.jp/answer/

はじめに

本書は，システムアーキテクト試験に，最短時間と最少労力で合格するための試験対策本です。

学習にあたっては，何を（What），どのように（How to）学習するのかが重要です。そのため，本書はまず本試験問題を徹底的に分析し，学習するべき内容（What）を精査しました。次にその内容をどのように学習するかの方法論（How to）を，TACが講義において長年培ってきた解法スキルを，ビジュアルに展開しています。

効率の良い学習方法は，「第0部　試験の分析と突破法」で解説しているように，午前Ⅱ，午後Ⅰ，午後Ⅱの各試験に特化した学習を行うことです。

本書「第１部　システム開発の知識－午前Ⅱ試験対策」，「第２部　関連知識－午前Ⅱ試験対策」では，出題頻度の高いキーワード，キーフレーズについて，意味内容を効率良く習得できるよう，解説しています。

「第３部　午後Ⅰ試験対策」では，TACならではの解法スキルとして「三段跳び法」について解説しています。Hop → Step → Jumpの３段階で問題を解いていくと，短時間で，設問趣旨に沿った解答を導き出すことができるようになります。

「第４部　午後Ⅱ試験対策」では，合格答案を書くため多種多様な方法について解説しています。合格答案とは，「設問要求の充足度」「内容の妥当性」「論述の具体性」の３要素を満たした答案で，そのための答案作成方法として，「ユニット法」「ステップ法」について解説しています。また，解答（論述）を自由に展開するための「自由展開法」や「“そこで私は”展開法」「“最初に次に”展開法」などを提示しています。これらの方法を駆使すれば，試験時間内に合格答案を書くことができるようになります。

さらには，各試験対策として，過去問題を使用した「確認問題」を設けています。出題頻度の高い問題を厳選していますので，本文解説と確認問題で繰り返しトレーニングを行い，受験知識・答案方法を確実に定着させてください。

以上，本書は，各試験突破に特化した，最も効果的な学習方法を提供いたします。本書を活用して，試験に合格されることを心から願っております。

2024年８月　TAC情報処理講座

システムアーキテクト試験概要

●試験日　　：4月〈第3日曜日〉
●合格発表　：6月下旬～7月上旬
●受験資格　：特になし
●受験手数料：7,500円
　※試験日程等は，変更になる場合があります。

最新の試験情報は，下記IPA（情報処理推進機構）ホームページにて，ご確認ください。
https://www.ipa.go.jp/shiken/

出題形式

午前Ⅰ 9:30～10:20 (50分)		午前Ⅱ 10:50～11:30 (40分)		午後Ⅰ 12:30～14:00 (90分)		午後Ⅱ 14:30～16:30 (120分)	
出題形式	出題数 解答数	出題形式	出題数 解答数	出題形式	出題数 解答数	出題形式	出題数 解答数
多肢選択式 (四肢択一	30問 30問	多肢選択式 (四肢択一)	25問 25問	記述式	3問 2問	論述式	2問 1問

合格基準

時間区分	配点	基準点
午前Ⅰ	100点満点	60点
午前Ⅱ	100点満点	60点
午後Ⅰ	100点満点	60点
午後Ⅱ	―	Aランク※

※論述式試験の評価ランクと合否関係

<table>
<tr><th>評価ランク</th><th>内容</th><th>合否</th></tr>
<tr><td>A</td><td>合格水準にある</td><td>合格</td></tr>
<tr><td>B</td><td>合格水準まであと一歩である</td><td rowspan="3">不合格</td></tr>
<tr><td>C</td><td>内容が不十分である
問題文の趣旨から逸脱している</td></tr>
<tr><td>D</td><td>内容が著しく不十分である
問題文の趣旨から著しく逸脱している</td></tr>
</table>

免除制度

高度試験午前Ⅰ試験については，次の条件１～３のいずれかを満たせば，その後2年間受験を免除する。

条件1：応用情報技術者試験に合格する。

条件2：いずれかの高度試験又は支援士試験に合格する。

条件3：いずれかの高度試験又は支援士試験の午前Ⅰ試験で基準点以上の成績を得る。

試験の対象者

対象者像	高度IT人材として確立した専門分野をもち，ITストラテジストによる提案を受けて，情報システムを利用したシステムの開発に必要となる要件を定義し，それを実現するためのアーキテクチャを設計し，情報システムについては開発を主導する者
業務と役割	情報システム戦略を具体化するための情報システムの構造の設計や，開発に必要となる要件の定義，システム方式の設計及び情報システムを開発する業務に従事し，次の役割を主導的に果たすとともに，下位者を指導する。 ① 情報システム戦略を具体化するために，全体最適の観点から，対象とする情報システムの構造を設計する。 ② 全体システム化計画及び個別システム化構想・計画を具体化するために，対象とする情報システムの開発に必要となる要件を分析，整理し，取りまとめる。 ③ 対象とする情報システムの要件を実現し，情報セキュリティを確保できる，最適なシステム方式を設計する。 ④ 要件及び設計されたシステム方式に基づいて，要求された品質及び情報セキュリティを確保できるソフトウェアの設計・開発，テスト，運用及び保守についての検討を行い，対象とする情報システムを開発する。 なお，ネットワーク，データベース，セキュリティなどの固有技術については，必要に応じて専門家の支援を受ける。 ⑤ 対象とする情報システム及びその効果を評価する。

期待する技術水準	システムアーキテクトの業務と役割を円滑に遂行するため，次の知識・実践能力が要求される。 ① 情報システム戦略を正しく理解し，業務モデル・情報システム全体体系を検討できる。 ② 各種業務プロセスについての専門知識とシステムに関する知識を有し，双方を活用して，適切なシステムを提案できる。 ③ 企業のビジネス活動を抽象化（モデル化）して，情報技術を適用できる形に再構成できる。 ④ 業種ごとのベストプラクティスや主要企業の業務プロセスの状況，同一業種の多くのユーザー企業における業務プロセスの状況，業種ごとの専門知識，業界固有の慣行などに関する知見をもつ。 ⑤ 情報システムのシステム方式，開発手法，ソフトウェアパッケージなどの汎用的なシステムに関する知見をもち，適切な選択と適用ができる。 ⑥ OS，データベース，ネットワーク，セキュリティなどにかかわる基本的要素技術に関する知見をもち，その技術リスクと影響を勘案し，適切な情報システムを構築し，保守できる。 ⑦ 情報システムのシステム運用，業務運用，投資効果及び業務効果について，適切な評価基準を設定し，分析・評価できる。 ⑧ 多数の企業への展開を念頭において，ソフトウェアや，システムサービスの汎用化を検討できる。
レベル対応（＊）	共通キャリア・スキルフレームワークの人材像：システムアーキテクト，テクニカルスペシャリストのレベル4の前提要件

（＊）レベル対応における，各レベルの定義

レベルは，人材に必要とされる能力及び果たすべき役割（貢献）の程度によって定義する。

レベル	定義
レベル4	高度な知識・スキルを有し，プロフェッショナルとして業務を遂行でき，経験や実績に基づいて作業指示ができる。また，プロフェッショナルとして求められる経験を形式知化し，後進育成に応用できる。
レベル3	応用的知識・スキルを有し，要求された作業について全て独力で遂行できる。
レベル2	基本的知識・スキルを有し，一定程度の難易度又は要求された作業について，その一部を独力で遂行できる。
レベル1	情報技術に携わる者に必要な最低限の基礎的知識を有し，要求された作業について，指導を受けて遂行できる。

出題範囲（午前Ⅰ，Ⅱ）

出題分野＼試験区分					情報セキュリティマネジメント試験（参考）	基本情報技術者試験（科目A）	応用情報技術者試験	高度試験・支援士試験									
共通キャリア・スキルフレームワーク								午前Ⅰ（共通知識）	午前Ⅱ（専門知識）								
分野	大分類		中分類						ITストラテジスト試験	システムアーキテクト試験	プロジェクトマネージャ試験	ネットワークスペシャリスト試験	データベーススペシャリスト試験	エンベデッドシステムスペシャリスト試験	ITサービスマネージャ試験	システム監査技術者試験	情報処理安全確保支援士試験
テクノロジ系	1	基礎理論	1	基礎理論													
テクノロジ系	1	基礎理論	2	アルゴリズムとプログラミング													
テクノロジ系	2	コンピュータシステム	3	コンピュータ構成要素						○3		○3	○3	◎4	○3		
テクノロジ系	2	コンピュータシステム	4	システム構成要素	○2					○3		○3	○3	○3	○3		
テクノロジ系	2	コンピュータシステム	5	ソフトウェア		○2	○3	○3						◎4			
テクノロジ系	2	コンピュータシステム	6	ハードウェア										◎4			
テクノロジ系	3	技術要素	7	ユーザーインタフェース						○3				○3			
テクノロジ系	3	技術要素	8	情報メディア													
テクノロジ系	3	技術要素	9	データベース	○2					○3			◎4		○3	○3	○3
テクノロジ系	3	技術要素	10	ネットワーク	○2					○3		◎4		○3	○3	○3	◎4
テクノロジ系	3	技術要素	11	セキュリティ [1]	◎2	◎2	◎3	◎3	◎4	◎4	◎3	◎4	◎4	◎4	◎4	◎4	◎4
テクノロジ系	4	開発技術	12	システム開発技術						◎4	○3	○3	○3	◎4		○3	○3
テクノロジ系	4	開発技術	13	ソフトウェア開発管理技術						○3	○3	○3	○3	○3			○3
マネジメント系	5	プロジェクトマネジメント	14	プロジェクトマネジメント	○2						◎4				◎4		
マネジメント系	6	サービスマネジメント	15	サービスマネジメント	○2						○3				◎4	○3	○3
マネジメント系	6	サービスマネジメント	16	システム監査	○2										○3	◎4	○3
ストラテジ系	7	システム戦略	17	システム戦略	○2	○2	○3	○3	◎4	○3							
ストラテジ系	7	システム戦略	18	システム企画	○2				◎4	◎4	○3			○3			
ストラテジ系	8	経営戦略	19	経営戦略マネジメント					◎4					○3		○3	
ストラテジ系	8	経営戦略	20	技術戦略マネジメント					○3					○3			
ストラテジ系	8	経営戦略	21	ビジネスインダストリ					◎4					○3			
ストラテジ系	9	企業と法務	22	企業活動	○2				◎4							○3	
ストラテジ系	9	企業と法務	23	法務	◎2				○3		○3				○3	◎4	

注記1　○は出題範囲であることを，◎は出題範囲のうちの重点分野であることを表す。

注記2　2，3，4は技術レベルを表し，4が最も高度で，上位は下位を包含する。

注[1]　"中分類11：セキュリティ"の知識項目には技術面・管理面の両方が含まれるが，高度試験の各試験区分では，各人材像にとって関連性の強い知識項目をレベル4として出題する。

出題範囲（午後Ⅰ，Ⅱ）

1　契約・合意に関すること

提案依頼書（RFP）・提案書の準備，プロジェクト計画立案の支援　など

2　企画に関すること

対象業務の内容の確認，対象業務システムの分析，適用情報技術の調査，業務モデルの作成，システム化機能の整理とシステム方式の策定，サービスレベルと品質に対する基本方針の明確化，実現可能性の検討，システム選定方針の策定，コストとシステム投資効果の予測　など

3　要件定義に関すること

要件の識別と制約事項の定義，業務要件の定義，組織及び環境要件の具体化，機能要件の定義，非機能要件の定義，スケジュールに関する要件の定義　など

4　開発に関すること

システム要件定義，システム方式設計，ソフトウェア要件定義，ソフトウェア方式設計，ソフトウェア詳細設計，システム結合，システム適格性確認テスト，ソフトウェア導入，システム導入，ソフトウェア受入れ支援，システム受入れ支援　など

5　運用・保守に関すること

運用テスト，業務及びシステムの移行，システム運用の評価，業務運用の評価，投資効果及び業務効果の評価，保守にかかわる問題把握及び修正分析　など

6　関連知識

構成管理，品質保証，監査，関連法規，情報技術の動向　など

Contents

第2部 関連知識／午前Ⅱ試験対策

第3部 午後Ⅰ試験対策

試験の分析と突破法
—本書の特徴

1 試験の分析

Point!

システムアーキテクト試験全体の特徴を分析し，突破法を説明する。

1.1 システムアーキテクト試験全体の分析

システムアーキテクト試験は，システムアーキテクトの専門能力を評価する試験として広く認知されている国家試験である。システムアーキテクト試験に合格するためには，**四つの異なった試験全てに合格すること**が求められる。

午前Ⅰ試験	午前Ⅱ試験	午後Ⅰ試験	午後Ⅱ試験
コンピュータ全般の基礎知識試験	システムアーキテクトの基礎知識試験	システムアーキテクトの基礎技能試験	システムアーキテクトの応用技能試験

午前Ⅰ試験は，高度情報処理技術者試験の全区分と情報処理安全確保支援士試験に共通である。合格すれば2年間（最大3回）免除され，午前Ⅱ試験，午後Ⅰ試験，午後Ⅱ試験だけを受験すればよい。そのため，午前Ⅰ試験に関しては，本書では触れない。

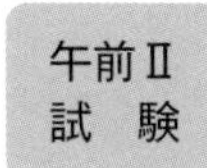

三つの試験は順番に合格していかなければならない。午前Ⅱ試験を通過できなければ，それ以降の午後Ⅰ試験，午後Ⅱ試験は受験していても採点の対象にならない。つまり，第1通過点の「午前Ⅱ試験」で60点以上を獲得し，第2通過点の「午後Ⅰ試験」で60点以上を獲得し，第3通過点の「午後Ⅱ試験」でA判定を獲得して，ようやくシステムアーキテクトとしての技量を身に付けていると認定されるわけである。

1.2 システムアーキテクト試験の突破法

システムアーキテクト試験を突破するには，午前Ⅱ試験を突破するための「**理論的システムアーキテクト知識**」，午後Ⅰ試験を突破するための「**現場的システムアーキテクト知識**」，午後Ⅱ試験を突破するための「**実務的システムアーキテクト知識**」の**３種類の知識**が必要である。これらの知識は互いに重複するものもあるが，重複しないものも多い。

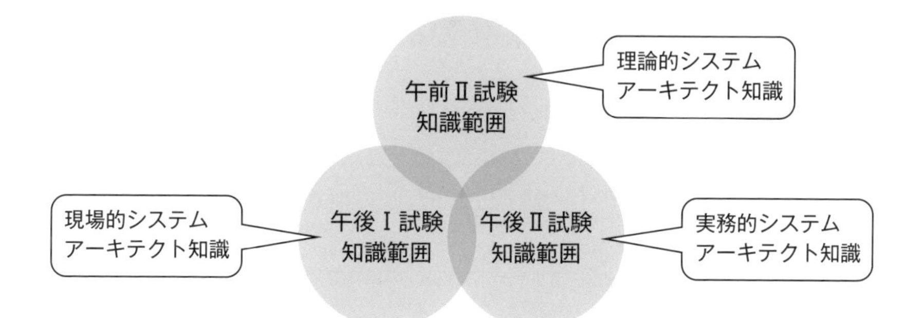

三つの試験では，これらの知識を使って**問題を解く方法が全く異なる**。午前Ⅱ試験ではキーワード（キーフレーズ）を用いて解く。午後Ⅰ試験は事例（ケーススタディ）を読みとって解く。午後Ⅱ試験は知識と経験を材料にして論文を作成する。このように，三つの試験の解く方法が全く異なるので，試験対策はそれぞれに用意する必要がある。

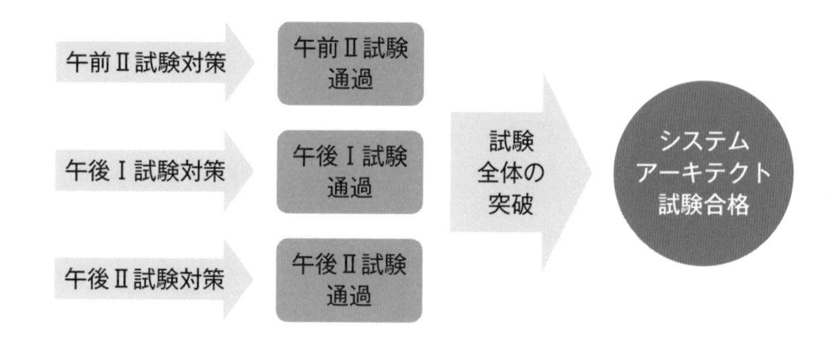

2 午前Ⅱ試験の分析と突破法

午前Ⅱ試験を突破するためには，頻出キーワード（キーフレーズ）にどのようなものがあるのかを知り，頻出キーワードを中心に，学習することが効率的である。

2.1 午前Ⅱ試験の分析

1 午前Ⅱ問題の仕組み

問7　プログラムの構造化設計におけるモジュール分割技法の説明のうち，適切なものはどれか。

キーワード
キーフレーズ

ア　STS分割は，データの流れに着目してプログラムを分割する技法であり，入力データの処理，入力から出力への変換処理及び出力データの処理の三つの部分で構成することによって，モジュールの独立性が高まる。

イ　TR分割は，データの構造に着目してプログラムを分割する技法であり，オンラインリアルタイム処理のように，入力トランザクションの種類に応じて処理が異なる場合に有効である。

ウ　共通機能分割は，データの構造に着目してプログラムを分割する技法であり，共通の処理を一つにまとめ，モジュール化する。

エ　ジャクソン法は，データの流れに着目してプログラムを分割する技法であり，バッチ処理プログラムの分割に適している。

▶午前Ⅱ問題（一部）

午前Ⅱ試験では，４択問題が25問出題される。どの問題も，**キーワード（キーフレーズ）に関する問いかけ**となっており，受験者は四つの選択肢から最も適合する選択肢を探す。

2 頻出キーワード

過去の午前Ⅱ問題から頻出キーワード（キーフレーズ）を抽出し，次表に整理した。これらについてはしっかりマスターしよう。

▶午前Ⅱ問題・頻出キーワード（キーフレーズ）一覧

システム開発の全体像	ソフトウェア構成決定　システム処理方式　ソフトウェアライフサイクルプロセス
要件定義	システム化計画　ソフトシステムズ方法論　非機能要件　BCP　DR（ディザスタリカバリ）　RTO（Recovery Time Objective）　RPO（Recovery Point Objective）　BABOK
モデル化手法	DFD　ERD（E-R図）　UML　業務プロセスの可視化　イベント駆動型アプリケーション　トップダウンアプローチ　ボトムアップアプローチ　ペトリネット　クラス図　ユースケース図　アクティビティ図　シーケンス図　コミュニケーション図　BPMN（Business Process Model and Notation）　CRUDマトリックス（エンティティ機能関連マトリックス）　決定表
設計手法	構造化設計　モジュール設計　モジュール強度　モジュール結合度　データ中心アプローチ　クラス図　多相性　part-of関係　is-a関係　GoFのデザインパターン　STS分割　開放・閉鎖原則　境界オブジェクト　ユースケース駆動開発　マイクロサービスアーキテクチャ
プログラム言語	論理型プログラミング　MapReduce
テストの知識	動的テスト　カバレッジモニタ　ブラックボックステスト　同値分割　限界値分析　実験計画法　直交表　判定条件網羅（分岐網羅）　アサーションチェック　システム適格性確認テスト
保守・運用	予防保守　運用テスト
品質管理	品質特性　アシュアランスケース　レビュー　デザインレビュー　ウォークスルー　インスペクション
開発管理その他	ウォーターフォールモデル　スパイラルモデル　プロトタイプモデル　段階的モデル　進化的モデル　開発ライフサイクルモデル　クロス開発　ドメインエンジニアリング　ペアプログラミング　マッシュアップ　アジャイル　スクラム　レトロスペクティブ　請負契約　WTO政府調達協定　構成管理
システム戦略	ビジネスモデルキャンバス　エンタープライズアーキテクチャの参照モデル　投資効果のNPVによる評価　キャッシュフローの現在価値　投資効果のPBPによる評価　プログラムマネジメント　全体最適化　全社レベルの業務モデル
コンピュータ技術	命令パイプライン　マルチプロセッサの性能　アムダールの法則　SVC割込み　ページング　キャッシュメモリ
システム構成技術	ロードバランサー　DAS　NAS　SAN　RAID　稼働率　フォールトトレランス　フェールソフト　シン・プロビジョニング　グリッドコンピューティング
データベース技術	コミット　ロールバック　ロールフォワード　データベースの障害回復　データクレンジング
ネットワーク技術	VoIPゲートウェイ　PBX
セキュリティ技術	AES　暗号技術　共通鍵暗号方式　デジタル署名　デジタル証明書　CRL　OCSP　SMTP-AUTH　クロスサイトスクリプティング　ファジング　脆弱性検査手法　WAF　NOTICE

2.2 午前Ⅱ試験の突破法

1 キーワード学習

試験に出題されたキーワードの意味や内容を確実に習得する。本書の「第１部　システム開発の知識」「第２部　関連知識」では，15の分野に分け，分野ごとに「知識解説」と「確認問題」を設けているため，短時間で効率良く，キーワードを学習することができる。

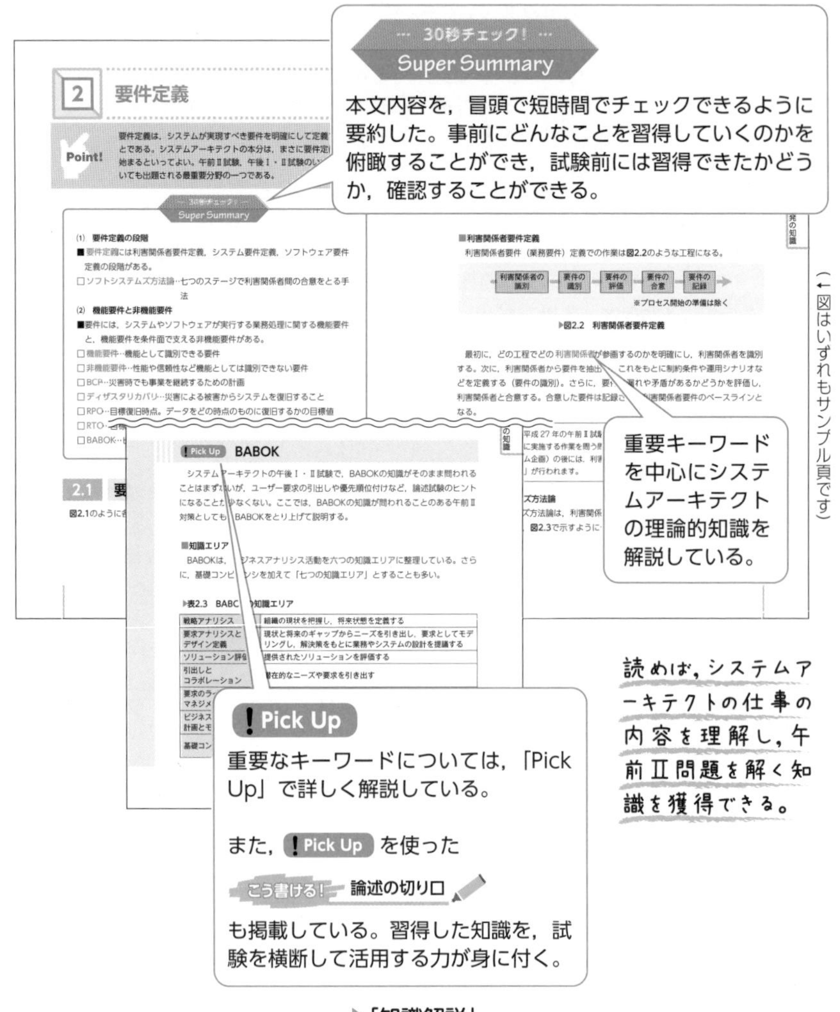

▶「知識解説」

2 キーワード問題演習

「確認問題」を解けば，学習したことが習得できているかを確認することができる。正解できなかった場合には，再度学習して知識の定着を図ろう。

■知識解説

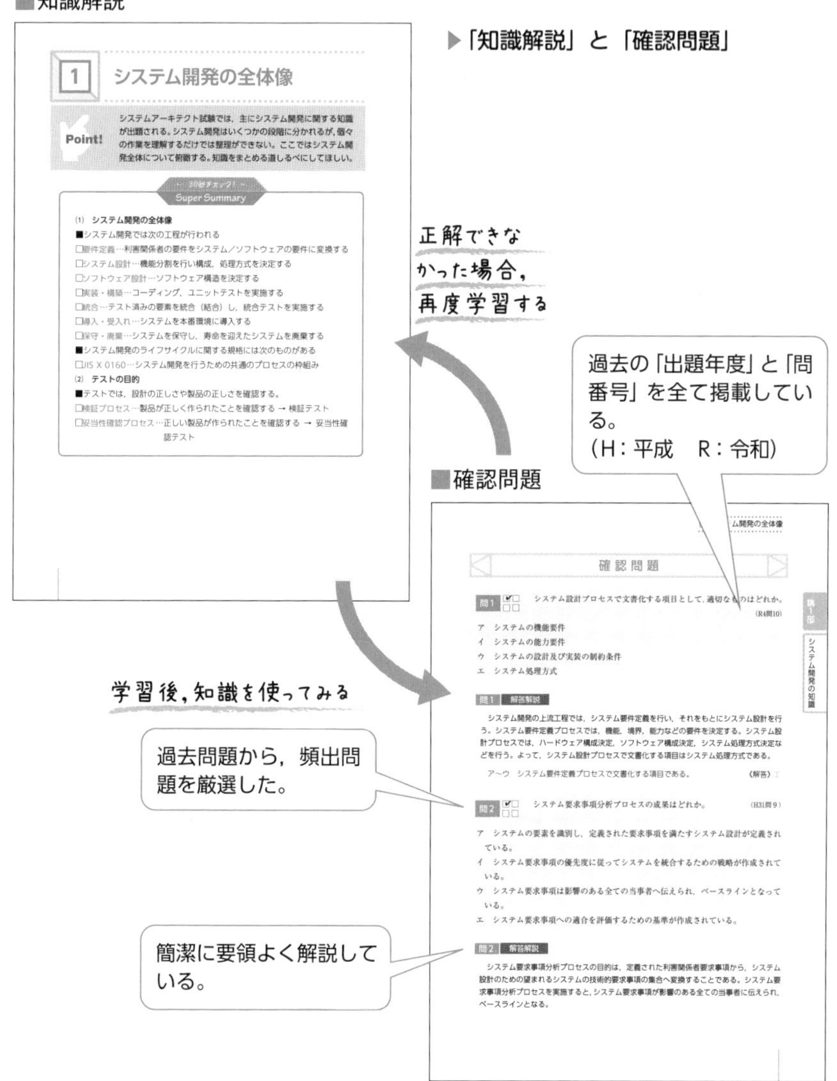

午後Ⅰ試験の分析と突破法

午後Ⅰ問題の仕組みを理解し，設問が求めている解答を作成することが重要である。設問が求めている解答は，三段跳び法で作成しよう。

3.1 午後Ⅰ試験の分析

1 午後Ⅰ問題の仕組み

■問題文

問1　仕入れ納品システムの変更に関する次の記述を読んで，設問1～3に答えよ。

A社は，約500店舗を展開する中堅コンビニエンスストアである。このたび，他社との差別化を図るために，精肉を販売することを決定し，A社の仕入れ・納品の仕組み，及び取引先であるB社の商品加工ラインの仕組みを変更することになった。

〔現在の業務及びシステムの概要〕

A社では，商品を仕入れる取引先は，商品によって一意に決まっている。A社が取引先から仕入れる価格を原価，A社が店舗で販売する価格を売価という。また，商品1個当たりの原価を原単価，商品1個当たりの売価を売単価という。これらの単価及び取引先は商品マスタに登録されている。取引先での処理に必要なマスタ情報は，A社から取引先に送信され，共有されている。

現在の仕入れ納品システム（以下，現行システムという）を用いた，注文から検品に至る各業務の流れは次のとおりである。

(1)　注文業務

・店舗では，発注用端末を使って，商品ごとに数量を入力して発注データを作成する。

・店舗から本部への発注データの送信は随時可能である。本部では，毎日，発注データの締め処理を行い，商品マスタを用いて，それぞれの商品に対応した取引先及び納品予定日を決定して，注文ファイルに登録する。また，このとき，取引先ごとに商品別の合計数量を求めて，注文速報データを作成し，取引先に送信する。取引先は，注文速報データを基に，商品をそろえる。生鮮食品については，毎日8時に発注データを締めて取引先に送信

■解答

設問1………

設問2………

設問3………

■設問

設問1　〔変更の概要〕について，(1)～(3)に答えよ。

(1)　不定貫商品について，B社から納品伝票データ及び納品明細データを送信してもらうように変更したのはなぜか。その理由を25字以内で述べよ。

(2)　商品マスタに新たに追加する属性がある。その内容を20字以内で述べよ。

(3)　商品マスタの中に，従来と異なる意味をもたせる属性が二つある。新たにもたせる

▶午後Ⅰ問題（一部）

午後Ⅰ問題は，事例を説明する「問題文」と「設問」から構成される。とり上げている事例はシステムアーキテクトが関わった事例であり，問題文で詳細に説明されて

いる。**設問の問いかけに該当する，解答材料となる文章**を問題文から見つけ，それをもとに設問の問いかけに対する**適切な解答**を作成していく。

2 問題テーマ

午後Ⅰ試験の問題テーマは，システムアーキテクトの最重要業務である「システムアーキテクチャの設計」が柱になっている。設計が「新規システムの構築」であるか，「既存システムの改善」であるかによって，問題は大きく二つに分類できる。どちらも新たなシステムアーキテクチャを設計することを話題にしているが，設計作業のアプローチに違いがある。

既存システムの改善

▶本書掲載の午後Ⅰ問題・問題テーマ一覧

分野	問番	問題テーマ	出題年度
令和6年度出題	問1	会員向けサービスに関わるシステム改善	R6問2
新規システムの構築	問2	新たなコンタクトセンタシステムの構築	R4問1
	問3	融資りん議ワークフローシステムの構築	R3問3
	問4	サービスデザイン思考による開発アプローチ	R元問1
	問5	容器管理システムの開発	R元問2
	問6	情報開示システムの構築	H30問2
既存システムの改善	問7	システム再構築における移行計画	R5問1
	問8	企業及び利用者に関する情報の管理運用の見直し	R3問1
	問9	システムの改善	H30問1
	問10	ETCサービス管理システムの構築	H30問3
	問11	生産管理システムの改善	H29問2

3.2 午後Ⅰ試験の突破法

1 三段跳び法

午後Ⅰ問題では，設問の要求事項に対して解答を作成する。つまり，**受験者の経験ではなく，問題文で説明されている事例を踏まえて**，解答を記述していかなければならない。そのためには，**ホップ，ステップ，ジャンプの三段跳び法が有効である。**

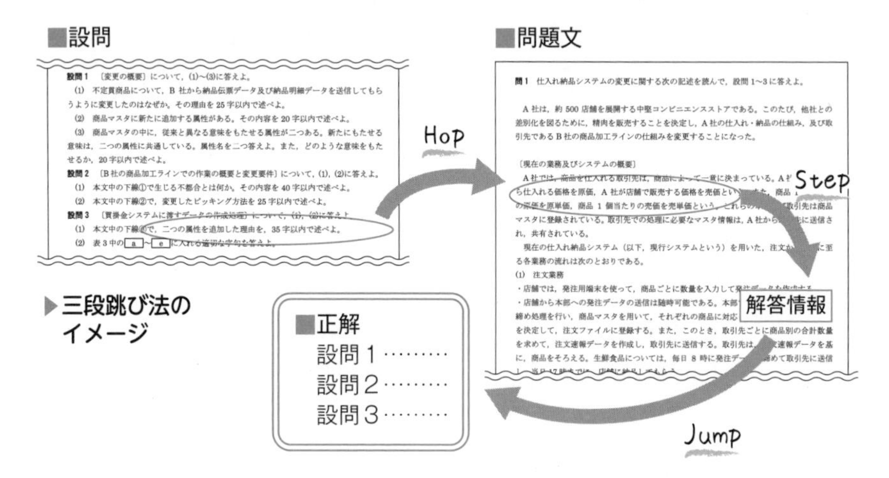

▶三段跳び法のイメージ

三段跳び法ではまず，設問の要求事項のキーワードをもとに問題文のキーワードへホップする。次に，ホップした問題文のキーワードから問題文の解答情報へステップする。最後に，発見した解答情報から正解へジャンプする。三段跳び法は本書の「第３部 午後Ⅰ試験対策」で詳しく説明している。

▶三段跳び法（本書第3部）

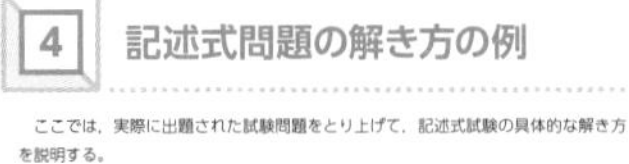

4 記述式問題の解き方の例

ここでは，実際に出題された試験問題をとり上げて，記述式試験の具体的な解き方を説明する。

最初に，問題文の読み方として，悪いことや目立った現象，数字や例，唐突な事実などに注意して，線を引いた例を示す。この例では，説明のために線を引いた理由も示しているが，実際に問題演習をする場合には，理由を書き込む必要はない。

具体例　食品製造業の基幹システムの改善―H25問3

問3　食品製造業の基幹システムの改善に関する次の記述を読んで，設問1～4に答えよ。

食品の製造を行っているF社では，売上拡大への対応，顧客満足度の向上並びに業務の効率化及び省力化を目指し，基幹システムの改善に取り組んでいる。

〔改善対象となった現行の業務及び関連する基幹システムの概要〕

改善対象となった現行の業務及び関連する基幹システムの概要は，次のとおりである。

(1)　受注処理

(a)　得意先からの注文は，翌日出荷分から数週間先の出荷分までまとめて送られてくるが，翌日出荷分の注文だけをシステムに受注登録している。翌々日以降の出荷分の注文（以下，先日付の受注という）は人手で台帳管理している。先日付の受注は，生産計画に反映させるために，受注部門から生産管理部門に集計表が渡されている ➡ 唐突な事実 。

(b)　受注登録時にシステムで与信限度のチェックを行う。与信限度のチェックは，得意先ごとに次の計算式で行っている。

①今回受注登録額≦与信限度額－前月末売掛金残高－当月売上高＋当月入金額 ➡ 具体的な公式

(c)　受注登録後，受注受付順にシステムで製品在庫を引き当てる。製品の欠品時は，受注を一旦取り消し，得意先との間で受注数量変更，納期変更などの調整を行った後，再度受注登録している。

(2)　出荷処理

(a)　製品在庫引当処理後，在庫が引き当てられた注文の出荷伝票を発行している。

(b)　得意先へは，工場内に1か所ある製品倉庫から，製品在庫として先に入庫されたものから先に出荷している ➡ 目立った現象 。出荷に当たっては，前回出荷した製品の賞味期限は考慮していない ➡ 悪いこと 。

(3)　製品在庫管理

(a)　製造された製品は，製品倉庫に入庫される。工場部門での製品製造実績登録によって，実在庫及び引当可能在庫の入庫計上をシステムで行う。

(b)　製品在庫引当処理時に引き当てた分について，引当可能在庫の出庫計上をシステムで行う。また，出荷実績登録によって実在庫の出庫計上をシステムで行う。

(c)　製品の賞味期限は，人手で台帳管理している ➡ 悪いこと 。

(d)　工場での製品の1回の製造単位を，製品ロットという。製品ロットには，一意な製品ロット番号が付与され，システム上で管理されている ➡ キーワード 。

(4)　原材料在庫管理

(a)　原材料は，購買先からの納品・検品の後，工場内に1か所ある原材料倉庫に入庫され，製造現場からの払出し要求によって出庫される。

(b)　原材料の在庫は，原材料倉庫での入出庫実績を登録することによってシステムで管理している。製造現場に未使用分の原材料が残ることがあり，それは人手で台帳管理している ➡ 悪いこと 。

(c)　購買先からの1回の納品単位を，原材料ロットという。原材料ロットには，一意な原材料ロット番号が付与され，人手で台帳管理している ➡ キーワード 。

(d)　原材料の賞味期限は，人手で台帳管理している。

〔現行システムに対する改善要件〕

業務の改善を検討した結果，現行システムに対して次のような改善を行うことにした。

(1)　受注処理

(a)　先日付の受注もシステムに登録し，未出荷分の受注に対して受注残高管理を行う。受注残高は，得意先ごとに，前回までに入力された受注のうち未出荷分の受注金額合計として算出する ➡ 目立った決定 。

(b)　今回受注した，先日付の受注も含む金額を，今回受注登録額として，前回までに入力された先日付の受注も加味した与信限度のチェックを行う ➡ 目立った決定 。

(c)　受注登録されたデータは，基幹システムを構成する既存の生産管理システムに渡す ➡ 目立った決定 。

(d)　受注に対する製品の引き当ては，翌日出荷分について製品ロット別に行う ➡ 目立った決定 。

(2)　出荷処理

(a)　賞味期限が逆転するような出荷を防止するために，得意先ごとに，前回出荷した製品よりも賞味期限の日付が新しい製品を出荷する ➡ よいこと 。

(b)　受注数量に満たなくても，在庫がある分だけでも出荷できるような出荷指示を行う ➡ 目立った決定 。

(3)　製品在庫管理

(a)　製品ロット別の入出庫処理及び在庫管理を行う。

(b)　製品の賞味期限は，システムで管理する。賞味期限切れの製品は処分され，システムの管理対象から除外される ➡ 目立った決定 。

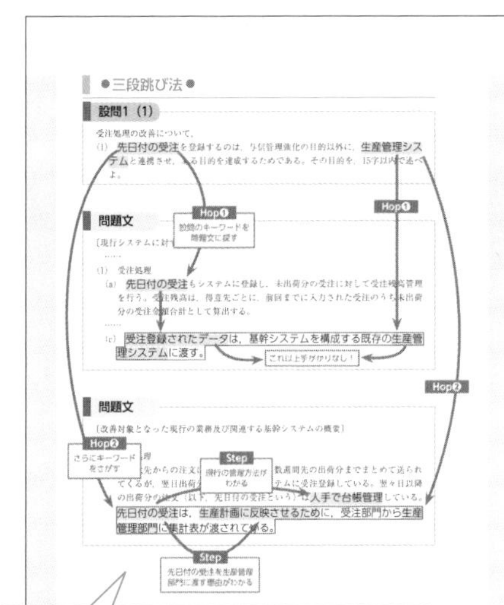

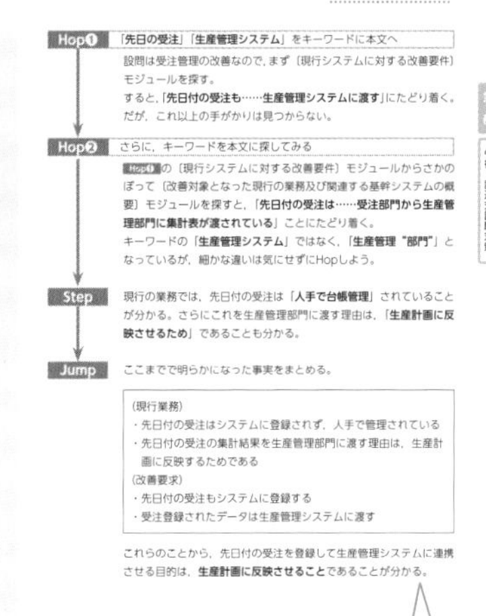

Hop❶　「先日の受注」「生産管理システム」をキーワードに本文へ

設問は受注管理の改善なので，まず〔現行システムに対する改善要件〕モジュールを探す。
すると，「**先日付の受注も……生産管理システムに渡す**」にたどり着く。
だが，これ以上の手がかりは見つからない。

Hop❷　さらに，キーワードを本文に探してみる

Hop❶の〔現行システムに対する改善要件〕モジュールからさかのぼって〔改善対象となった現行の業務及び関連する基幹システムの概要〕モジュールを探すと，「**先日付の受注は……受注部門から生産管理部門に集計表が渡されている**」ことにたどり着く。
キーワードの「**生産管理システム**」ではなく，「**生産管理"部門"**」となっているが，細かな違いは気にせずにHopしよう。

Step　現行の業務では，先日付の受注は「**人手で台帳管理**」されていることが分かる。さらにこれを生産管理部門に渡す理由は，「**生産計画に反映させるため**」であることも分かる。

Jump　ここまでで明らかになった事実をまとめる。

(現行業務)
・先日付の受注はシステムに登録されず，人手で管理されている
・先日付の受注の集計結果を生産管理部門に渡す理由は，生産計画に反映するためである
(改善要求)
・先日付の受注もシステムに登録する
・受注登録されたデータは生産管理システムに渡す

これらのことから，先日付の受注を登録して生産管理システムに連携させる目的は，**生産計画に反映させること**であることが分かる。

実際に出題された問題を使い，三段跳び法を視覚的に展開している。三段跳び法を感覚的に身につけることができる。

前頁の三段跳び法の展開に基づき，解答プロセスを詳しく解説している。問題文の事例を踏まえた正解を導くためのプロセスがよく分かる。

2 三段跳び法の問題演習

解き方の例で三段跳び法を理解したら，「第3部　5記述式問題の演習」を活用して解き方に慣れよう。

最近の記述式問題は，設計対象となるシステムの規模が小さくなってきている。さらに，システム開発における作業を特定の作業に絞り込まず，要件定義からシステム設計までの広い範囲を対象にしている。また，機能要件と非機能要件のいずれかに焦点を当てるのではなく，両方をとり上げたシステムアーキテクチャの設計をテーマにしている。

問題は，事例を説明する問題文と解答を問う設問から構成されている。問題を解くということは，設問の要求に合った解答のヒントを問題文から探し，解答を作成するということである。解答は，事例の内容と無関係な一般的なものではなく，事例の内容に完全に依存したものとなることを忘れてはいけない。

本書では，設計作業のアプローチの違いによって，「新規システムの構築」と「既存システムの改善」の二つに問題を分類しており，問2から問6が「新規システムの構築」，問7から問11が「既存システムの改善」，問1は最新の試験問題で「既存システムの改善」に分類できる。

最新問題

問1 会員向けサービスに関わるシステム改善（出題年度：R6問2）

会員向けサービスに関わるシステム改善に関する次の記述を読んで，設問に答えよ。

E社は，カードローン事業を全国に展開する大手消費者金融会社である。E社は，カードローンの契約を締結した顧客（以下，会員という）に各種サービス（以下，会員サービスという）を提供している。現在，会員の利便性向上と業務の効率化を目的

▶本書第3部　5記述式問題の演習

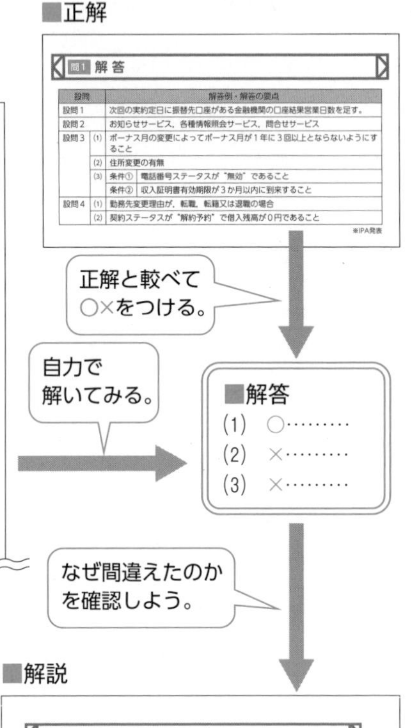

問1 解答

設問		解答例・解答の要点
設問1		次回の実約定日に振替先口座がある金融機関の口座結果営業日数を足す。
設問2		お知らせサービス，各種情報照会サービス，問合せサービス
設問3	(1)	ボーナス月の変更によってボーナス月が1年に3回以上とならないようにすること
	(2)	住所変更の有無
	(3)	条件①　電話番号ステータスが"無効"であること
		条件②　収入証明書有効期限が3か月以内に到来すること
設問4	(1)	勤務先変更理由が，転職，転籍又は退職の場合
	(2)	契約ステータスが"解約予約"で借入残高が0円であること

※IPA発表

問1 解説

〔設問1〕

〔現在の会員サービスと関連システムの概要〕で，関連システムの仕様を確認する。「基幹システムでは，金融機関に口座振替を依頼し，金融機関から口座振替の結果を受領した日に借入残高を更新している」「口振結果営業日数は金融機関によって異なるので，基幹システムの金融機関マスターで管理している」とある。これらから，金融機関から口座振替の結果を受領した日が，借入残高の更新日であることが分かる。続いて，口振結果営業日数について確認する。すると，〔E社のカードローンの概要〕に「実際に口座から引き落としする日（以下，実約定日という）」「口座から正常に引き落とすことができたかどうかを金融機関がE社に連携するまでには数営業日掛かる（以下，この期間を口振結果営業日数という）」が見つかる。これらから，振替先口座がある金融機関において実約定日に口座振替が行われ，口振結果営業日数を経過した後に，金融機関からE社は口座振替の結果を受領することが分かる。

以上から，口座振替は実約定日に行われるが，その結果をE社がシステムに反映するのは，金融機関ごとに異なる口振結果営業日数を経過した後であることが分かる。よって，導出方法は，**次回の実約定日に振替先口座がある金融機関の口振結果営業日数を足す**となる。

〔設問2〕

〔システム改善の方針〕に「契約ステータスに"解約予約"の値を追加する」「契約

4 午後Ⅱ試験の分析と突破法

Point!

午後Ⅱ問題の仕組みを理解し，独りよがりな論文ではなく，問題文と設問が求めている論文を作成することが重要である。ユニット法を用いて文章を積み重ねていこう。

4.1 午後Ⅱ試験の分析

1 午後Ⅱ問題の仕組み

午後Ⅱ問題は，およそ１頁分の短い問題文で，設問の指示に合った論述を求められる。知識と経験だけでなく，論文作成能力が問われる試験である。

午後Ⅱ試験の評価項目は，三つある。一つ目は，設問の要求事項を満たした内容になっているかの「**設問要求の充足性**」である。二つ目は，論述が問題の意図した内容になっているかの「**論述の妥当性**」である。三つ目は，論述が表面的なものではなく，受験者の知識と経験が具体的に述べられているかの「**論述の具体性**」である。

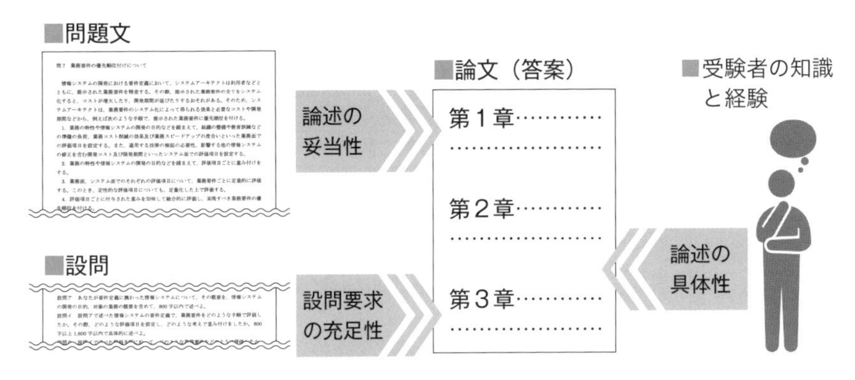

▶午後Ⅱ問題の仕組み

2 問題テーマ

午後Ⅱ試験の問題テーマは，午後Ⅰ試験と同様にシステムアーキテクトの最重要業務である「システムアーキテクチャの設計」が柱になっている。いずれも新システムアーキテクチャの設計が話題となっているが，設計作業のアプローチの違いによって「新規システムの構築」と「既存システムの改善」に分けることができる。

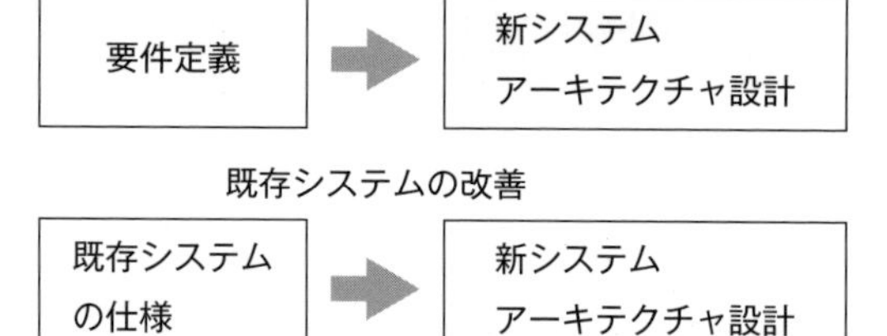

▶本書掲載の午後Ⅱ問題・問題テーマ一覧

分野	問番	問題テーマ	出題年度
令和６年度出題	問１	バッチ処理の設計	R6問２
新規システムの構築	問２	アジャイル開発における要件定義の進め方	R3問１
	問３	ユーザビリティを重視したユーザインタフェースの設計	R元問１
	問４	業務ソフトウェアパッケージの導入	H30問２
	問５	非機能要件を定義するプロセス	H29問１
	問６	柔軟性をもたせた機能の設計	H29問２
既存システムの改善	問７	デジタルトランスフォーメーションを推進するための情報システムの改善	R5問１
	問８	業務のデジタル化	R4問２
	問９	情報システムの機能追加における業務要件の分析と設計	R3問２
	問10	業務からのニーズに応えるためのデータを活用した情報の提供	H30問１

4.2 午後Ⅱ試験の突破法

1 ユニット法

午後Ⅱ試験の三つの評価項目「設問要求の充足性」「論述の妥当性」「論述の具体性」を満たす論文を作成するには，ユニット法が効果的である。ユニット法は本書の「第4部　午後Ⅱ試験対策」で詳しく説明している。

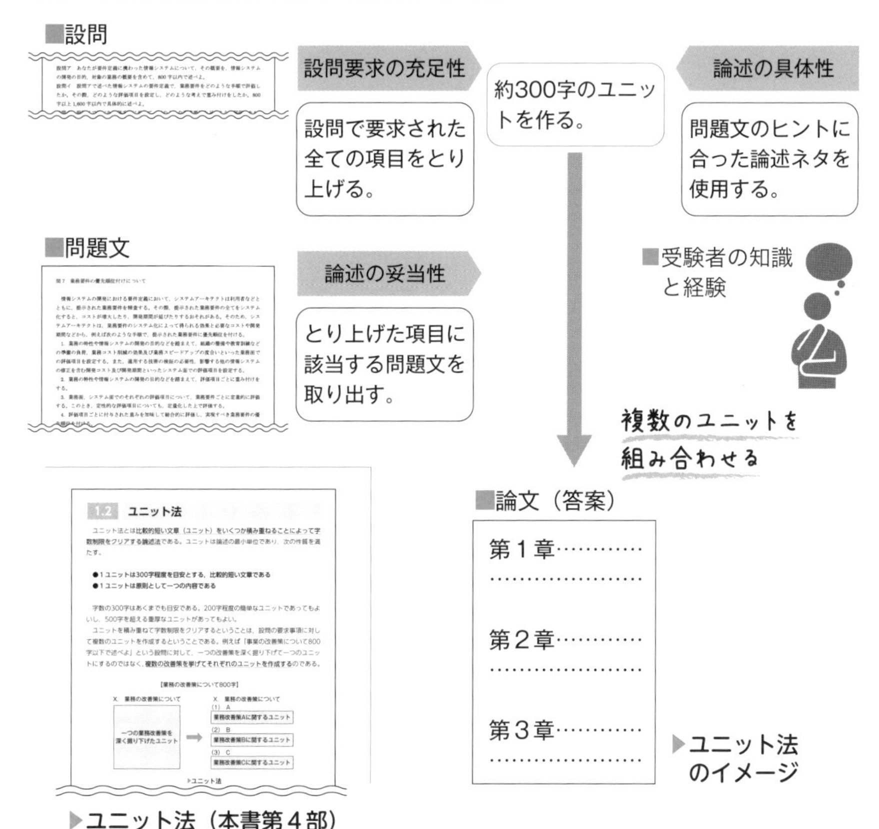

▶ユニット法（本書第4部）

▶ユニット法のイメージ

2 ユニット法の問題演習

ユニット法を，「第4部　3論述式問題の演習」を活用して，身に付けよう。「問題分析シート」と「論文設計シート」を作成すると，論文を組み立てやすくなる。

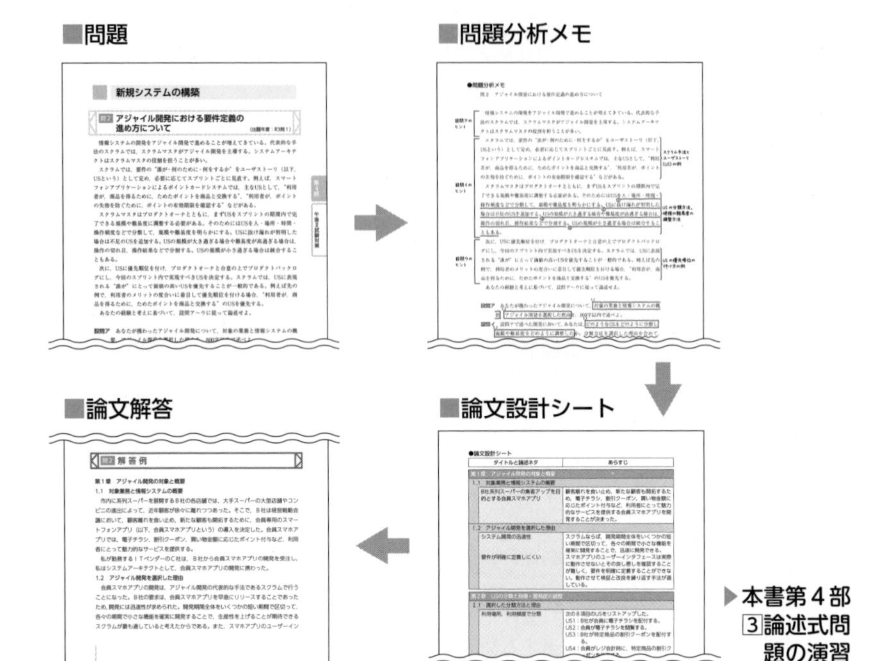

3 論文解答を書くためのテクニック

ユニット法の他に，ステップ法，自由展開法，“そこで私は”展開法，“最初に，次に”展開法も解説している。いろいろなテクニックを用いて的確な論文解答を書き上げ，合格を果たしてほしい。

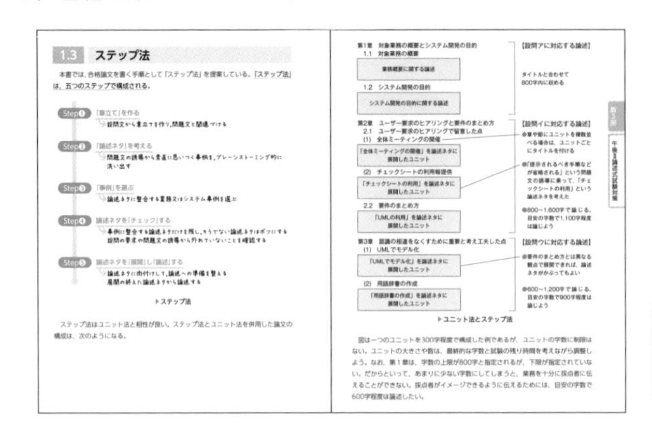

▶ステップ法
（本書第4部）

五つのステップを踏んで論文を組み立てる。

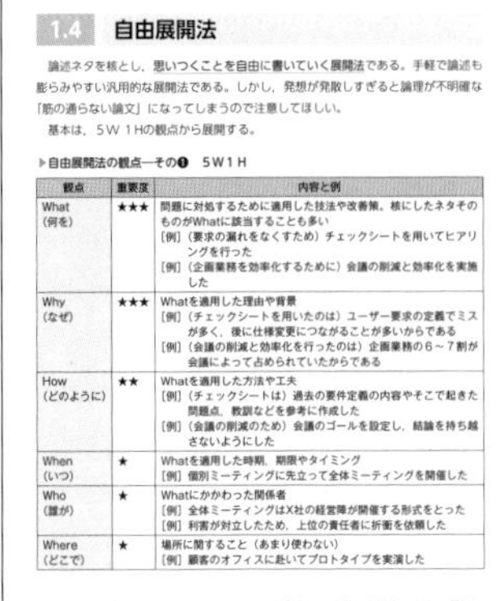

1.4 自由展開法

論述ネタを核とし，思いつくことを自由に書いていく展開法である。手軽で論述も膨らみやすい汎用的な展開法である。しかし，発想が発散しすぎると論理が不明確な「筋の通らない論文」になってしまうので注意してほしい。

基本は，５W１Hの観点から展開する。

▶自由展開法の観点―その❶　5W1H

観点	重要度	内容と例
What（何を）	★★★	問題に対処するために適用した技法や改善策。核にしたネタそのものがWhatに該当することも多い ［例］（要求の漏れをなくすため）チェックシートを用いてヒアリングを行った ［例］（企画業務を効率化するために）会議の削減と効率化を実施した
Why（なぜ）	★★★	Whatを適用した理由や背景 ［例］（チェックシートを用いたのは）ユーザー要求の定義でミスが多く，後に仕様変更につながることが多いからである ［例］（会議の削減と効率化を行ったのは）企画業務の６～７割が会議によって占められていたからである
How（どのように）	★★	Whatを適用した方法や工夫 ［例］（チェックシートは）過去の要件定義の内容やそこで起きた問題点，教訓などを参考に作成した ［例］（会議の削減のため）会議のゴールを設定し，結論を持ち越さないようにした
When（いつ）	★	Whatを適用した時期，期限やタイミング ［例］個別ミーティングに先立って全体ミーティングを開催した
Who（誰が）	★	Whatにかかわった関係者 ［例］全体ミーティングはX社の経営陣が開催する形式をとった ［例］利害が対立したため，上位の責任者に折衝を依頼した
Where（どこで）	★	場所に関すること（あまり使わない） ［例］顧客のオフィスに赴いてプロトタイプを実演した

５W１Hの中でも，What，Why，Howは論述によく用いる観点である。展開に困った場合は，

- 何をしたのか？
- なぜしたのか？

■ 自由展開法の例

この例では，ヒアリングでユーザー要求の漏れを防ぐために「顧客企業への理解を深める」という論述ネタを，自由展開法で展開している。なぜ顧客企業への理解を深めるかといえば，理解不足のままでは要求に漏れが生じるからである。実際，企業や業界の暗黙の了解や商習慣などが省略され，要求の漏れとなることが知られている。では，どのようにすれば顧客企業への理解を深められるのだろうかと，どんどん発想を広げて展開する。

論述にあたっては，矢印の前後関係を考慮し，適切な接続詞で文をつないで論述する。筋が通らない展開はボツにし，論述しながら思いついた展開は書き加えていけばよい。

▶自由展開法（本書第４部）

論述ネタ（解答のネタ）を思いつくまま，自由に展開していく。

1.5 "そこで私は" 展開法

前提となる状況や条件を説明した上で，「そこで私は」と受けて対処や改善策などを述べる展開法である。自由展開法には及ばないものの，汎用的に使うことができるうえに，ほかの展開法にも流用できる。

前提から対処に展開するのが基本的な論述である。

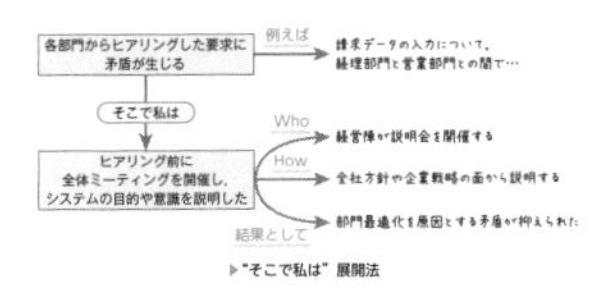

▶"そこで私は" 展開法

この展開法のよいところは，論理の筋が通りやすく，理路整然と論述できることである。論理がしっかりしているので，展開が少々ぶれてもなんとか収めることができる。また，前提と対処の二段階に分けて展開するので，前段と後段の展開の難易度を低くできる。ただ，ユニットを書くのに時間がかかることが難点である。しかし，慣れてしまえばそれほど大変ではない。

論述例

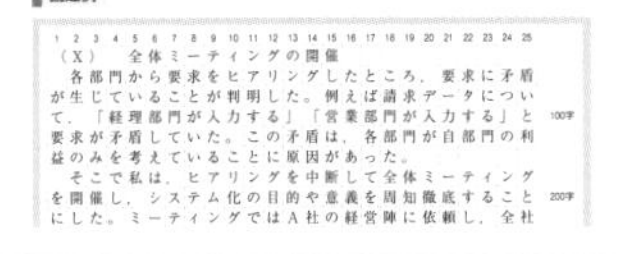

（X）　全体ミーティングの開催
　各部門から要求をヒアリングしたところ，要求に矛盾が生じていることが判明した。例えば請求データについて，「経理部門が入力する」「営業部門が入力する」と要求が矛盾していた。この矛盾は，各部門が自部門の利益のみを考えていることに原因があった。
　そこで私は，ヒアリングを中断して全体ミーティングを開催し，システム化の目的や意義を周知徹底することにした。ミーティングではA社の経営陣に依頼し，全社

▶"そこで私は" 展開法（本書第４部）

前提となる状況や条件を挙げた上で，「そこで私は」と受けて対処法や改善策を展開していく。

1.6 "最初に，次に" 展開法

実務手順を展開するのに，ぴったりの方法である。どのように実施したか（あるいはどのように実施するのか）が求められる要求事項に対して，経験上の手順を，「最初に…」「次に…」と列挙していく展開法である。

この展開法は手順を説明するため，一般的に論述量が多くなり，比較的簡単に字数制限をクリアできるというメリットがある。ネタに乏しく，制限字数に満たないおそれがあるとき，この展開法はとても有効である。

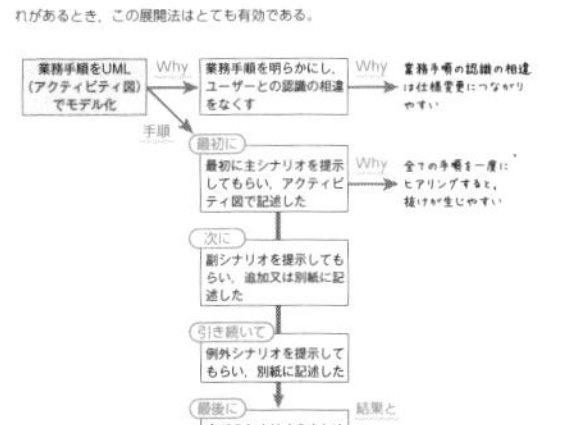

▶"最初に，次に" 展開法（本書第４部）

経験上の手順を「最初に」「次に」と列挙していく。実務手順を展開するのに向いている。

システム開発の知識
午前Ⅱ試験対策

システム開発の全体像

システムアーキテクト試験では，主にシステム開発に関する知識が出題される。システム開発はいくつかの段階に分かれるが，個々の作業を理解するだけでは整理ができない。ここではシステム開発全体について俯瞰する。知識をまとめる道しるべにしてほしい。

… 30秒チェック！ …

Super Summary

⑴ **システム開発の全体像**

■システム開発では次の工程が行われる

□要件定義…利害関係者の要件をシステム／ソフトウェアの要件に変換する

□システム設計…機能分割を行い構成，処理方式を決定する

□ソフトウェア設計…ソフトウェア構造を決定する

□実装・構築…コーディング，ユニットテストを実施する

□統合…テスト済みの要素を統合（結合）し，統合テストを実施する

□導入・受入れ…システムを本番環境に導入する

□保守・廃棄…システムを保守し，寿命を迎えたシステムを廃棄する

■システム開発のライフサイクルに関する規格には次のものがある

□JIS X 0160…システム開発を行うための共通のプロセスの枠組み

⑵ **テストの目的**

■テストでは，設計の正しさや製品の正しさを確認する。

□検証プロセス…製品が正しく作られたことを確認する → 検証テスト

□妥当性確認プロセス…正しい製品が作られたことを確認する → 妥当性確認テスト

1.1 システム開発の全体像

システム開発は，**図1.1**の段階を実施することで行われる。

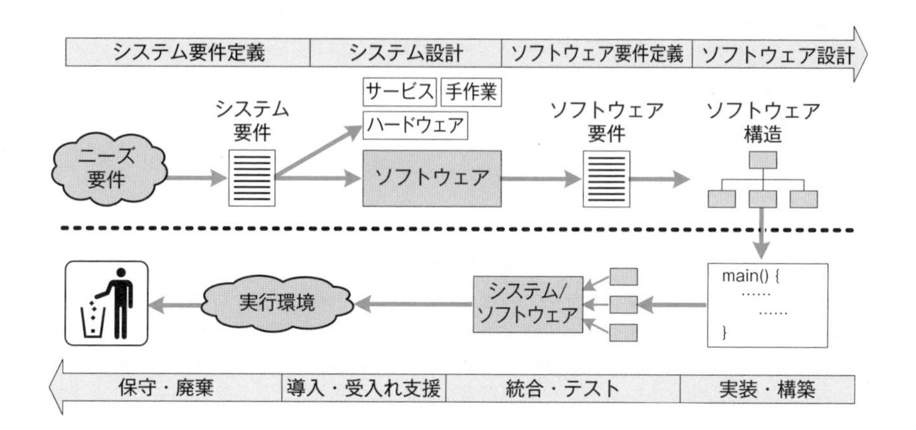

▶図1.1　システム開発の順序

図1.1の上段は，「システムの定義・設計」の過程を表している。システム企画で企画されたシステムに対して，利害関係者のニーズや要望が利害関係者要件（業務要件）としてとりまとめられる。利害関係者要件は，“システム要件定義”でシステムが実現すべき技術的要件であるシステム要件に変換される。各システム要件は，“システム設計”においてハードウェア，ソフトウェア，サービス，手作業のどれで実現するかが決定される。ソフトウェアで実現すると決定されたシステム要件は，“ソフトウェア要件定義”を経てソフトウェアに必要な機能や能力であるソフトウェア要件に変換される。ソフトウェア要件をもとに，“ソフトウェア設計”でソフトウェアユニットが識別され，ソフトウェア構造が設計される。

図1.1の下段は，「システムの統合・導入」の過程を表している。“ソフトウェア設計”で識別された各ソフトウェアユニットに対して，“実装・構築”でコーディングが行われ，ユニットテスト（単体テスト）が実施される。ユニットテストを終えたソフトウェアユニットは，“統合・テスト”で順次統合される。統合が完了したシステムは，“導入・受入れ支援”において受入れテストを経て実行環境に導入される。そして，実行環境に導入されたシステムは，“保守・廃棄”で適宜保守を受けながら，廃棄されるまで運用が続けられる。

表1.1に，各工程で行う作業概要を示す。

▶表1.1　各工程の作業概要

工程	作業内容
システム要件定義／ソフトウェア要件定義	利害関係者のニーズや要件を，技術的なシステム要件やソフトウェア要件に変換する。
システム設計	システムの機能をハードウェア，ソフトウェア，サービス，手作業に分割し，システムの処理方式を決定する。
ソフトウェア設計	ソフトウェアの構成要素（ソフトウェアユニットなど）とソフトウェア構造を設計する。
実装・構築	ソフトウェアユニットを作成（コーディング）し，ユニットテスト（単体テスト）を実施する。
統合・テスト	ソフトウェアの構成要素を統合（結合）し，統合テスト（結合テスト）を実施する。統合されたソフトウェア，システムに対し検証テストを実施する。
導入・受入れ支援	システムを運用環境に導入し，受入れテストを実施する。妥当性確認テストを実施する。
保守・廃棄	システムの保守を行う。システムを廃棄する。

システム要件は，システム開発における要件のベースラインとなります。システム要件は優先順位が付けられ，承認され，影響のある全ての利害関係者に伝達されます。

■JIS X 0160（ソフトウェアライフサイクルプロセス）

JIS X 0160は，ソフトウェアのライフサイクルを定義し，システム開発を行うための共通のプロセスの枠組みを提供する規格である。国際規格であるISO/IEC/IEEE 12207をもとに策定された。情報処理技術者試験で採用されるライフサイクルは，JIS X 0160に準拠している。

■システムとソフトウェアの分割

システム設計やソフトウェア設計では，最終的なソフトウェア構造を設計するために，システムやソフトウェアの段階的な分割が行われる。

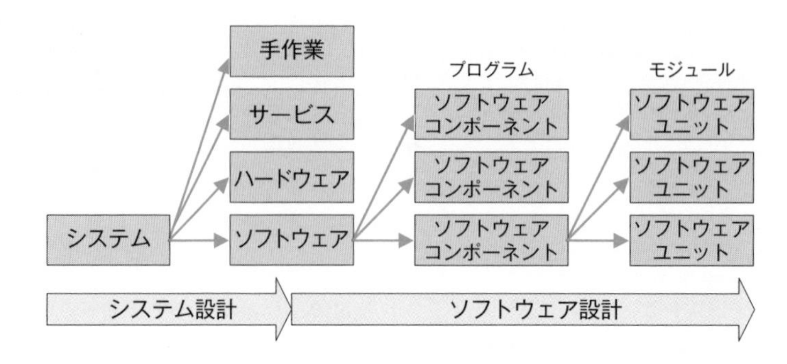

▶図1.2　システムとソフトウェアの分割

ソフトウェアコンポーネントは，ソフトウェアを構成する要素で，さらにソフトウェアコンポーネントを分解した最小単位がソフトウェアユニットである。ソフトウェアユニットは，「独立したテストの対象とすることができるソフトウェアの最小単位」ということができる。ソフトウェア設計では，開発するソフトウェアをソフトウェアユニットに分割し，その呼出し構造を設計する。

JIS X 0160では，システムやソフトウェアを表す様々な用語が定義されています。次に一例を挙げます。

ソフトウェアシステム：ソフトウェアが最も重要なシステム。従来のシステム

ソフトウェアシステム要素：ソフトウェアシステムを構成する要素。従来のサブシステム

ソフトウェアコンポーネント：従来のプログラムやモジュール

ソフトウェアユニット：従来のモジュール

1.2 テスト

システム開発の過程において，“実装・構築”のソフトウェアユニットの構築以降では各種のテストが行われる。

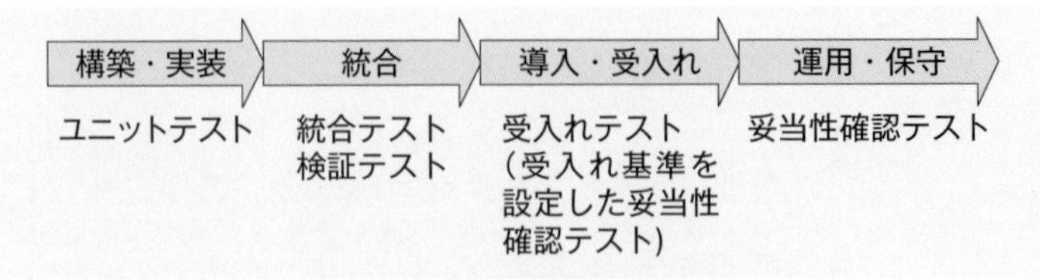

▶図1.3　システム開発の過程とテスト

ユニットテストは，ソフトウェアユニットを対象としたテストで，従来の**単体テスト**に相当する。**統合テスト**は，ソフトウェアユニットやソフトウェアコンポーネントの統合時に行うテストで，統合されたソフトウェアのインタフェースや機能が正しく動作することを確かめる。統合の完了したソフトウェアやシステムを対象に，**検証テスト**が実施される。検証テストは「対象が仕様どおりに作成され，仕様どおりに動作する」ことを確かめるテストである。

検証されたシステムは，本番環境へ導入される。これは，ユーザーからするとシステムの受入れになり，受入れ時には**受入れテスト**が行われる。受入れテストでは，ユーザーが設定した受入れ基準をシステムが満足しているかどうかを，ユーザーが確かめる。導入されたシステムは，寿命を迎えるまで保守を繰り返して運用される。運用を通して行われるテストが**妥当性確認テスト**である。妥当性確認テストは，システムが「意図された運用環境で意図された用途を達成する（ビジネス目標や利害関係者要件を満たす）」ことを確認するテストで，結果は利害関係者によって承認される。システム導入時に行われる受入れテストは，受入れ基準を設定した妥当性確認テストといえる。

■検証プロセスと妥当性確認プロセス

JIS X 0160には，検証プロセスと妥当性確認プロセスが定義されている。これらのプロセスで実施されるテストが，検証テストと妥当性確認テストである。

表1.2にそれぞれのプロセスの目的と，プロセスの主な適用場面をまとめておく。

▶表1.2　検証プロセスと妥当性確認プロセス

検証（verification）プロセス
製品が正しく作られたことを判断する →　作成されたソフトウェアが，仕様化された要件を満足する（ソフトウェア検証） →　ソフトウェア製品が要求事項に合致する（ソフトウェア適格性確認） →　システムの納品準備が整っている（システム適格性確認）
妥当性確認（validation）プロセス
正しい製品が作られたことを判断する →　提供されるシステムが，利用に適していることを確認する（受入れテスト） →　作成されたソフトウェアが，利用のための要件を満足する（ソフトウェア妥当性確認）

!Pick Up　システム設計

要件定義やシステム設計などの上流工程は，午前Ⅱ試験よりも午後Ⅰ・Ⅱ試験での出題が目立つ。そこで，ここではシステム設計について，過去問題を用いて深掘りしてみることにする。

■ システム設計の手順

システム設計は，大きく**図1.4**の手順で行われる。

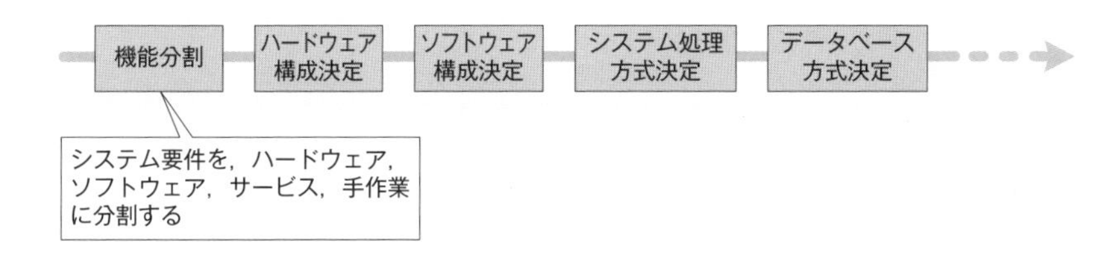

▶図1.4　システム設計の手順

システム設計の最上流で行う機能分割では，各システム要件をハードウェア，ソフトウェア，サービス，手作業に割り当て，ハードウェア構成決定やソフトウェア構成決定で，内訳（構成品目）を識別する。さらに，システム処理方式やデータベース方式を決定し，文書化する。

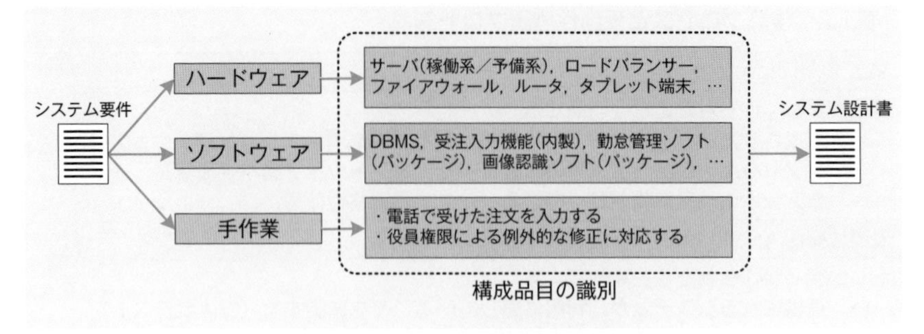

▶図1.5　システム設計書の作成

■ 過去問題に見るソフトウェア開発

システム設計の成功の鍵は，どのような業務をソフトウェアで自動化するかを決定し，手作業の範囲と明確に切り分けることである。では，具体的にどのような機能が自動化されたのか。いくつかの事例を午後Ⅰ試験の事例から拾い出したので，午後Ⅱ試験の論述ネタの参考にして欲しい。

平成25年午後Ⅰ問1

〈社員の安否確認システムの導入〉
大地震などの災害時に社員の安否を確認する業務について，安否確認を自動化した。具体的には，社員の緊急連絡先（メールアドレス又は電話番号）をあらかじめシステムに登録しておき，災害発生時に緊急連絡先がメールアドレスか電話番号かを自動判別し，メールの送信又は電話の発呼を行うようにした。

平成26年午後Ⅰ問1

〈受注システムの導入〉
これまで手作業で行っていた見積り作成や工番（工事管理番号）の採番について，受注システムに見積書の作成処理を新規に追加し，その中で工番の自動採番を行うように改善した。

平成26年午後Ⅰ問3

〈勤務管理システムの導入〉
夏期休暇の取得率向上のために，夏期休暇明細の休暇取得予定日の1週間前に，翌週の夏期休暇を取得するよう奨励するメールを自動的に送信する機能を設けた。

平成27年午後Ⅰ問2

〈自販機販売管理システムの導入〉
自販機を巡回する販売員がハンディターミナル（HT）を携帯し，HTと自販機を通信させ売上計上処理を行う。また，HTが取得した売上情報をもとに商品補充数を算出し，その数だけ営業員が商品を補充するようにした。

平成29年午後Ⅰ問3

〈人事給与パッケージの導入〉
自前の給与計算システムでは，制度改正によるシステム改修費用が毎年発生してコスト高となる。そこで，人事給与パッケージを導入してパッケージの標準保守の中で制度改正に対応することにした。

平成30年午後Ⅰ問1（機能は一部抜粋）

〈健康管理アプリの開発〉
従来の健康管理アプリは単にスマホ内でデータを管理・閲覧するだけのものであった。より魅力のあるアプリにするため，次の機能を持たせるよう改良した。
・活動量計との定期的なデータ連携（歩数，脈拍など）をする
・AI画像認識技術を利用した食事品目の自動認識や摂取カロリの入力を支援する
・年齢，身長，体組成計の計測データ（体重，体脂肪率など）から基礎代謝量を自動計算する
・基礎代謝量と当日の活動量から消費カロリを推計する

こう書ける！ 論述の切り口

平成27年の午後Ⅱ試験では，システム設計で実施した設計内容について論述が求められた。その中で，ソフトウェアで実現する作業として，次の指針が示された。
・業務上のミスが他の業務に大きな影響を与える作業
・実施頻度が高い作業

なお，通信などの共通機能はパッケージを用いて開発期間を短縮することも示されている。これらとは逆に，手作業で実現する作業としては，
・開発に費用がかかるが，手作業でも業務上大きな問題にならない作業
が示された。

これらの指針を踏まえて，ソフトウェアを開発して実現する作業や手作業のまま据え置く作業について論述すればよい。例えば，先に述べた「平成25年午後Ⅰ問1」を流用すれば，次のように論述することができる。事例をどのように論述につなげるか，書き方の参考にして欲しい。

(X)　ソフトウェアを開発して実現する作業

①安否確認の自動化

　大規模地震などの災害時には，安否確認担当者も業務を遂行できる保証はない。また，安否確認担当者による手作業での安否確認では，確認の完了までに時間がかかる上に，確認漏れのおそれもある。そこで私は，安否確認をシステムで自動化することにした。具体的には，社員の緊急連絡先（メールアドレス又は電話番号）をあらかじめシステムに登録しておき，災害発生時に緊急連絡先がメールアドレスか電話番号かを自動判別し，メールの送信又は電話の発呼を行うようにした。メールには応答用Webページのurlを埋め込み，このURLにアクセスすることによって社員が自動認証されて安否情報を登録し，電話では質問に対して数字キーで応答し，その結果が登録されるようにした。

注目！

ソフトウェアと手作業の切分けについて，きちんと理由を述べよう。ここでは安否確認自動化の理由として

- 担当者の業務執行不能
- 確認時間の短縮
- ミス（確認漏れ）の排除

を挙げている。

GOOD！

自動化の処理を具体的に述べているので説得力がある。実はこの部分も，午後Ｉ問題から流用している。

確認問題

問1 システム設計プロセスで文書化する項目として，適切なものはどれか。

（オリジナル）

ア　システムの機能要件

イ　システムの能力要件

ウ　システムの設計及び実装の制約条件

エ　システム処理方式

問1 解答解説

システム開発の上流工程では，システム要件定義を行い，それをもとにシステム設計を行う。システム要件定義プロセスでは，機能，境界，能力などの要件を決定する。システム設計プロセスでは，ハードウェア構成決定，ソフトウェア構成決定，システム処理方式決定などを行う。よって，システム設計プロセスで文書化する項目はシステム処理方式である。

ア～ウ　システム要件定義プロセスで文書化する項目である。　《解答》エ

問2 システム要求事項分析プロセスの成果はどれか。　（オリジナル）

ア　システムの要素を識別し，定義された要求事項を満たすシステム設計が定義されている。

イ　システム要求事項の優先度に従ってシステムを統合するための戦略が作成されている。

ウ　システム要求事項は影響のある全ての当事者へ伝えられ，ベースラインとなっている。

エ　システム要求事項への適合を評価するための基準が作成されている。

問2 解答解説

システム要求事項分析プロセスの目的は，定義された利害関係者要求事項から，システム設計のための望まれるシステムの技術的要求事項の集合へ変換することである。システム要求事項分析プロセスを実施すると，システム要求事項が影響のある全ての当事者に伝えられ，ベースラインとなる。

ア　システム設計プロセスの成果である。
イ　システム統合プロセスの成果である。
エ　システム適格性確認テストプロセスの成果である。　《解答》ウ

問3 ☑☐ ☐☐　システム設計で行うことはどれか。（オリジナル）

ア　ソフトウェア構成の明確化
イ　ソフトウェアコンポーネントの構成の明確化
ウ　ソフトウェアのインタフェース仕様の決定
エ　ソフトウェアのユニットごとのテスト要求事項の定義

問3　解答解説

システム設計はハードウェア，ソフトウェア及び手作業を識別して，必要となるハードウェア構成，ソフトウェア構成及び手作業を明確にする。ソフトウェアコンポーネントの構成の明確化，ソフトウェアのインタフェース仕様の決定，ソフトウェアのユニットごとのテスト要求事項の定義などは，システム設計の後，ソフトウェア設計で行う。　《解答》ア

問4 ☑☐ ☐☐　JIS X 0160：2021（ソフトウェアライフサイクルプロセス）によれば，廃棄プロセスのタスクのうち，アクティビティ“廃棄を確実化する”において実施すべきタスクはどれか。（R4問11）

ア　選定されたソフトウェアシステム要素を再利用，再生利用，再調整，分解修理，保管又は破壊する。
イ　ソフトウェアシステムの廃棄戦略を定義する。
ウ　ソフトウェアシステム又は要素を不活性化して取り除くための準備をする。
エ　廃棄後の，人の健康，安全性，セキュリティ及び環境への有害な状況が識別されて対処されていることを確認する。

問4　解答解説

JIS X 0160：2021（ソフトウェアライフサイクルプロセス）によると，廃棄プロセスは三つのアクティビティ，“廃棄の準備を行う”，“廃棄を実施する”，“廃棄を確実化する”から成る。“廃棄を確実化する”において実施すべきタスクとして，「廃棄後の，人の健康，安全性，セキュリティ及び環境への有害な状況が識別されて対処されていることを確認する」

とある。

ア，ウ　アクティビティ“廃棄を実施する”において実施すべきタスクである。
イ　アクティビティ“廃棄の準備を行う”において実施すべきタスクである。《解答》エ

問5 ☑□□□　JIS X 0160：2021（ソフトウェアライフサイクルプロセス）によれば，ライフサイクルモデルの目的及び成果を達成するために，ライフサイクルプロセスを修正するか，又は新しいライフサイクルプロセスを定義することを何というか。（R4問12）

ア　シミュレーション　　イ　修整（Tailoring）
ウ　統治（Governance）　エ　ベンチマーキング

問5　解答解説

JIS X 0160：2021（ソフトウェアライフサイクルプロセス）によると，附属書A（規定）の修整プロセスのA.2.2修整（Tailoring）プロセスの成果として，「ライフサイクルモデルの目的及び成果を達成するために，修正されたライフサイクルプロセス又は新しいライフサイクルプロセスが定義されている」とある。すなわち，修整プロセスとは，「ライフサイクルモデルの目的及び成果を達成するために，ライフサイクルプロセスを修正するか，又は新しいライフサイクルプロセスを定義すること」といえる。

シミュレーション：多くのデータをもとに現実の場面を想定してモデル問題を作り，事態の変化や進展を分析・予測すること
統治（Governance）：企業や組織を支配，まとめ上げて管理すること
ベンチマーキング：経営や業務を改革するために，他社の優れた成功事例などから業務プロセスにおけるベストプラクティスを探り，それに向かって自社のプロセスを変革していく手法
《解答》イ

2 要件定義

要件定義は，システムが実現すべき要件を明確にして定義することである。システムアーキテクトの本分は，まさに要件定義から始まるといってよい。午前Ⅱ試験，午後Ⅰ・Ⅱ試験のいずれにおいても出題される最重要分野の一つである。

… 30秒チェック！ …
Super Summary

(1) **要件定義の段階**

■**要件定義**には利害関係者要件定義，システム要件定義，ソフトウェア要件定義の段階がある。

□**ソフトシステムズ方法論**…七つのステージで利害関係者間の合意をとる手法

(2) **機能要件と非機能要件**

■要件には，システムやソフトウェアが実行する業務処理に関する機能要件と，機能要件を条件面で支える非機能要件がある。

□**機能要件**…機能として識別できる要件

□**非機能要件**…性能や信頼性など機能としては識別できない要件

□**BCP**…災害時でも事業を継続するための計画

□**ディザスタリカバリ**…災害による被害からシステムを復旧すること

□**RPO**…目標復旧時点。データをどの時点のものに復旧するかの目標値

□**RTO**…目標復旧時間。情報システムの復旧に要する時間の目標値

□**BABOK**…ビジネスアナリシスのベストプラクティス

2.1 要件定義の段階

図2.1のように各段階で視点を変えながら要件定義は行われる。

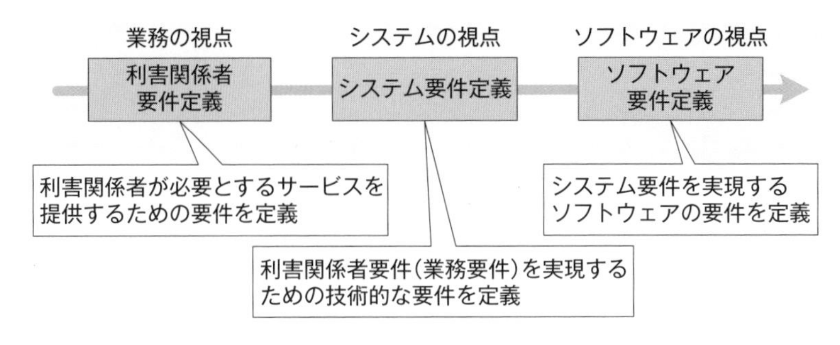

▶図2.1　要件定義の段階

■ 利害関係者要件定義

利害関係者要件（業務要件）定義での作業は**図2.2**のような工程になる。

※プロセス開始の準備は除く

▶図2.2　利害関係者要件定義

最初に，どの工程でどの**利害関係者**が参画するのかを明確にし，利害関係者を識別する。次に，利害関係者から要件を抽出し，これをもとに制約条件や運用シナリオなどを定義する（要件の識別）。さらに，要件に漏れや矛盾があるかどうかを評価し，利害関係者と合意する。合意した要件は記録され，利害関係者要件のベースラインとなる。

平成27年の午前Ⅱ試験（問15）で，システム化計画が承認された後に実施する作業を問う問題が出題されました。システム化計画（システム企画）の後には，利害関係者の要件を抽出する「利害関係者要件定義」が行われます。

■ ソフトシステムズ方法論

ソフトシステムズ方法論は，利害関係者間で目的を共有するために用いる手法である。この手法では，**図2.3**で示すように七つのステージを経て利害関係者間の合意がとられる。

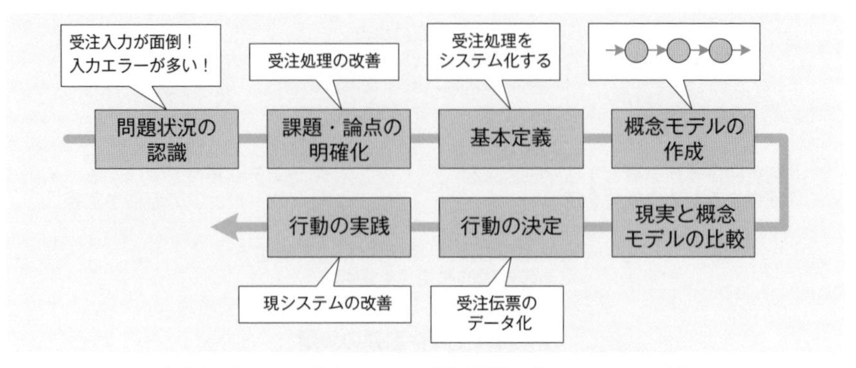

▶図2.3　ソフトシステムズ方法論の七つのステージ

■ システム要件定義

システム要件定義での作業は**図2.4**のようになる。

▶図2.4　システム要件定義

システム要件定義は，「利害関係者要件をシステムを用いてどのように解決するか」を考え，解決に必要なシステム要件を定義する。明らかになったシステム要件は，優先順位が付けられ，承認され，ベースラインが設定される。

■ ソフトウェア要件定義

ソフトウェア要件定義は，各ソフトウェア品目が満足すべきソフトウェア要件を定義するプロセスである。具体的には，次のような要件が定義される。

機能及び能力の仕様，外部インタフェース，妥当性確認の要件，安全性仕様，
セキュリティ仕様，人間工学仕様，データの定義及びデータベースの要件，
導入及び受入れに関する要件，利用者用文書の要件，
利用者の運用要件及び実行要件，利用者の保守要件

定義されたソフトウェア要件は評価され，レビューされる。評価やレビューに合格したソフトウェア要件は承認され，ベースラインが設定される。

2.2 機能要件と非機能要件

要件には，システムやソフトウェアが実行する業務処理に関する**機能要件**と，機能要件を条件面で支える**非機能要件**がある。例えば，Web販売システムであれば，「必要な商品を検索する」「カートに入れる」「決済を行う」などの機能が機能要件であり，その際のパフォーマンスやセキュリティなどの要件が非機能要件である。

■ 機能要件の識別

要件定義する場合，例えば次のような分析を行うことで，機能要件を識別し定義する。

・業務を実現する機能間の情報（データ）の流れを明確にする。
・利用者の要求をもとに，情報管理の観点や単位，形式などを分析する。
・他のシステムとのインタフェースを定義する。

機能間のデータの流れを明確にするため，例えば**DFD**を作成する。DFDに現れたプロセスやデータストアをもとに外部とのインタフェースなどを機能として定義する。

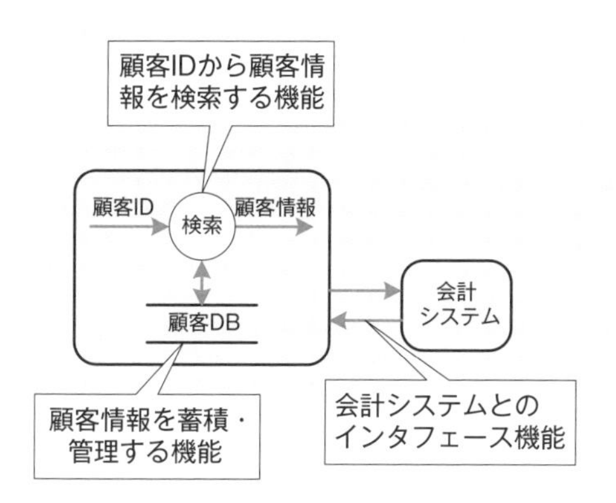

▶図2.5　機能要件の識別

DFDは3モデル化手法で説明します。

■ 非機能要件の識別

非機能要件は，例えば，**図2.6**のような要件をもとに導出することができる。

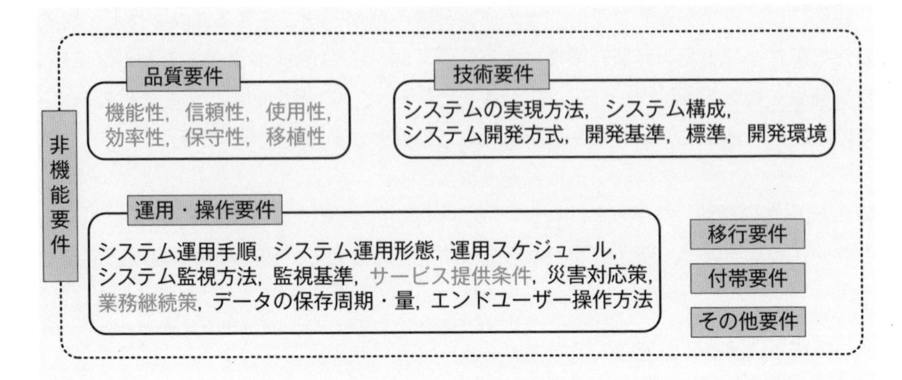

▶**図2.6　非機能要件**

信頼性からは，

・故障率が0.01％以下である

・稼働率が99.9％以上である

などの要件を，

サービス提供条件からは，

・サービスは24時間365日提供される

などの非機能要件を導くことができる

■ 品質特性

図2.6に示した非機能要件のうち，品質要件は午前Ⅱ試験で多く出題されている。**表2.1**に，JIS X 25010：2013におけるシステム／ソフトウェアの品質特性を整理する。

▶**表2.1　システム／ソフトウェアの品質特性**

機能性	明示された状況下で使用するとき，明示的ニーズ及び暗黙のニーズを満足させる機能を，製品又はシステムが提供する度合い。 →　業務に必要な機能をもれなく実装していること。
性能効率性	明記された状態（条件）で使用する資源の量に関係する性能の度合い。 →　必要な性能を満足し，プロセッサやメモリなども効率的に使用していること

互換性	同じハードウェア環境又はソフトウェア環境を共有する間，製品，システム又は構成要素が他の製品，システム又は構成要素の情報を交換することができる度合い，及び／又はその要求された機能を実行することができる度合い。 → 部品や製品を置き換えても問題なく動作すること。
使用性	明示された利用状況において，有効性，効率性及び満足性をもって明示された目標を達成するために，明示された利用者が製品又はシステムを利用することができる度合い。 → 使いやすく，習得も容易であること。
信頼性	明示された時間帯で，明示された条件下に，システム，製品又は構成要素が明示された機能を実行する度合い。 → 可用性が高く，障害の影響を受けにくいこと。
セキュリティ	人間又は他の製品若しくはシステムが，認められた権限の種類及び水準に応じたデータアクセスの度合いをもてるように，製品又はシステムが情報及びデータを保護する度合い。 → 不正アクセスや改ざんなどを受けないこと。
保守性	意図した保守者によって，製品又はシステムが修正することができる有効性及び効率性の度合い。 → 修正が容易であること。
移植性	一つのハードウェア，ソフトウェア又は他の運用環境若しくは利用環境からその他の環境に，システム，製品又は構成要素を移すことができる有効性及び効率性の度合い。 → 他の環境への移植が容易であること。

例えば，直感的に使用できるユーザーインタフェースを備えていることや，オンラインヘルプなどが充実していることは，製品の習得性を向上させる使用性の要件といえる。

【参考】 ～利用者視点の品質特性

JIS X 25010：2013には，製品としての品質特性のほか，利用者視点の品質特性も定義されている。

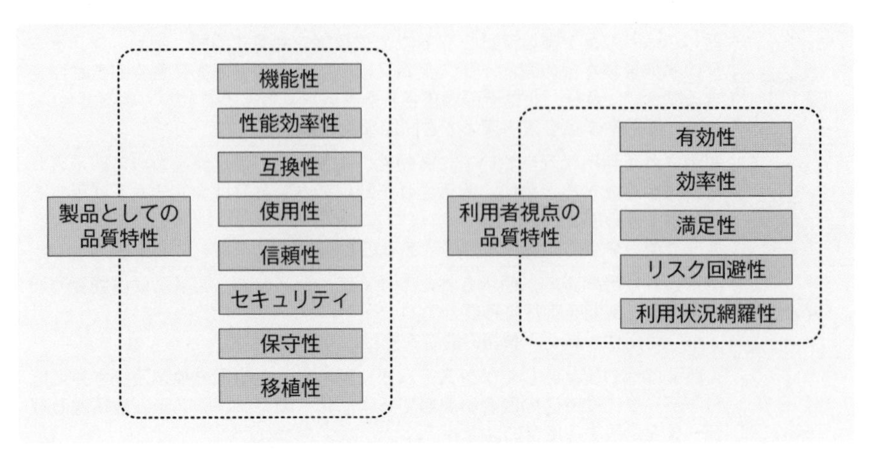

▶図2.7　品質特性

例えば，製品としての効率性（性能効率性）は，プロセッサやメモリなどのハードウェア資源をいかに効率良く使用するかを視点としている。これに対し，利用者視点の効率性は「利用者が特定の目標を達成するための正確さ及び完全さに関連して，使用した資源の度合い」と定義されており，ここでいう資源には，ハードウェア資源に加えて，利用者が処理に費やす時間や負担するコストなども含まれる。

■継続性に関する要件

非機能要件には，災害時における事業や業務の継続性が含まれる。災害時においても事業を継続するための計画を**BCP**（Business Continuity Plan）と呼ぶ。BCPの中でも特に，災害による被害からシステムを復旧することを，**ディザスタリカバリ**（**DR**：Disaster Recovery）と呼ぶ。

非機能要件としてDRを考える場合，不可欠な指標として**RPO**と**RTO**がある。

▶表2.2　RTOとRPO

RPO （Recovery Point Objective）	**目標復旧時点**。データをどの時点のものに復旧するかの目標値
RTO （Recovery Time Objective）	**目標復旧時間**。情報システムの復旧に要する時間の目標値

RPOを定めることで，データのバックアップスケジュールが定まる。例えば，RPOが「データを障害発生日の業務開始時点（前日の業務終了時点）の状態に戻す」

であれば，関連するデータのバックアップは日次で行わなければならない。また，RTOが「3時間」である場合，3時間以内にシステムを復旧しなければならない。これは，その業務が「災害時でも3時間の停止しか許容できないくらい重要な業務」ということを意味している。

BABOK（Business Analysis Body Of Knowledge）

ビジネスにおいて，ユーザー要求を引き出して定義することを，ビジネスアナリシスと呼ぶ。BABOKは，ビジネスアナリシスのベストプラクティスを体系化したもので，要件定義に利用することができる。

!Pick Up BABOK

システムアーキテクトの午後Ⅰ・Ⅱ試験で，BABOKの知識がそのまま問われることはまずないが，ユーザー要求の引出しや優先順位付けなど，論述試験のヒントになることが少なくない。ここでは，BABOKの知識が問われることのある午前Ⅱ対策としても，BABOKをとり上げて説明する。

知識エリア

BABOKは，ビジネスアナリシス活動を六つの知識エリアに整理している。さらに，基礎コンピテンシを加えて「七つの知識エリア」とすることも多い。

▶表2.3　BABOKの知識エリア

知識エリア	説明
戦略アナリシス	組織の現状を把握し，将来状態を定義する
要求アナリシスとデザイン定義	現状と将来のギャップからニーズを引き出し，要求としてモデリングし，解決策をもとに業務やシステムの設計を提議する
ソリューション評価	提供されたソリューションを評価する
引出しとコラボレーション	潜在的なニーズや要求を引き出す
要求のライフサイクルマネジメント	要求の引出しから実現までの全過程をマネジメントする
ビジネスアナリシスの計画とモニタリング	ビジネスアナリシス活動を計画し，モニタリングし，フィードバックする
基礎コンピテンシ	ビジネス知識や問題解決のスキルなど，全てのビジネスアナリストに必要な基礎コンピテンシ

■ユーザー要求の分類

BABOKでは，ユーザー要求を**図2.8**のように分類している。

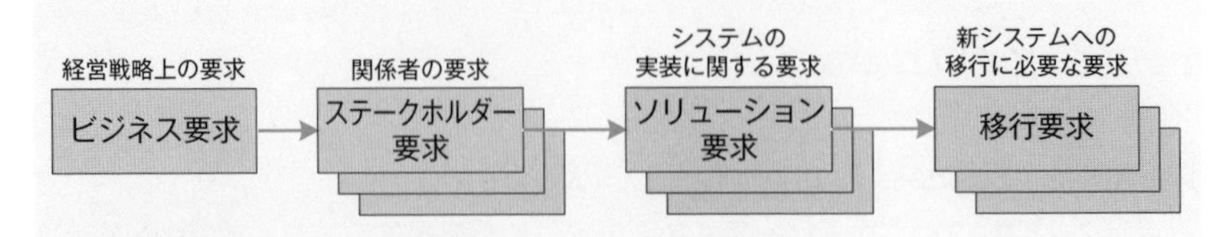

ビジネス要求	経営者による経営戦略上の要求
ステークホルダー要求	ユーザー部門や運用部門などの関係者による要求
ソリューション要求	システムの実装に関する要求。システムに対する機能要求や非機能要求がこれにあたる
移行要求	新システムへの移行に必要なデータ変換やユーザー教育などが該当する

▶**図2.8　ユーザー要求の分類**

各要求は連鎖する関係にある。例えば，あるソリューション要求の妥当性を確認する際には，親となるステークホルダー要求に立ち返り，一貫性や整合性を評価する。

■要求の優先度

ユーザー要求には優先順位を付けなければならない。BABOKでは，**表2.4**のような観点から優先順位を設定することを推奨している。

▶**表2.4　優先順位付けの方法（一部）**

便益	要求を実装することでもたらされるビジネス上の価値
規制・ポリシー	法規制やポリシーを満たすために実装しなければならないこと
コスト	実装に必要な工数やリソース
リスク	実現できない可能性
依存性	要求間の依存関係
安定性	変更の可能性

例えば，便益（ビジネス価値）に加えて実装の難易度の両面を考えるとき，**図2.9**のようなマトリックスを用いればよい。

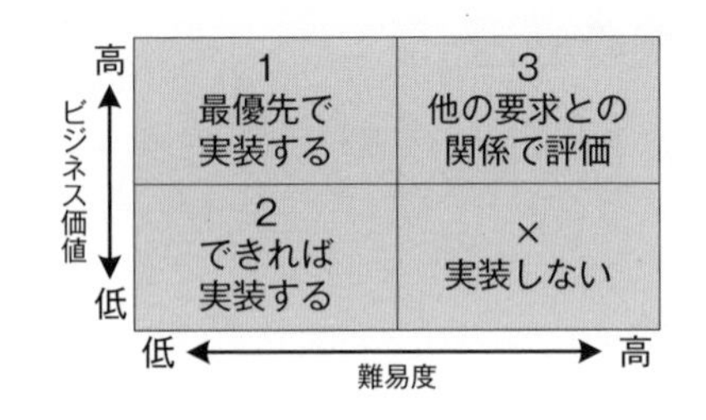

▶図2.9　優先順位付けのマトリックス

こう書ける！　論述の切り口

ユーザー要求は増えることはあっても減ることはない。そのため，どこかのタイミングで優先順位を付けて，ユーザー要求を絞り込まなければならない。システムアーキテクトは，プロジェクトマネージャらと協力して，このような「ユーザー要求のトリアージ」をしなければならない。開発期間や予算が厳しい開発事例を例に，優先順位の設定を論述するのもよい。

(X)　ユーザー要求の絞込み

今期のXXシステム開発は，協力会社と連携する関係上，スケジュールの遵守が求められていた。そこで私は，スケジュール内に開発を完了するために，ユーザー要求に優先順位を付けて絞り込むことにした。優先順位は，業務価値と実装の難易度から評価した。具体的には，業務価値が高く実装の難易度が低いユーザー要求は「1：今期必ず実装する」，業務価値が低く実装の難易度が低いユーザー要求は「2：できれば今期実装する」，業務価値が高いが実装の難易度も高いユーザー要求は「3：次期の実装を検討する」，業務価値が低く実装の難易度が高いユーザー要求は「4：実装しない」とした。ただし，優先度が2及び3のユーザー要求については，他の機能との関連や緊急性を考慮して優先順位を調整した。

定番

「ユーザー要求の絞り込み」は，どのようなシステム開発でも行う作業。これを引出しに入れておけば，いろんな場面に使えるのでお得！

検討

テキスト的な説明に終始している。事例に沿った具体例などを記述すると説得力が増す。

!Pick Up 要件の評価

システムアーキテクトの業務は利害関係者要件（業務要件）定義から始まる。利害関係者要件定義において誤りを作り込んでしまうと，その誤りが設計に持ち越されて，経営戦略に合わないソフトウェアを構築してしまう恐れがある。企業の現状や将来を見据えた，正確かつ戦略的な利害関係者要件定義こそ，システムアーキテクトの腕の見せ所といえる。

ここでは，利害関係者要件定義を例に，要件の評価に注目して手順や手法を説明する。

■ 業務要件の評価手順

業務要件の評価は，例えば，**図2.10**のような手順で進めるとよい。

▶図2.10　業務要件の評価手順

［1］評価項目と重みの設定

要件を評価する評価項目を設定する。評価項目は一面的なものではなく，例えば，効果とリスクの側面，あるいは，業務価値と実装難易度の両面から評価するものを考える。さらに，各評価項目に対して重要度による重み付けを行う。

［2］評価項目について評価を行う

要件を，評価項目ごとに，例えば，５段階で評価する。

［3］集計・分類

各評価項目の評価に重みを乗じて集計し，それぞれの要件の総評価点を算出する。評価項目を効果とリスクに分けた場合は，（効果の総評価点－リスクの総評価点）で集計する。評価項目を業務価値と実装難易度に分けた場合は，BABOKで述べたマトリックスにプロットする。

［4］優先順位の決定

集計した総評価点やマトリックスの位置に応じて，要件の優先順位を決定する。

［5］レビューと優先順位の確定

［4］で決定した優先順位を，決定した理由と共に関係部門にレビューする。このとき，関係部門の事情によって，優先順位を調整することもある。承認された優

先順位を確定する。

※平成26年プロジェクトマネージャ試験午前Ⅱ問20より

	評価項目	重み	案1	案2	案3	案4
効果	セキュリティ強化	4	3	4	5	2
	システム運用品質向上	2	2	4	2	5
	作業コスト削減	3	5	4	2	4
リスク	スケジュールリスク	8	2	4	1	5
	技術リスク	3	4	1	5	1

重要度に応じて重みを付ける。
例えばスケジュール要求が厳しければ，
スケジュールリスクに高い重みを設定する

案1の総合評価点＝(3×4＋2×2＋5×3)－(2×8＋4×3)
＝(12＋4＋15)－(16＋12)
＝31－28＝3
案2＝1，案3＝7，案4＝－13

▶**図2.11　評価の例**

こう書ける！　論述の切り口

業務要件の評価について，評価手順の論述が要求された場合は，**図2.10**を参考にして実際に用いた評価手順を論述すればよい。評価にあたっての工夫や留意点の論述が要求された場合には，どのような観点から評価項目を設定して，どのような理由で重み付けをしたのかなどについて論述すればよい。

(X)　業務要件の評価項目の設定

業務要件について，業務価値と実装の難易度の両面から優先順位を付けることにした。そのため，業務価値と実装の難易度の評価に必要な評価項目を設定した。

今回の開発は，業務の改善のほかにも，将来の業務プロセスの標準化及び部門統合に向けた土台作りを目標としている。そこで，業務価値の評価項目として，業務コストの削減効果，業務スピードアップの度合いに加えて，標準化への貢献度を設定した。また，実装の難易度の評価項目として，実現に必要なコスト，実現に必要な時間を設定した。さらに，標準化に関する業務要件は組織全体に影響を与える可能性があることから，組織への影響度を評価項目に加えた。

検討
さらに「重み」の設定について言及すると，論述が膨らむ。

定番
マイナス面の評価項目として，コストや（実装）時間は定番中の定番。これらに開発事例特有の評価項目を加えるとGOOD！

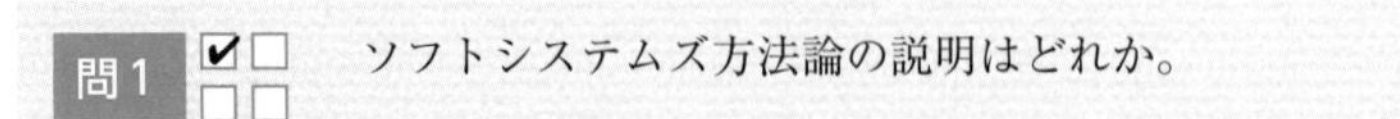

確認問題

問1 ✔□ □□　ソフトシステムズ方法論の説明はどれか。　(H24問16)

ア　様々な立場の人々の異なった考えを，七つのステージを経て合意形成を行い，問題を解決していく手法
イ　事前に質問項目を準備することなく，回答に応じて柔軟に次の質問項目を設定することによって，より深く回答者の意見を収集する手法
ウ　実際の作業現場などの会話を記録し，身体の動きも含め詳細な分析を行うことによって，現場での活動をあるがままに理解しようとする手法
エ　質問に対する回答の結果を，全ての回答者へフィードバックすることを繰り返すことによって，集団の意見を集約する手法

問1　解答解説

ソフトシステムズ方法論は，柔軟にシステムを考えることで問題を解決するアプローチ法である。目的が不明確な課題や利害の相反する複数の人がかかわっている課題を解決するのに適している。次の七つのステージで構成される。

1　問題が存在する状況を認識する。
2　課題や論点を明確にする。
3　課題や論点に対する働きかけのもとになる基本定義を作る。
4　基本定義から概念モデルを構築する。
5　概念モデルと現実とを比較し，実践のための行為を論理的に導出する。
6　組織の文化，利害関係などを考慮し，最終的な行為を決定する。
7　決定した行為を実践する。

イ　インタビューの手法に関する説明である。
ウ　行動観察法を用いた現状分析の手法に関する説明である。
エ　デルファイ法の説明である。　《解答》ア

問2 ✔□ □□　ソフトウェア要件定義プロセスで定義する内容の具体例として，適切なものはどれか。　(H30問５)

ア　基幹システムから利用者の所属情報を取得するために，全てのサブシステムで共通の通信プロトコルを使用する。

イ　データエントリ画面における応答時間は，３秒以内とする。
ウ　窓口業務は，ソフトウェアで実現することと人手で実施する作業を組み合わせて運用する。
エ　利用者の利便性を考えて，受付端末は店舗の入り口から５メートル以内に設置する。

問2　解答解説

ソフトウェア要件定義プロセスの目的は，「システムのソフトウェア要素の要件を確立すること」と定義されている。具体的には，開発者側が利用者側にヒアリングを行って，ソフトウェアに要求される機能要件などを明確にするプロセスといえる。「基幹システムから利用者の所属情報を取得する」ことは，ソフトウェアに要求される機能要件に該当する。そして，「全てのサブシステムで共通の通信プロトコルを使用する」ことは，この機能要件を実現するための具体的な方法を示している。よって，選択肢アの内容は，ソフトウェア要件定義プロセスで定義する内容の具体例に該当する。

イ　データエントリ画面における応答時間は，ソフトウェアだけでなく，ハードウェアの性能も含むシステムの性能要件に該当する。よって，システム要件定義プロセスで定義する内容に該当する。
ウ　システム設計では，ハードウェア，ソフトウェア，手作業という要素に分け，それぞれの目標を明確にする。これより，「窓口業務は，ソフトウェアで実現することと人手で実施する作業を組み合わせて運用する」は，システム設計プロセスで定義する内容に該当する。
エ　「利用者の利便性を考えて，受付端末は店舗の入り口から５メートル以内に設置する」という内容は，システムの利用容易性という非機能要件である。よって，この内容は，システム要件定義プロセスで定義する内容に該当する。　《解答》ア

問3 ☑☐☐☐　機能要件と非機能要件のうちの，機能要件を満たすために行う設計はどれか。　（H29問２）

ア　業務システムを開発するための開発環境を設計する。
イ　業務の重要度を分析して障害発生時の復旧時間を明確にする。
ウ　業務を構成する要素間のデータの流れを明確にする。
エ　部門業務の効率性と業務間の関連性を考慮して最適なサーバ配置を設計する。

問3　解答解説

業務システムの機能要件とは，業務システムで扱うデータの入力，処理，出力，制御などのプロセスに求められる要件のことである。業務を構成する要素間のデータの流れは，要素ごとのデータの入力，処理，出力，制御によって定まるので，それらを明確化することは，業務システムの機能要件を満たすための設計に該当する。一方，業務システムの非機能要件とは，業務機能以外の，システムの性能や安全性，信頼性，使いやすさなどに関する要件であり，システムが適切で安定的に稼働するための目標値となるものである。

ア　開発環境の設計は，システム開発上の非機能要件に関する設計である。
イ　障害発生時の復旧時間の明確化は，システム運用管理上の非機能要件に関する設計に含まれる。
エ　サーバ配置の設計は，システム稼働上の非機能要件に関する設計である。《解答》ウ

問4　☑□ □□　非機能要件項目はどれか。　(H26問16)

ア　新しい業務の在り方や運用に関わる業務手順，入出力情報，組織，責任，権限，業務上の制約などの項目
イ　新しい業務の遂行に必要なアプリケーションシステムに関わる利用者の作業，システム機能の実現範囲，機能間の情報の流れなどの項目
ウ　経営戦略や情報戦略に関わる経営上のニーズ，システム化・システム改善を必要とする業務上の課題，求められる成果・目標などの項目
エ　システム基盤に関わる可用性，性能，拡張性，運用性，保守性，移行性，セキュリティ，システム環境などの項目

問4　解答解説

機能要件とは，業務要件を満たすためにシステムが実現すべき機能（入力，処理，出力の関係など）に関する要件である。これに対し，非機能要件とは，システムに必要とされる「機能要件以外の」要件である。項目としては，可用性，性能，拡張性，運用性，保守性，移行性，セキュリティ，システム環境などが挙げられる。

ア　業務要件に関する記述である。
イ　機能要件に関する記述である。
ウ　システム化構想の立案時に確認する，経営上のニーズ・課題に関する記述である。

《解答》エ

問5 ☑☐☐☐ BCP策定に際して，目標復旧時間となるものはどれか。

(H27問17，H23問17)

ア 災害時に代替手段で運用していた業務が，完全に元の状態に戻るまでの時間

イ 災害による業務の停止が深刻な被害とならないために許容される時間

ウ 障害発生後のシステムの縮退運用を継続することが許容される時間

エ 対策本部の立上げや判定会議の時間を除く，待機系への切替えに要する時間

問5 解答解説

BCP（Business Continuity Plan）とは，事業停止というリスクに対して事業活動が継続できるように準備しておく計画のことであり，事業継続計画ともいう。企業活動に重大な影響を及ぼす事業や業務の優先順位を設定して，どの事業や業務をいつまでに復旧させるかという目標時間を定めたうえで，そのために必要な復旧作業を計画する。この時間のことを目標復旧時間という。

ア 代替手段が完全に元の状態に戻るまでではなく，事業や業務の中断から復旧するまでの目標となる時間を指す。

ウ 縮退運用の継続の許容時間ではなく，事業や業務の中断から復旧するまでの目標となる時間を指す。

エ 目標復旧時間は，あくまで事業や業務の中断から復旧までの目標となる時間を意味する。待機系への切替えが復旧と同義とは言い切れず，適切とはいえない。 《解答》イ

問6 ☑☐☐☐ ディザスタリカバリを計画する際の検討項目の一つであるRPO（Recovery Point Objective）はどれか。

(H24問24)

ア 業務の継続性を維持するために必要な人員計画と交代要員の要求スキルを示す指標

イ 業務を代替する遠隔地のシステム環境と，通常稼働しているシステム環境との設備投資の比率を示す指標

ウ 災害発生時からシステムを再稼働するまでの時間を示す指標

エ システムが再稼働したときに災害発生前のどれだけ最新の状態に復旧できるかを示す指標

問6 解答解説

ディザスタリカバリ（disaster recovery）とは，災害によって障害を受けた情報システテ

ムを復旧すること，また，そのための設備や体制のことである。ディザスタリカバリは，事業継続計画（BCP：Business Continuity Plan）の一部といえる。ディザスタリカバリを計画する際の重要な指標として，RPO（Recovery Point Objective；目標復旧時点）とRTO（Recovery Time Objective；目標復旧時間）がある。RPOは，システムを再稼働させたときに，災害発生前のどの時点までの状態を保障して復旧させるかを示す指標である。

ア　事業継続計画の立案時に検討すべき指標ではあるが，ディザスタリカバリを計画する際に検討する指標ではない。

イ　事業継続計画のバックアップセンターの設置の際に検討すべき指標である。

ウ　RTOの説明である。

《解答》エ

問7 ☑☐ ☐☐　BABOKでは，要求をビジネス要求，ステークホルダ要求，ソリューション要求及び移行要求の4種類に分類している。ソリューション要求の説明はどれか。（H27問14，H25問14）

ア　経営戦略や情報化戦略などから求められる要求であり，エンタープライズアナリシスの活動で定義している。

イ　新システムへのデータ変換や要員教育などに関する要求であり，ソリューションのアセスメントと妥当性確認の活動で定義している。

ウ　組織・業務・システムが実現すべき機能要求と非機能要求であり，要求アナリシスの活動で定義している。

エ　利用部門や運用部門などから個別に発せられるニーズであり，要求アナリシスの活動で定義している。

問7　解答解説

BABOK（Business Analysis Body Of Knowledge）は，IT活用による事業と業務の改革のための知識体系である。

ア　ビジネス要求の説明である。

イ　移行要求の説明である。

エ　ステークホルダ要求の説明である。

《解答》ウ

3 モデル化手法

Point!

図式表現を用いてシステムの対象領域をモデル化する技術は，システムアーキテクトにとって必須である。そのため，午前Ⅱ試験では多くの図式表現が出題される。また午後Ⅱ試験でも，単に「シナリオを作成した」と述べるよりも，「ユースケース図の各ユースケースについてシナリオを作成した」「シーケンス図を用いてシナリオを記述した」と述べた方が説得力が断然違う。モデル化手法を習得しておくことは，試験突破に必ず役立つだろう。

… 30秒チェック！ …
Super Summary

(1) **モデル化とは**

■モデル化とは対象業務のプロセスやデータ構造を分析し，図式化することである。

□物理モデル…業務の現状や実装を表すモデル

□論理モデル…物理モデルから各種制約を取り払ったモデル

□トップダウンアプローチ…業務の全体像を定義し，各部分を詳細化する

□ボトムアップアプローチ…現状業務を調査しモデル化する

(2) **DFD**

■DFDは機能をデータの流れに着目して洗い出してモデル化する。

(3) **ERD**

■ERDはデータとデータ同士の関係をもとにモデル化する。

(4) **ペトリネット**

■ペトリネットは並列処理や同期の記述に秀でている。

(5) **UML**

■UMLは複数の図式表現の集りで，モデル化に広く用いられる。

□クラス図…クラスやクラス間の関連を表現する

□コンポーネント図…コンポーネントの内部構造やインタフェースを表現する

□ユースケース図…利用者がどの機能をどのように利用するかを表現する

□アクティビティ図…業務や処理の流れを表現する

□ステートマシン図…オブジェクトの状態変化を表現する
□シーケンス図…オブジェクト間のメッセージのやりとりを時系列に表現する
□コミュニケーション図…オブジェクト間のメッセージのやりとりを表現する

(6) BPMN

■BPMNは業務プロセスの記述を目的に策定された。

(7) その他

□CRUDマトリックス…業務プロセスとデータとの関係をマトリックスで表現する
□SysML…システムの設計や分析を行うためのモデリング言語
□パラメトリック図…SysMLの一つで，制約を記述する
□デシジョンテーブル…条件とそれに対応する処理を表形式で表す

3.1 モデル化とは

システム開発において，対象となる業務のプロセスや業務に使用するデータ構造を分析し，図式化することをモデル化と呼ぶ。モデル化することで，業務やシステムで行う処理が可視化され，改善のポイントや追加機能などが明らかになる。

モデル化に用いる代表的な図式には，**表3.1**のようなのものがある。

▶**表3.1　図式と特徴**

DFD	システムが持つ機能と，機能間のデータの流れを記述する
ERD	システムに存在するデータとデータ間の関係を記述する
STD	システムがとる状態とその遷移を記述する
ペトリネット	システムの動作を記述する図式表現。並列処理や同期の記述に適している
UML	オブジェクト指向によるモデル化に用いられる各種図式表現を統合したもの。モデル化で広く用いられている

■ 物理モデルと論理モデル

モデルには物理モデルと論理モデルがある。

▶表3.2　物理モデルと論理モデル

物理モデル	業務の現状や実装を表すモデル。実装に必要な具体的な制約（担当者，組織，場所，タイミング，媒体など）が加わっている
論理モデル	物理モデルから制約を取り払ったモデル

物理モデルは，システムや業務の現状を表す現物理モデルと，将来の状態を表す新物理モデルに分類できる。同様に，論理モデルも，現論理モデルと新論理モデルに分類できる。各モデルの関係は図3.1のようになる。

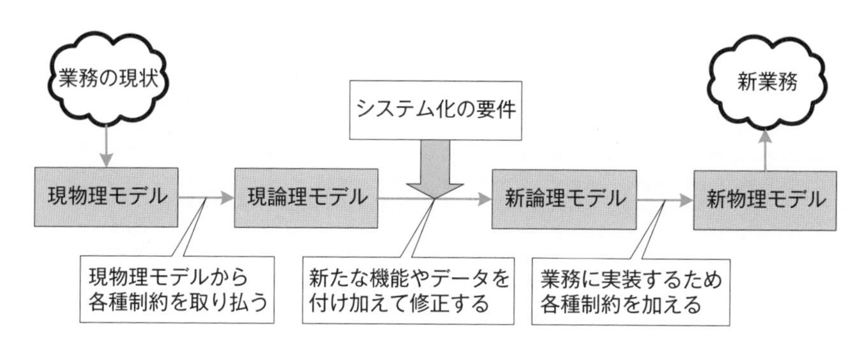

▶図3.1　物理モデルと論理モデル

■ モデル化のアプローチ

モデル化にあたっては，トップダウンアプローチとボトムアップアプローチの二つの手法がある。

▶表3.3　トップダウンアプローチとボトムアップアプローチ

トップダウンアプローチ	業務の全体像（概要）を先に定義して，各部分を詳細化する手法
ボトムアップアプローチ	現状業務の各部分を調査しモデル化しながら，全体をまとめる手法

トップダウンアプローチとボトムアップアプローチは，業務やシステム開発の性質によって使い分けるとよい。例えば，新規システムを導入して業務を抜本的に改革するような場合には，業務の理想像を出発点とするため，トップダウンアプローチが適している。一方，業務の改善を行う場合には，現行業務を出発点とするボトムアップアプローチが適している。

これらのアプローチは，突き詰めれば「全体→部分」「部分→全体」という違いがあるだけで，使用する場面が決まっているという訳ではありません。現行業務の分析をトップダウンアプローチで行うこともあれば，新規システムの設計にボトムアップアプローチを使用することもあり得ます。

トップダウンアプローチでもボトムアップアプローチでも，最終的に行き着く先が「要件を満たすモデル」であることには変わりありません。どちらのアプローチを用いても，最終的な論理データモデルは正規化され，かつ，業務上の属性は全て備えていなければなりません。

3.2 DFD（Data Flow Diagram）

DFDは，業務やシステムに必要な処理機能を，データの流れに着目して洗い出してモデル化する図式表現である。DFDの記述には，プロセス，データフロー，データストア，ターミネータ（源泉と吸収）の四つの記号を用いる。

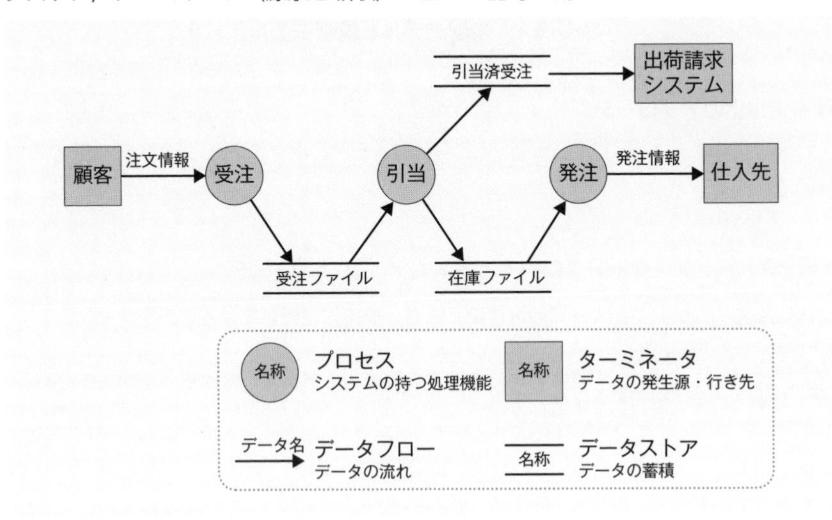

▶図3.2　DFD

■DFD作成の注意点

DFDは比較的自由度の高い図式表現であるが，守らなければならないルールがある。

①プロセスには，入力データフローと出力データフローが一つ以上存在する。

プロセスはデータの発生源でも吸収先でもなく，入力データを出力データに変換する機能を表す。そのため，プロセスには入力データフローと出力データフローをそれぞれ一つ以上持つ。

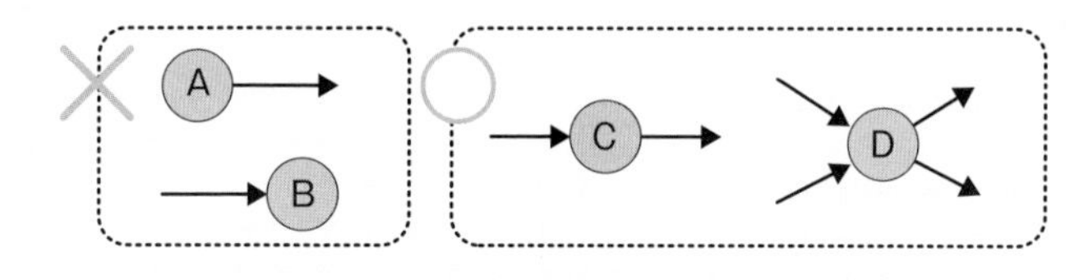

▶図3.3　DFDのルール①

②二つのデータストアが直接データフローで結ばれることはない。

あるデータストアから他のデータストアへデータを受け渡す際は必ずプロセスが介在する。たとえ単純なコピーであっても「コピーする」というプロセスが存在する。

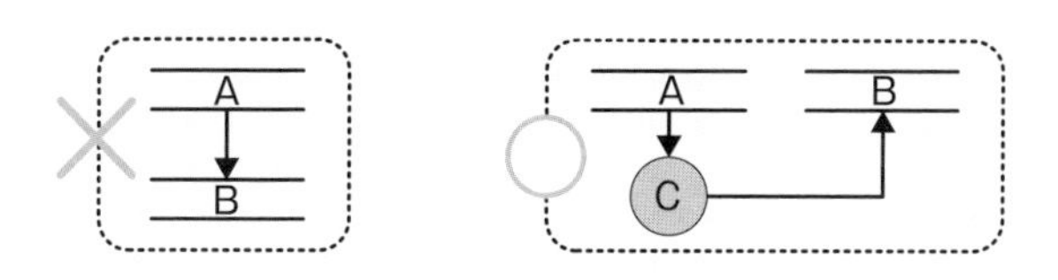

▶図3.4　DFDのルール②

■ DFDの階層化

DFDのプロセスの一つひとつを詳細化することで，DFDの階層構造を作ることができる。例えば，全社的な業務の流れを俯瞰するために全社の概略的なDFDを作成した上で，これを部門や機能ごとに詳細化して下位のDFDを作成する。階層化されたDFDは，プログラムの構造設計に役立てることができる。

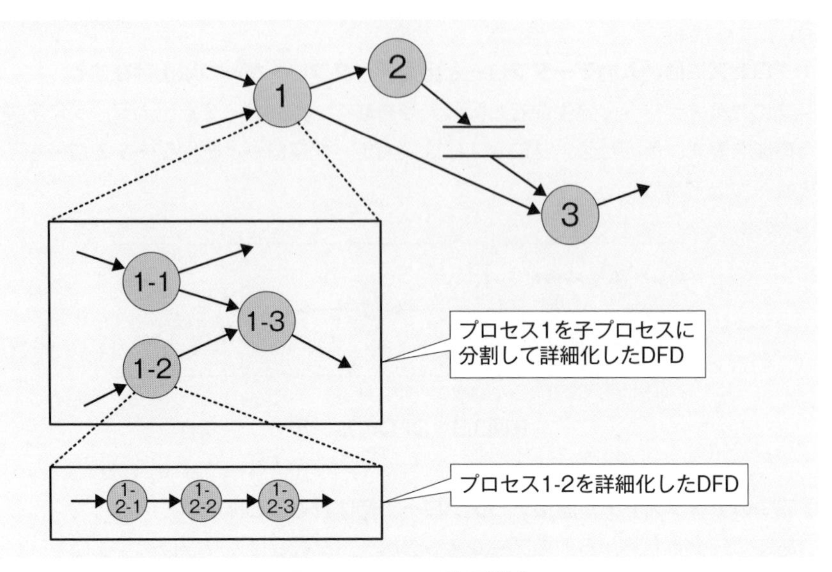

▶図3.5　DFDの階層構造

親プロセスとそれを子プロセスに分割して詳細化したDFDとの間で，入力データフローと出力データフローの本数について整合がとれていることを確認して欲しい。**図3.6**において，プロセス１は「入力２本，出力２本」であり，これは詳細化したDFDにおいても変わらない。

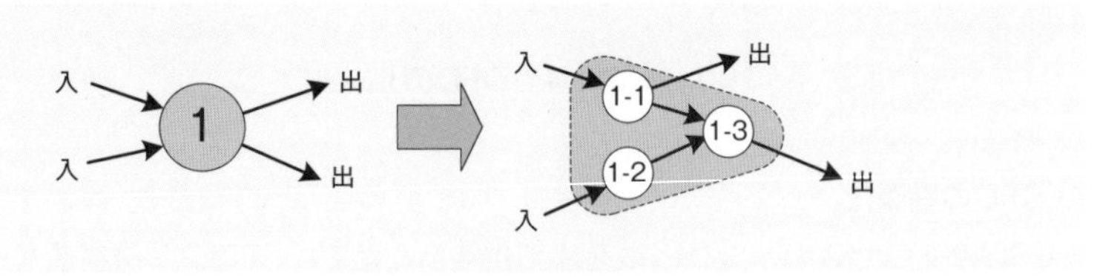

▶図3.6　階層の整合性

3.3　ERD（E-R図：Entity-Relationship Diagram）

ERDは，対象業務に存在するデータとデータ同士の関係をもとに，モデル化する図式表現である。ERDにおいて，分析の対象となるデータを**実体**（**エンティティ**），データ同士の関係を**関連**（**リレーションシップ**）と呼ぶ。

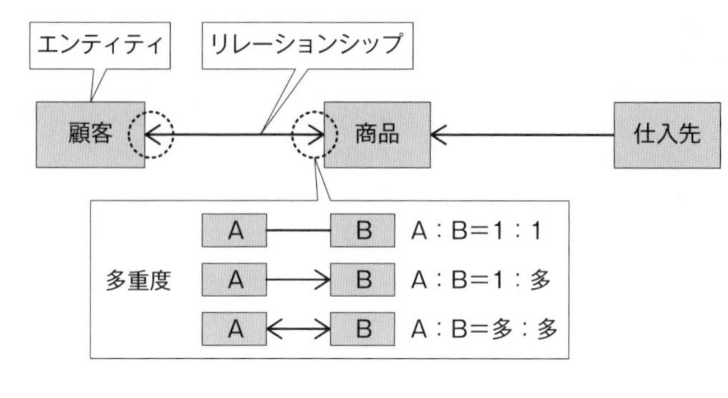

▶図3.7　ERD

エンティティは四角形で表す。エンティティ同士に直接の関連がある場合は，両者を線で結ぶ。線の両端には矢印を用いてエンティティの多重度を設定する。**図3.7**において，顧客は複数の商品を注文でき，また商品は複数の顧客から注文されるため，両者の関係は多：多となる。

ERDで表されるエンティティは，正確にはエンティティタイプ（実体型）といいます。しかし，本書では簡便にエンティティと呼ぶことにします。

多重度とインスタンス

エンティティのとる実現値をインスタンスという。例えば，“営業部”や“システム部”はエンティティ“部署”に対するインスタンスといえる。エンティティの多重度は，正確には「インスタンス間の数的な対応関係」である。この対応関係（関連）は，同じエンティティであっても業務要件によって変化する。例えば，商品と在庫の関係には，**図3.8**のような関連が考えられる。

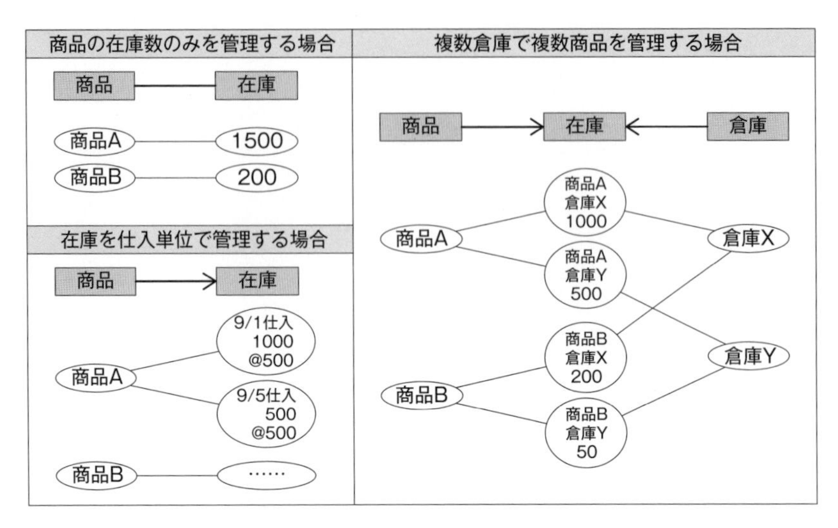

▶図3.8　多重度の考え方

試験では，多重度に UML の表記が用いられることもあります。どちらで出題されても解けるようにしておくことが必要です。

■多：多の多重度の解消

ERDの各エンティティは，最終的にはファイルやデータベースの表として実装される。関係するエンティティ間の多重度が多：多であるとき，そのまま実装してしまうと，正規度が低下し，不具合の原因となる恐れがある。そこで，関係するエンティティ間に，両者を関連付けるエンティティ（**連関エンティティ**）を挟み，それぞれのエンティティ間の多重度を1：多にして多：多を解消する。

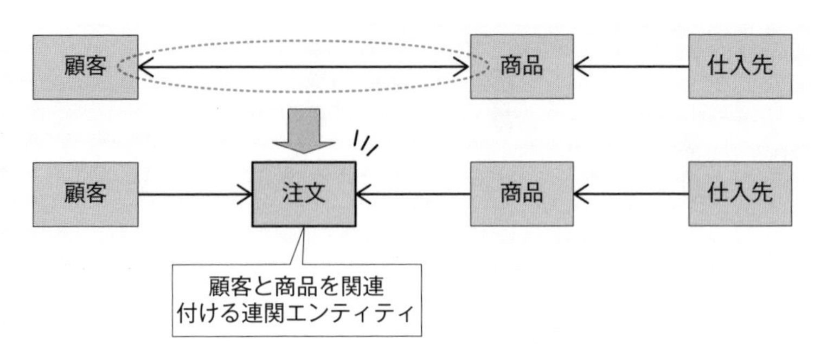

▶図3.9　多：多の関連の解消①

図3.9はエンティティ“注文”とエンティティ“商品”の関連が多：1の多重度となっており，「一度に1種類の商品だけしか注文できない」ことを表しているが，一度に複数の商品が注文できる場合には，注文と商品の関連が多：多の多重度になる。このような場合は，さらに注文と商品を関連付ける連関エンティティを導入して多：多を解消する。

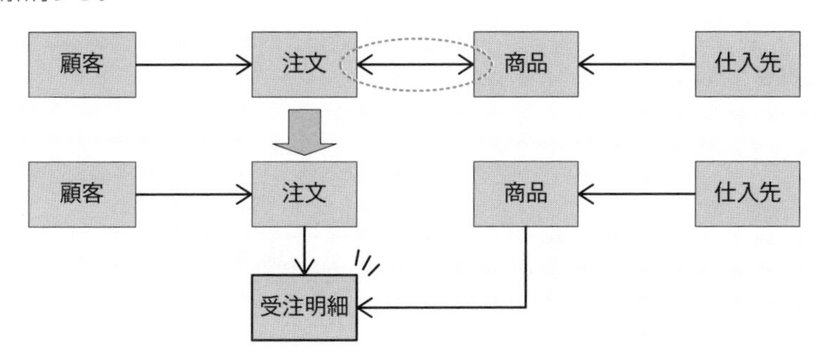

▶図3.10　多：多の関連の解消②

3.4 ペトリネット

受注生産の現場では，注文を受けてから「伝票の作成」と「製品の製造」が同時に行われることが多い。このような並列処理は，業務やシステムをモデル化する際に当たり前に存在する。並列に生起する事象や同期を記述するのに優れた図式表現がペトリネットである。

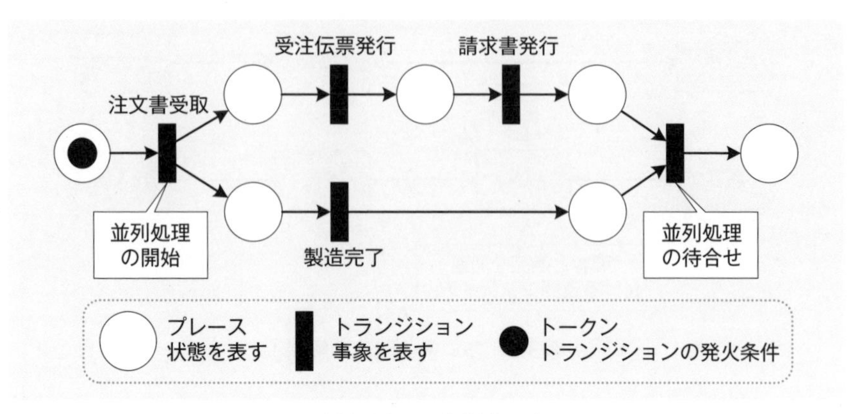

▶図3.11　ペトリネット

ペトリネットは，**プレース**（状態）と**トランジション**（事象）という２種類のノードを持つ有向グラフで，トランジションの発火（事象の発生）を契機に，**トークン**がプレースを移動する。**図3.11**のペトリネットでは，「注文書受取」を待っている状態から「並列処理の待合せ」が完了する状態まで，トークンは**図3.12**のようにプレース上を遷移する。

注文書を待っている状態	注文書受取を契機に 並列処理が開始される	……	一連の伝票発行や 製造が完了した状態	並列処理の待合せ完了 →　並列処理の終了
注文書 受取	注文書 受取	……		

▶図3.12　トークンの移動

２種類のノードを持つ有向グラフを有向２部グラフと呼びます。「有向２部グラフ」「並列に生起する事象の同期」がペトリネットのキーワードです。

3.5　UML（Unified Modeling Language）

UMLは，モデル化において最も広く用いられる図式表現である。オブジェクトモデリングのために標準化された記述ツールであるが，現在では業務プロセスの分析など幅広く利用されている。

UMLは複数の図式表現の集まりで，その中からモデル化の目的に応じた図式表現を使用する。**表3.4**に主なものを挙げる。

▶表3.4　UMLの図式表現

クラス図	クラスの定義，クラス間の関連を表現する
コンポーネント図	コンポーネントの内部構造やインタフェースを表現する
ユースケース図	利用者がどの機能をどのように利用するかを表現する
アクティビティ図	業務や処理の流れを表現する
ステートマシン図	オブジェクトの状態変化を表現する
シーケンス図	オブジェクト間のメッセージのやりとりを時系列に表現する
コミュニケーション図	オブジェクト間のメッセージのやりとりを表現する

■ クラス図

クラスは“社員”や“商品”など，システム化の対象領域に存在するモノを表す。クラス図は，対象領域をクラスの集まりとして捉え，その構造を表す図式表現である。クラスは，分析の初期段階ではクラス名のみ抽出されるが，分析や設計が進むにつれて属性やメソッド，可視性が追加される。

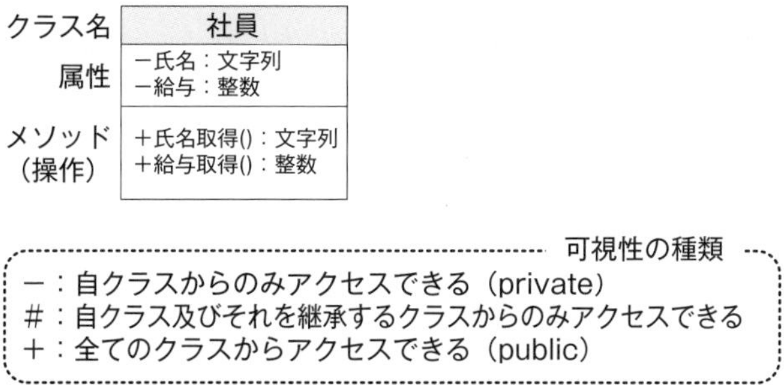

▶図3.13　クラスの表記

関連のあるクラス同士を線で結ぶ。また，特別な関連がある場合には**表3.5**の記号を用いてクラス間の関連を明らかにする。

▶**表3.5　クラス間の関連**

記号	名称	説明
A ―― B	関連	クラス間に関連がある
A ◁―― B	汎化（継承）	クラスAはBを汎化している （クラスBはAを継承している）
A ◇―― B	集約	クラスAはBを集約している （クラスBはAの部品である）
A ◆―― B	コンポジション	クラス間に強い集約関係がある （クラスＡが削除されるとクラスＢも削除される）
A ←------ B	依存	クラス間に弱い関連がある （クラスBがAを一時的に利用する）
A ←―― B	誘導可能性	クラスBがAにメッセージを送信する （クラスBがAのメソッドを呼び出す）

■ 多重度の表記

クラス間の関連に，クラスの実現値であるインスタンスの数的関係を多重度として表記する。UMLでは多重度を**図3.14**のように表す。

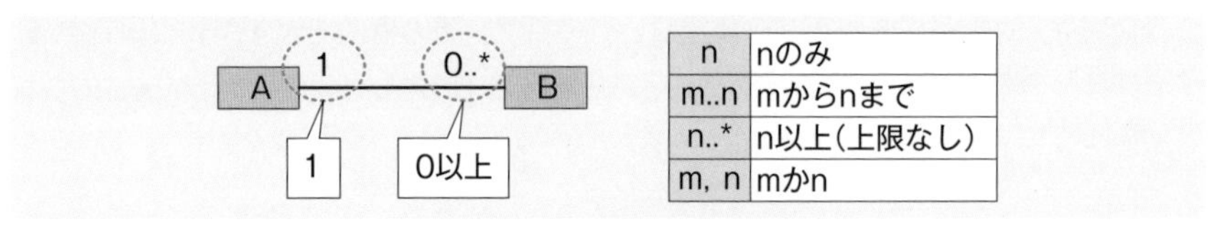

n	nのみ
m..n	mからnまで
n..*	n以上（上限なし）
m, n	mかn

▶**図3.14　多重度の表し方**

■ クラス図の作成

対象領域に存在するクラスは，仕様や帳票などに現れるモノに注目して洗い出す。例えば，**図3.15**に示す帳票の場合，帳票全体を表す“注文”，注文の中に現れる“顧客”，注文内容の各行に相当する“注文明細”，注文明細の中に現れる“商品”がクラスとなる。

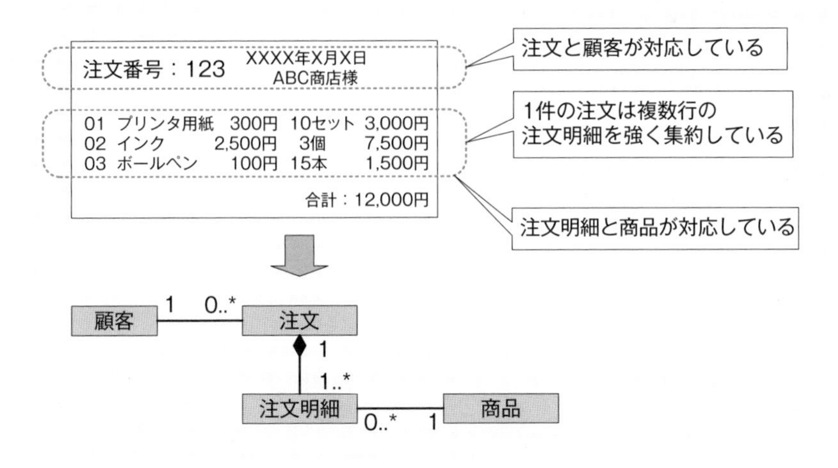

▶図3.15　クラス図

■ コンポーネント図

コンポーネントは複数クラスをまとめた単位で，対象領域に存在するサブシステムや対象領域の外部に存在するシステムなどを表す。コンポーネント図は，対象領域のコンポーネントやコンポーネント間のインタフェースを表す図式表現である。コンポーネント図を用いることで，複雑なクラス構造を持つシステムを，シンプルに記述することができる。

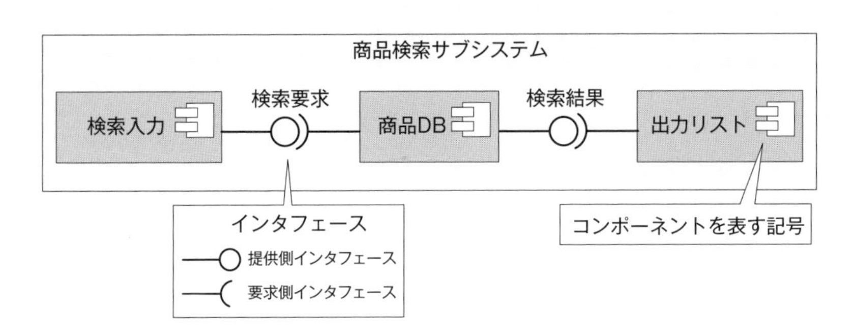

▶図3.16　コンポーネント図

コンポーネントは入れ子構造にできる。**図3.16**は商品検索サブシステムの内部構造を，さらにコンポーネントで記述している。

■ ユースケース図

ユースケース図は，システムがどのように機能するかを表す図式表現である。ユースケース図の構成要素には，システムの機能である**ユースケース**，システムの外部に存在してユースケースを利用する**アクター**，システム内部とシステム外部の境界を示す**システム境界**などがある。

ユーザーの視点でユースケース図を作成することによって，ユーザー要求を明確にすることができる。

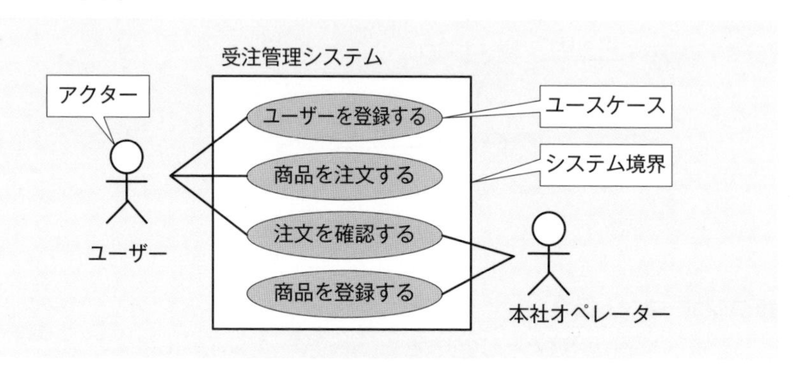

▶**図3.17　ユースケース図**

■ ユースケースの記述

各ユースケースの条件や処理手順は，ユースケース図には表現せず，別途記述する。例えば，**図3.17**の“商品を注文する”というユースケースは，次のように記述できる。

ユースケース　：商品を注文する
概要　：ユースケースはユーザーによって実行される
アクター　：ユーザー
前提条件　：ユーザーはユーザー登録を行い，ユーザーIDを付与されていること
メインフロー　：
1. ユーザーがユーザーIDを入力する
2. システムは顧客情報を検索し，顧客情報を表示する
3. ユーザーは注文商品と数量を入力する
4. システムは注文商品の在庫を検索・表示する
5. ユーザーは在庫があることを確認して注文を登録する

▶図3.18　ユースケースの記述例

メインフローは，最も多く実行されるシナリオ（メインシナリオ）である。メインシナリオ以外のシナリオである代替フローや，事後的に条件を満たさなくなった場合のシナリオである例外フローも記述する。

■ アクティビティ図

アクティビティ図は，システムが実行する処理の流れを表す図式表現である。開始から終了までの処理の順序や処理の分岐などを表現できるため，業務プロセスの記述などにも用いられる。

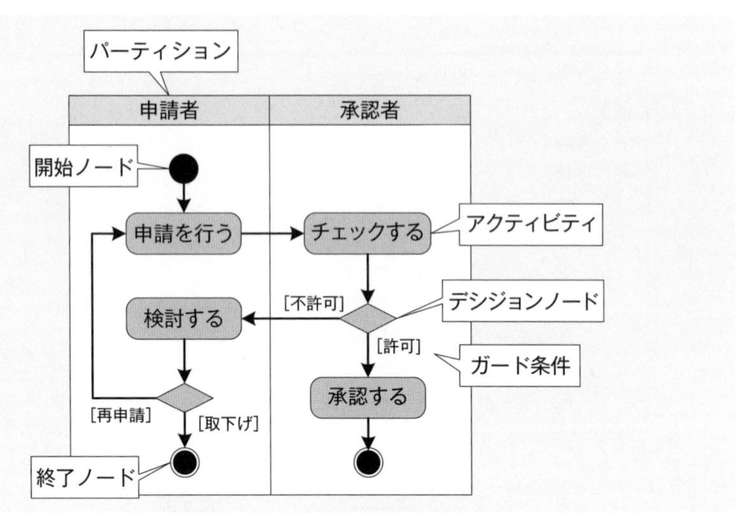

▶**図3.19　アクティビティ図**

図3.19は「申請の流れ」をアクティビティ図で表現したものである。アクティビティを申請者と承認者という領域（パーティション）に分け，申請者と承認者のやりとりを分かりやすく記述している。

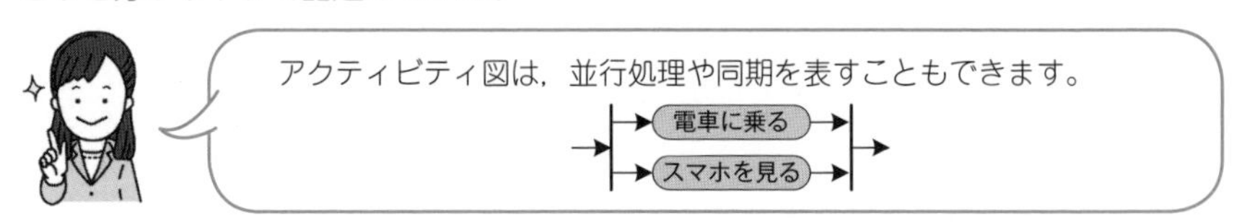

■ ステートマシン図

ステートマシン図（状態マシン図）は，オブジェクトの状態が外部からのイベントを受けてどのように変化するかを表す図式表現である。**図3.20**は，「宅配便の配送」を記述したステートマシン図である。

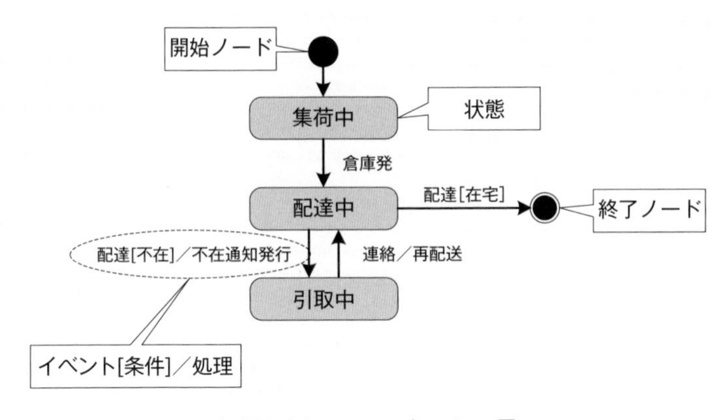

▶図3.20　ステートマシン図

ステートマシン図では，ボックスは状態，矢印は状態の遷移を表す。矢印にはイベントの発生や条件，実行する処理を記入するが，省略も可能である。顧客宅への配達時に，顧客が在宅していれば荷物を引き渡して配達を完了する。不在であれば，不在通知を発行して荷物を引き取る。

■ シーケンス図

シーケンス図は，オブジェクト間で発生するメッセージのやりとり（手続きの呼出し）を時系列に表す図式表現である。メッセージは矢線を用いて，上から順に表現される。**図3.21**は，「スケジュール表への予定の登録と削除」を記述したシーケンス図である。

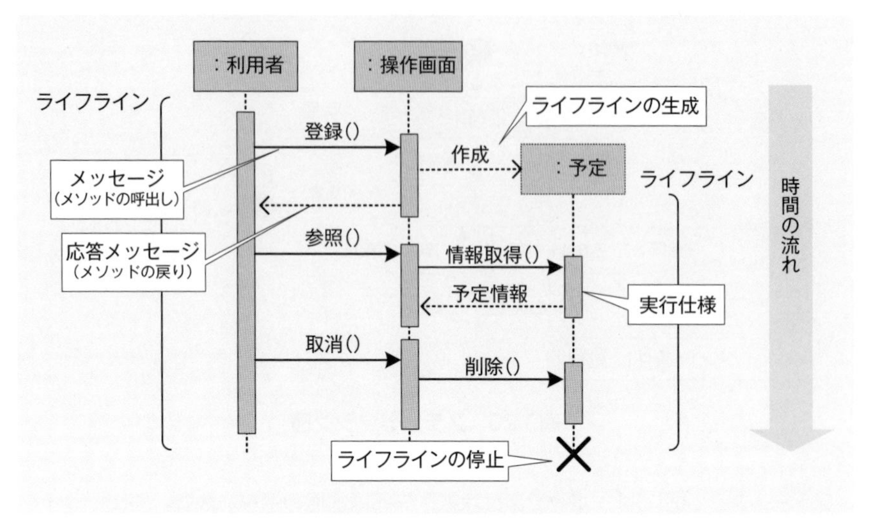

▶図3.21　シーケンス図

シーケンス図において，オブジェクトの存在している期間をライフライン（生存期間）と呼ぶ。**図3.21**の処理では，利用者と操作画面のライフラインが存在しており，予定のライフラインが操作画面から生成されている。予定のライフラインは，操作画面からの削除によって停止する。

ライフライン上で，オブジェクトが処理を実行している期間を実行仕様と呼ぶ。実行仕様でやりとりされるメッセージは，矢印を用いて上から順番に時系列に記述する。

イベント駆動型のアプリケーションでは，イベントはメッセージの受信で表されます。シーケンス図はメッセージのやり取りを時系列で記述できるため，イベント処理のタイミングの設計に適しています。

■ コミュニケーション図

コミュニケーション図は，シーケンス図と同様にオブジェクト同士の相互作用を表す図式表現である。シーケンス図がメッセージのやりとりを時系列に記述することを重視しているのに対して，コミュニケーション図ではクラス図のようなオブジェクト構造を重視している。

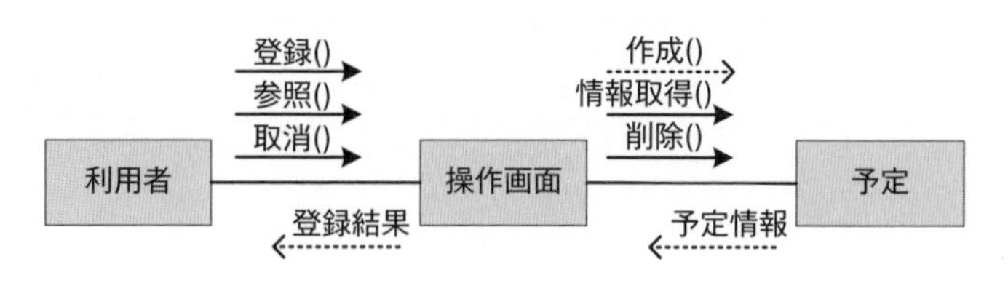

▶図3.22 コミュニケーション図

午前Ⅱ試験で「オブジェクトの作業分担を記述するのに適した図」が問われました。キーワードは「作業分担」で，作業分担を表すためには「複数のオブジェクト間での処理の実行」が記述できなければなりません。このことから，シーケンス図やコミュニケーション図などが正解になりそうだと判断します。

3.6 BPMN (Business Process Model and Notation)

モデル化手法は，業務分析にも利用されるものの，本来はシステムの分析・設計を目的にしている。これに対し，BPMNは，業務プロセスの記述を目的に策定された図式表現である。BPMNは，業務の流れを統一的な表記方法で表現する。

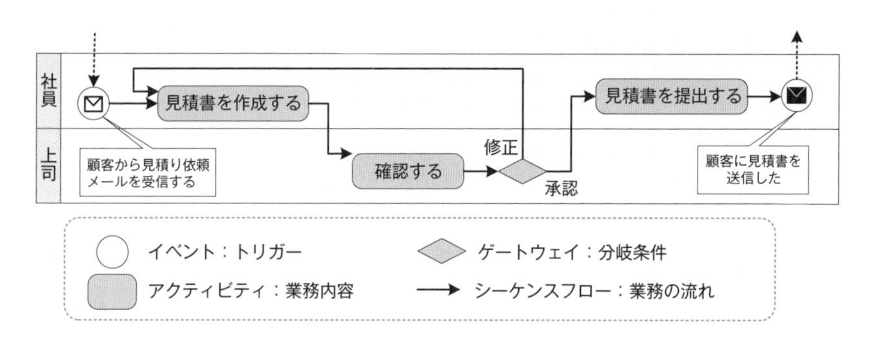

▶図3.23 BPMN

3.7 その他

これまで述べたもの以外にも，様々なモデル化手法，図式表現がある。それらのうち，試験に出題されたことのあるものをとり上げて説明する。

■ CRUDマトリックス（エンティティ機能関連マトリックス）

CRUDマトリックスは，業務プロセスと取り扱うデータ（エンティティ）との関係をマトリックスで表現したものである。それぞれの業務プロセスでデータをどのように取り扱うかを，作成にはC（create），読取りにはR（read），更新にはU（update），削除にはD（delete）をマトリックスに記入する。CRUDマトリックスを利用することで，データとプロセス（データの作成，読取り，更新，削除）の対応関係を整理できる。

機能(プロセス) ＼ エンティティ	会員	ビデオ	レンタル履歴	レンタル明細
新規会員を登録する	C			
会員登録を更新する	U			
会員登録を抹消する	D			
新規購入したビデオを登録する		C		
ビデオの料金情報などを変更する		U		
レンタル廃止のビデオを抹消する		D		
ビデオの貸出情報を記録する	R	R	C	C
ビデオの返却情報を記録する	R	R	U	U
返却遅れの会員に督促状を送付する	R	R	R	R
条件を満たした会員に割引券を送付する	R		R	R

▶図3.24　CRUDマトリックス

■ SysML（Systems Modeling Language）

SysMLは，システムの設計や分析を行うためのモデリング言語で，UMLの仕様の一部を流用し，機能を拡張したものである。SysMLは，**図3.25**の九つの図式表現で構成される。

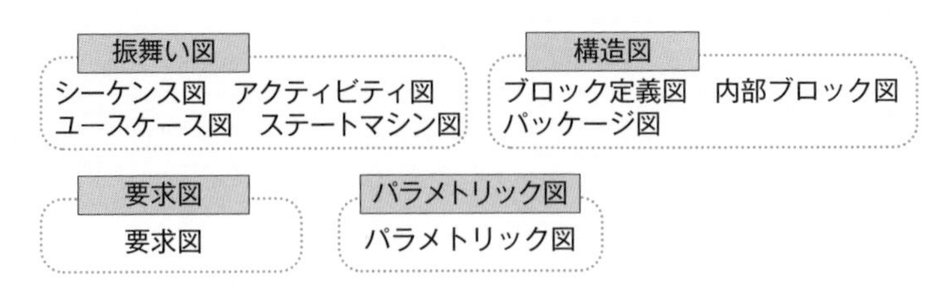

▶図3.25　SysML

振舞い図と構造図は，UMLからの流用及び拡張した図式表現である。要求図は要求を記述する図式表現，パラメトリック図はシステムに登場する値に成立する制約を記述する図式表現である。

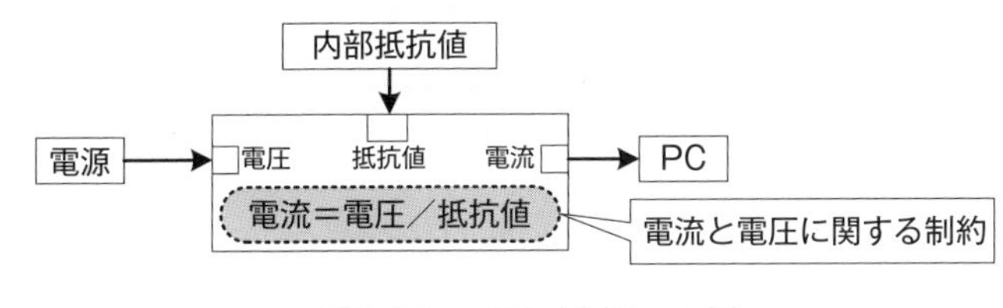

▶図3.26　パラメトリック図

■ **決定表**（デシジョンテーブル）

決定表は，条件とそれに対応する処理を表形式で表す図式表現である。複雑な条件判定を伴う要件定義の記述手段として有効である。

条　件	ケース			
	1	2	3	4
正しい更新データ	N	Y	Y	Y
更新種別＝“追加”	―	Y	N	N
更新種別＝“修正”	―	N	Y	N
更新種別＝“削除”	―	N	N	Y
行　動	1	2	3	4
エラーメッセージを出力する	X			
商品マスタにレコードを追加する		X		
商品マスタのレコードを修正する			X	
商品マスタのレコードを削除する				X

Y：条件が真
N：条件が偽
―：条件を考慮する必要がない

X：行動が実行される
空欄：行動が実行されない

▶図3.27　決定表

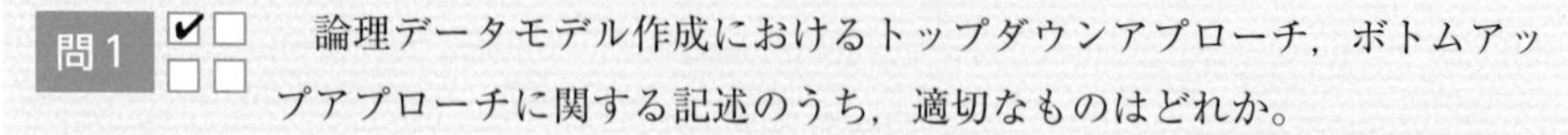

確認問題

問1 ✔□ □□ 論理データモデル作成におけるトップダウンアプローチ，ボトムアップアプローチに関する記述のうち，適切なものはどれか。

（H28問5，H23問2）

ア　トップダウンアプローチでは，新規システムの利用者要求だけに基づいて論理データモデルを作成するので，現状業務の分析は行えない。

イ　トップダウンアプローチでもボトムアップアプローチでも，最終的な論理データモデルは正規化され，かつ，業務上の属性は全て備えていなければならない。

ウ　トップダウンアプローチでもボトムアップアプローチでも，利用者が使用する現状の画面や帳票を素材として分析を行うのは同じである。

エ　ボトムアップアプローチは現状業務の分析に限定して用いるものであり，新規システムの設計ではトップダウンアプローチを使用しなければならない。

問1　解答解説

論理データモデル作成においては，トップダウンアプローチとボトムアップアプローチのどちらのアプローチも利用できるが，どちらのアプローチを用いたとしても，最終的な論理データモデルは正規化され，かつ，業務上の属性は全て備えていなければならない。

トップダウンアプローチは，企業の業務の現状や問題点を調査・分析して，その企業のあるべき姿を定義したうえで，企業活動に必要なデータを洗い出し，モデルを作るアプローチであり，ボトムアップアプローチは，現在のシステムの画面・帳票・業務書類をもとに必要なデータを洗い出し，正規化の作業を行って，データモデルを作るアプローチである。

ア　トップダウンアプローチでは，現状業務を概要から詳細なレベルへと調査を進めていく。したがって，現状業務の分析は行えないということはない。

ウ　利用者が使用する現状の画面や帳票を素材として分析を行うのは，ボトムアップアプローチである。

エ　現在実施している業務に対して新規システムを構築することもある。この場合，利用している帳票などを用いてボトムアップアプローチを行うことも，有効な手法である。

《解答》イ

問2 ✔□ □□ 既存システムを基に，新システムのモデル化を行う場合のDFD作成の手順として，適切なものはどれか。（R4問7，H22問21）

ア　現物理モデル → 現論理モデル → 新物理モデル → 新論理モデル

イ　現物理モデル → 現論理モデル → 新論理モデル → 新物理モデル
ウ　現論理モデル → 現物理モデル → 新物理モデル → 新論理モデル
エ　現論理モデル → 現物理モデル → 新論理モデル → 新物理モデル

問2　解答解説

既存システムをもとに新システムのモデル化を行う場合，次の手順でDFDを作成する。

[1] 現物理モデルの作成
対象となる業務の調査・分析を行い，現状業務のデータの流れをDFDを使用してモデル化する。

[2] 現論理モデルの作成
[1] で作成したモデルから物理的な要素を取り除き，再度モデル化を行う。このとき，重複しているプロセスや不必要なデータを取り除く。

[3] 新論理モデルの作成
[2] で作成したモデルにユーザー要求を盛り込み，新論理モデルを作成する。

[4] 新物理モデルの作成
[3] で作成したモデルにシステムの稼働条件などの物理的な要素を追加し，新物理モデルを作成する。

《解答》イ

問3 ☑□□□　図は，階層化されたDFDにおける，あるレベルのDFDの一部である。プロセス１を子プロセスに分割して詳細化したDFDのうち，適切なものはどれか。ここで，プロセス１の子プロセスは，プロセス1－1，1－2及び1－3とする。　（R5問２，R元問１，H21問２）

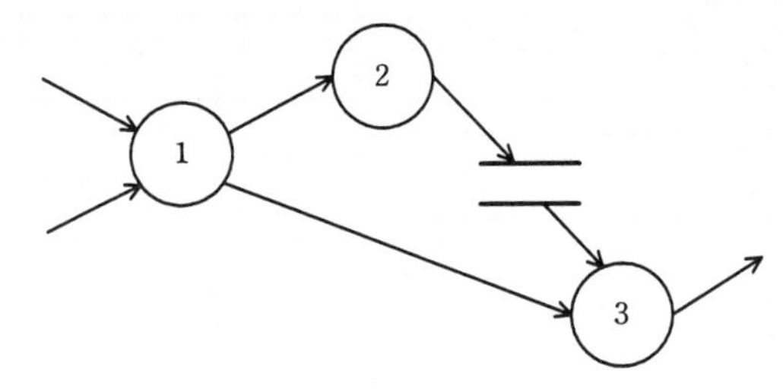

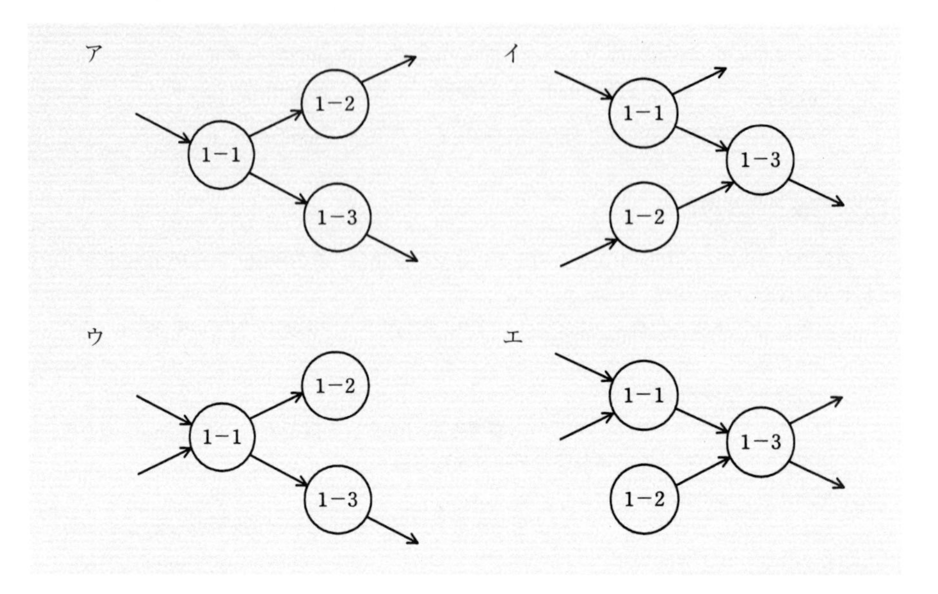

問3 解答解説

DFD（Data Flow Diagram）では，プロセス（円）に入力するデータとプロセスが出力する（又は他のプロセスに渡す）データをデータフロー（矢印）によって表現する。DFDにおいて，一つのプロセスを複数の子プロセスに詳細化する場合，プロセスに入るデータフローの数とプロセスから出るデータフローの数は，詳細化の前後でそれぞれ同じでなければならない。

提示されたDFDでは，プロセス１に入るデータフローは２本であり，プロセス１から出るデータフローも２本である。これを詳細化したのであるから，プロセス1−1とプロセス1−2とプロセス1−3に対して，入るデータフローが合計２本，出るデータフローが合計２本，それぞれ必要である。

ア　分割後のプロセス1−1に入るデータフローが１本だけなので，誤りである。

ウ　分割後のプロセス1−3から出るデータフローが１本だけで，プロセス1−2からデータフローが出ていないので，誤りである。

エ　分割後のプロセス1−2に入るデータフローがないので，分割方法として適切とはいえない。

《解答》イ

問4 ✔□ □□ 並列に生起する事象間の同期を表現することが可能な，ソフトウェアの要求モデルはどれか。 (R元問2，H28問4)

ア　E-Rモデル　　イ　データフローモデル

ウ　ペトリネットモデル　　エ　有限状態機械モデル

問4 解答解説

ペトリネットモデルは，並列に生起する事象間の同期を表現することができる要求モデルである。ペトリネットモデルを図式表現する場合，プレースとトランジションと呼ばれる2種類のノード（節点）をアークと呼ばれる矢線で結び，トークンと呼ばれる点をプレースに記述する有向2部グラフで表現する。プレースは状態を表し，トークンは現在の状態と次の動作を選択できる条件を表す。

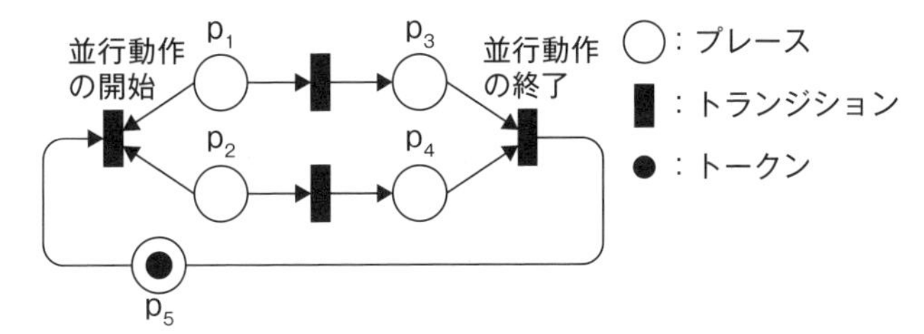

図　ペトリネットモデル

E-Rモデル：実体と関連の二つの概念で対象を表したモデル

データフローモデル：プロセス間の情報の流れに着目して対象を表したモデル

有限状態機械（有限オートマトン）モデル：有限の状態集合における，ある状態から他の状態への遷移を用いて表した動作モデル

《解答》ウ

問5 ✔□ □□ UMLを使って図のクラスPを定義した。このクラスの操作のうち，公開可視性（public）をもつものはどれか。 (H27問2，H25問1，H23問1)

クラスP
＋　操作A
－　操作B
#　操作C

ア　全ての操作　　イ　操作A　　ウ　操作B　　エ　操作C

問5 解答解説

クラスはクラス名，属性，操作の３要素で構成される。個々の操作を定義する際にその公開度も決める。＋の操作はどのクラスからでもアクセス可能となり，－の操作はクラス内からのみアクセス可能，#の操作はクラス内とその下位の階層のサブクラスからのみアクセス可能となる。

《解答》イ

問6 ☑☐ ☐☐ 要件定義において，システムが提供する機能単位と利用者又は外部システムとの間の相互作用や，システム内部と外部との境界を明示するために使用される図はどれか。（R3問14）

ア アクティビティ図　　イ オブジェクト図

ウ クラス図　　エ ユースケース図

問6 解答解説

ユースケース図は，外部からみたシステムの振舞いを表す図である。システムがどのように機能するかを，システムの機能であるユースケース，システムの外部に存在してユースケースを起動しシステムから情報を受け取るアクター，システム内部とシステム外部の境界を示すシステム境界などを用いて表す。

ユーザーや外部システム（アクター）と，業務の機能（ユースケース）を分離して表現することで，ユーザーを含めた業務全体の範囲を明らかにすることができる。

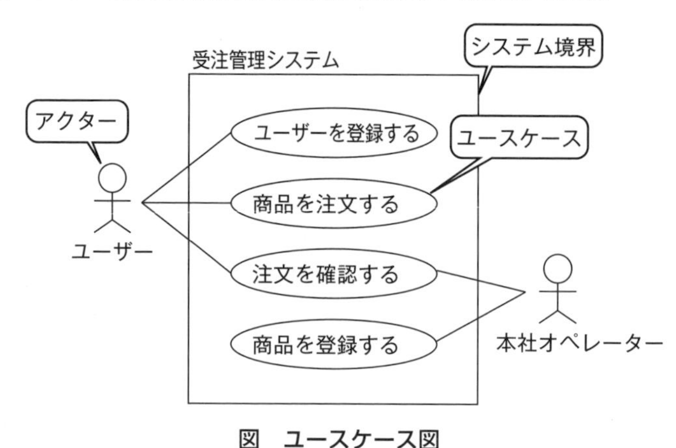

図 ユースケース図

アクティビティ図：複数のオブジェクト間の動作や処理手順を表す図

オブジェクト図：個々のオブジェクトとその間の関係を表す図

クラス図：オブジェクトに共通した性質をクラスとして定義し，各クラス間の相互関係とともに表す図

《解答》エ

問7 ☑☐☐☐ UMLの図のうち，業務要件定義において，業務フローを記述する際に使用する，処理の分岐や並行処理，処理の同期などを表現できる図はどれか。

(R元問14)

ア　アクティビティ図　　イ　クラス図
ウ　状態マシン図　　エ　ユースケース図

問7 解答解説

アクティビティ図はUMLで定義されている図解技法の一つで，システムの振舞いを流れ図形式で表現する。処理の同期や，条件による分岐が表現できる。

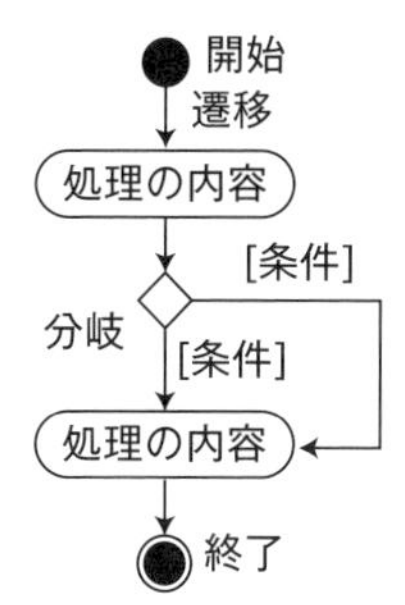

図　アクティビティ図の基本構造

クラス図：オブジェクトに共通する性質をクラスとして定義し，各クラス間の汎化関係や集約関係を表現する図

状態マシン図：時間経過や状況変化による状態の変化を表す図。リアルタイムシステムの分析などに用いられる

ユースケース図：ユーザーや外部システムがシステムの機能をどのように利用するかをシナリオに基づいて記述する図

《解答》ア

問8 ☑☐☐☐ イベント駆動型のアプリケーションプログラムにおけるイベント処理のタイミングを設計するのに有用なものはどれか。

(R3問4，H29問7，H25問3)

ア　DFD　　イ　E-R図　　ウ　シーケンス図　　エ　状態遷移図

問8 解答解説

シーケンス図は，オブジェクト間のメッセージのやりとりを時系列に表すことで，処理がどのように実現されるかを表した，UMLダイアグラムの一つである。オブジェクトから他のオブジェクトにメッセージを送出して，必要な処理を実行するという考え方で，イベント駆動型アプリケーションにおけるイベント処理のタイミングを設計できる。

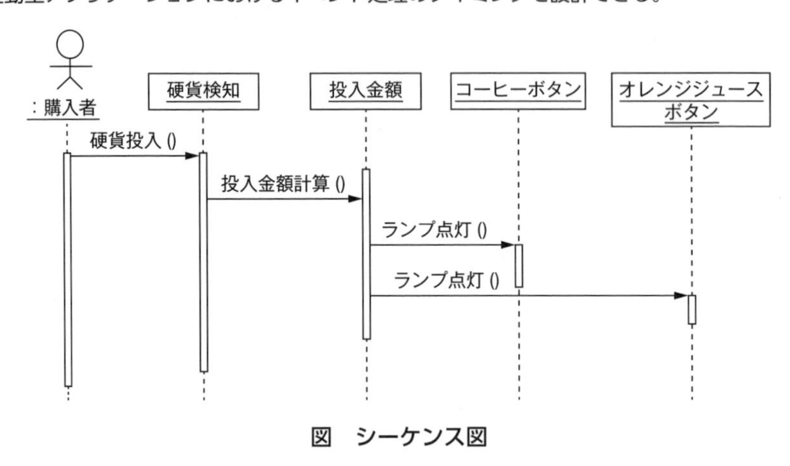

図　シーケンス図

DFD：データの流れに着目して処理機能を設計するのに有用な図

E-R図：エンティティ（実体）間のリレーションシップ（関連）で業務を表現するのに有用な図

状態遷移図：発生した事象に応じてシステムがどのように動作するかを表現するのに有用な図

《解答》ウ

問9 ✔□ □□

UML2.0のステートマシン図の記法に適合している図はどれか。

（R5問 9）

ア

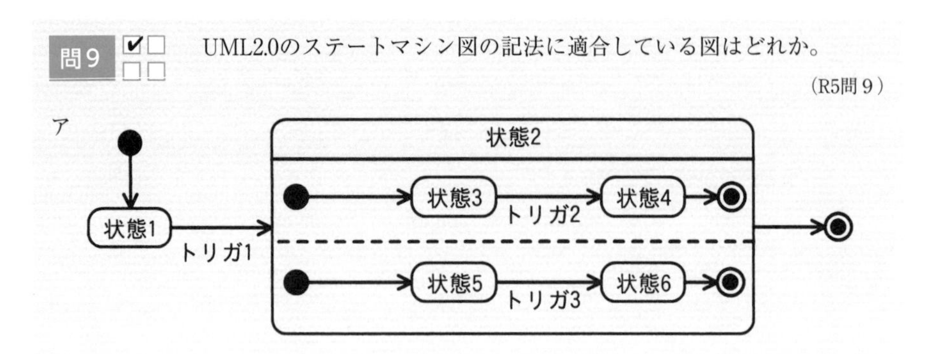

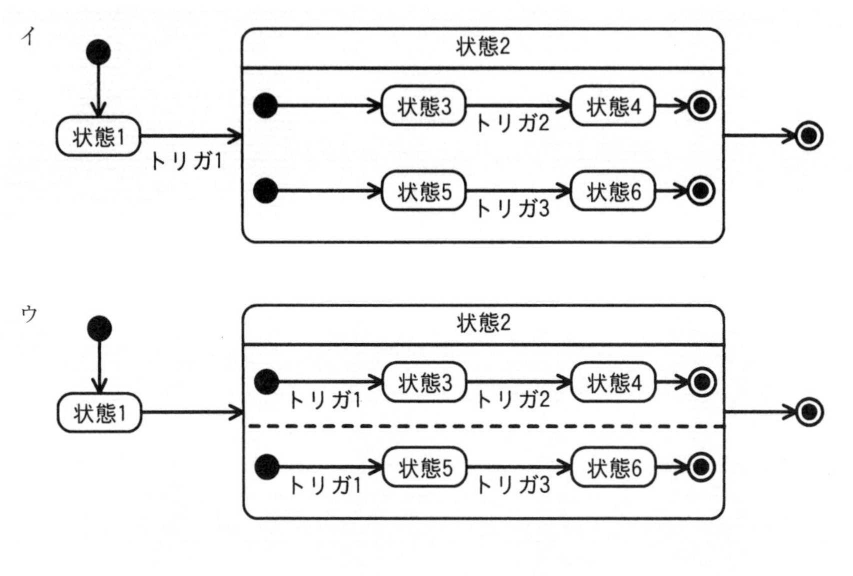

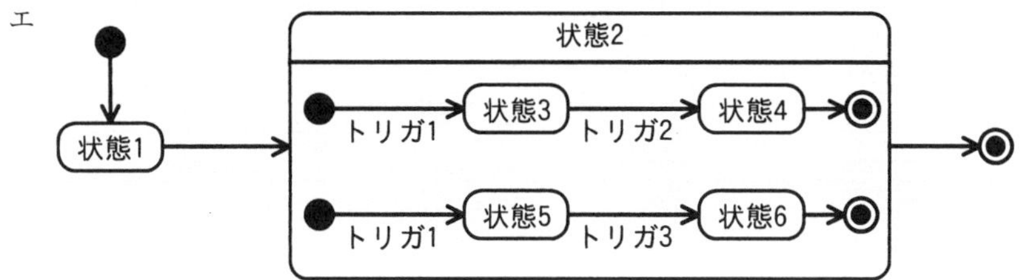

問9　解答解説

選択肢は，UML2.0のステートマシン図で，状態1から状態2に遷移し，状態2を詳細化すると，二つの独立する遷移状態となる場合を表記している。

・状態1から一つのトリガ（トリガ1）で状態2に遷移するので，トリガ1は，状態1と状態2の間の状態遷移（→）に表記されなければならず，“ウ”と“エ”は誤りである。

・状態2は，二つの独立した状態（お互いに状態遷移することがない）を持った合成状態である。このような場合，状態を点線で区切って領域を作成できる。

よって，“ア”が正しい。

《解答》ア

問10 ✔□ □□ 要求分析・設計技法のうち，BPMNの説明はどれか。（H26問２，H24問３）

ア　イベント・アクティビティ・分岐・合流を示すオブジェクトと，フローを示す矢印などで構成された図によって，業務プロセスを表現する。
イ　木構造に基づいた構造化ダイアグラムであり，トップダウンでの機能分割やプログラム構造図，組織図などを表現する。
ウ　システムの状態が外部の信号や事象に対してどのように推移していくかを図で表現する。
エ　プログラムをモジュールに分割して表現し，モジュールの階層構造と編成，モジュール間のインタフェースを記述する。

問10 解答解説

BPMN（Business Process modeling Notation）は，業務プロセスをダイアグラムで表現するための表記法である。

イ　階層構造図に関する説明である。
ウ　状態遷移図に関する説明である。
エ　バブルチャートを併用したモジュール階層構造図に関する説明である。　《解答》ア

問11 ✔□ □□ 複数のシステムの組合せによって実現するSoS（System of Systems）をモデル化するのに適した表記法であるSysMLの特徴はどれか。

（R5問３，H29問４）

ア　オブジェクト図によって，インスタンスの静的なスナップショットが記述できる。
イ　単純な図形及び矢印によって，システムのデータの流れが記述できる。
ウ　パラメトリック図によって，モデル要素間の制約条件が記述できる。
エ　連接，反復，選択の記述パターンによって，ソフトウェアの構造が分かりやすく視覚化できる。

問11 解答解説

SysML（OMG Systems Modeling Language）は，OMGによって制定された，システム全体をモデル化するモデリング言語で，SoS（System of Systems；システムを構成要素とするシステム）を表記するのに適している。SysMLは，UMLから流用した七つの図と，新たに定義したSysML固有の二つの図の９種類のダイアグラムで構成される。

パラメトリック図は，SysML固有の図で，性能分析や定量的解析に使用され，システム（構成要素）間の制約条件を記述するのに使用する。例えば，太陽光発電システム，風力発電システム，蓄電池システム，売電システムなどから構成されるスマートグリッドシステムにおいて，発電電力と売電電力，蓄電電力の間の制約条件などを記述する用途などに用いられる。

ア　SysMLでは使用されない，UMLのオブジェクト図の特徴である。
イ　DFDの特徴である。
エ　ジャクソン構造図の特徴である。　　《解答》ウ

4 設計手法

設計手法は，システムアーキテクトにとって最も重要なテーマである。午前Ⅱ試験では，伝統的な構造化設計からオブジェクト指向設計まで，設計手法に関して知識が幅広く出題されている。午後Ⅰ・Ⅱ試験でも設計のポイントや工夫点などが問われることが多い。デザインパターンやユースケース駆動開発など，論述ネタに使えそうなテーマはチェックしておこう。

… 30秒チェック！ …

Super Summary

⑴ **構造化技法**

■構造化技法はシステムをプロセスの集合体と考え，システムに必要な機能を洗い出して詳細化する。

□構造化分析…システムの機能を DFD を用いて段階的に詳細化する技法

□STS分割…データの流れが一直線の場合に適用する技法

□TR分割…データの流れが分岐する場合に適用する技法

⑵ **モジュールの独立性**

■モジュールの独立性を測る尺度にはモジュール強度とモジュール結合度がある。

□モジュール強度…実装する機能の「まとまりの良さ」を示す尺度

□モジュール結合度…モジュール同士の関連の強さを示す尺度

⑶ **データ中心アプローチ**

■データ中心アプローチはデータ基盤に基づいてソフトウェアを設計する。

⑷ **オブジェクト指向アプローチ**

■オブジェクト指向アプローチは手続きとデータを一体化したオブジェクトを対象として分析・設計を行う。

□情報隠蔽…データをメソッドを介してのみアクセス可能とし，外部から隠蔽する

□汎化（is-a）関係…複数クラスに共通する性質を上位クラスに定義した関係

□集約関係…全体に対する部品の関係

□インヘリタンス…上位クラスに定義した属性やメソッドを下位クラスが継承すること

□オーバーライド…上位クラスのメソッド内容を下位クラスで再定義すること

□ポリモフィズム…同じメソッドを呼び出しても，クラスによって使い分けられる

(5) デザインパターン

■デザインパターンは良い設計を行うための「設計のひな形集」である。

□Factory Methodパターン…インスタンスの生成を抽象化するパターン

□Compositeパターン…再帰的な構造を定義するパターン

□Strategyパターン…アルゴリズムの切替えに用いるパターン

(5) モデル化と開発

■設計や開発の手法に，BCEモデル，MVCモデル，ユースケース駆動開発などがある。

□BCEモデル…オブジェクトをBoundary，Control，Entityの三種類に分ける

□MVCモデル…オブジェクトをModel，View，Controllerの三種類に分ける

□ユースケース駆動開発…ユースケースごとに設計からテストまでを実施する

□マイクロサービスアーキテクチャ…サービス単位でソフトウェアを作成し，連携させるアーキテクチャ

4.1 構造化技法

構造化技法は，デマルコ（T.DeMarco）らによって提案されたシステムの分析・設計技法である。その特徴は，システムを「特定の機能を実現するプロセスの集合体」と考え，システムに必要な機能を洗い出して詳細化することである。構造化技法は，大きく

構造化分析→構造化設計

で実施する。

構造化技法のようにシステムを機能（プロセス）の視点から分析・設計する手法を，プロセス中心アプローチと呼びます。

■ 構造化分析

構造化分析は，システム要件を機能の面から分析して定義する。システムの機能をDFDを用いて段階的に詳細化し，詳細化されたDFDについて，プロセスの内容をミニ仕様書に，データの内容をデータディクショナリに記述する。

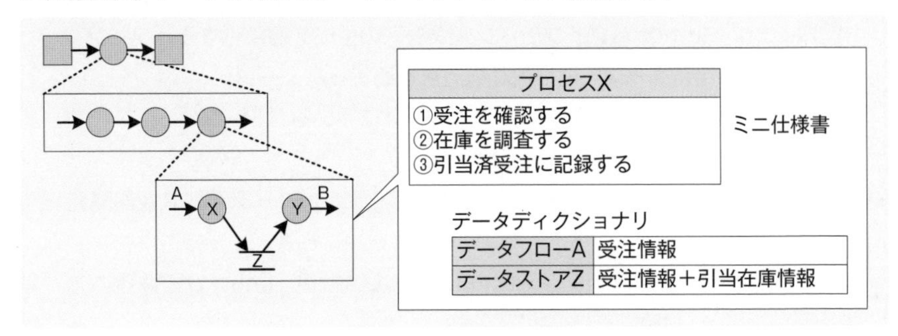

▶図4.1　構造化分析

■ 構造化設計

構造化設計は，構造化分析と同様に，機能の面からシステムやプログラムの構造を設計する。具体的には，構造化分析で作成したDFDについてさらに詳細化を進め，**STS分割**や**TR分割**などの技法を用いてプログラムの構造（モジュールの呼出し構造）に変換する。

STS分割

・データの流れが一直線の場合に適用する。
・データの流れを，入力データの処理，入力から出力への変換処理，出力データの処理の三つに分け，モジュールの階層構造を作成する。

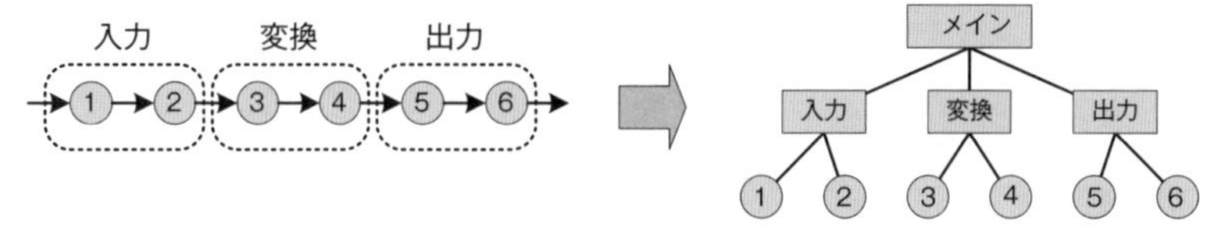

TR分割

・データの流れが分岐する場合に適用する。
・振分け用のモジュールから分岐先のモジュールを呼び出すように階層構造を作成する。

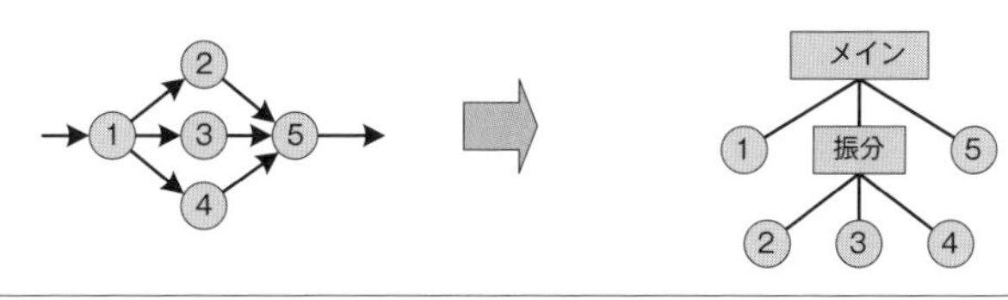

▶図4.2　STS分割とTR分割

STS分割やTR分割は，データの流れをもとにプログラム構造を決定する。これら以外に，入力データや出力データの構造からプログラム構造を決定するジャクソン法，ワーニエ法などもある。

構造化設計は構造化分析と相性の良い設計法ですが，他の分析技法を用いた場合でも適用できます。

4.2 モジュールの独立性

モジュールが，そのモジュールで完結し，他のモジュールと影響し合わない性質をモジュールの独立性という。良い設計で導出されたモジュールは独立性が高く，プログラムの保守性が高くなる。

モジュールの独立性を評価する尺度に，モジュール強度とモジュール結合度がある。モジュール強度を高く，モジュール結合度を低くするようにモジュール分割を行うことが，モジュールの独立性を高めるために重要となる。

■ モジュール強度

モジュール強度は，モジュールに実装する機能の「まとまりの良さ」を示す尺度である。関連性の強い機能がまとめられたモジュールほど，モジュール強度が高くなり，モジュールの独立性は高くなる。

モジュール強度には，**表4.1**のような種類がある。

▶表4.1　モジュール強度

強度	種類	定義	補足	
強	機能的強度	一つの固有の機能だけを実行するために，モジュールを構成する全ての要素が関連し合っている状態	一つの機能を実現するために構成要素が一致団結	構造化設計で目標とするモジュール強度
↑	情報的強度	同一のデータ構造を扱う複数の機能的強度のモジュールを，それぞれに入口点と出口点を設けて，一つにパッケージ化したもの （操作対象となるデータに関連する情報を，特定モジュールに限定できるため，独立性が高められる）	データと手続きを一体化させるカプセル化など	（構造化設計で目標とするモジュール強度）
	連絡的強度	（手順的強度＋データを通じての関わり合い） 一連の手順に従って逐次的に実行されること，及びデータの受渡しや同一データの参照を行うことで，モジュールを構成する要素が関連し合っている状態		
	手順的強度	一連の手順に従って，逐次的に実行することで，モジュールを構成する要素が関連し合っている状態		
	時間的強度	ある特定の時期に実行されるという観点で，モジュールを構成する要素が関連し合っている状態	初期設定モジュール，終了処理モジュールなど	
↓	論理的強度	論理的に関連するいくつかの機能で構成され，ある種の機能コードによって，そのうちの一つが選択され実行されるもの		
弱	暗合的強度	機能を定義することができない（何を行うモジュールであるかがあいまいである），構成要素間に特定の関係がない（お互い無関係に近い）状態	無関係な機能を，無秩序に寄せ集めたモジュール	

モジュール強度が最も高いのは機能的強度で，「１機能１モジュール」のモジュールである。次にモジュール強度が高いのが情報的強度で，「同一データを利用する機能群」をまとめたモジュールで，オブジェクト指向におけるオブジェクトがこれに該当する。連絡的強度や手順的強度は，「手順によって関連付けられる機能」をまとめ

たモジュールである。時間的強度になると，モジュール強度は大幅に低下する。初期処理や終了処理などのように，単に同じタイミングで実行されるという理由だけで，関連の薄い処理がまとめられたモジュールは，モジュール強度が低く保守性も悪い。

■ モジュール結合度

モジュール結合度は，モジュール同士の関連の強さを示す尺度である。モジュール結合度が低いほど，モジュールの独立性は高くなる。

モジュール結合度には，**表4.2**のような種類がある。

▶表4.2　モジュール結合度

結合度	モジュール間インタフェース(データの受渡し方)	種　類	定　義	補　足
強	特殊(例外的)	内容結合	あるモジュールが他のモジュールの内容を直接参照する，又は他のモジュールに直接分岐	
↑	大域的データ(グローバル)	共通結合	データ構造を大域的データ(共通域)として共用	不要なものまで公開してしまう
		外部結合	構造を持たない大域的データ(外部宣言したデータ)を共用	必要なものだけ公開する
	引数(パラメタ)	制御結合	制御情報(機能コード，スイッチなど)を引数として受け渡し，相手のモジュールに影響を与える	呼出し側が内部論理を知る必要がある
↓	ブラックボックス化可能な形態	スタンプ結合	構造を持つ引数(構造体など)を受け渡す	不要なものまで受け渡す
弱		データ結合	構造を持たない引数(単なるデータ項目：スカラ型データ要素)を受け渡す	必要なものだけ受け渡す

└ 構造化設計で目標とするモジュール結合度（データ結合）

モジュール結合度には大きく，

直接参照 ＞ 外部（大域）データ共有 ＞ 引数

という関係がある。モジュール結合度を低くするためには，モジュール間インタフェースに引数を用いることが望ましい。

【参考】 ～引数の渡し方

モジュール間の引数の受け渡し方法には，値渡しと参照渡しがある。値渡しは「変数の内容」を引き渡す方式で，受取り側でどのような更新を行っても，呼出し側の変数には影響を与えない。これに対し，参照渡しは「変数の参照情報」を引き渡す方式で，受取り側は参照情報を用いて，呼出し側の変数を直接参照する。

なお，引数の渡し方はモジュール結合度と直接関係しない。構造のない変数を参照渡しで引き渡すことも，構造を持つ変数を値渡しで引き渡すことも可能だからである。

4.3 データ中心アプローチ

企業の業務活動は環境の変化に合わせて刻々と変化しているが，システムでとり扱われているデータは企業の経営内容が変わらない限りほとんど変化しない。データ中心アプローチは，この安定したデータ基盤を共有資源として先に設計し，そのデータに基づいてソフトウェアを設計するという方法論である。

データ中心アプローチは**図4.3**の手順で分析・設計を進める。

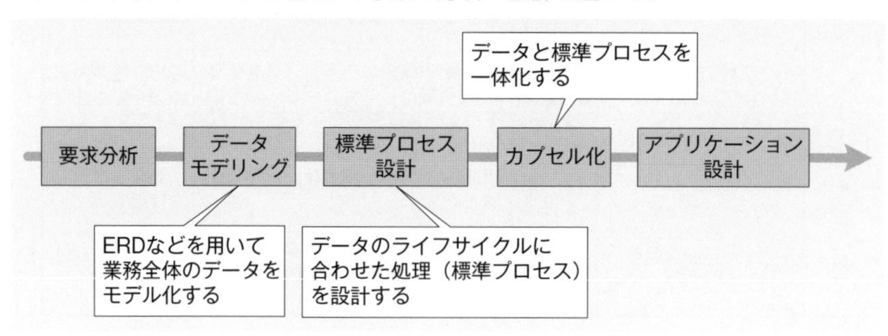

▶図4.3　データ中心アプローチの手順

図4.3の標準プロセスとは，発生・変更・消滅といったデータライフサイクルに合わせた処理である。この処理をデータと**カプセル化**することで，「あるデータを更新する処理がアプリケーションごとに存在する」などというようなプロセスの重複を排除することができる。

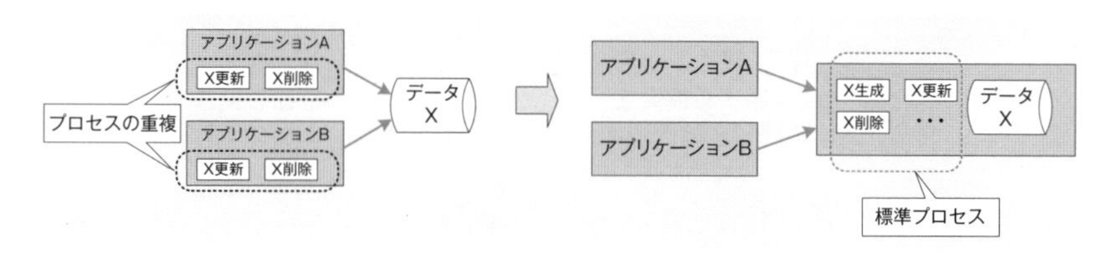

▶図4.4　重複の排除

4.4 オブジェクト指向アプローチ

オブジェクト指向アプローチとは，手続き（プロセス）やデータを中心に設計を考えるのではなく，手続きとデータを一体化したオブジェクトを対象として分析・設計を行う方法論である。

オブジェクト指向は，対象業務に存在するオブジェクトを洗い出し，構造や振舞いを分析する過程を通して，オブジェクトをより具体的なものへと洗練させる。

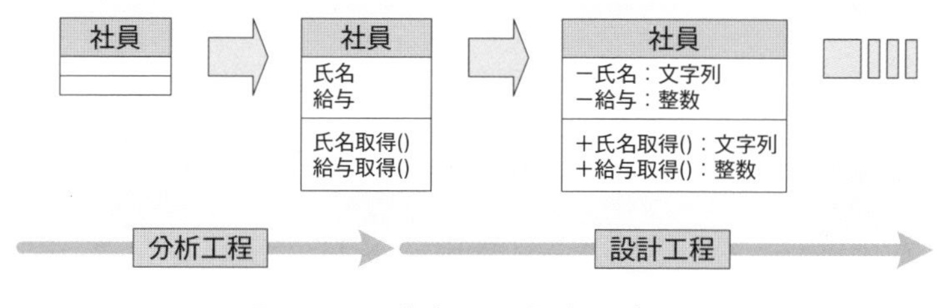

▶図4.5　オブジェクト指向アプローチ

オブジェクト指向には次のような特有の概念や原則がある。

■ 情報隠蔽

オブジェクトは，データ（属性）とそれを操作するメソッドをカプセル化した単位である。カプセル化した内容をどの程度公開するかは設計によるが，通常はデータを非公開（private），メソッドを公開（public）とする。これによって，データはメソッドを介してのみアクセスが可能となり，外部から隠蔽される。これを，情報隠蔽と呼ぶ。

■ クラス間の関係

クラス間に成り立つ関係には，汎化（is-a）関係と集約（part-of）関係がある。

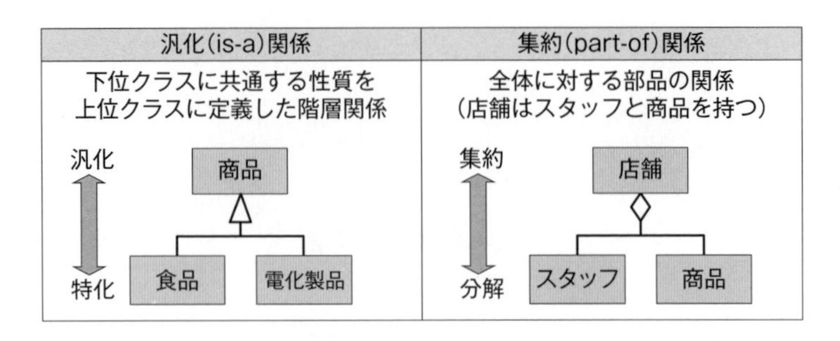

▶図4.6　クラス間の関係

汎化関係は，複数のクラスに共通する性質を抽出して上位クラスを定義した関係で，上位クラスを基底クラスや**スーパークラス**，下位クラスを派生クラスや**サブクラス**と呼ぶ。集約関係は，全体に対する部品の関係で，全体側のインスタンスが部品側のインスタンスを保持するような関係がある。

■ **インヘリタンス**（継承）

クラス構造として汎化関係を定義したとき，上位クラスに定義した属性やメソッドを，下位クラスが自動的に継承する性質を，インヘリタンスと呼ぶ。

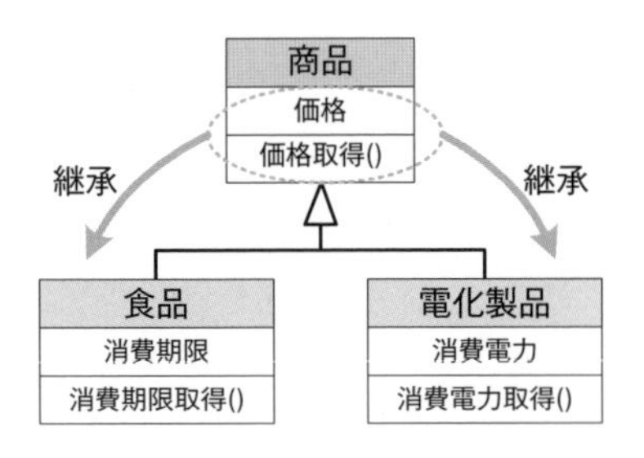

▶図4.7　インヘリタンス

図4.7では，“商品”クラスの属性“価格”やメソッド“価格取得（）”は，“食品”クラスにも“電化製品”クラスにも共通するため，上位の“商品”クラスに定義して“食品”クラスと“電化製品”クラスに継承させている。汎化関係をクラス構造にとり入れることで，下位クラスには上位クラスとの差分のみを定義すればよいこととなり，プログラムがシンプルになる。

■ オーバーライド

クラス構造に汎化関係が定義されているとき，上位クラスで定義されたメソッドの内容を，下位クラスで再定義（上書き）することができる。このメソッドの再定義を，オーバーライドと呼ぶ。

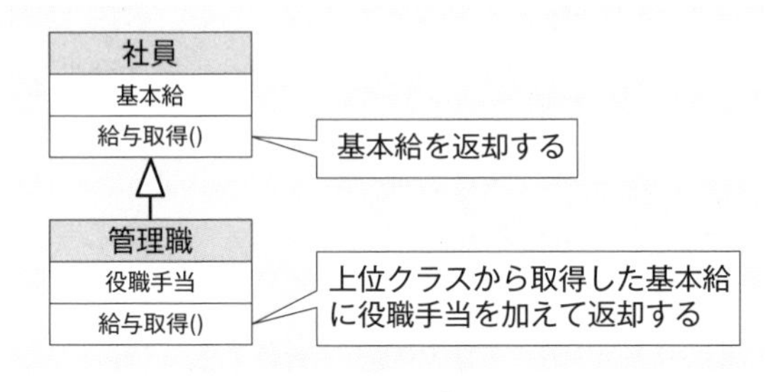

▶図4.8　オーバーライド

図4.8のように“給与取得（）”メソッドをオーバーライドしたとき，“社員”クラスと“管理職”クラスには「同一名称だが振舞いが異なるメソッド」が定義されたことになる。

■ 多相性（ポリモーフィズム）

クラス構造に汎化関係が定義されているとき，同じのメソッド名を呼び出しても，クラスによる使い分けが自動的に行われることを多相性と呼ぶ。例えば，**図4.8**のクラス構造において，“給与取得（）”メソッドを呼び出したとき，“社員”クラスのインスタンスは基本給を返し，“管理職”クラスのインスタンスは基本給＋役職手当を返す。

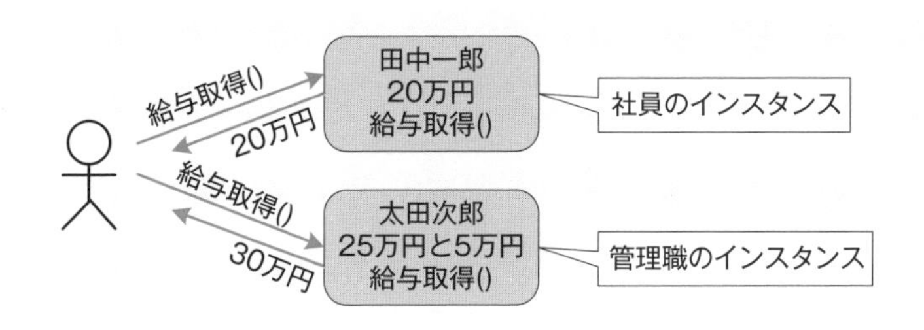

▶図4.9　多相性

多相性を利用したプログラムは，インスタンスの使い分けのためのコードが不要となり，シンプルで変更に強いプログラムとなる。

4.5 デザインパターン

デザインパターンは，変更に強く問題が起きにくいプログラムを作成するために，クラス構造や機能をパターン化した「設計のひな形」である。最も有名なデザインパターンの一つであるGoFのデザインパターンでは，生成，構造，振舞いの三つのカテゴリから構成される23個のパターンをオブジェクト指向開発のためのパターンとして提唱している。

生成に関するパターン

Abstract Factory…関連する一連のインスタンスを生成する
Builder…インスタンスを組み合わせて生成する
Factory Method…インスタンスを生成する
Prototype…インスタンスをコピーする
Singleton…インスタンスが単一であることを保証する

構造に関するパターン

Adapter…2つのクラスを接続するクラスを作る
Bridge…実装へ橋渡しする
Composite…再帰的な構造を実現する
Decorator…動的に付加機能を追加する
Facade…窓口となる共通のインタフェースを提供する
Flyweight…多数のインスタンスを共有する
Proxy…利用者からのアクセスを代理する

振舞いに関するパターン

Chain of Responsibility…メッセージを連鎖的に送る
Command…命令をクラスで表す
Interpreter…構文解析の結果をツリー構造で表す
Iterator…オブジェクトに順番にアクセスする
Mediator…オブジェクト間を仲介する
Memento…状態を記録する
Observer…状態の変化を監視する
State…状態をクラスで表す
Strategy…アルゴリズムを切替える
Template Method…具体的な処理をサブクラスに任せる
Visitor…クラスを訪問して処理を行う

▶図4.10　GoFのデザインパターン

生成カテゴリからFactory Methodパターンを，構造カテゴリからCompositeパターンを，振舞いカテゴリからStrategyパターンを説明する。! Pick Upでとり上げた「オブジェクト指向の良い設計」と併せて読んで欲しい。

■ Factory Methodパターン

Factory Methodパターンは，インスタンスの生成を抽象化するパターンで，Factory Methodパターンを用いることで，クラスの違いを意識することなくインスタンスを生成することができる。

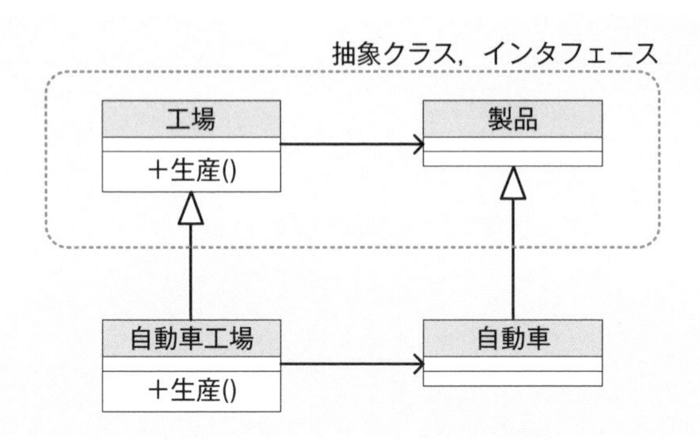

▶図4.11　Factory Methodパターン

図4.11の"工場"クラスと"製品"クラスは抽象クラス又はインタフェースで，具体的な実装を隠す役割を持つ。インスタンス生成の実装は，工場や製品を具象化する"自動車工場"クラスや"自動車"クラスが担う。

クライアントプログラムには"工場"クラスの"生産"メソッドを呼び出すようプログラミングすれば，ポリモフィズムによって，実行時には"自動車工場"クラスの"生産"メソッドが呼び出され，"自動車"クラスのインスタンスが生成される。クライアントプログラムは，"工場"クラスが"自動車工場"クラスであることや，"製品"クラスが"自動車"クラスであることを意識する必要はない。

■ Compositeパターン

Compositeパターンは，入れ物と中身を同一化し，入れ物の中にさらに入れ物が入るような再帰的な構造を定義するパターンである。ディレクトリとファイルのような関係を表すのに適している。

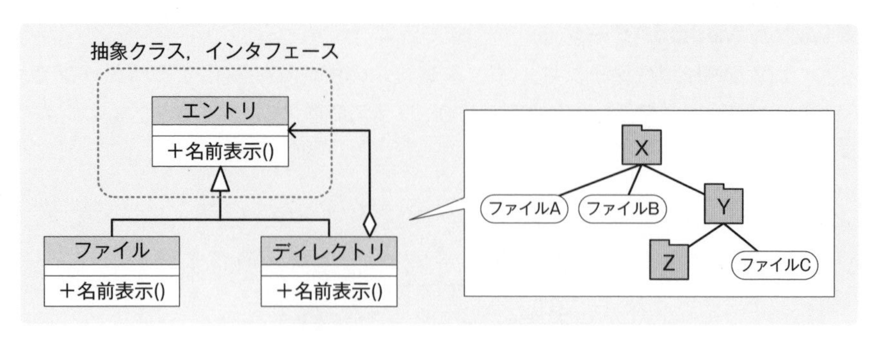

▶図4.12　Compositeパターン

図4.12の“エントリ”クラスは，“ファイル”クラスと“ディレクトリ”クラスの区別を抽象化するクラスである。“ディレクトリ”クラスは入れ物を表すクラスで，複数のエントリを持つよう実装する。“ディレクトリ”クラスの“名前表示”メソッドを「自身の名前を表示した後に配下にある全てのクラスの“名前表示”メソッドを呼び出す」ようにプログラミングすれば，最上位の“ディレクトリ”クラスの“名前表示”メソッドを呼び出すことで，全インスタンスの名前を表示することができる。

■ Strategyパターン

Strategyパターンは，アルゴリズムをクラスとして独立させたパターンである。アルゴリズムの切替えが簡単になり，システム戦略の変更に容易に対応できる。

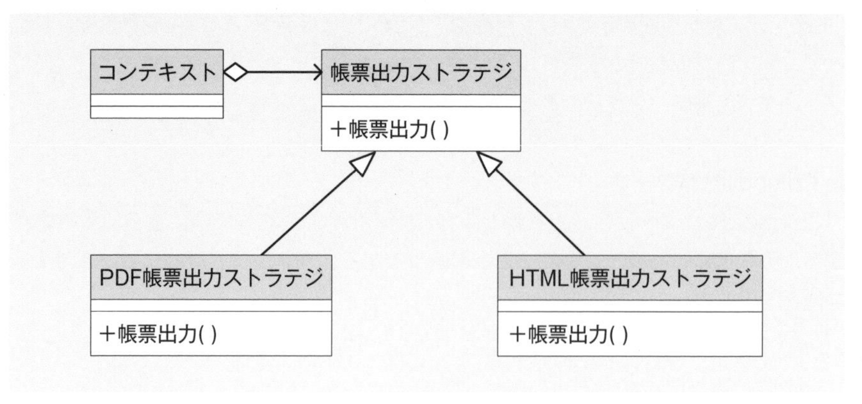

▶図4.13　Strategyパターン（平成27年秋SA午前Ⅱ試験問5より引用）

図4.13の“コンテキスト”クラスはクライアントプログラムで，“帳票出力ストラ

テジ”クラスは具体的な帳票出力アルゴリズムを抽象化するクラスである。“コンテキスト”クラスは，帳票出力にあたっては，自身に設定された“帳票出力ストラテジ”クラスの“帳票出力（）”メソッドを呼び出す。具体的には，“PDF帳票出力ストラテジ”クラスが設定されていればPDF出力を行い，“HTML帳票出力ストラテジ”クラスが設定されていればHTML出力を行う。

このようにアルゴリズムを独立させておけば，新しい帳票出力アルゴリズムが登場した場合でも，“帳票出力ストラテジ”クラスを追加すれば容易に対応でき，クライアントプログラムに影響は一切及びません。

4.6 モデル化と開発

オブジェクト指向で対象領域をモデル化するとき，

・外部とのインタフェースを担当するオブジェクト

・データ管理を担当するオブジェクト

・両者を接続するオブジェクト

に分けてモデル化する手法がある。ここでは，それらのモデル化手法とオブジェクト指向開発の手法であるユースケース駆動開発をとり上げる。

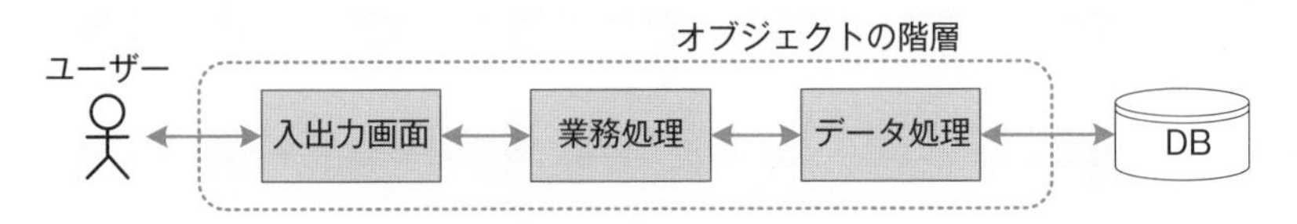

▶図4.14　オブジェクトの階層

■ BCEモデル

BCEモデルは，オブジェクトをBoundary，Control，Entityの三種類に分ける手法である。

▶表4.3　BCEモデル

Boundary	境界オブジェクト	画面操作や画面表示などを担当するオブジェクト
Control	制御オブジェクト	業務処理の実行を制御するオブジェクト
Entity	実体オブジェクト	データの実体を管理するオブジェクト

例えば，商品の注文を行う処理で，注文画面は境界オブジェクト，注文に関わる一連の処理は制御オブジェクト，商品や在庫などの実体は実体オブジェクトに該当する。

■ MVCモデル

MVCモデルは，オブジェクトをModel，View，Controllerの三種類に分ける手法である。

▶表4.4　MVCモデル

Model	データ処理や業務処理を担当するオブジェクト
View	画面操作や画面表示などを担当するオブジェクト
Controller	実行の制御を担当するオブジェクト

【参考】 ～MVCモデルとBCEモデルの違い

MVCモデルとBCEモデルの違いは，「業務処理をどのオブジェクトが担当するか」である。MVCモデルでは，アプリケーションに共通する業務処理はModelに実装し，ControllerがModelの制御を通して業務固有の処理を実行する。

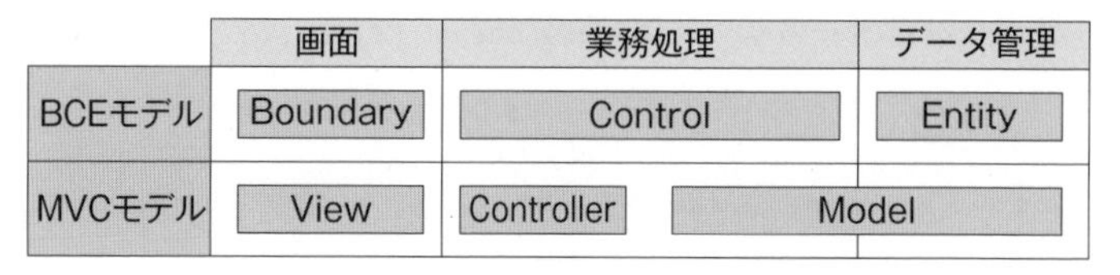

▶図4.15　BCEモデルとMVCモデル

■ ユースケース駆動開発

ユースケースとは，ユーザーから見たひとまとまりの機能（要件）のことである。ユースケース駆動開発は，ユースケースの識別からシステム開発を開始し，ユースケースごとに設計，製造，テストを実施する開発手法である。

午前Ⅱ試験で，ユースケース駆動開発の利点として「ひとまとまりの要件を１単位として設計からテストまでを実施するので，要件ごとに開発状況が把握できる」ことが問われました。

■ マイクロサービスアーキテクチャ

マイクロサービスアーキテクチャは，アプリケーションを「マイクロサービス（小さなサービス）の集合」と捉え，マイクロサービスを連携させることで一連の業務処理を実現する考え方である。マイクロサービスアーキテクチャに対し，従来型のアプリケーションを，モノリシックアーキテクチャと呼ぶこともある。

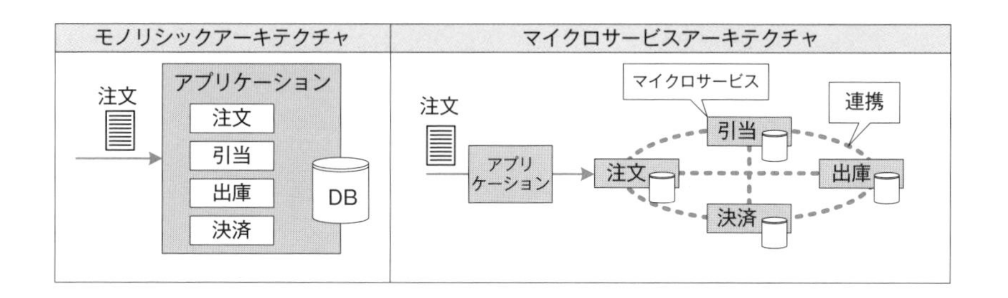

▶図4.16　モノリシックアーキテクチャとマイクロサービスアーキテクチャ

マイクロサービスアーキテクチャには，
・サービスが更新された場合でも，対応するマイクロサービスのみを置き換えるだけでよい
という利点がある。その一方で，
・各サービスが保有するデータの整合性を確保しにくい
・サービス連携のためのオーバーヘッドが多くなる
などの欠点もある。

!Pick Up　オブジェクト指向の良い設計

システムアーキテクトの午後Ⅰ・Ⅱ試験で，変更に強いソフトウェア構造について論述が求められたことがあった。「変更に強いソフトウェア構造」とは「良い設計に基づいて開発されたソフトウェア」に他ならない。ここでは，オブジェクト指向における良い設計の原則をとり上げて説明する。

■ 良い設計の原則

オブジェクト指向における良い設計の原則は「いかにオブジェクトの実装を隠すか」という点に尽きる。例えば，**図4.8**のクラス図では，社員と管理職の関係は，「“社員”クラスという基本的なクラスによって，“管理職”クラスという，より複雑な実装を隠した」ということもできる。クライアントプログラムは，“社員”クラスと“管理職”クラスの違いを意識することなく，多相性によって両者を使い分けることができる。

上位に基本的な性質を定義した抽象的なクラスやインタフェースを用意し，下位に向けて具象化するようなクラス構造を作れば，クライアントプログラムは最上位のオブジェクトのみをアクセスすれば，下位クラスのオブジェクトは自動的に使い分けられる。

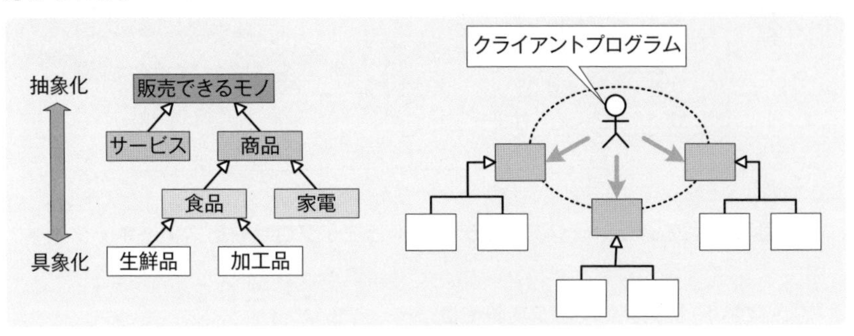

▶図4.17　良い設計の原則

このようなクラス構造でソフトウェアを開発すれば，下位クラスの修正がクライアントプログラムに影響を与えない，いわゆる「変更に強い」プログラムを作成することができる。デザインパターンは，変更に強い，良い設計に基づいたプログラムを作るためのパターン集といえる。

■ SOLIDの原則

オブジェクト指向で良い設計のプログラムを作るために，Robert C.Martinは五つの原則を提唱した。この原則は，それぞれの頭文字をとってSOLID原則と呼ばれる。

▶表4.5　SOLID原則

原則	内容
単一責任の原則（Single responsibility principle）	クラスに持たせる役割は一つだけにすべきである
開放閉鎖の原則（Open-closed principle）	クラスは拡張に対して開放されており，修正に対して閉鎖している
リスコフの置換原則（Liskov substitution principle）	上位クラスの処理を下位クラスで置き換えることができる
インタフェース分離の原則（Interface segregation principle）	クラスを利用するクライアントごとに異なるメソッドが必要な場合，インタフェースを分ける
依存性逆転の原則（Dependency inversion principle）	上位モジュールは下位モジュールに依存しない

単一責任の原則はクラスが複数の役割を持つときは役割ごとにクラスを分割することを，開放閉鎖の原則はクラスに追加や変更を行ったときに影響をクラス外には及ぼさないことを表している。リスコフの置換原則は，上位クラスと下位クラスの関係が，矛盾なく設計されていることを表す。インタフェース分離の原則は，プログラムAとプログラムBが同じクラスを利用するとき，各々のプログラムに対してインタフェースを用意するということである。依存性逆転の原則は，より抽象的で安定した上位モジュールに依存すべきであることを表している。

こう書ける！　論述の切り口

午後Ⅱ試験では，変更に強い設計，拡張を見越した設計など，いわゆる「良い設計」について論述が求められることがある。その場合，

・抽象化
・実装を隠す
・インタフェースを分離する
・上位モジュールが下位モジュールに依存しない

などのキーワードを適切に用いれば，それらしく論述することができる。もちろん，キーワードを散らしただけでは中身のない論述になってしまう。「具体的に何をしたのか」という観点で，経験を書くようにしよう。

(X)　抽象化の見直しと徹底

当社のソフトウェアは，オブジェクト指向言語で開発されてはいるものの，オブジェクト指向の原則を踏まえているとはいい難かった。また，クラスの追加や修正がその場しのぎで行われてきたことも，クラス構造を混乱させていた。結果として，当社のソフトウェアは修正の影響を限定できず，保守コストが高くなる傾向があった。私は，この状況を断ち切るため，既存機能を流用する場合であっても，プログラムを設計し直すことにした。具体的にはSOLIDの原則に従い，抽象から具象へのクラス構造を再設計し，クライアントプログラムは抽象度の高いクラスを利用するよう徹底した。また，データベースを利用するプログラムについては，クライアントプログラムごとにインタフェースを分離し，不要なインタフェースに依存しないようにした。

注目！
良い設計を論述する一般的なストーリは,「悪い設計が行われてきた」ので「良い設計に改めた」ということ。「悪い設計」についても具体的に述べると論述に説得力が増す。

注目！
抽象化やインタフェースの分離などのキーワードを用いて論述している。欲を言えば，もう少し中身が書き込まれているとよい。

! Pick Up　ユースケース駆動開発の流れ

ユースケース駆動開発は，ユーザーから見たシステムの機能であるユースケースに注目して，システムを開発する方法論である。ここでは，ユースケース駆動開発の草分けでもあるICONIXを例に，ユースケース駆動開発の流れを説明する。

■ ユースケース駆動開発

オブジェクト指向によるシステム開発では，対象領域の静的な分析を優先する結果，無駄なクラスや冗長なコードが生成されることがある。また，UMLの図式表現も種類が多く，分析・設計の作業が複雑になりがちである。ユースケース駆動開発は，ユースケースという「目に見える機能」に着目して，その動的な振舞いを分析し，そこから静的な構造を導出する開発手法である。開発に使用するUMLの図式表現の種類を最小限（ICONIXでは４種類）に抑えることで，シンプルで明快な開発を提案している。

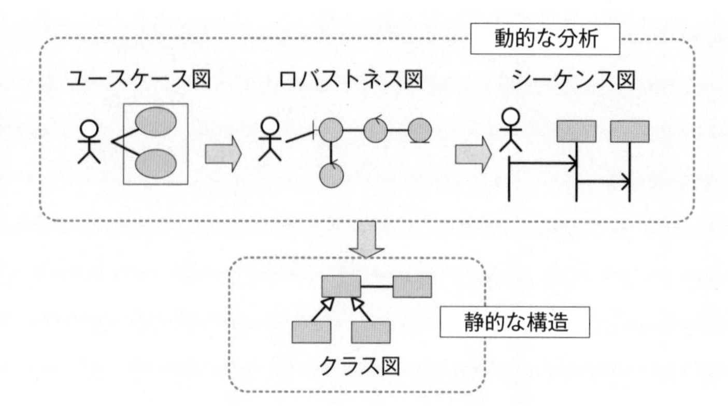

▶図4.18　ユースケース駆動開発

■ ICONIXプロセスの概要

ICONIXプロセスでは，**図4.19**の手順でシステムを開発する。

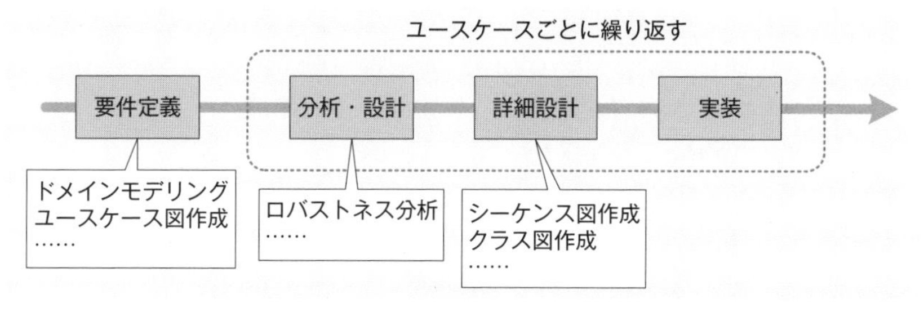

▶図4.19　ICONIXプロセスの手順

ユースケース駆動開発は，ユースケースの実装をイテレーションで繰り返すなど，アジャイルと親和性の高い開発手法です。

■ 要件定義

システム化の対象領域を理解するため，ドメインモデリングを行う。ドメインモデリングでは，大まかなドメインモデル（クラス図）を作成する。次に，ユーザーの振舞いとそれに対するシステムの反応をユースケース図に表す。ドメインモデルとユースケース図は，設計の進行に伴い修正し詳細化する。

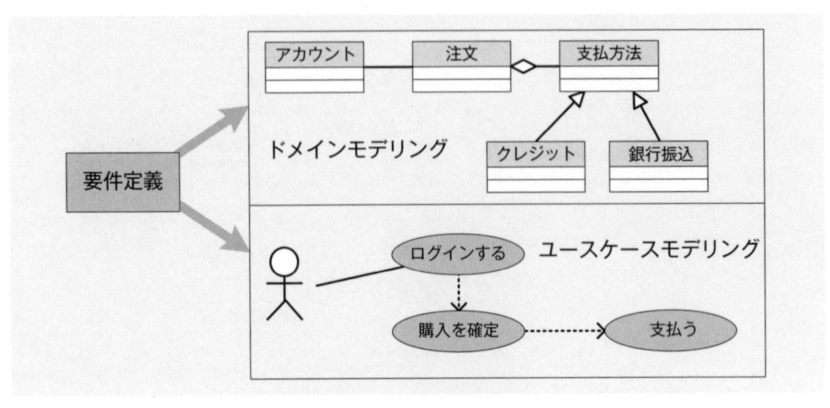

▶図4.20　要件定義

■ 分析・設計

要件定義で作成したユースケース図をもとに，**ロバストネス分析**を行う。ロバストネス分析は，システムの機能をBCEモデルのオブジェクト，

Boundary（境界オブジェクト）：画面操作や画面表示
Control（制御オブジェクト）：業務処理の実行制御
Entity（実体オブジェクト）：データの実体

に割り当てる。分析結果はロバストネス図に表す。また，分析結果をもとにユースケース記述を修正する。

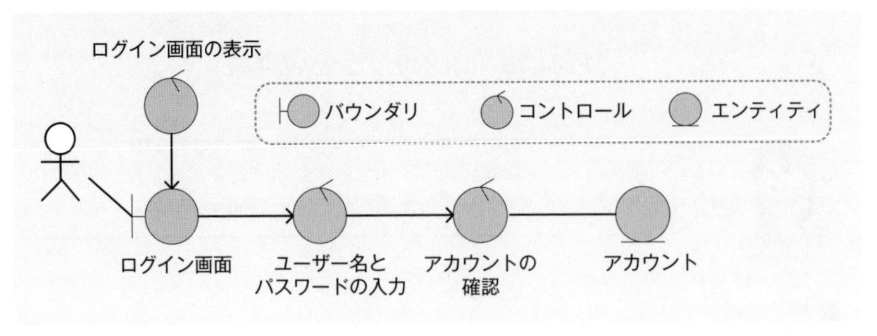

▶図4.21　ロバストネス図

ロバストネス分析によって，ユースケースとオブジェクトの関連付けが行われ，ユースケースをプログラムに展開する第一歩となる。

■ 詳細設計

システムの詳細設計を行うために，ユースケースごとにシーケンス図を作成する。シーケンス図を作成することで，システムに必要なオブジェクトやメソッドが明らかになるため，これをもとにドメインモデルを修正する。

■ 実装

詳細設計で作成したシーケンス図とドメインモデル（クラス図）をもとに，プログラミングとテストを行う。

■ レビュー

ICONIXプロセスでは，各ステップの終了時に**図4.22**のようにレビューを行うことが定められている。

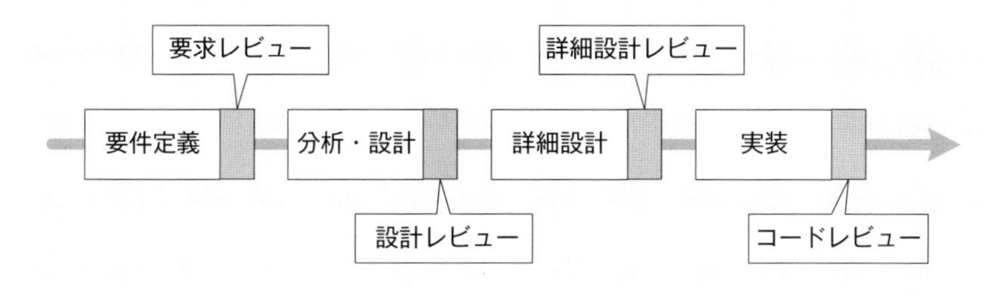

▶**図4.22　レビュー**

要求レビューでは，ユースケースがユーザー要求を満足していることを確認する。設計レビューでは，ロバストネス図とドメインモデル，ユースケース記述の整合性を確認する。詳細設計レビューでは，シーケンス図の内容がユースケース記述に合致していることを確認する。コードレビューでは，コードを対象にレビューを行い，その結果によってドメインモデルを更新する。

こう書ける！ 論述の切り口

ユースケース駆動開発は，ユーザーから見た機能であるユースケースをもとに，４種類のUMLの図式表現で開発を進める。そのため，

- 無駄なクラスや冗長なコードが出現しにくい
- 使用する図式表現が少なく，開発の難易度が下がる

・顧客の理解を得やすい
・開発状況が把握しやすい

などの特徴を持つ。これらの特徴を設計上の留意点や工夫点の論述ネタとして利用するとよい。

(X) ユースケース駆動開発の導入

過去の開発事例では，システムの動的な分析が不足し，無駄なクラスやメソッドを実装するなどの不手際につながったことがあった。これを避けるため，今回のプロジェクトでは，ユースケースを重要視したユースケース駆動開発を導入することになった。

ユースケース駆動開発では，ユースケースをいかに漏れなく正確に記述するかが成功のポイントになる。そこで私は，ユースケースごとにロバストネス分析を必ず実施し，ユースケースを具体化しながら検証・洗練するよう工夫した。また，メインフローだけではなく，代替フローや例外フローも忘れず洗い出し，それらを同じシーケンス図にまとめるよう留意した。

注目！

ユースケース駆動の導入理由は

・無駄なクラスやコードを削減
・UMLは図が13種類もあるので大変

などについて，経験を踏まえて論述しよう。

定番

ユースケース駆動開発に限らず，ユースケースを分析する場合は，代替フローや例外フローをいかに漏れなく洗い出すかがポイントになる。これについてICONIXの提唱者は，「晴れの日と雨の日の両方のシナリオを用意する」と表現している。

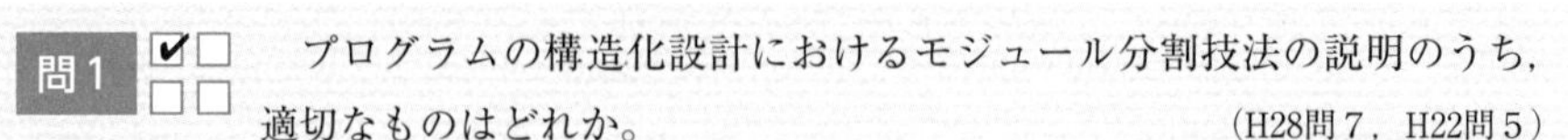

確認問題

問1 ✔□ □□ プログラムの構造化設計におけるモジュール分割技法の説明のうち，適切なものはどれか。 (H28問7，H22問5)

ア STS分割は，データの流れに着目してプログラムを分割する技法であり，入力データの処理，入力から出力への変換処理及び出力データの処理の三つの部分で構成することによって，モジュールの独立性が高まる。

イ TR分割は，データの構造に着目してプログラムを分割する技法であり，オンラインリアルタイム処理のように，入力トランザクションの種類に応じて処理が異なる場合に有効である。

ウ 共通機能分割は，データの構造に着目してプログラムを分割する技法であり，共通の処理を一つにまとめ，モジュール化する。

エ ジャクソン法は，データの流れに着目してプログラムを分割する技法であり，バッチ処理プログラムの分割に適している。

問1 解答解説

STS分割は，データの流れに着目してモジュールを分割する，モジュール分割技法である。入力データや出力データであることを認識できなくなる点を最大抽象点といい，この最大抽象点で，源泉（Source），変換（Transform），吸収（Sink）の三つのモジュールに分割する。さらに，それぞれのモジュールを階層化して，全体の制御モジュールを最上位に設けたモジュール階層構造図を作成する。

イ TR分割では，トランザクションの処理の流れに着目して，モジュールに分割する。
ウ 共通機能分割では，プログラムの機能の共通性に着目して，モジュールに分割する。
エ ジャクソン法では，データの構造に着目して，モジュールに分割する。 《解答》ア

問2 ✔□ □□ モジュール設計に関する記述のうち，モジュール強度（結束性）が最も強いものはどれか。 (H25問6)

ア ある木構造データを扱う機能をデータとともに一つにまとめ，木構造データをモジュールの外から見えないようにした。

イ 複数の機能のそれぞれに必要な初期設定の操作が，ある時点で一括して実行できるので，一つのモジュールにまとめた。

ウ 二つの機能A，Bのコードは重複する部分が多いので，A，Bを一つのモジュール

とし，A，Bの機能を使い分けるための引数を設けた。

エ　二つの機能A，Bは必ずA，Bの順番に実行され，しかもAで計算した結果をBで使うことがあるので，一つのモジュールにまとめた。

問2　解答解説

モジュール強度（結束性）とは，モジュールを構成する機能がどの程度強く関連しているかを表す尺度である。ただ一つの機能を実行するようなモジュールでは，モジュール強度が強くなる。モジュール強度が強いほどモジュールの独立性は高くなり，モジュール強度が低い場合は，モジュールの分割を検討する必要がある。モジュール強度は強い順に，機能的強度，情報的強度，連絡的強度，手順的強度，時間的強度，論理的強度，暗合的強度に分類できる。

同一のデータ構造である木構造を扱う複数の機能を一つのモジュールにまとめている状態は，情報的強度に該当する。

イ　ある特定の時期に実行される複数の機能を一つのモジュールにまとめている状態なので，時間的強度に該当する。

ウ　引数によって機能を切り替えるということは，論理的に関連するいくつかの機能で構成されている状態なので，論理的強度に該当する。

エ　複数の機能を順次実行し，それぞれが共通するデータを扱っている状態なので，連絡的強度に該当する。

《解答》ア

問3 ☑☐☐☐　モジュール間のデータの受渡し方法のうち，最も低いモジュール結合度となるものはどれか。（R6問5，R4問6）

ア　単一のデータ項目を大域的データで受け渡す。

イ　単一のデータ項目を引数で受け渡す。

ウ　データ構造を大域的データで受け渡す。

エ　データ構造を引数で受け渡す。

問3　解答解説

モジュール結合度は次のように分類できる。結合度が低いほどモジュールの独立性が高くなり，プログラムの一部を変更しても，残りの部分への影響が少なくなる。

結合度	データの受渡し方	種類	定義
低い	引数（パラメタ）	データ結合	構造を持たない引数でデータを受け渡す
↑		スタンプ結合	構造を持つ引数でデータを受け渡す
		制御結合	制御情報を引数として受け渡してモジュールの実行を制御する
	大域的データ（グローバル）	外部結合	構造を持たない大域的データを共有する
↓		共通結合	構造を持つ大域的データを共有する
高い	特殊（例外的）	内容結合	他のモジュールの内容を直接参照する

“イ”はデータ結合に該当するので，最も結合度が低く，独立性が高い。

ア　外部結合に関する記述である。
ウ　共通結合に関する記述である。
エ　スタンプ結合に関する記述である。　《解答》イ

問4 ☑□□□　オブジェクト指向における汎化の説明として，適切なものはどれか。
（R3問6）

ア　あるクラスを基に，これに幾つかの性質を付加することによって，新しいクラスを定義する。
イ　幾つかのクラスに共通する性質をもつクラスを定義する。
ウ　オブジェクトのデータ構造から所有の関係を見つける。
エ　同一名称のメソッドをもつオブジェクトを抽象化してクラスを定義する。

問4　解答解説

汎化とは，いくつかのクラスに共通する性質をまとめて，上位のクラスを定義することである。例えば，電車，自動車，自転車などは，乗り物というクラスに抽象化できる。ここで，乗り物に該当する上位クラスをスーパークラスといい，電車，自動車，自転車などの下位クラスをサブクラスという。スーパークラスをサブクラスに具体化していくことは特化という。

ア　特化に関する説明である。
ウ　part-of 関係（集約）に関する説明である。
エ　汎化では，同一名称のメソッドではなく，サブクラスに共通なメソッドがあるとき，これらをまとめて抽象化してクラスを定義する。　《解答》イ

問5 ☑□□□　オブジェクト指向の概念で，上位のクラスのデータやメソッドを下位のクラスで利用できる性質を何というか。　（H22問6）

ア　インヘリタンス　　　　イ　カプセル化
ウ　多相性　　　　　　　　エ　抽象化

問5　解答解説

上位のクラスのデータやメソッドを下位のクラスで利用できる性質のことを，インヘリタンス（継承）という。

カプセル化：データとメソッドを一体化させて，情報を隠ぺいし，オブジェクトを実現する技術のこと。カプセル化により，外部インタフェース以外にオブジェクトが認識できなくなり，オブジェクトの外部からの独立性が向上する
多相性：オブジェクト固有のメソッドはそのオブジェクトに持たせ，共通のメッセージをインタフェースにして，オブジェクトごとに異なる振る舞いをする特性のこと。ポリモーフィズムともいう
抽象化：同種類をひとまとめにして上位の概念を作ること。特に，複数のクラスが持つ共通の性質に着目して上位のクラスを作ることは，汎（はん）化という　《解答》ア

問6 ☑☐☐☐　Javaサーブレットを用いたWebアプリケーションソフトウェアの開発では，例えば，doGetやdoPostなどのメソッドを，シグネチャ（メソッド名，引数の型・個数・順序）は変えずに，目的とする機能を実現するための処理に置き換える。このメソッドの置き換えを何と呼ぶか。

（R5問5，R1問4）

ア　オーバーライド　　　　イ　オーバーロード
ウ　カプセル化　　　　　　エ　継承

問6　解答解説

オーバーライドとは，汎化−特化関係のあるクラス群において，スーパークラスで定義したメソッドと同名，同形式（引数の型，個数，順序）で処理内容の異なるメソッドを，サブクラスで再定義することである。

次図は，スーパークラスの商品クラスから継承した「価格算出メソッド」を，サブクラスの土地クラス，株クラス，金クラスにおいて「クラス固有の処理」で再定義している，オーバーライドの例である。

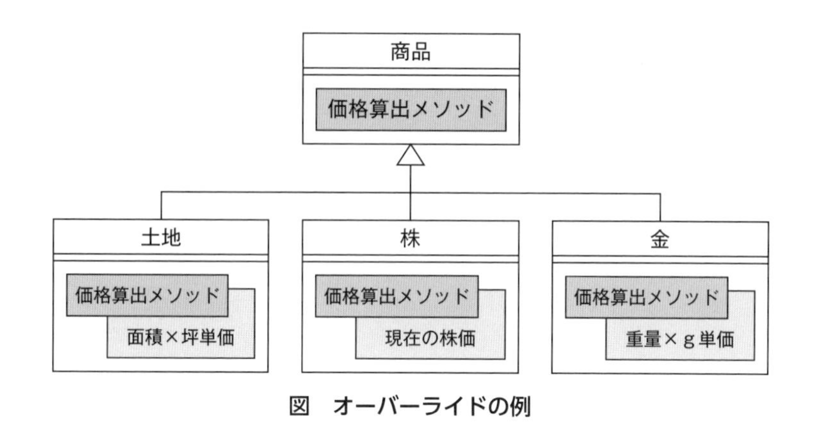

図　オーバーライドの例

土地クラス，株クラス，金クラスの実体は，商品クラスの実体として取り扱うことができる。それらの実体に対して価格算出メソッドを呼び出したとき，実体が土地であれば土地クラスがオーバーライドした「面積×坪単価」が呼び出される。同様に，実体が株や金であれば「現在の株価」や「重量×g単価」がそれぞれ呼び出される。Javaサーブレットであれば，これらのメソッドは，doGetやdoPostで行われる。

このように，同じメソッドを呼び出した場合に実体に応じて異なる処理を行う性質は，多相性（ポリモフィズム）と呼ばれる。

オーバーロード：同一クラス内に，メソッド名が同一で，引数の型，個数，並び順が異なる複数のメソッドを定義すること

カプセル化：オブジェクト内の詳細な仕様や構造を外部から隠蔽すること

継承：スーパークラスに定義された属性やメソッドがサブクラスに自動的に引き継がれること

《解答》ア

問7 ✔□ □□　図において，“営業状況を報告してください”という同じ指示（メッセージ）に対して，営業課長と営業部員は異なる報告（サービス）を行っている。オブジェクト指向において，このような特性を表す用語はどれか。

（H24問６）

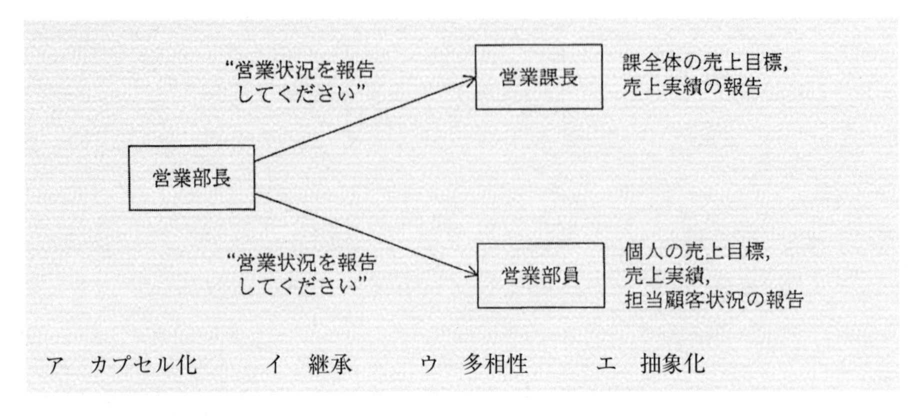

ア　カプセル化　　イ　継承　　ウ　多相性　　エ　抽象化

問7　解答解説

同じ指示（メッセージ）を受け取った複数のオブジェクトが，それぞれ固有の処理を行うことを，多相性（ポリモーフィズム）という。

カプセル化：データとメソッドを一体化して，外部からは見えないようにすること
継承：スーパークラスの属性と操作がサブクラスに引き継がれること
抽象化：事象の本質的な特徴をとらえて一般化すること

《解答》ウ

問8

☑☐
☐☐

デザインパターンの説明はどれか。（R5問6）

ア　Javaなどのプログラム言語に依存した，コーディングの定石やノウハウを集めたものである。
イ　再利用性や柔軟性の高いプログラムを設計するために，参考となるオブジェクトの組合せ方をパターンとして分類したものであり，代表的なパターン集としてGoFパターンがある。
ウ　ソフトウェアの開発方法をパターン集としてまとめたものであり，組織編成や開発管理のためのパターンがある。
エ　ソフトウェアの基本構造を設計するためのパターンであり，その一つとしてMVCパターンがある。

問8　解答解説

デザインパターンは，ソフトウェア設計者が過去に使用した設計ノウハウを蓄積し，再利用しやすいように，分かりやすい名前をつけて分類したものである。システムの構造や機能

について，典型的な手法を定義しておくことで，類似した場面で繰返し利用することができ，再利用性や柔軟性の高いプログラムを設計するのに役立つ。

ア　特定の言語に依存したものではない。
ウ　組織パターンやプロセスパターンと呼ばれるものの説明である。
エ　アーキテクチャパターンの説明である。

《解答》イ

問9 ☑☐ ☐☐ デザインパターンの中のストラテジパターンを用いて，帳票出力のクラスを図のとおりに設計した。適切な説明はどれか。

（R4問5，H27問5，H25問4，H22問3）

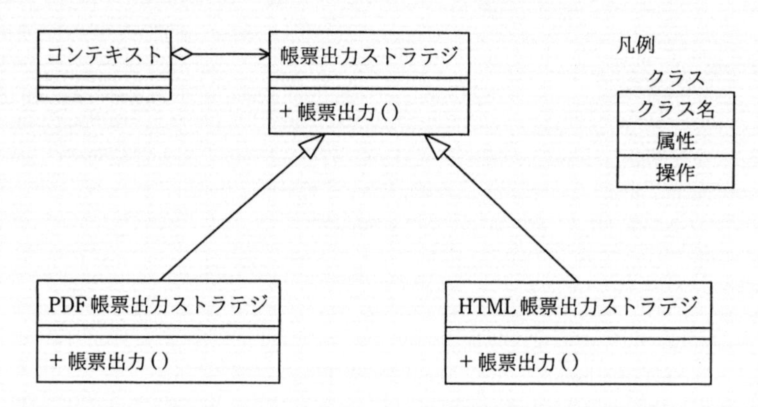

ア　クライアントは，使用したいフォーマットに対応する，帳票出力ストラテジクラスのサブクラスを意識せずに利用できる。
イ　新規フォーマット用のアルゴリズムの追加が容易である。
ウ　帳票出力ストラテジクラスの中で，どのフォーマットで帳票を出力するかの振り分けを行っている。
エ　帳票出力のアルゴリズムは，コンテキストクラスの中に記述する。

問9 解答解説

ストラテジパターンはデザインパターンの一つで，アルゴリズムだけを切り出して別クラスとして作成したものである。したがって，新規フォーマット用のアルゴリズムが追加しやすい。

ア　クライアントが，それぞれのフォーマットに対応した帳票出力ストラテジクラスを意識する必要がある。
ウ，エ　フォーマットと帳票出力アルゴリズムは，PDF帳票出力ストラテジ及びHTML帳

票出力ストラテジに記述する。　《解答》イ

問10 ☑☐☐☐ オブジェクト指向分析における分析モデルによって，ユースケース内のオブジェクトを分類するとき，境界オブジェクトに該当するものはどれか。（H27問３）

ア　オブジェクト間の相互作用を制御するためのオブジェクト
イ　画面設計や画面表示などのGUIオブジェクト
ウ　システムの中核となるデータとその操作のオブジェクト
エ　データモデルにおけるエンティティに相当するオブジェクト

問10 解答解説

ユースケース内のオブジェクトは，その役割から，境界オブジェクト，制御オブジェクト，実体オブジェクトの三つに分類できる。境界オブジェクトは，システム外部とのインタフェースを担当するオブジェクトである。画面操作や画面表示などのGUIオブジェクトは，境界オブジェクトに該当する。制御オブジェクトは境界オブジェクトと実体オブジェクトの間に位置し，シナリオの実行を制御するオブジェクトである。実体オブジェクトはデータベースのレコードなどに相当するオブジェクトである。

ア　制御オブジェクトに該当する。
ウ　クラスの説明であり，この分類には当てはまらない。
エ　実体オブジェクトに該当する。　《解答》イ

問11 ☑☐☐☐ オブジェクト指向設計における設計原則のうち，開放・閉鎖原則はどれか。（H27問４）

ア　クラスにもたせる役割は一つだけにするべきであり，複数の役割が存在する場合にはクラスを分割する。
イ　クラスを利用するクライアントごとに異なるメソッドが必要な場合は，インタフェースを分ける。
ウ　上位のモジュールは，下位のモジュールに依存してはならない。
エ　モジュールの機能には，追加や変更が可能であり，その影響が他のモジュールに及ばないようにする。

問11 解答解説

オブジェクト指向設計における設計原則のうち，開放・閉鎖原則とは，「モジュールは，拡張に対して開放されており，修正に対しては閉鎖されていなければならない」というものである。これは，モジュールの機能には追加や変更が可能であり，その影響が他のモジュールに及ばないようにするという設計原則を意味している。

ア　単一責務の原則である。
イ　インタフェース分離の原則である。
ウ　依存関係逆転の原則である。

《解答》エ

問12 ☑□ □□ ユースケース駆動開発の利点はどれか。（H28問13，H26問13）

ア　開発を反復するので，新しい要求やビジネス目標の変化に柔軟に対応しやすい。
イ　開発を反復するので，リスクが高い部分に対して初期段階で対処しやすく，プロジェクト全体のリスクを減らすことができる。
ウ　基本となるアーキテクチャをプロジェクトの初期に決定するので，コンポーネントを再利用しやすくなる。
エ　ひとまとまりの要件を１単位として設計からテストまでを実施するので，要件ごとに開発状況が把握できる。

問12 解答解説

ユースケース駆動開発では，オブジェクト指向のUMLに登場するユースケース単位，すなわち，要件単位に設計，製造，テストを行う。そのため，要件ごとに開発状況が把握できる。

ア，イ　スパイラル開発の利点である。
ウ　アーキテクチャ中心開発の利点である。

《解答》エ

問13 ☑□ □□ マイクロサービスアーキテクチャを利用してシステムを構築する利点はどれか。（R3問５）

ア　各サービスが使用する，プログラム言語，ライブラリ及びミドルウェアを統一しやすい。
イ　各サービスが保有するデータの整合性を確保しやすい。
ウ　各サービスの変更がしやすい。

エ　各サービスを呼び出す回数が減るので，オーバヘッドを削減できる。

問13　解答解説

マイクロサービスアーキテクチャとは，サービスをマイクロサービスと呼ばれる小さな要素に分割してそれぞれを開発する手法である。クライアントがエンドポイントのマイクロサービスに処理をリクエストし，複数のマイクロサービスが連携して処理を行うことでサービスが成立する。マイクロサービスは，各サービスがそれぞれ独立したプロセスとして動作する，他のマイクロサービスに依存しない，ネットワークを通じて連携するなどの特徴がある。他のマイクロサービスに依存しないことから，各サービスの変更がしやすい。

ア　それぞれが独立したプロセスとして動作することから，各サービスは異なるプログラム言語を使用することができ，ライブラリやミドルウェアも独自に選定することができる。
イ　各サービスがデータベースの分散処理をし，同期をしない場合がある。そのためデータの整合性を保証することが難しい。
エ　サービスの単位が小さく，各サービスがネットワークを通じて連携することから，各サービスを呼び出す回数は増えオーバヘッドは削減できない。　《解答》ウ

問14　☑☐☐☐　Pattern-Oriented Software Architecture（POSA）のアーキテクチャパターンのうち，ソフトウェアをメタレベルとベースレベルの二つのレベルに分割し，ソフトウェアの構造と振る舞いとを動的に変更できる仕組みを提供しているものはどれか。　（R4問３）

ア　Broker　　イ　Microkernel
ウ　Model-View-Controller　　エ　Reflection

問14　解答解説

Pattern-Oriented Software Architecture（POSA）では，アーキテクチャパターンを，構造，分散システム，対話型システム，適合型システムの四つに分類している。適合型システムは，拡張や変更への適合のしやすさを特徴とし，環境や要件の変化によるシステムへの影響を抑えるのに有効なパターンである。Reflectionは，適合型システムに分類されるパターンである。ソフトウェアをメタレベルとベースレベルの二つのレベルに分割することで，ソフトウェアの構造と振る舞いを動的に変更できる仕組みを提供する。

Broker：分散システムに分類されるパターンである。互いに依存しないコンポーネントどうしで働きかけができる仕組みを提供する
Microkernel：適合型システムに分類されるパターンである。システムの核となる最小限

の機能を，拡張機能や顧客依存部分から分離することで，再利用しやすくする

Model-View-Controller：対話型システムに分類されるパターンである。機能を業務ロジック（model），画面出力（view），それらの制御（controller）の三つのコンポーネントに分けることで，仕様の追加や変更による影響が及ぶ範囲を限定できるようにする

《解答》エ

プログラミングの知識

Point!

午前Ⅱ試験ではプログラミングに関する知識が出題されるものの，その内容に体系的な傾向は見られない。そこで，プログラミングに関する知識を，出題実績のあるものを中心に，トピック的にとり上げて説明する。

… 30秒チェック！ …
Super Summary

(1) **プログラム言語**

■プログラム言語は，手続き型，オブジェクト指向型，論理型に分類される。

□手続き型言語…C，COBOL，FORTRANなど，手続きを記述する

□オブジェクト指向型言語…C＋＋，Java，Pythonなど，オブジェクトを記述する

□論理型言語…Prologなど，アルゴリズムを論理式で記述する

□ユニフィケーション…論理型言語で既存の事実や規則を組み合わせる操作

□SystemC…システムLSIの設計に用いられるハードウェア記述言語

(2) **Webアプリケーションの開発技術**

■Webアプリケーション開発にはJSP，サーブレット，JavaBeansなどが用いられる。

□JSP…HTMLにJavaのプログラムコードを埋め込む規格

□サーブレット…JavaプログラムにHTMLを埋め込むための規格

□JavaBeans…Javaで記述された再利用可能なソフトウェアコンポーネント

(3) **その他**

□MapReduce…大量データを複数コンピュータで並列処理するプログラミングモデル

□Hadoop…MapReduceを支える分散処理型のプラットフォーム

5.1 プログラム言語

プログラム言語は，伝統的に**図5.1**のように分類される。

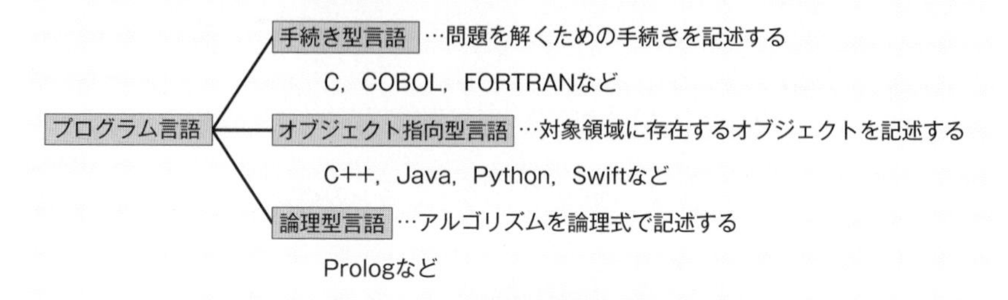

▶**図5.1　プログラム言語の分類**

■ 論理型プログラミング

論理型プログラミングは，述語論理を基礎にしたプログラミング技法である。“事実”と“規則”を用いた論理式をプログラムとして記述すると，プログラム言語の処理系が持つ導出原理によって結論が得られるため，人工知能分野におけるエキスパートシステムの開発に適している。

命題を証明するために，既存の事実や規則を組み合わせる操作をユニフィケーションという。

■ SystemC

SystemCは，システムLSIの設計に用いられるハードウェア記述言語である。C++用のライブラリが提供されており，SystemCで記述したプログラムはC++コンパイラでコンパイルできる。

5.2 Webアプリケーションのプログラミング

開発言語にJavaを用いた場合，Webアプリケーションの要素と開発技術は，**図5.2**のように表すことができる。

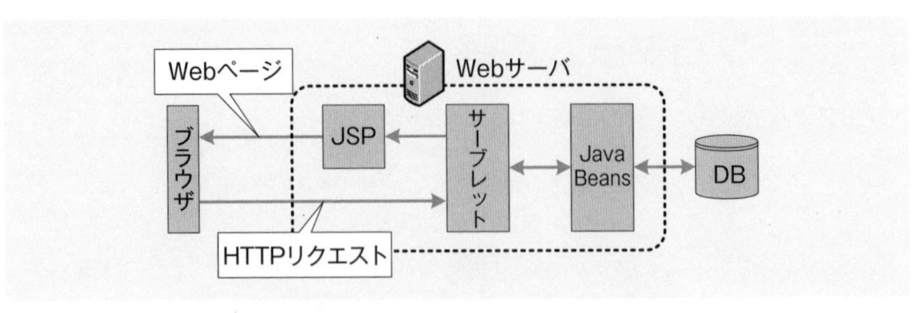

▶図5.2　Webアプリケーションの構成

▶表5.1　Webアプリケーションの開発技術

JSP（Java Server Pages）	HTMLにJavaのプログラムコードを埋め込むJavaの規格。Webアプリケーションが出力するWebページの作成に用いられる
サーブレット	JavaプログラムにHTMLを埋め込むためのJavaの規格。JSPやJavaBeansの制御に用いられる
JavaBeans	Javaで記述された再利用可能なソフトウェアコンポーネント又はその技術仕様のこと

JSPとサーブレットは，JavaとHTMLを融合させるためのもので，Webアプリケーションの開発を容易にするための規格である。JSPはHTMLが主役で，Javaプログラムが埋め込まれたWebページの作成に用いられる。一方，サーブレットの主役はJavaプログラムで，HTMLが埋め込まれたJavaプログラムの作成に用いられる。なお，サーブレットとは，もともとWebサーバで動作するプログラムの呼称であり，Webクライアントで動作するアプレットの対義語として用いられた。

5.3　その他

プログラミングに関連する知識をトピック的にとり上げる。

■MapReduce

ビッグデータは，１台のコンピュータで処理できるデータ量を超えている。MapReduceは，このような大量データを複数のコンピュータで並列処理するためのプログラミングモデルである。MapReduceは，MapステップとReduceステップの２段階で並列処理を実行する。

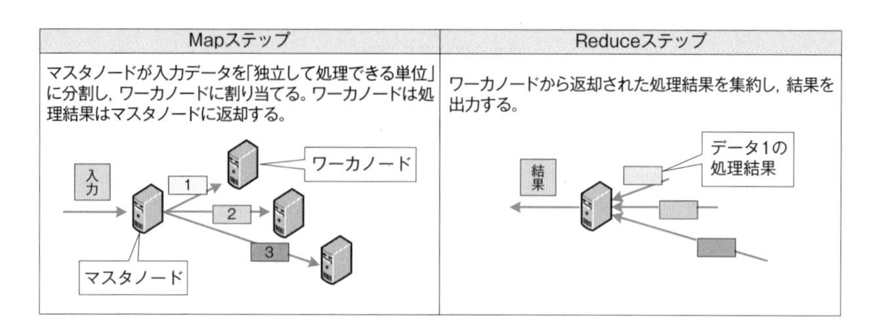

▶図5.3　MapReduce

分散処理の仕組みはプラットフォームが備えているため，MapフェーズとReduceフェーズをプログラミングするだけで，分散処理を比較的容易に実現できる。

【参考】　～Hadoop

Hadoopは，MapReduceによる分散処理を支えるプラットフォームで，テキストや画像，ログなどの構造化されていないデータを高速に処理することができる。Hadoop上に実装された分散ファイルシステムをHDFS（Hadoop Distributed File System）と呼ぶ。HDFSは，データが格納された各ノードのストレージを，一つのストレージのように扱うことができる。

Hadoopは，現在ではHDFS以外にも様々なファイルシステムをサポートしています。

確認問題

問1 ☑☐☐☐ 論理型プログラミングにおいて，命題の証明を行うための基本的な機能はどれか。 (R6問9，H26問11)

ア オーバーライド　　イ オーバーロード

ウ メッセージパッシング　　エ ユニフィケーション

問1 解答解説

ユニフィケーション（unification）は単一化とも呼ばれ，論理型プログラミングにおける最も基本的な動作である。代表的な論理型プログラム言語であるPrologでは，「=」が代入ではなく，ユニフィケーションを意味する演算子として使用される。

オーバーライド：オブジェクト指向プログラミングにおいて，スーパークラスと同じ名称で異なる振る舞いをするメソッドをサブクラスで再定義すること

オーバーロード：オブジェクト指向プログラミングにおいて，同一クラス内に同じ名称のメソッドを呼出し方法を変えて複数定義すること

メッセージパッシング：オブジェクト指向プログラミングにおいて，外部からオブジェクトに実行を依頼する仕組みのこと

《解答》エ

問2 ☑☐☐☐ 大量のデータを並列に処理するために，入力データから中間キーと値の組みを生成する処理と，同じ中間キーをもつ値を加工する処理との2段階で実行するプログラミングモデルはどれか。 (H27問6)

ア 2相コミット　　イ KVS

ウ MapReduce　　エ マルチスレッド

問2 解答解説

MapReduceは，大量のデータを並列処理するためのプログラミングモデルである。データを変換する処理（Map）と変換したデータから結果を求める処理（Reduce）の2段階の処理を並列に行うことで処理の高速化を図る。

2相コミット：分散型データベースにおいて整合性を確保するための制御方式

KVS：データ（Value）に一意のキー（Key）を対応させて，両者を組にして保存（Store）するデータの保存・管理手法

マルチスレッド：一つのプロセス（タスク）を複数のスレッドに分けて並行処理する処理方式

《解答》ウ

6 テストの知識

Point!

テストをテーマにした問題は，午前Ⅱ試験で多く出題される。ブラックボックステストやホワイトボックステストなどのテストケースの設計技法は，コンスタントに出題されその数も多い。午後Ⅱ試験においては，論文テーマとしてとり上げられることもあるが，設計に比べると数は少ない。テストに関する知識は，午前Ⅱ対策として習得しよう。

… 30秒チェック！ …
Super Summary

⑴ **テスト仕様書**

■テスト仕様書は，テストを行うための道筋をまとめた文書である。

⑵ **テストの種類**

■テストは動的／静的，トップダウン／ボトムアップなど，様々な種類がある。

□動的テスト…テストデータを用いてプログラムを実行するテスト

□カバレージモニタ…動的テストのテストツール。テストの網羅率を測定する

□アサーションチェッカ…動的テストのテストツール。プログラムの正当性を確かめる

□トレーサ…動的テストのテストツール。プログラムの実行を追跡する

□静的テスト…プログラムの実行を伴わないテスト

□コードオーディタ…静的テストのテストツール。コーディング規則への適合を確かめる

□記号実行…変数にデータを入れず，変数のまま解析する

□プログラム図式化ツール…コードから流れ図などを作成する

□単体（ユニット）テスト…モジュールの動作を確かめるテスト

□統合テスト…インタフェースの正しさを確かめるテスト

□検証テスト…システム要件を満足していることを確かめるテスト

□妥当性確認テスト…業務要件を満足していることを確かめるテスト

□ドライバ…テスト対象モジュールを呼び出す仮の上位モジュール

□スタブ…テスト対象モジュールから呼び出される仮の下位モジュール
□トップダウンテスト…上位モジュールから結合を進める統合テスト手法
□ボトムアップテスト…下位モジュールから結合を進める統合テスト手法
□記述式テスト…テスト仕様書の全テストケースを網羅的にテストするテスト手法
□探索型テスト…経験や推測をもとに，重要部分をテストするテスト手法
□リグレッションテスト…変更の影響が他の部分に及んでいないことを確かめるテスト
□チューリングテスト…AIの人間らしさを判定するテスト

⑶ テストケースの設計技法

■テストケースの設計技法には，ブラックボックステストとホワイトボックステストがある。
□ブラックボックステスト…外部仕様に注目してテストケースを設計する技法
□同値分割…ブラックボックステストの技法。同値クラスから代表値を選ぶ
□限界値分析…ブラックボックステストの技法。同値クラスの境界値を選ぶ
□実験計画法…ブラックボックステストの技法。テストケースの有効な組合せを選ぶ
□直交表…実験計画法でテストケースの削減に用いる表
□ホワイトボックステスト…制御構造に基づいてテストケースを設計する技法
□命令網羅…ホワイトボックステストの技法。命令を網羅する
□判定条件網羅…ホワイトボックステストの技法。判定条件の真偽を網羅する

⑷ テストの評価

■テストの終了を，エラー数の予測やバグ管理図を用いて評価する。
□信頼度成長曲線…バグ累積数の推移を表すグラフ。緩やかなS字を描く
□バグ管理図…バグ累積数やテスト項目の残存数をプロットしたグラフ

6.1 テスト仕様書

テスト仕様書は，「どのような機能をどのようにテストするか」といった，テストの道筋をまとめた文書である。テスト仕様書は，プログラムの設計段階で作成する。

図6.1に，テスト仕様書の作成手順を示す。

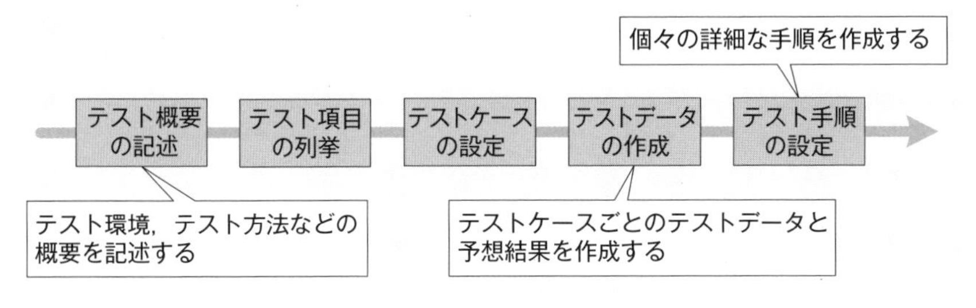

▶**図6.1　テスト仕様書の作成手順**

6.2 テストの種類

テストには，目的に応じて様々なものがある。ここでは，テストの分類や種類，テストに用いられるツールを整理する。

■ 動的テストと静的テスト

プログラムのテストは，動的テストと静的テストに分類でき，それぞれに**図6.2**のようなテストツールがある。

テスト

動的テスト …テストデータを用いてプログラムを実行するテスト

カバレッジモニタ	テストの網羅率を測定する
アサーションチェッカ	アサーションが成立するかどうかチェックする
トレーサ	プログラムの実行を追跡する

静的テスト …プログラムの実行を伴わないテスト

コードオーディタ	コーディングルールへの適合をチェックする
記号実行	変数のまま解析し，実行経路などを抽出する
プログラム図式生成ツール	コードを分析して流れ図などを作成する

▶**図6.2　テストの分類とテストツール**

動的テストは，テストデータを用いてプログラムを実行して行うテストである。**カバレッジモニタ**は，テストデータがプログラム中の命令や分岐をどの程度実行したか，その割合を測定する。**アサーションチェッカ**は，プログラムの任意の場所にアサーションを埋め込み，テストデータがその場所を実行した際にアサーションが成立しているかどうかもチェックする。**トレーサ**は，変数の内容などを確認しながら，プログラムの実行を追跡する。

静的テストは，プログラムの実行をしないテストである。プログラム作成者が行う机上デバッグやレビュー形式で行われるコードインスペクションも，静的テストに分類できる。

なお，テストツールには，動的テストツールや静的テストツール以外にも，テスト環境を生成するテストベッドやテストデータを自動生成するテストデータ自動生成ツールもある。

アサーションチェックは，プログラムの正当性を検証するツールです。

■ テストの種類

テスト工程では，**表6.1**のようにテストが実施される。

▶**表6.1　テストの種類**

単体(ユニット)テスト	モジュールの動作を確かめる
統合テスト	モジュールやプログラムを結合し，インタフェースの正しさを確かめる
検証テスト	システムレベルで要件(システム要件)を満足していることを確かめる
妥当性確認テスト	業務レベルで要件(業務要件)を満足していることを確かめる

■ ドライバとスタブ

ドライバとスタブは共にテストで用いられるダミーモジュールである。ドライバはテスト対象を呼び出す仮の上位モジュール，スタブはテスト対象から呼び出される仮の下位モジュールである。

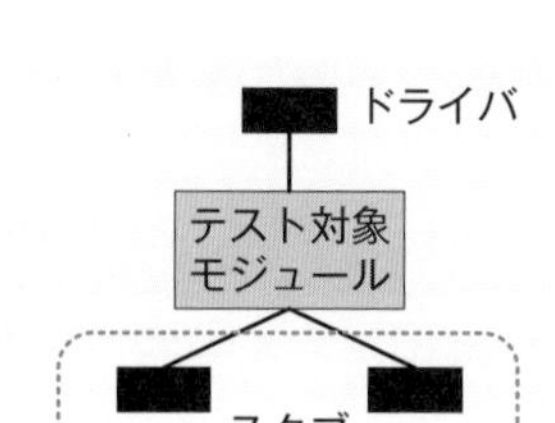

▶図6.3　ドライバとスタブ

■ トップダウンテストとボトムアップテスト

結合テストには，トップダウンテストとボトムアップテストがある。トップダウンテストは，上位モジュールから順番に結合を進めるテストで，スタブが必要となる。一方，ボトムアップテストは，下位モジュールから順番に結合を進めるテストで，ドライバが必要となる。

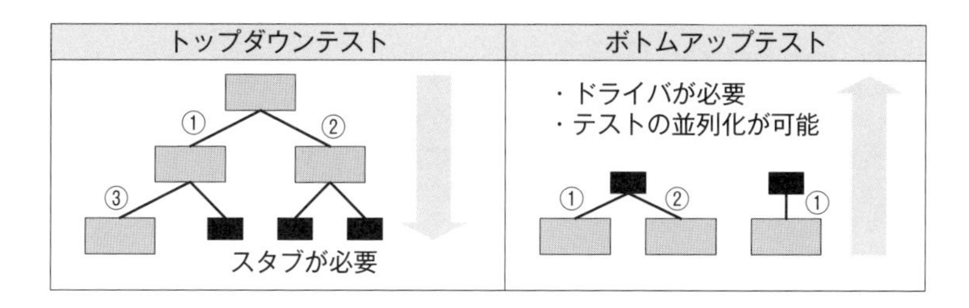

▶図6.4　トップダウンテストとボトムアップテスト

ボトムアップテストは，テストを並列に行うことができるが，テスト終盤にならないと全モジュールが結合されないため，テスト終盤に大きな問題が発覚することがある。トップダウンテストは上位モジュールが何度もテストされるため，テスト序盤から品質が安定する。

■ 記述式テストと探索的テスト

記述式テストは，従来型のテストで，あらかじめテスト仕様書を作成し，テスト仕様書の全テストケースを網羅的にテストする。これに対し，探索的テストは，経験や推測から重要と思われる部分に焦点を当ててテストし，その結果をもとに新たなテストケースを作成して，テストを繰り返す。

記述式テストと探索的テストは，状況に応じて組み合わせて実施するとよい。例えば，基本的には記述式テストで進め，品質に問題があると判断された部分には探索的テストを追加する。

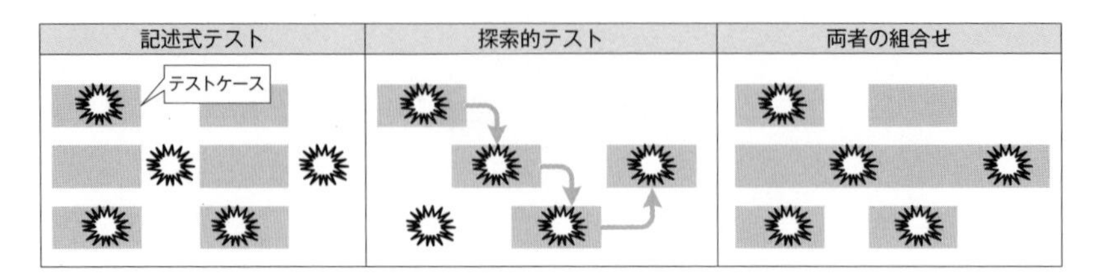

▶図6.5　記述式テストと探索的テスト

■ リグレッションテスト（退行テスト）

リグレッションテストは，プログラムの変更が，プログラムの他の部分に影響を与えていないことを確認するテストである。システムの保守工程で実施される。

■ ペネトレーションテスト

ペネトレーションテストは，テスト担当者が様々なツールを用いてシステムへの侵入を試すテストである。システムに対して，想定される攻撃シナリオを作成し，攻撃が成功するかを確かめる。

■ チューリングテスト

チューリングテストは，「AIがどれだけ人間らしいか」を判定するテストである。審査員がAIと人間を相手に会話（チャット）を交わし，どちらが人間でどちらがAIであるかを判定する。全審査員の30%以上をAIが騙すことに成功したら，チューリングテストに合格したと判定される。

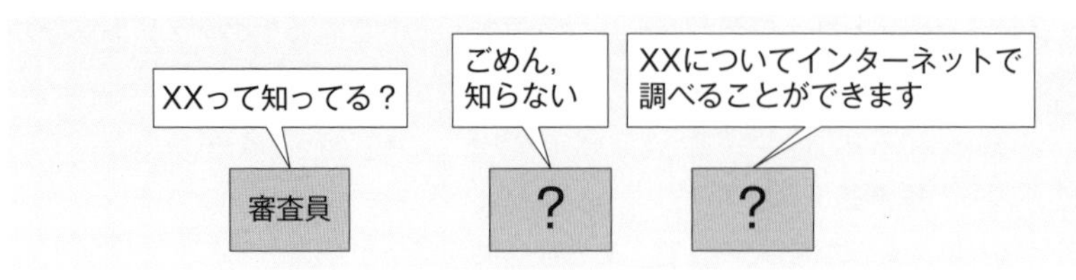

▶図6.6　チューリングテスト

2014年に行われたチューリングテストのイベントで，「ウクライナ在住の13歳」という設定のプログラムEugeneが，審査員の33%を欺いてチューリングテストに合格したと話題になりました。

6.3 テストケースの設計技法

テストに用いる入力値，入力値と予測した出力値とのペアをテストケースと呼ぶ。テストケースの良否は，テストの品質そのものを左右するため非常に重要である。

テストケースの設計技法には，大きくブラックボックステストとホワイトボックステストがあり，それぞれにいくつかの技法が用意されている。

テストケースの設計技法

ブラックボックステスト …プログラムの外部仕様に注目してテストケースを設計する

同値分割	入力データを同値クラスに分割し，代表値をテストする
限界値分析	同値クラスの境界値をテストする
実験計画法	テストケースの有効な組合せを抽出する

ホワイトボックステスト …プログラム内部の制御構造に基づいてテストケースを設計する

命令網羅	プログラム中の命令を網羅するようテストする
判定条件網羅	プログラム中の分岐の真偽を網羅するようテストする

▶図6.7 テストケースの設計技法

■ 同値分割

同値分割は，ブラックボックステストの技法である。プログラムの外部仕様に基づいて同値クラスに分割し，各同値クラスの代表値をテストケースとする。同値クラスとは，プログラムが処理を行う入力データの範囲のことで，正常に処理される範囲を有効同値クラス，エラーとして処理される範囲を無効同値クラスという。

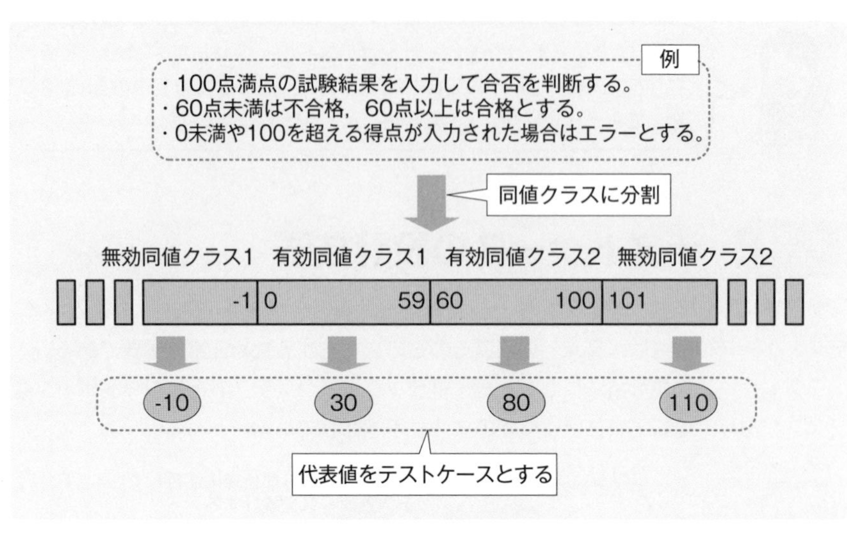

▶図6.8　同値分割

■ 限界値分析

限界値分析は，ブラックボックステストの技法で，同値分割の考え方を引継いでいる。

プログラミングにおいて「得点≧60」とすべきところを「得点>60」としてしまうなど，プログラムのバグは同値クラスの境界付近に潜みやすい。そこで，限界値分析では同値クラスの境界値をテストケースとする。

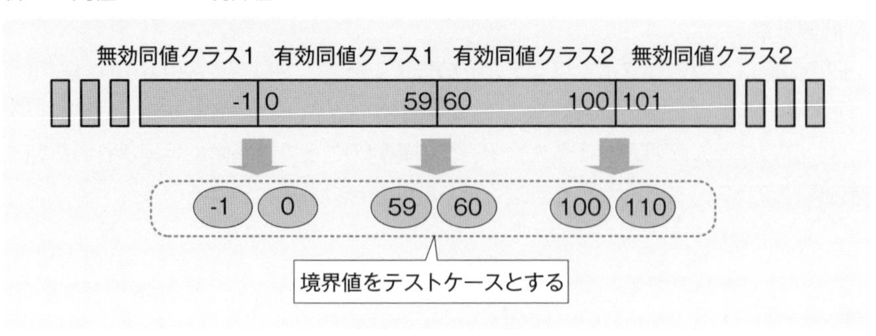

▶図6.9　限界値分析

■ 実験計画法

実験計画法は，有効なテストをより少ないテストケースで行う技法である。図

6.10のテスト仕様を例にして実験計画法を説明する。

入力項目	テスト内容
得意先コード	入力されたコードが得意先DBに存在するか否かを，正しく判断できるか。
商品コード	入力されたコードが商品DBに存在するか否かを，正しく判断できるか。
受注数量	入力された数量が数字だけか，又は数字以外の文字も含むかを，正しく判断できるか。

▶図6.10　テスト仕様（平成22年秋SA午前Ⅱ試験問9より引用）

テスト仕様では，三つの項目（因子）についてそれぞれ二つのケースをテストする。このようなテストは**2水準3因子**のテストと呼ばれる。ここでは，各因子のテストケースを0と1で表すことにする。

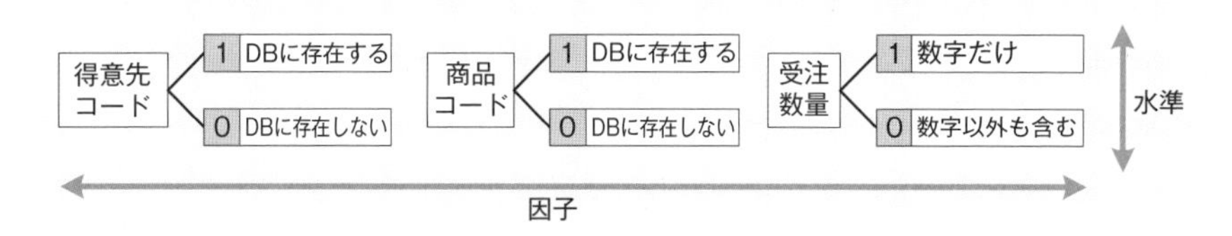

▶図6.11　因子とテストケース

「全ての因子の組合せをテストする」とすると，**図6.12**の左の表に示したように，必要なテストケースは8（2^3）個となる。ところが，「任意の2因子について組合せをテストする」と条件を緩めると，**図6.12**の右の表のように必要なテストケースは4個になり，テストケースを削減することができる。

3因子全ての組合せを網羅

行番号＼因子	得意先コード	商品コード	受注数量
1	0	0	0
2	0	0	1
3	0	1	0
4	1	0	0
5	0	1	1
6	1	0	1
7	1	1	0
8	1	1	1

テストケース

任意の2因子の組合せを網羅

行番号＼因子	得意先コード	商品コード	受注数量
1	0	0	0
2	0	1	1
3	1	0	1
4	1	1	0

どの2因子をとっても0と1の組合せを網羅している

▶図6.12　テストケースの削減

図6.12の右の表に示したテストケースが，任意の２因子について０と１の組合せを網羅していることを確認してほしい。

得意先コードと商品コードの２因子に注目すると，０と１の組合せは，

（得意先コード，商品コード）＝（０，０），（０，１），（１，０），（１，１）

となり，これらは全てテストケースに含まれている。商品コードと受注数量の２因子に注目しても，

（商品コード，受注数量）＝（０，０），（１，１），（０，１），（１，０）

となり，全てテストケースに含まれている。得意先コードと受注数量の２因子についても同様である。

■ 直交表

テストケースの削減は，直交表を用いて行う。例えば，２水準３因子のテストでは，L4直交表を用いてテストケースを削減する。２水準７因子のテストではL8直交表を用いる。

L4直交表

行番号＼因子	A	B	C
1	0	0	0
2	0	1	1
3	1	0	1
4	1	1	0

L8直交表

行番号＼因子	A	B	C	E	F	G	H
1	0	0	0	0	0	0	0
2	0	0	0	1	1	1	1
3	0	1	1	0	0	1	1
4	0	1	1	1	1	0	0
5	1	0	1	0	1	0	1
6	1	0	1	1	0	1	0
7	1	1	0	0	1	1	0
8	1	1	0	1	0	0	1

▶**図6.13　直交表**

図6.13で示したとおり，L4直交表を用いれば，２水準３因子のテストケースを８個から４個に削減できる。２水準７因子のテストについて，全ての因子の組合せをテストするには，テストケースは128（2^7）個必要になるが，L8直交表を用いると８個に削減できる。

■ 命令網羅

命令網羅は，ホワイトボックステストの技法である。プログラム中の全ての命令を

少なくとも1回は実行するようにテストケースを設計する。例えば，**図6.14**のような論理を持つプログラムに対しては，①と②の二つのテストケースを用意すれば，命令網羅のテストができる。

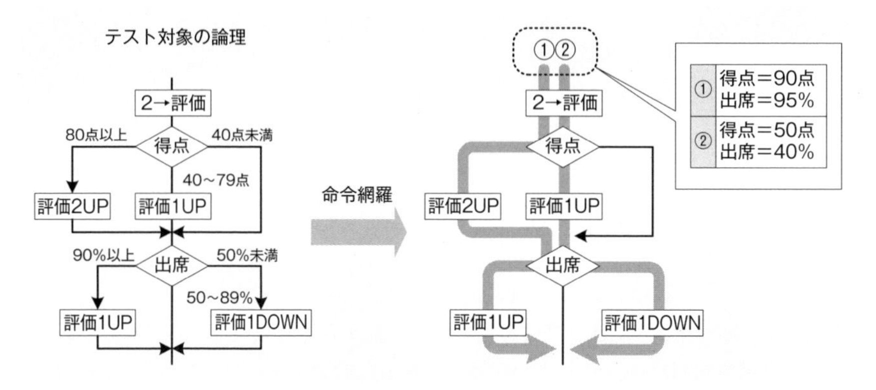

▶**図6.14　命令網羅**

■ 判定条件網羅（分岐網羅）

判定条件網羅は，ホワイトボックステストの技法である，プログラムの中の全ての分岐について，全ての経路を少なくとも1回は通過するようにテストケースを設計する。命令網羅では命令のない経路を通過する必要はなかったが，判定条件網羅では命令の有無に関わらず，全ての経路を通過しなければならない。

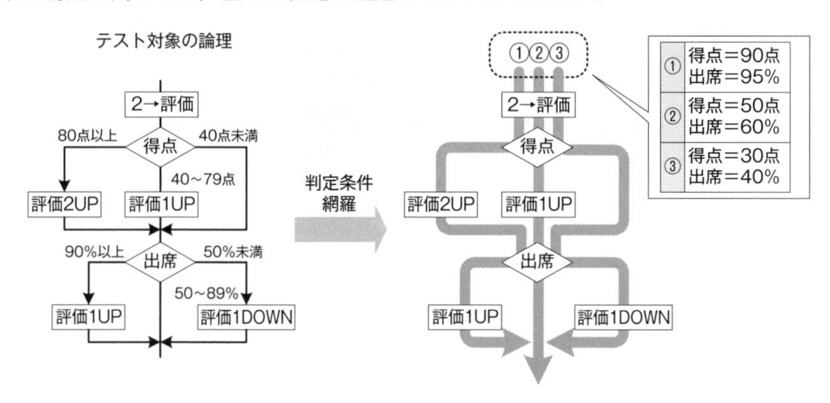

▶**図6.15　判定条件網羅**

第1部 システム開発の知識

6.4 テストの評価

テストは「品質が十分確保された」ことをもって終了する。テスト仕様書の項目を全て実施しただけでは，「品質が十分確保された」とはいえない。

・検出したエラー数が予測数に達した
・新規バグが検出されず，累積バグ数も収束傾向にある

など，実施したテストを評価する必要がある。ここでは，テストの評価について，手法やツールをいくつか説明する。

■ エラー数の推測

プログラムに意図的にエラーを埋め込み，その検出数からプログラムに存在する真のエラー数を推測する**エラー埋込み法**がある。**図6.16**は，あらかじめプログラムに意図的にP個のエラーを埋め込み，テストがある程度進んだ段階でプログラムの真のエラー数を予測している。

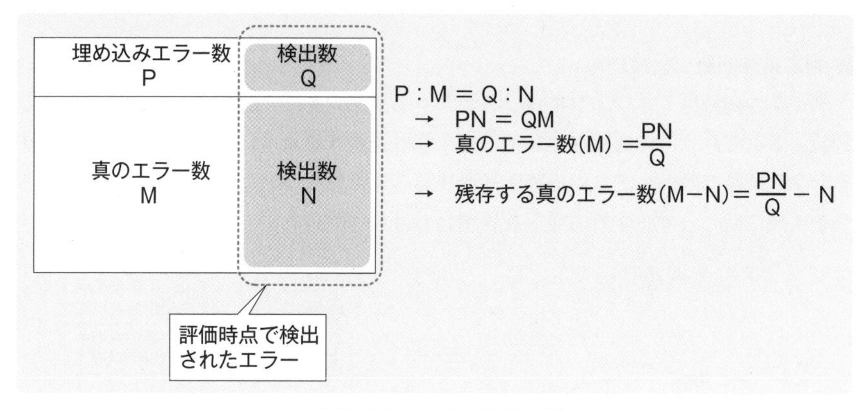

▶**図6.16　エラー埋込み法**

例えば，100個のエラーを意図的に埋め込んだプログラムを，埋込みエラーの存在を知らない検査グループがテストして30個のエラーを発見した。そのうち，20個は埋込みエラーであった場合を考える。

条件より，

P＝100，Q＝20，N＝30－20＝10

なので，比例式は，

100：M ＝ 20：10

となり，プログラムに存在する真のエラー数は，

(100×10)÷20 ＝ 50［個］

と推測できる。結果，

50－10 ＝ 40［個］

の真のエラーがまだプログラムに残存していると推測する。

エラー埋込み法以外にも，二つの独立したチームが同じプログラムを並行してテストすることで，エラー数を推測する方法もある。

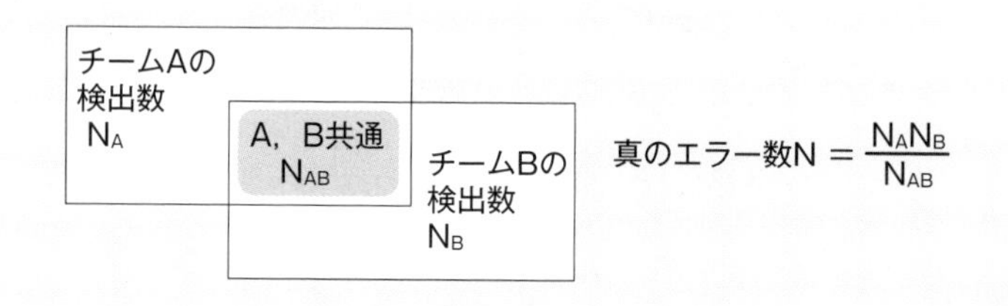

▶図6.17　並行テストからの推測

例えば，あるプログラムを，テストチームA，Bがテストしたところ，テストチームAが30個，テストチームBが40個のエラーを検出した。そのうち20個が同じエラーであった場合，

プログラムの真のエラー数 ＝ (30×40)÷20 ＝ 60［個］

プログラムに残存する真のエラー数 ＝ 60－(30＋40－20) ＝ 10［個］

となる。

■信頼度成長モデル

信頼度成長モデルは，テストによって検出されたバグの累積数をグラフ化することによって，信頼性の向上の過程を明確にする数学的モデルである。テストの進行とともに，検出されるバグの累積数とテスト時間の関係は，**図6.18**に示すような，緩やかなS字を描くことが経験的に知られている。これを信頼度成長曲線という。

信頼度成長曲線の代表的モデルとしては，**ロジスティック曲線**や**ゴンペルツ曲線**がよく用いられる。これらの曲線と，実際に検出したバグの累積数を対比することによって，ソフトウェアの品質を評価することができる。

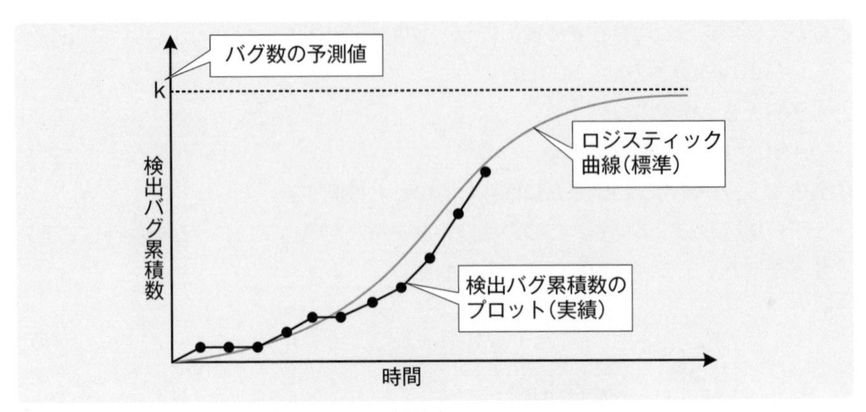

▶図6.18　成長曲線による近似の例

■ バグ管理図

バグ管理図は，検出したバグの累積数や未消化のテストの項目数をテスト時間に伴ってプロットしたグラフである。テストが順調に進んだ場合の予測に対し，実績をプロットすることで，テスト工程で生じる様々な問題を把握することができる。

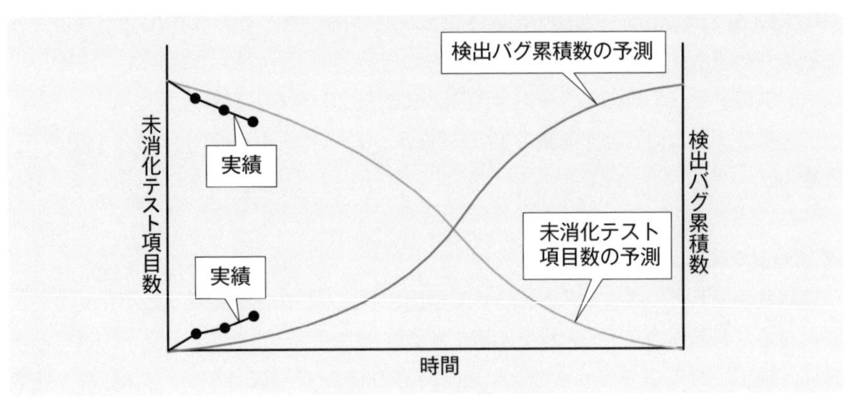

▶図6.19　バグ管理図

バグ管理図に，検出バグ累積数や未消化テスト項目数の他に「未解決バグ数」を加えることもあります。午前Ⅱ試験で，これら三つが変化しない状況として「解決困難なバグに直面している」ことを答えさせる問題が出題されました。

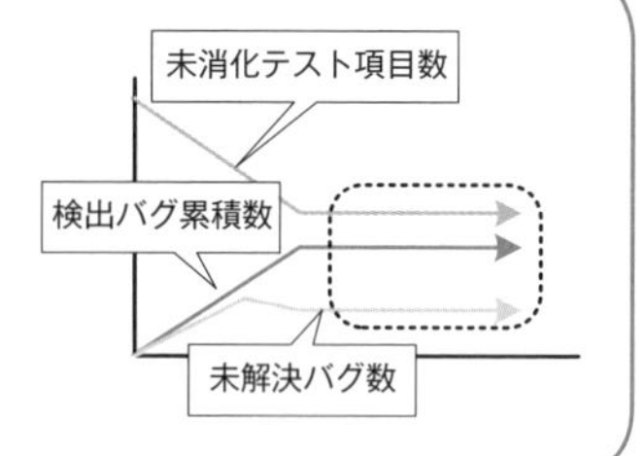

!Pick Up 現場で見かけるバグ管理図のパターン

バグ管理図は，テスト工程の問題を発見するために非常に有効なツールである。次に現場でよく見かけるバグ管理図のパターンをいくつか紹介する。

■ 順調型

テストが順調に進んだとき，未消化テスト項目数，検出バグ累積数のどちらも，予測に沿った実績が得られる。

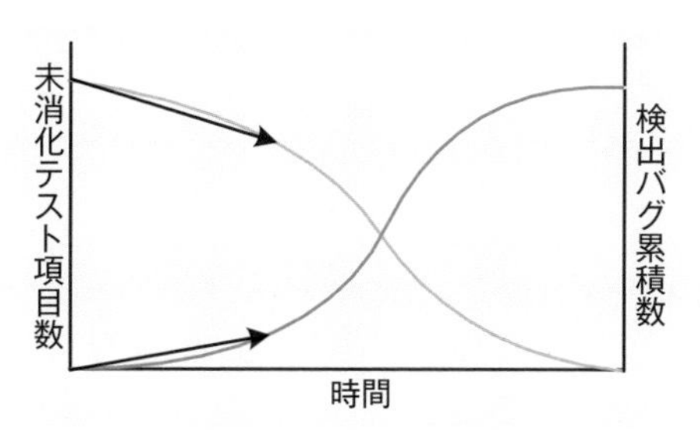

▶図6.20 順調型

■ 停滞型

何らかの原因でテストが進んでいない状況では，未消化テスト項目数，検出バグ累積数のどちらもが停滞する。この場合，解決困難なバグに直面している状況が考えられるが，単にテスト担当者が不慣れでテストが進んでいないという状況も考えられる。停滞の原因を見極め，速やかに解決しなければならない。

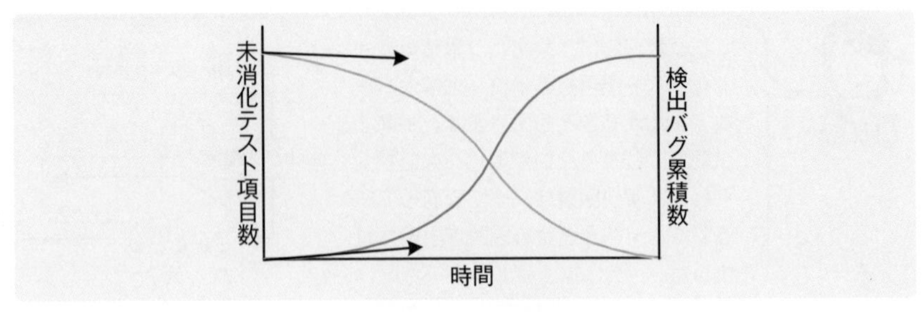

▶図6.21　停滞型

■見かけ上高品質型

テスト項目の消化が進んでいるのに対し，検出されるバグ数が予想を下回っている状況である。プログラムの品質が高いように見えるが，実際には「テスト項目が不適切でバグを効果的に検出できていない」ことがほとんどである。テスト項目のレビューを実施する必要がある。

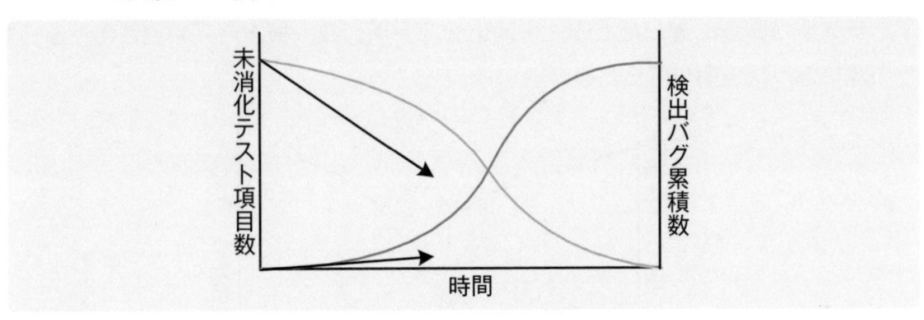

▶図6.22　見かけ上高品質型

■低品質型

テスト項目は順調に消化できているが，検出されるバグ数が予想を上回っている状況である。プログラムの品質が低い場合によく見かけるパターンである。品質の悪い部分を狙い撃つ，探索的テストを追加するなどの対処も考えなければならない。

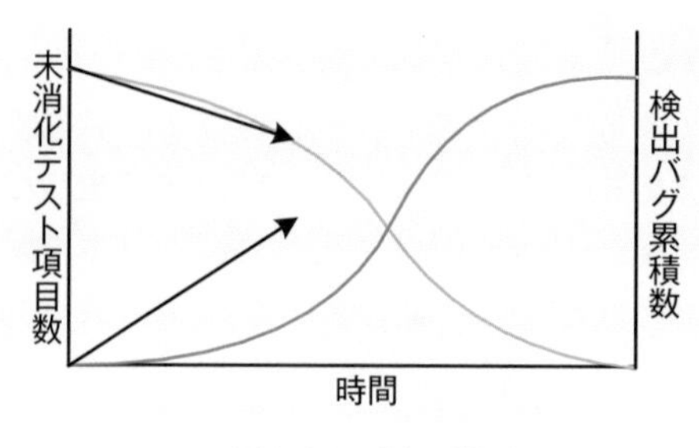

▶図6.23　低品質型

■ 深刻型

検出されるバグ数が予想を上回っている点では低品質型と同じではあるが，テスト項目の消化が悪いことが状況の深刻さを示している。プログラムに致命的なエラーがある，要件定義や設計段階のバグが持ち越されているなどの状況が考えられる。「時間をかければなんとかなる」といったレベルを超えており，場合によっては工程を遡って対処する必要がある。

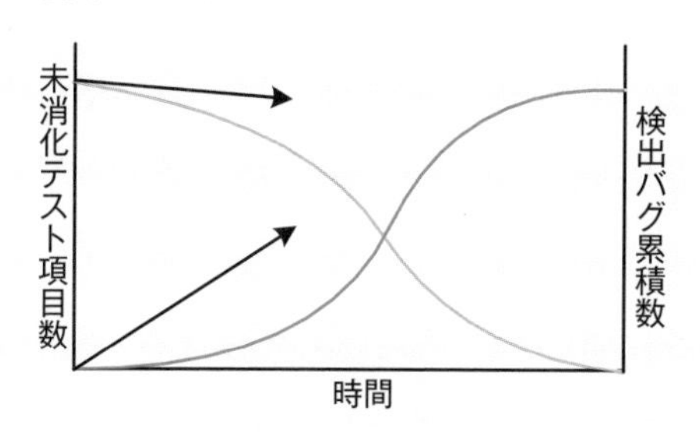

▶図6.24　深刻型

こう書ける！　論述の切り口

バグ管理図を評価して問題に対処することは，プロジェクトマネージャの仕事である。そのため，午後Ⅱ試験でバグ管理図をテーマとしてとり上げるような出題は考えにくい。とり上げるとしても，品質の確認やプロジェクトマネージャへの報告などの局面で，論述の「味付け」程度であろう。システムアーキテクトの周辺知識として理解しておいて欲しい。

(X)　テストの評価

今回のプロジェクトでは，テストチームごとにバグ管理図を作成して品質管理を実施することにした。テストを実施したところ，私が参加したチームで，バグ管理図の検出バグ累積数が急激に増加する現象が見られた。私はプログラムに品質上の問題があると判断し，テスト仕様書に従ったテストとは別に，探索的テストの実施をプロジェクトマネジャーに提案した。

探索的テストを実施したところ，仕様を誤って理解していることを原因とするエラーが発見されたため，プログラムを修正した。その後，検出バグ累積数の実績値が十分収束したことをもって，テストを終了した。

定番
バグが多発するような場合，その根本原因を狙い撃つような探索型のテストを実施する。

! Pick Up　非機能要件のテスト

機能要件と同様，非機能要件のテストも行わなければならない。ところが，明確にテストケースが設定できる機能要件に比べ，非機能要件は基準があいまいであることが少なくない。そのため，システムアーキテクトは，要件定義や設計の段階で，非機能要件の基準や重点確認項目を明確にし，テスト計画に盛り込むようにしなければならない。

ここでは，非機能要件のテストと計画段階の留意点をいくつかまとめておく。論述の参考にして欲しい。

■ 性能テスト

性能テストでは，レスポンスタイムやターンアラウンドタイム，スループット，同時接続数，リソースの使用量など，性能面の要求事項を満たしているかどうかをテストする。

- 「レスポンスタイムがXX秒以内であること」「YYユーザーが同時に接続できること」など，性能要件について具体的に定めておくこと

テストの留意点

■ ストレステスト

システムが高負荷状態となったとき，スラッシングなどが原因でシステムのスル

ープットが極端に低下することがある。ストレス（負荷）テストでは，高負荷状態となったときでも，要件として定められた処理量を達成できるか，想定外の振舞いを行わないかなどをテストする。

- 業務ピーク時，業務処理とバッチ処理が重なったときなど，想定される最大負荷を把握しておくこと
- 処理量が大きく変動する業務の場合，変動幅を把握しておくこと
- 負荷を発生させるようなツールの採用を検討すること

テストの留意点

■ 耐障害テスト

耐障害テストでは，障害に対してシステムが要求された耐性を持っているかをテストする。例えば，二重化されたシステムの場合には，一方が停止してもシステム稼働を正常に継続できるかをテストする。縮退運転を行うシステムの場合には，障害発生時にも最低限の業務が継続できるかをテストする。

- 「停止後XX分以内に復旧すること」「障害が発生した場合でもデータを消失しないこと」など，耐障害性の要件を具体的に定めておくこと
- 縮退運転時に実施する業務（システム）を定義し，円滑に縮退運転へ移行できる構成とすること

テストの留意点

■ 復旧テスト

システムに障害が発生したとき，あらかじめ作成した手順によって復旧を行う。復旧テストでは，手順どおりの操作で復旧できるかどうか，要求された時間内に復旧できるかどうかなどをテストする。

- 停止状態や縮退運転からの復旧手順や目標復旧時間を定めておくこと
- 復旧手順には障害の検知も含めること

テストの留意点

■ ユーザビリティテスト

ユーザビリティテストでは，実際に利用者にシステムを使用してもらい，使い勝手や習得の容易性などを評価する。ユーザビリティの評価法には，**図6.25**のようなものがある。

ユーザビリティの評価法

実験的手法 …システムを操作した利用者の意見に基づいて評価する

アンケート法	利用者にシステムを操作してもらい，事後にアンケートをとる
回顧法	利用者にシステムを操作してもらい，事後にインタビューを行う
思考発話法	利用者にシステムを操作してもらいながら，考えたことを発言してもらう

分析的手法 …専門家が自らの知識や経験に基づいて評価する

ヒューリスティック評価法	ユーザーインタフェースの原則に基づいて専門家が評価する
認知的ウォークスルー法	ユーザーの認知モデルに基づいて，仕様を専門家が評価する

▶図6.25　ユーザビリティの評価法

応用情報技術者試験の午前問題で，ユーザビリティの評価法について「専門家の立場からの評価法」と「利用者の立場からの評価法」を見分ける問題が出題されました。ユーザビリティの評価法の分類を知っていれば容易に解ける問題です。

【参考】　～ヤコブ・ニールセンの10原則

ユーザビリティの設計について，ヤコブ・ニールセンは次の10原則（Ten Usability Heuristics）を挙げている。

1. Visibility of system status
   システム状態が分かるようにする
2. Match between system and the real world
   現実の利用環境に合ったシステムを構築する
3. User control and freedom
   ユーザーにコントロールの主導権と自由度を与える
4. Consistency and standards
   一貫性を保持し標準に倣う
5. Error prevention
   エラーを事前に防止する
6. Recognition rather than recall
   記憶しなくても，見れば分かるようにする
7. Flexibility and efficiency of use
   柔軟性を持たせ，効率化できるようにする

8. Aesthetic and minimalist design
   最小限で美しいデザインにする
9. Help users recognize, diagnose, and recover from errors
   ユーザーがエラーを認識，診断，回復できるようにする
10. Help and documentation
   ヘルプとマニュアルを用意する

■ セキュリティテスト

セキュリティテストでは，「データが暗号化されていること」「アクセス制御が行われていること」「侵入検知が正常に働くこと」などのセキュリティ項目についてテストする。

こう書ける！ 論述の切り口

検証テスト（システム適格性確認テスト）で，ユーザビリティについてトラブルが起きることがある。ひととおりの操作ができるように設計されてはいるが，それでも「Undo／Redoが欲しい」「一発でホーム画面に戻れるようにして欲しい」「分かりやすいヘルプが欲しい」などの要求が出されることが少なくない。

しかし，検証テストで要望を出されても，検証テストの段階でユーザーインタフェースを作り直すのは不可能である。そのため，簡単に直せる部分だけ修正するなど，不完全な対応に終わってしまうことになる。このようなことを避けるためにも，ユーザーインタフェースなど「ユーザーに強く影響する部分」については，プロトタイプなどを利用して継続的に評価する必要がある。

(X)　ユーザビリティのテスト計画

これまで開発したシステムでは，ユーザーインタフェースの設計と開発がユーザー不在で進められることが多かった。そのため，検証テストの段階でユーザーが不満を表明しても，修正が保守工程に先送りされることがあった。このような事態を防ぐため，私はユーザビリティのテストを継続的に実施するよう，テスト計画を策定した。具体的には，設計の段階でユーザーインタフェースの専門家によるヒューリスティック評価を行うようにした。また，ユーザーインタフェースのプロトタイプを作成し，使い勝手をアンケートで回答してもらうようにした。アンケートには使い勝手に対する「総合的な満足度」を評価する項目も設定した。専門家の評価やアンケートの結果は，設計書やプロトタイプに反映し，再評価を行うようにした。

準備！

非機能要件に関する論述は，設計やテスト計画など，使える場面が多い。自分の経験に基づくユニットをいくつか準備しておくとよい。

定番

アンケートを実施するのであれば，総合的な満足度を回答する項目も取り入れよう。このような項目を含めることができるのも，アンケートの強みである。

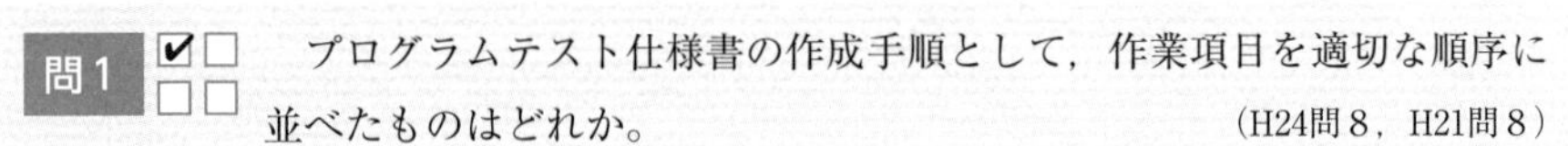

確認問題

問1 ☑□ □□ プログラムテスト仕様書の作成手順として，作業項目を適切な順序に並べたものはどれか。 (H24問8，H21問8)

a テスト環境，テスト方法などのプログラムテストに関する概要を記述する。
b テストケースごとのテストデータの作成と予想結果の作成を行う。
c テストケースを設定する。
d テスト項目を全て列挙する。
e テストを実行するときの個々の詳細な手順を設定する。

ア a，d，c，b，e　　イ a，d，e，c，b
ウ a，e，c，b，d　　エ a，e，d，c，b

問1 解答解説

プログラムテストは，一般的に，①テスト計画の策定，②テスト項目とテストケースの設計，③テストデータの作成，④テストの実施，⑤テスト結果の評価の順で行われる。挙げられたaからeの作業項目は，それぞれ，①では，aを行い，②では，d，cの順で行う。③では，bを行い，④では，eを行う。よって，a→d→c→b→eとなる。 《解答》ア

問2 ☑□ □□ プログラムの動的テストに用いられるテスト支援ツールはどれか。 (H22問10)

ア カバレージモニタ　　イ 記号実行ツール
ウ コードオーディタ　　エ プログラム図式生成ツール

問2 解答解説

プログラムを実行せずに行うテストを静的テストといい，プログラムを実行させて行うテストを動的テストという。記号実行ツール，コードオーディタ，図式生成ツールは静的テスト支援ツールであり，カバレージモニタは動的テスト支援ツールに該当する。

カバレージモニタとは，テスト対象となる全経路のうち，どの程度（何パーセント）テストしたかを計測する動的テスト支援ツールである。テストの進捗(しんちょく)度合いを評価するために使用される。

記号実行ツール：テストデータとしての実行データではなく，記号化した形式のデータで

代用することによってプログラムの実行シミュレーションを行う静的テスト支援ツール

コードオーディタ：プログラミング規約を設定し，その規約に違反していないかを自動検査するコード検査ツールである

プログラム図式生成ツール：変数は変数のままで実行経路を静的に解析する方法

《解答》ア

問3 ☑☐☐☐ プログラムに，実行中の特定の時点で成立すべき変数間の関係や条件を記述した論理式を埋め込んで，そのプログラムの正当性を検証する手法はどれか。（R6問6，R元問8）

ア　アサーションチェック　　イ　コード追跡

ウ　スナップショットダンプ　　エ　テストカバレッジ分析

問3　解答解説

アサーションチェックは，プログラムの適切な箇所に，変数間に成立すべき条件といった「プログラムの正当性を証明する命題」を挿入して，プログラム実行時にその命題である条件が成立するかを検証するプログラムの検査手法の一つである。

コード追跡：ソースコード上の処理の流れを追いながらエラーを検出する手法。トレースと同義

スナップショットダンプ：プログラム中に埋め込まれたデバッグ命令を実行するごとに，指定したメモリやレジスタの内容を出力する手法

テストカバレッジ分析：テスト対象となる全経路のうち，どの程度テスト（網羅）できたかを計測して分析する手法

《解答》ア

問4 ☑☐☐☐ プログラムのテストに関する記述のうち，適切なものはどれか。（H24問9，H22問7）

ア　静的テストとは，プログラムを実行することなくテストする手法であり，コード検査，静的解析などがある。

イ　単体テストでは，スタブから被検査モジュールを呼び出し，被検査モジュールから呼び出されるモジュールの代わりにドライバを使用する。

ウ　トップダウンテストは，仮の下位モジュールとしてのスタブを結合してテストするので，テストの最終段階になるまで全体に関係するような欠陥が発見されにくい。

エ　ブラックボックステストでは，分岐，反復などの内部構造を検証するので，全ての経路を通過するように，テストケースを設定する。

問4 解答解説

プログラムのテストにはいろいろなものがある。テスト対象が開発工程の場合，単体テスト，結合テスト，システムテスト，運用テストなどに分類できる。結合テストでは，上位のモジュールからテストを進めるトップダウンテストと，下位のモジュールからテストを進めるボトムアップテストがある。また，テストケースの設計方法においては，外部仕様をもとにテストケースを設計するブラックボックステストと，プログラムの内部構造に基づいてテストケースを設計するホワイトボックステストがある。

静的テストとは，ソースコードを検査の対象とするもので，プログラムを実行せずにテストする手法である。コードオーディタなどを用いたコード検査や，プログラム解析ツールやモジュールインタフェースチェックツールなどを用いた静的解析などがこれに該当する。静的テストに対して，テストデータを用意してプログラムを実行してテストする手法を動的テストという。

イ　スタブやドライバを使用するのは，結合テストである。ボトムアップテストではドライバから被検査モジュールを呼び出し，トップダウンテストでは被検査モジュールから呼び出されるモジュールの代わりにスタブを使用する。

ウ　テストの最終段階になるまで全体に関係するような欠陥が発見されにくいのは，ボトムアップテストである。

エ　ホワイトボックステストに関する記述である。　《解答》ア

問5 ☑☐☐☐　ある購買システムの開発において，開発者が行った探索的テストの例として，適切なものはどれか。（R4問8，H29問11）

ア　過去に購買システムを開発した経験に基づいて，入力項目間の関連チェックの不備を検出できそうなデータパターンを推測し，テストケースを事前に作成してテストした。

イ　数量の範囲に応じて適用する商品価格が正しいかどうかを確認するために，各範囲の数量の中央の値を用いたテストケースを作成してテストした。

ウ　組織変更の前後で組織名が正しく印刷されるかどうかを確認するために，新組織の有効開始日とその前日とを発注日とするテストケースを事前に作成してテストした。

エ　入力値の組合せが無効なときは伝票を作成しないことを確認するために，幾つかの代表的な入力値の組合せをテストし，その結果に基づいて次のテストケースを作成してテストを繰り返した。

問5 解答解説

探索的テストでは，事前に用意したテストケースを網羅的に実施するのではなく，テスト担当者の経験や推測から重要と思われる領域に焦点を当ててテストケースを作成し，その結果をもとに新たなテストケースを作成して，テストを繰り返す。“エ”は，まず，「幾つかの代表的な入力値の組合せをテストし」，次に「その結果に基づいて次のテストケースを作成して」「テストを繰り返し」ているので，探索的テストの例である。

ア　経験ベースのエラー推測によるテストの例である。
イ　同値分割法を用いたテストの例である。
ウ　限界値分析を用いたテストの例である。　　《解答》エ

問6 ☑☐☐☐　ある通信販売事業者は，人工知能技術を利用して人間のように受け答えする，Webのチャットをインタフェースとしたユーザーサポートシステムを開発している。テスト工程では，次の方法でテストする手法を採用した。このような，AIに関するテスト手法を何というか。　（R5問7，R元問12）

〔テストの方法〕
・判定者は，このシステムと人間の二者を相手に自然言語によるチャットを行う。このとき，判定者はどちらがこのシステムで，どちらが人間なのかは知らされていない。
・判定者が一連のチャットを行った後に，チャットの相手のどちらがこのシステムで，どちらが人間かを判別できるかどうかを確認する。

ア　実験計画法　　イ　チューリングテスト
ウ　ファジング　　エ　ロードテスト

問6 解答解説

チューリングテストは，数学者アラン・チューリングが考案した「システムが人間と区別できないほど人間的であるかどうか」を判断するための手法である。

システム，人間，テストを行う人間（判定者）を用意する。判定者は，どちらがシステムか人間かが分からない状態で両者に対して話しかけ，会話の内容のみから，どちらがシステムであるかを判断する。

実験計画法：複数の条件がある場合，直交表を使用して依存関係がない条件を明らかにし，必要十分な条件の組合せだけを割り出してテストする品質管理の代表的な統計手法
ファジング：機械的に生成した，問題を引き起こしそうな入力データをソフトウェアに与

え，その応答や挙動を観察することで，ソフトウェアの脆弱性を見つける検査手法

ロードテスト：システムに想定される負荷をかけて，性能や耐久性を計測する手法。負荷テスト

《解答》イ

問7 ☑□ □□ ブラックボックステストにおけるテストケースの設計に関する記述として，適切なものはどれか。 (H30問9，H27問8，H25問8)

ア 実データからテストデータを無作為に抽出して，テストケースを設計する。

イ 実データのうち使用頻度が高いものを重点的に抽出して，テストケースを設計する。

ウ プログラムがどのような機能を果たすのかを仕様書で調べて，テストケースを設計する。

エ プログラムの全命令が少なくとも1回は実行されるように，テストケースを設計する。

問7 解答解説

ブラックボックステストでは，機能を仕様書で調べて，どのようなデータを入力するとどのような結果になるのかを確認してテストケースを設計する。

ア テストケースは無作為に抽出するのではなく，入力と出力の関係をいくつかの同値クラス（同じような結果になるグループ）に分けた上で，各同値クラスを網羅するように設計すべきである。

イ 使用頻度が低いものも抽出対象とし，外部仕様を網羅するテストケースを設計すべきである。

エ このようなテストケース設計を命令網羅という。命令網羅は，プログラムの内部構造に着目するホワイトボックステストに分類される技法である。

《解答》ウ

問8 ☑□ □□ 三つの整数型の入力データA，B，Cが，A≧15かつB≧10かつC≧5のときだけ入力データを処理する仕様のプログラムを，同値分割法によってテストする。このときの最少のデータの組合せとして適切なものはどれか。ここで，(x，y，z）は，入力データAの値がx，Bの値がy，Cの値がzであることを表すものとする。 (H22問8)

ア （0，0，0），(20，15，10)

イ （0，0，0），(0，0，10)，（0，15，0)，(20，0，0)

ウ （0，15，10)，(20，15，0)，(20，0，10)，(20，15，10)

エ　(0, 0, 0), (0, 0, 10), (0, 15, 0), (20, 0, 0), (0, 15, 10), (20, 15, 0), (20, 0, 10), (20, 15, 10)

問8　解答解説

同値分割法では，入力条件の仕様をもとに，入力領域を正常処理を行う「有効同値クラス」と，異常処理を行う「無効同値クラス」に分割する。

問題では，入力データA，B，Cは整数で与えられ，A≧15かつB≧10かつC≧5の場合は「有効同値クラス」，それ以外は「無効同値クラス」と分類できる。

選択肢“ウ”を見ると，「有効同値クラス」からの代表値として（20，15，10）を選択している。一方「無効同値クラス」からの代表値として，B<10，C<5，A<15のいずれかが成立する場合を考えた（20，0，10），(20，15，0)，(0，15，10）を選択している。よって，最少のデータの組合せとして適切である。

ア「無効同値クラス」からの代表値が（0，0，0）だけなので，不適切である。
イ「有効同値クラス」からの代表値がないので，不適切である。
エ「有効同値クラス」「無効同値クラス」のあらゆる領域から代表値を選んでいるので，テストデータとしては有効であるが，冗長である。

《解答》ウ

問9 ☑☐☐☐　出力帳票の1ページごとにヘッダと30件分のレコードを出力するプログラムをテストしたい。このプログラムを限界値分析によってテストするための最少のテストデータを用意するとき，レコード件数の組合せとして，適切なものはどれか。（H23問8）

ア　0，1，31　　　イ　0，1，20，31
ウ　0，1，30，31　　エ　0，1，20，30，31

問9　解答解説

限界値分析とは，入出力仕様をもとに正常処理と異常処理の条件判定の境界付近における値を，テストケースとして設計する技法である。プログラムのエラーは条件判定の境界に潜むことが多いため，エラーを検出するのに有効なテストである。問題のプログラムでは，レコード件数の同値クラスとして，0件，1～30件，31件以上の三つが設定されることになるので，限界値分析による最少のテストデータ値は，0，1，30，31が適している。

《解答》ウ

問10 ✔□ □□ 学生レコードを処理するプログラムをテストするために，実験計画法を用いてテストケースを決定する。学生レコード中のデータ項目（学生番号，科目コード，得点）は二つの状態をとる。テスト対象のデータ項目から任意に二つのデータ項目を選び，二つのデータ項目がとる状態の全ての組合せが必ず同一回数ずつ存在するように基準を設けた場合に，次の８件のテストケースの候補から，最少で幾つを採択すればよいか。（H27問10，H25問10）

データ項目 / テストケース№	学生番号	科目コード	得点
1	存在する	存在する	数字である
2	存在する	存在する	数字でない
3	存在する	存在しない	数字である
4	存在する	存在しない	数字でない
5	存在しない	存在する	数字である
6	存在しない	存在する	数字でない
7	存在しない	存在しない	数字である
8	存在しない	存在しない	数字でない

ア　2　　イ　3　　ウ　4　　エ　6

問10 解答解説

実験計画法は品質管理の代表的な統計手法である。表によると，学生レコード中の三つのデータ項目「学生番号」「科目コード」「得点」は，それぞれ「存在する，存在しない」あるいは「数字である，数字でない」の二つの状態をとるので，テストパターンは８（2^3）通りになる。「テスト対象のデータ項目から任意に二つのデータ項目を選び，二つのデータ項目がとる状態の全ての組合せが必ず同一回数ずつ存在する」ということは，最少で例えば，次のような組合せを指している。

学生番号	科目コード	得点
存在する	存在する	数字でない
存在する	存在しない	数字である
存在しない	存在する	数字である
存在しない	存在しない	数字でない

よって，８通りのテストケースの候補から四つを採択すればよいことになる。

一般に，条件が複数ある場合，全ての条件の組合せをテストするとなると，条件が多くなればなるほどテスト量は膨大になっていく。このような場合，条件間に依存関係がなければ，「テスト対象のデータ項目から任意に選んだ二つのデータ項目がとる状態の全ての組合せが必ず同一回数ずつ存在する」という直行表を使用して，必要十分な組合せを決定する方法が考えられる。

《解答》ウ

問11 ☑☐☐☐ データが昇順に並ぶようにリストへデータを挿入するサブルーチンを作成した。このサブルーチンのテストに用いるデータの組合せのうち，網羅性の観点から適切なものはどれか。ここで，データは左側から順にサブルーチンへ入力する。（R元問7，H24問7）

ア　1，3，2，4　　イ　3，1，4，2

ウ　3，4，2，1　　エ　4，3，2，1

問11　解答解説

「リストへのデータの挿入」という処理は，リストの状態やデータの挿入位置によって，次のように区別することができる。

(a)　空のリストへの挿入

(b)　リストの先頭への挿入

(c)　リストの末尾への挿入

(d)　リストの途中への挿入

「3，1，4，2」というテストデータを順番にリストに挿入する際の処理は，

・3の挿入→（a）を実行

・1の挿入→（b）を実行

・4の挿入→（c）を実行

・2の挿入→（d）を実行

となり，(a)～(d)を網羅できる。

ア　(a)，(c)，(d)，(c)となり，(b)が実行されない。

ウ　(a)，(c)，(b)，(b)となり，(d)が実行されない。

エ　(a)，(b)，(b)，(b)となり，(c)と(d)が実行されない。

《解答》イ

問12 ☑☐☐☐ あるプログラムについて，流れ図で示される部分に関するテストケースを，判定条件網羅（分岐網羅）によって設定する。この場合のテストケースの組合せとして，適切なものはどれか。ここで，(　)で囲んだ部分は，一組みのテストケースを表すものとする。（R3問7）

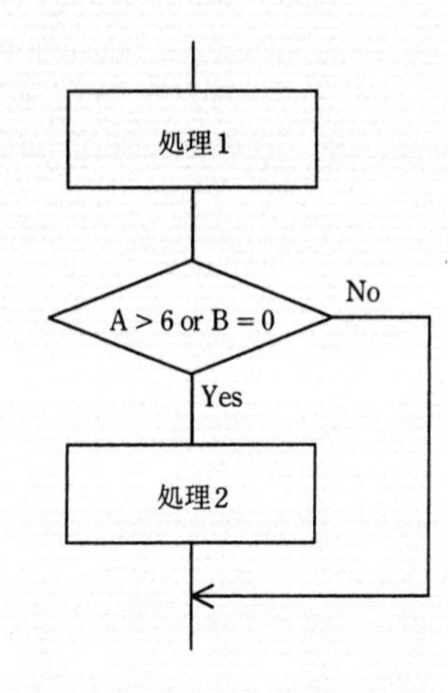

ア　(A＝1，B＝1)，(A＝7，B＝1)
イ　(A＝4，B＝0)，(A＝8，B＝1)
ウ　(A＝4，B＝1)，(A＝6，B＝1)
エ　(A＝7，B＝1)，(A＝1，B＝0)

問12　解答解説

判定条件網羅（分岐網羅）はホワイトボックステストの一種で，プログラムの判定条件の真と偽のどちらも1回は実行するようにテストケースを設定するテスト法である。提示された流れ図では，判定条件として「A＞6 or B＝0」が設定されている。この判定条件が，
・真となるのは，A＞6とB＝0のどちらかが成立している場合
・偽となるのは，A≦6とB≠0のどちらもが成立している場合
である。

“ア”は，(A＝1，B＝1)→偽，(A＝7，B＝1)→真となり，判定条件網羅のテストケースの組合せとして適切である。

イ　(A＝4，B＝0)→真，(A＝8，B＝1)→真となり，偽となるケースがない。
ウ　(A＝4，B＝1)→偽，(A＝6，B＝1)→偽となり，真となるケースがない。
エ　(A＝7，B＝1)→真，(A＝1，B＝0)→真となり，偽となるケースがない。

《解答》ア

問13 ✔□□□　ソフトウェアの潜在エラー数を推定する方法の一つにエラー埋込み法がある。100個のエラーを意図的に埋め込んだプログラムを，そのエラ

ーの存在を知らない検査グループがテストして30個のエラーを発見した。そのうち20個は意図的に埋め込んでおいたものであった。この時点で，このプログラムの埋込みエラーを除く残存エラー数は幾つと推定できるか。

（H29問 9）

ア　40　　イ　50　　ウ　70　　エ　150

問13　解答解説

故意に埋め込んだ100個の埋込みエラーのうち，20個が発見されているので，未発見の埋込みエラーは，80個である。また，検査グループが発見したエラー 30個のうち，20個が埋込みエラーなので，ソフトウェアに潜在していたエラーと埋込みエラーの比は，1：2である。同じ比率でエラーが残存していると考えると，未発見の埋込みエラーが80個なので，埋込みエラーを除くエラーの残存数をxとすると，x：80＝1：2となり，x=40である。よって，埋込みエラーを除く残存エラー数は40と推定できる。

《解答》ア

問14 ☑☐☐☐　ソフトウェアのテスト工程において，バグ管理図を用いて，テストの進捗状況とソフトウェアの品質を判断したい。このときの考え方のうち，最も適切なものはどれか。

（R4問 9，R元問11）

ア　テスト工程の前半で予想以上にバグが摘出され，スケジュールが遅れたので，スケジュールの見直しを行い，数日遅れでテスト終了の判断をした。

イ　テスト項目がスケジュールどおりに消化され，かつ，バグ摘出の累積件数が増加しなければ，ソフトウェアの品質は高いと判断できる。

ウ　テスト項目消化の累積件数，バグ摘出の累積件数及び未解決バグの件数が変化しなくなった場合は，解決困難なバグに直面しているかどうかを確認する必要がある。

エ　バグ摘出の累積件数の推移とテスト項目の未消化件数の推移から，テスト終了の時期をほぼ正確に予測できる。

問14　解答解説

バグ管理図は，縦軸にバグ摘出の累積件数及びテスト項目消化の累積件数，横軸に時間をとり，テスト項目消化の累積件数，バグ摘出の累積件数，未解決バグの件数の時間的推移を管理する図である。この三つの項目が全て変化しなくなったということは，解決困難なバグに直面し，テストを先に進められない状況になっていることが想定できる。

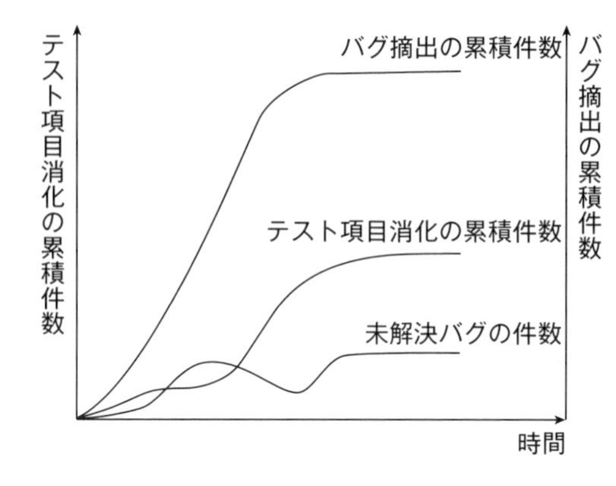

図　バグ管理図の例

ア　テスト工程の前半で予想以上にバグが検出された場合，ソフトウェアの品質自体に重大な問題があることが予想され，前工程に戻ることも視野に入れねばならない。品質の見直しを優先すべきであり，この時点でスケジュールの見直しをしてもあまり意味がない。

イ　テスト項目がスケジュールどおりに消化されているにも関わらず，バグ摘出の累積件数が増加しない場合には，テストケース自体に問題がないか疑ってみる必要がある。

エ　バグ摘出の累積件数が信頼度成長曲線に沿って推移していない場合，何らかの問題が発生していることが考えられ，テスト終了の時期は予測不可能である。　《解答》ウ

7 保守・運用

Point!

保守・運用はサービスマネージャの領域である。そのため，システムアーキテクト試験では，保守・運用は午前Ⅱ試験で1問程度出題されるくらいである。本書で知識をざっとまとめ，過去問題を確認する程度で十分である。多くの時間を割くのはもったいない。

… 30秒チェック！ …

Super Summary

(1) **保守**

■システムを使い続けるために修正や改良を行うこと

□是正保守…運用後に顕在化したバグを修正する保守

□緊急保守…是正保守のうち，緊急に行われる保守

□予防保守…潜在するバグが障害になる前に取り除く保守

□適応保守…元号や税率の変化など，外部要因による変更に対応する保守

□完全化保守…ユーザーの利便性向上や性能向上を図る保守

(2) **運用**

■システムを稼働させ，業務に必要なサービスを提供すること

7.1 保守

保守とは，システムを使い続けるために修正や改良を行うことである。ここでは，保守の分類とプロセスを説明する。

■保守の分類

保守作業は**図7.1**のように分類することができる。

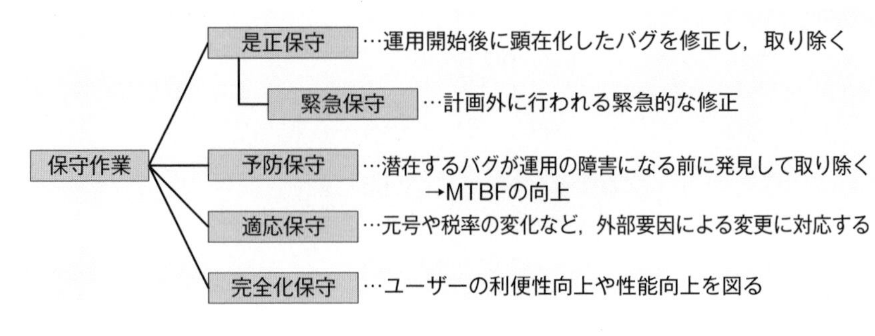

▶図7.1　保守の分類

是正保守，緊急保守や予防保守は，バグの「修正」を行う保守である。これに対し，適応保守や完全化保守は，ソフトウェアの「改良」を行う保守である。

保守によってプログラムに変更が発生した場合は，変更が他の正常な部分に影響を与えていないことを確認するため，リグレッションテスト（退行テスト）を実施する。

予防保守は障害が起こる前に対処するため，システムが故障なく稼働する時間，いわゆるMTBF（平均故障間隔）が長くなります。

OSの更新に伴ってアプリケーションを新OSに対応させる修正は，外的要因への対応である適応保守に分類されます。

■ 保守体制による分類

保守作業は，作業形態から**図7.2**のように分類することもできる。

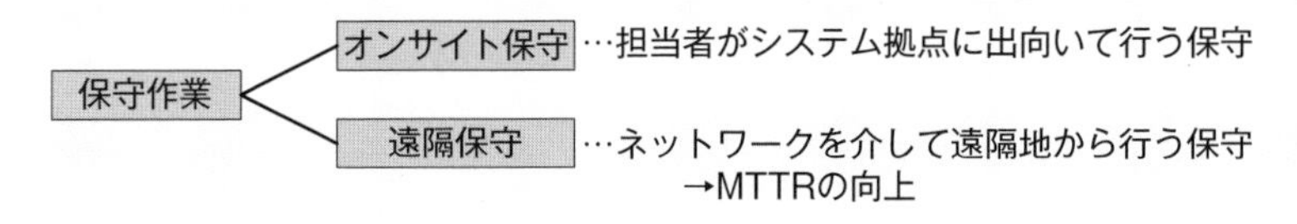

▶図7.2　保守体制による分類

遠隔保守を行うことで，作業員が現地に赴く時間が不要になり，MTTR（平均復旧時間）が短くなる。

■ 保守プロセス

保守プロセスの実施サイクルは，**図7.3**のようになる。

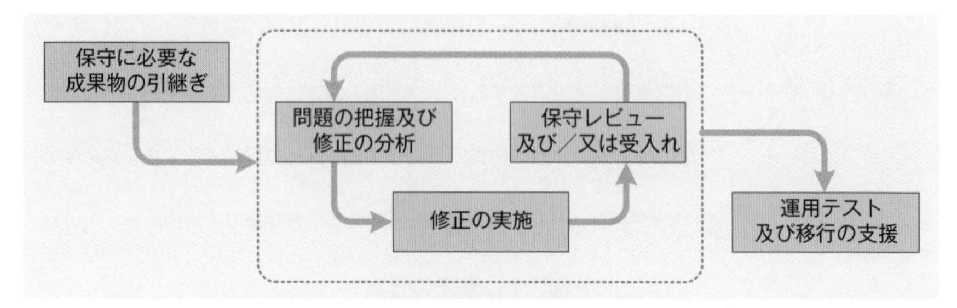

▶図7.3　保守プロセスの実施サイクル

保守に必要な成果物の引継ぎは，保守の最初の１回のみ実行され，開発チームから保守チームへの引継ぎなどが該当する。

問題の把握及び修正の分析 → 修正の実施 → 保守レビュー及び／又は受入れは，保守が続く間，トラブルの発生ごとに行われる。

システムを他の環境に移行するような場合には，運用テスト及び移行の支援を行う。

7.2 運用

運用とは，システムを稼働させ，業務に必要なサービスを提供することである。運用プロセスは運用テストから始まる。

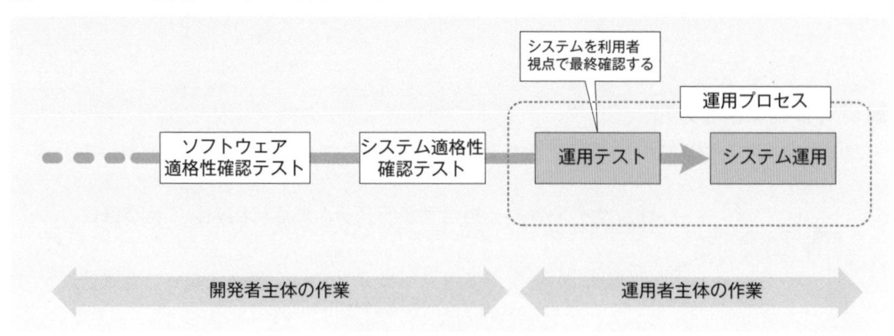

▶図7.4　運用プロセス

運用テストは，本番環境やそれに準じる環境において，ユーザー視点で行われるテストであるため，運用プロセスの一部として実施される。システム運用は，システムの運用を通してサービスを提供する作業で，ITILやJIS Q 20000などのサービスマネジメントプロセスに沿って行われる。

■ 運用，保守，システム開発プロセスの関係

運用・サービスプロセス，保守プロセス，システム開発プロセス，ソフトウェア実装プロセスは，**図7.5**のような関係となる。

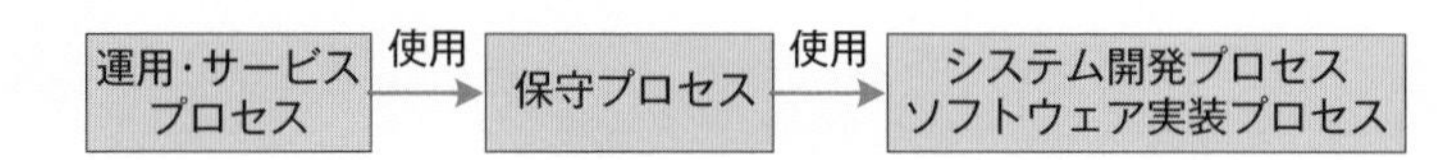

▶図7.5　役割と関係

この関係は，運用中に発生する個々のソフトウェア保守については保守プロセスを使用して実施すること，保守プロセスでソフトウェアの修正やテストを行う際にはシステム開発プロセス及びソフトウェア実装プロセスを使用して実施することを示している。

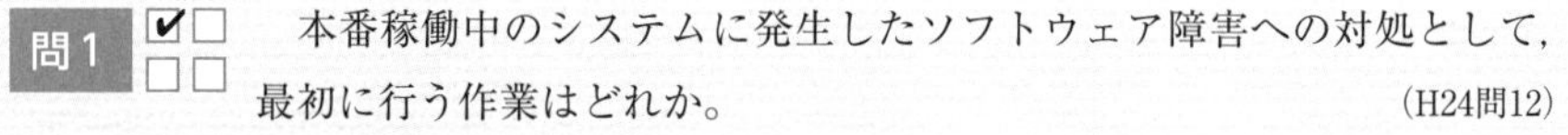

問1 ✔□ □□　本番稼働中のシステムに発生したソフトウェア障害への対処として，最初に行う作業はどれか。　(H24問12)

ア　修正に関する選択肢を検討する。
イ　修正の内容を文書化して承認を得る。
ウ　修正量，修正費用及び修正時間を見積もる。
エ　障害の内容を把握するための検証を行う。

問1　解答解説

本番稼働中にソフトウェアが原因と思われるシステム障害が発生したら，最初に障害発生の事実や内容を把握する必要がある。システム障害の内容を検証し，ソフトウェアの欠陥が障害要因であることやその障害箇所などを明らかにしてから，ソフトウェアの修正を行う。

ア～ウ　修正に関する作業は，ソフトウェア障害の内容や要因が特定できてから行うべき作業で，最初に行うべき作業ではない。

《解答》エ

問2 ☑□□□ 全国に分散しているシステムの保守に関する記述のうち，適切なものはどれか。 (H28問12，H25問12)

ア　故障発生時に遠隔保守を実施することによって駆付け時間が不要になり，MTBFは長くなる。

イ　故障発生時に行う是正保守によって，MTBFは長くなる。

ウ　保守センタを１か所集中から分散配置に変えて駆付け時間を短縮することによって，MTTRは短くなる。

エ　予防保守を実施することによって，MTTRは短くなる。

問2 解答解説

システムの可用性を高める方法には，障害の発生を抑制してMTBF（平均故障間隔）を長くする方法と，保守性を高めてMTTR（平均修理時間）を短くする方法がある。保守センタを１か所集中から分散配置に変えると，保守作業のための移動時間の短縮に役立つので，MTTRを短くできる。

ア　遠隔保守は保守作業のための移動時間が短縮できるので，MTTRを短くできる。
イ　故障発生時に行う是正保守は単なる修理なので，MTBFに影響を与えない。
エ　予防保守は障害の発生を防ぐためのものなので，MTBFを長くできる。　《解答》ウ

8 品質管理

Point!

品質管理は，システム開発の全工程に及ぶ非常に重要な活動である。ここでは品質管理のうち，主にレビューについて説明する。レビューは，午前Ⅱ試験での出題は目立たないが，午後Ⅱ試験では要件定義からテストの評価まで幅広く使える重要なアイテムである。習得して有効に活用して欲しい。

… 30秒チェック！ …
Super Summary

(1) 品質特性

■品質の代表的な定義に，JISによる品質特性がある。

□機能性…必要な機能をもれなく実装していること
□性能効率性…プロセッサやメモリなども効率的に使用していること
□互換性…部品や製品を置き換えても問題なく動作すること
□使用性…使いやすく，習得も容易であること
□信頼性…障害などによる停止が起こりにくいこと
□セキュリティ…不正アクセスや改ざんなどを受けないこと
□保守性…修正が容易であること
□移植性…他の環境への移植が容易であること
□アシュアランスケース…システムの品質を証拠を明示して説明するための文書

(2) レビュー

■レビューとは複数の人間によってドキュメントの内容を見直す品質向上活動である。

□デザインレビュー…設計の妥当性を確認するレビュー
□コードレビュー…ソースコードを対象としたレビュー
□ピアレビュー…同僚やチームメンバーと行うレビュー
□ウォークスルー…ピアレビューの技法の一つ
□インスペクション…モデレーターが主導し，公式な記録・分析を行うレビュー
□ラウンドロビン…参加メンバーが持ち回りで責任者を務めるレビュー

8.1 品質特性

システムに求められる品質には様々な定義があるが，ここでは非機能要件の定義でも述べたJIS X 25010：2013におけるシステム／ソフトウェアの品質特性をとり上げる。再度システム／ソフトウェアの品質特性を掲載するので，品質特性について整理して欲しい。

▶表8.1　システム／ソフトウェアの品質特性

機能適合性	明示された状況下で使用するとき，明示的ニーズ及び暗黙のニーズを満足させる機能を，製品又はシステムが提供する度合い。 →　業務に必要な機能をもれなく実装していること。
性能効率性	明記された状態（条件）で使用する資源の量に関係する性能の度合い。 →　必要な性能を満足し，プロセッサやメモリなども効率的に使用していること。
互換性	同じハードウェア環境又はソフトウェア環境を共有する間，製品，システム又は構成要素が他の製品，システム又は構成要素の情報を交換することができる度合い，及び／又はその要求された機能を実行することができる度合い。 →　部品や製品を置き換えても問題なく動作すること。
使用性	明示された利用状況において，有効性，効率性及び満足性をもって明示された目標を達成するために，明示された利用者が製品又はシステムを利用することができる度合い。 →　使いやすく，習得も容易であること。
信頼性	明示された時間帯で，明示された条件下に，システム，製品又は構成要素が明示された機能を実行する度合い。　→　可用性が高く，障害の影響を受けにくいこと。
セキュリティ	人間又は他の製品若しくはシステムが，認められた権限の種類及び水準に応じたデータアクセスの度合いをもてるように，製品又はシステムが情報及びデータを保護する度合い。 →　不正アクセスや改ざんなどを受けないこと。
保守性	意図した保守者によって，製品又はシステムが修正することができる有効性及び効率性の度合い。 →　修正が容易であること。
移植性	一つのハードウェア，ソフトウェア又は他の運用環境若しくは利用環境からその他の環境に，システム，製品又は構成要素を移すことができる有効性及び効率性の度合い。 →　他の環境への移植が容易であること。

午前Ⅱ試験では，時折，品質副特性まで踏み込んだ問題が出題されることがありますが，解答は品質副特性の名称などから十分推測することができます。いたずらに品質副特性まで拡げるのではなく，まずはしっかりと品質特性による分類を理解しましょう。

■ アシュアランスケース

アシュアランスケースとは，システムの品質についてエビデンス（証拠）を示して説明する文書である。医療や自動車のシステムなど，非常に高い安全性が要求される製品に対して，アシュアランスケースの提出が要求されることもある。

アシュアランスケースは，通常のドキュメント形式で記述されることが多いが，GSN（Goal Structuring Notation）などの図式表現を用いることもある。

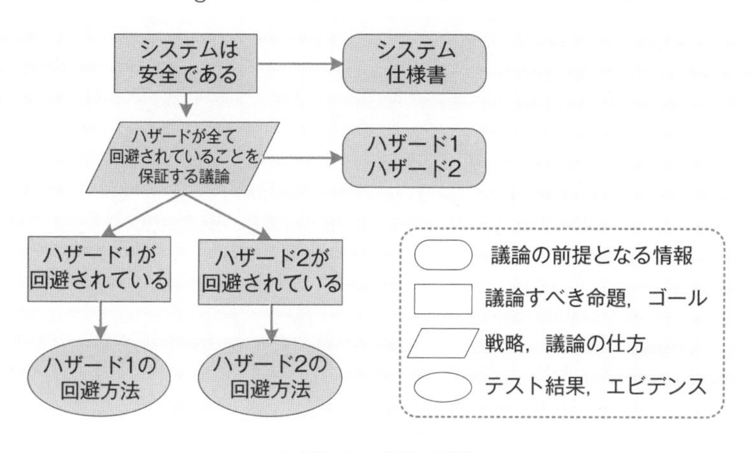

▶図8.1　GSNの例

図8.1は，システムにハザード１とハザード２が起こり得ることを前提とし，それぞれの回避方法について，テスト結果をエビデンスとしてシステムの安全性を説明している。

8.2 レビュー

レビューは，複数の人間によって設計書や仕様書などのドキュメントの内容を見直す品質向上活動である。成果物に対してレビューを行うことによって，次のような効果を得ることができる。

- ・誤りの早期発見
- ・成果物の品質確保
- ・プロジェクトメンバー間における意思の疎通
- ・プロジェクトの参画意識の向上
- ・技術者の育成

■ レビューの目的

レビューの主たる目的は「問題点の発見」である。レビューの効果を上げるためには，工程の最後にレビューの実施を明確に位置付けることが重要である。

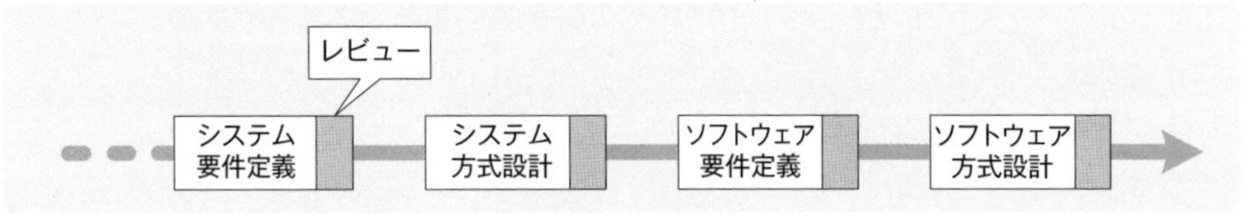

▶図8.2　レビュー

レビューの目的は実施する工程や対象によって異なる。例えば，設計書を対象としたデザインレビューでは，

- ・要件定義の内容を満たした設計になっているか
- ・上流の設計書との一貫性（整合性）が保たれているか

などを検証する。

レビューには技術面だけでなく，プロジェクト管理面のレビューもあります。本書では，システムアーキテクトに求められる技術面のレビューに絞って説明します。

■ レビューの種類

レビューには，**表8.2**に示すようなものがある。

▶表8.2　レビューの種類

デザインレビュー	設計工程で作成した仕様書に対して行うレビュー。設計の妥当性を確認し，次工程に移ってよいかを評価する
コードレビュー	ソースコードを対象に行うレビュー
ピアレビュー	同僚やチームメンバーなどスキルや知識を持つメンバーで行うレビュー
ウォークスルー	コードを対象に，机上でシミュレーションを行うレビュー。コード以外の設計仕様書などに対しても行う
インスペクション	ウォークスルーよりも公式なレビュー。モデレーターが主導し，公式な記録・分析を行う
ラウンドロビン	参加メンバーが持ち回りでレビュー責任者を務めるレビュー。参加意識の向上や技量の底上げが期待できる

■ レビューの注意点

レビューは次の点に注意して実施する。これらは，ウォークスルーで提案された注意点ではあるが，今ではレビュー全般の注意点として扱われる。

・問題の発見を第一目的として，その場で解決を行わない
・大きな問題の発見に専念し，小さな問題（誤字など）は発見対象から除外する
・短時間（一般的には2時間以内）で終了させる
・個人を攻撃しない
・個人の評価に用いない

!Pick Up　レビューの詳細

レビューは，午前Ⅱ試験での出題はそれほど目立たないが，午後Ⅱ試験では，要件定義・設計からテストまで幅広く論述に使える重要なアイテムである。次に示す事項を論述ネタに加えて欲しい。

■ レビューの実施

共同レビュープロセス開始の準備として，レビュー実施にあたって決めておかなければならない事柄がある。なお，共同レビューとは，取得者と供給者，ユーザー部門と情報部門などの利害関係者の間で行われるレビューである。

・レビュー実施時期の設定

プロジェクト計画で指定された所定のマイルストーンで，定期的なレビューを実

施する。利害関係者のいずれかが必要と考えるときには，臨時のレビューを実施することが望ましい。

・レビュー実施の資源の合意

レビューの実施に必要な全ての資源を提供する。これらの資源には，人員，場所，施設，ハードウェア，ソフトウェア及びツールを含む。

・レビュー事項の合意

レビューに参加する当事者は，レビューごとに，次の事項について合意することが望ましい。

議題

レビュー対象となるシステム，ソフトウェア製品又はサービス（アクティビティの成果）及び問題点

レビューの範囲及び手順

レビューの開始及び終了の基準

・問題点の記録と解決

レビュー時に検出された問題点を記録し，必要に応じて問題解決プロセスに引き渡す。

・レビュー結果の配付

レビュー結果を文書化し，配付する。これには，レビュー結果のレビューの妥当性（例えば，承認，不承認又は条件付承認）を含む。

・対処項目の責任と終了基準の合意

参加する当事者は，レビュー成果，ならびに対処する必要がある項目の責任の所在及び終了基準に合意する。

■技術レビューで明らかにすべきこと

共同レビューのうち，技術的な事柄を検証するレビューを技術レビューと呼ぶ。技術レビューは，次の事柄を明らかにするために実施する。

- システム，ソフトウェア製品又はソフトウェアサービスが，完全である。
- システム，ソフトウェア製品又はソフトウェアサービスが，作業標準及び仕様に沿っている。
- システム，ソフトウェア製品又はソフトウェアサービスに対する変更が適切に実施され，構成管理プロセス，ソフトウェア構成管理プロセスで識別された部分だけに影響する。
- システム，ソフトウェア製品又はソフトウェアサービスが，該当するスケジュールに沿っている。
- システム，ソフトウェア製品又はソフトウェアサービスが，次に計画されている活動への準備ができている。
- 企画，要件定義，開発，運用又は保守は，プロジェクトの計画，スケジュール，作業標準及び指針に従って実行されている。

こう書ける！ 論述の切り口

共同レビューに関する事項は，ユーザーレビューの実施などの論述に用いることができる。レビューの目的は前述の「■技術レビューで明らかにすべきこと」を，レビューの工夫や留意点は同じく「■レビューの実施について」を，参考にして論述を作成するとよい。

(X)　ユーザーレビューの実施
　システムの要件や仕様を確定する段階では，必ずユーザーレビューを行い，ユーザーとの合意を得ることにしている。しかし，過去の開発においては，レビューにユーザーが参加しなかったり，参加が形式的なものであったりしたため，レビューの効果が上がらなかったという反省があった。そこで私は，プロジェクトマネージャの協力を得て，ユーザー側の責任者や担当者がレビューに必ず出席するように要請した。また，レビューの結果は文書化し，関係部門に配付することにした。ユーザー側の出席者には，配付した文書をもとに利用部門での仕様説明会を実施してもらうことをお願いし，仕様を周知できるよう計画した。

検討
レビューに協力してもらうよう，ユーザーに要請することも必要だが，もっと根本的に「ユーザーを開発に巻き込む」ような方策が論述できれば良かった。

! Pick Up　定量的な品質管理

システムアーキテクト試験の対策からは少し外れるが，定量的な品質管理について少しだけ触れておく。定量的な品質管理の視点は，プロジェクトリーダーやプロジェクトマネージャには欠かせない。プロジェクトマネージャ試験やシステム監査技術者試験への足がかりにしてほしい。

■ 品質評価の指標

システム開発では，工程ごとに様々な指標を用いて品質を評価して管理する。例えば，設計工程では，設計書に対してどれだけの工数をかけてレビューしたかというレビュー工数が一つの指標となる。ただし，レビュー工数は設計書の規模によって変わるため，実際には単位規模当たりのレビュー工数であるレビュー工数密度が用いられる。また，レビューの結果についても，単位規模当たりの指摘件数であるレビュー指摘密度が用いられる。同様に，テスト工程についても，テスト密度や欠陥密度が指標に用いられることが多い。

▶表8.3　品質評価指標の例

対象工程	測定値	単位	測定方法／算出方法
全工程	規模	FP（ファンクションポイント） LOC（コード行数）	ファンクションポイント法の測定手法，行数
	作業工数	人時	－
設計工程	レビュー回数	回数	－
	レビュー工数	人時	レビュー実施時間の合計
	レビュー対象規模	ページ数	ドキュメントのページ数（A4）
	レビュー指摘件数	件数	レビュー記録票の指摘事項数
	レビュー指摘密度	件数／FP，LOC 件数／ページ数	レビュー指摘件数÷規模
	レビュー工数密度	人時／FP，LOC 人時／ページ数	レビュー工数÷規模
	レビュー指摘効率	件数／人時	レビュー指摘件数÷レビュー工数
テスト工程	欠陥数	件数	障害連絡票の欠陥数
	欠陥密度	件数／FP，LOC	欠陥数÷規模
	テスト項目数	項目数	テスト仕様書の項目数
	テスト密度	項目数／FP，LOC	テスト項目数÷規模

■ テスト密度と欠陥密度

テスト密度や欠陥密度の標準値については，過去のプロジェクトの実績をもとに，プロジェクトの特性を考慮して定めるとよい。実績が不足している場合には，業界の標準値を参考にする。**表8.4**に示すテスト密度と欠陥密度の例は，ソフトウェア開発データ白書からの引用である。

▶表8.4　テスト密度と欠陥密度の例

テスト密度の例　　件／KLOC（Kilo Lines Of Code：ソースコード1000行）

言語	工程	新規			改修		
		最小値	標準値	最大値	最小値	標準値	最大値
C	単体	50.7	76.0	114.0	57.7	86.6	129.8
	結合	25.3	38.0	57.0	38.5	57.7	86.6
	総合	7.3	11.0	16.5	20.0	30.0	45.0
Java	単体	36.1	54.2	81.3	60.2	90.3	135.5
	結合	18.1	27.1	40.7	40.1	60.2	90.3
	総合	5.5	8.2	12.3	10.8	16.2	24.3

欠陥密度の例　　件／KLOC

言語	工程	新規			改修		
		最小値	標準値	最大値	最小値	標準値	最大値
C	単体	1.3	2.6	5.2	1.3	2.6	5.2
	結合	0.7	1.3	2.6	0.7	1.3	2.6
	総合	0.2	0.3	0.6	0.2	0.3	0.6
Java	単体	1.5	3.0	6.0	1.3	2.6	5.2
	結合	0.8	1.5	3.0	0.7	1.3	2.6
	総合	0.2	0.3	0.6	0.1	0.2	0.4

■ 設計の品質評価

レビュー工数密度やレビュー指摘密度の上限値，下限値を用いて，設計書の品質を**図8.3**のようなマトリックスで評価することもできる。

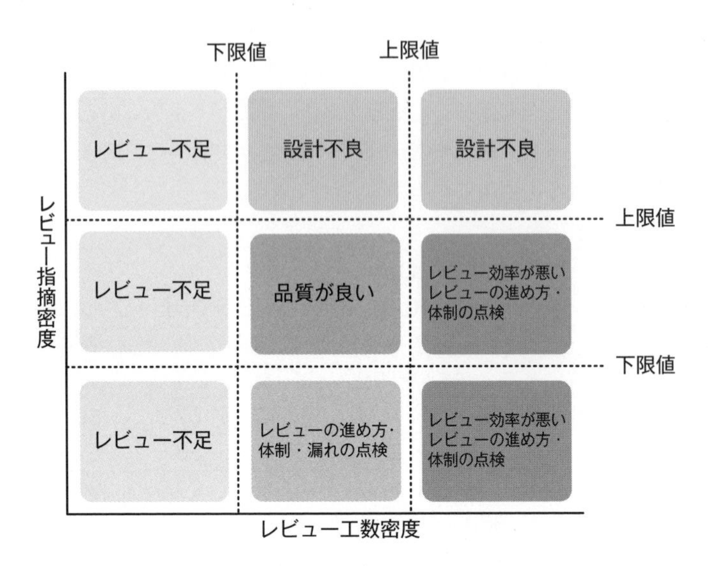
下限値
上限値
レビュー不足
設計不良
設計不良
上限値
レビュー指摘密度
レビュー不足
品質が良い
レビュー効率が悪い
レビューの進め方・
体制の点検
下限値
レビュー不足
レビューの進め方・
体制・漏れの点検
レビュー効率が悪い
レビューの進め方・
体制の点検
レビュー工数密度

▶図8.3　設計品質の評価

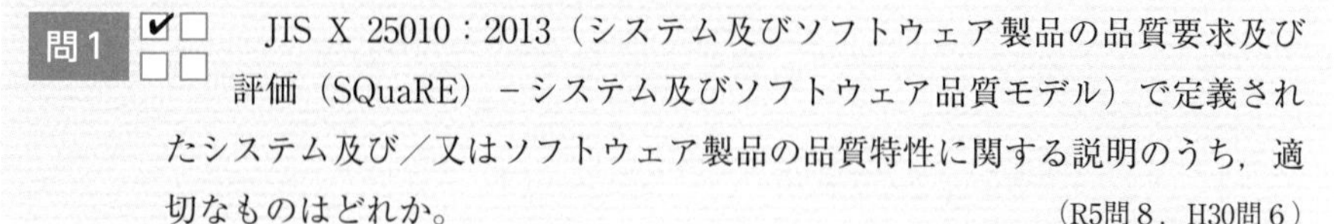

問1 ✔□ □□ JIS X 25010：2013（システム及びソフトウェア製品の品質要求及び評価（SQuaRE）－システム及びソフトウェア品質モデル）で定義されたシステム及び／又はソフトウェア製品の品質特性に関する説明のうち，適切なものはどれか。 （R5問８，H30問６）

ア 機能適合性とは，明示された状況下で使用するとき，明示的ニーズ及び暗黙のニーズを満足させる機能を，製品又はシステムが提供する度合いのことである。

イ 信頼性とは，明記された状態（条件）で使用する資源の量に関係する性能の度合いのことである。

ウ 性能効率性とは，明示された利用状況において，有効性，効率性及び満足性をもって明示された目標を達成するために，明示された利用者が製品又はシステムを利用することができる度合いのことである。

エ 保守性とは，明示された時間帯で，明示された条件下に，システム，製品又は構成要素が明示された機能を実行する度合いのことである。

問1 解答解説

JIS X 25010：2013（システム及びソフトウェア製品の品質要求及び評価（SQuaRE）-システム及びソフトウェア品質モデル）は，ISO/IEC 25010：2011に基づきJIS化された規格である。製品品質モデルとして，機能適合性，信頼性，性能効率性，使用性，セキュリティ，互換性，保守性，移植性という八つの製品品質特性が定義されている。また，それぞれの製品品質特性には，関係する品質副特性の集合が提示されている。機能適合性については，「明示された状況下で使用するとき，明示的ニーズ及び暗黙のニーズを満足させる機能を，製品又はシステムが提供する度合い」と定義されている。なお，機能適合性の品質副特性は，機能完全性，機能正確性，機能適切性である。

イ 信頼性ではなく，性能効率性に関する説明である。

ウ 性能効率性ではなく，使用性に関する説明である。

エ 保守性ではなく，信頼性に関する説明である。保守性については，「意図した保守者によって，製品又はシステムが修正することができる有効性及び効率性の度合い」と定義されている。

《解答》ア

問2 ☑□ □□　ソフトウェアの使用性を向上させる施策として，適切なものはどれか。

（R元問6）

ア　オンラインヘルプを充実させ，利用方法を理解しやすくする。
イ　外部インタフェースを見直し，連携できる他システムを増やす。
ウ　機能を追加し，業務の遂行においてシステムを利用できる範囲を拡大する。
エ　ファイルの複製を分散して配置し，装置の故障によるファイル損失のリスクを減らす。

問2　解答解説

システム及びソフトウェア品質モデルの規格であるJIS X 25010：2013で定義されたシステム及び／又はソフトウェア製品の品質特性には，次の八つの特性がある。

製品品質特性	定義
機能適合性	明示された状況下で使用するとき，明示的ニーズ及び暗黙のニーズを満足させる機能を，製品又はシステムが提供する度合い
性能効率性	明記された状態（条件）で使用する資源の量に関係する性能の度合い
互換性	同じハードウェア環境又はソフトウェア環境を共有する間，製品，システム又は構成要素が他の製品，システム又は構成要素の情報を交換することができる度合い，及び／又はその要求された機能を実行することができる度合い
使用性	明示された利用状況において，有効性，効率性及び満足性をもって明示された目標を達成するために，明示された利用者が製品又はシステムを利用することができる度合い
信頼性	明示された時間帯で，明示された条件下に，システム，製品又は構成要素が明示された機能を実行する度合い
セキュリティ	人間又は他の製品若しくはシステムが，認められた権限の種類及び水準に応じたデータアクセスの度合いをもてるように，製品又はシステムが情報及びデータを保護する度合い
保守性	意図した保守者によって，製品又はシステムが修正することができる有効性及び効率性の度合い
移植性	一つのハードウェア，ソフトウェア又は他の運用環境若しくは利用環境からその他の環境に，システム，製品又は構成要素を移すことができる有効性及び効率性の度合い

使用性にはさらに，適切度認識性，習得性，運用操作性，ユーザーエラー防止性，ユーザーインタフェース快美性，アクセシビリティの六つの副特性が定義されている。オンラインヘルプを充実させて利用方法を理解しやすくすることは，使用性の副特性である習得性の向上につながる。

イ　互換性を向上させる施策である。
ウ　機能適合性を向上させる施策である。
エ　信頼性を向上させる施策である。

《解答》ア

問3 ☑□□□ システムやソフトウェアの品質に関する主張の正当性を裏付ける文書である"アシュアランスケース"を導入する目的として，適切なものはどれか。 (R5問1，R3問1)

ア　システムの構成品目の故障モードに着目してシステムの信頼性を定性的に分析することによって，故障の原因及び影響を明らかにする。

イ　システムやソフトウェアに関する主張と証拠を示して論理的に説明することによって，目標の品質が達成できることを示す。

ウ　システムやソフトウェアの振る舞いに対してガイドワードを用いて分析することによって，システムやソフトウェアが意図する振る舞いから逸脱するケースを明らかにする。

エ　障害とその中間的な原因から基本的な原因までの全てをゲートで関連付けた樹形図で表すことによって，原因又は原因の組合せを明らかにする。

問3 解答解説

アシュアランスケースは，証拠を用いて論理的に説明し，システムやソフトウェアの安全性や信頼性を保証する文書である。アシュアランスケースを導入することによって，システムやソフトウェアが目標の品質を達成できることを明確にする。

ア　FMEA（Failure Mode and Effects Analysis）の導入目的である。
ウ　HAZOP（Hazard and Operability Studies）の導入目的である。
エ　FTA（Fault Tree Analysis）の導入目的である。　《解答》イ

問4 ☑□□□ a～cの説明に対応するレビューの名称として，適切な組合せはどれか。 (H26問6)

a　参加者全員が持ち回りでレビュー責任者を務めながらレビューを行うので，参加者全員の参画意欲が高まる。

b　レビュー対象物の作成者が説明者になり，入力データの値を仮定して，手続をステップごとに机上でシミュレーションしながらレビューを行う。

c　あらかじめ参加者の役割を決めておくとともに，進行役の議長を固定し，レビューの焦点を絞って迅速にレビュー対象を評価する。

	a	b	c
ア	インスペクション	ウォークスルー	ラウンドロビン
イ	ウォークスルー	インスペクション	ラウンドロビン
ウ	ラウンドロビン	インスペクション	ウォークスルー
エ	ラウンドロビン	ウォークスルー	インスペクション

問4 解答解説

選択肢にある三つのレビューの特徴は，次のとおりである。

・インスペクション…レビュー責任者（モデレーター）を決め，そのモデレーターがレビュー計画の策定からレビュー結果の管理，その周知，対策の実行確認までを行う。レビュー対象の範囲やレビューの目的を限定し，迅速にレビュー対象を評価することを目的としている。また，レビュー参加メンバーにチェック内容などの分担を割り振っておくことによって，レビュー効率の向上を図る。

・ウォークスルー…成果物の開発者が入力データを仮定し，机上でシミュレーションを行うことで，プログラムの誤りや欠陥を具体的に発見する手法である。進捗(しんちょく)管理については議題とせず，またレビュー結果も公表しない。

・ラウンドロビン…レビューに参画するメンバーが持ち回りでレビュー責任者を担当する。レビュー参加メンバー全員がレビュー責任者となるため，メンバーの参画意欲が向上する。

a：ラウンドロビンに関する説明である。

b：ウォークスルーに関する説明である。

c：インスペクションに関する説明である。

したがって，“エ”が適切である。　《解答》エ

問5 ☑☐☐☐ プログラムのウォークスルーに関する記述として，適切なものはどれか。（R3問３）

ア　直接コーディングに携わったプログラマとは別のプログラマが机上でデバッグを行う。

イ　複数のプログラム開発者が集まり，テストで検出された誤りの原因を究明し，修正方法を決定する。

ウ　プログラマの主催によって複数の関係者が集まり，ソースプログラムを追跡し，プログラムの誤りを探す。

エ　レビュー対象となるプログラムの誤りの発見を第一目的とし，モデレータが会議

を主催する。

問5 解答解説

仕様書やプログラムなどの成果物のレビュー手法には，ウォークスルーやインスペクションなどがある。ウォークスルーは，ソースコードを対象に机上でシミュレーションを行うレビューで，プログラマが関係者を招集してプログラムの誤りを探す，非公式なミーティングという意味合いが強い。インスペクションは，ウォークスルーよりも公式なレビューで，モデレータ（調停者）と呼ばれる専任の進行役が主導して，対象範囲を一部に絞り込んで迅速に行う。

ア　ペアプログラミングに関する記述である。
イ　プログラムのバグ修正に関する記述である。
エ　プログラムのインスペクションに関する記述である。　《解答》ウ

開発管理

Point!

開発モデルや開発手法など，システム開発の管理や体制面の知識について説明する。これらの知識は，午前Ⅱ試験で繰り返し出題されているので，しっかり整理して習得して欲しい。

… 30秒チェック！ …

Super Summary

⑴ 開発ライフサイクルモデル

■開発ライフサイクルモデルは，ソフトウェアの標準的な開発工程をモデル化している。

□ウォーターフォールモデル…上流工程から下流工程に向けて一方向に進めるモデル

□スパイラルモデル…四つのフェーズを繰り返すモデル

□プロトタイプモデル…試作品の作成と評価を繰り返すモデル

□垂直型プロトタイピング…機能を限定して動作するプロトタイプを作成する手法

□水平型プロトタイピング…システムの全画面の見本を作成する手法

□段階的モデル，進化的モデル…機能の段階的な開発・リリースを繰り返すモデル

⑵ 開発手法

■個別の事情に合わせた様々な開発手法がある。

□クロス開発…実行環境とは異なる環境でソフトウェア開発を行う手法

□コデザイン…シミュレーションを活用してハードとソフトを並行して開発する手法

□コンカレントエンジニアリング…工程を並行に進め，期間の劇的な短縮を目指す手法

□ドメインエンジニアリング…特定分野の知識などを整備し，再利用を促進する手法

□マッシュアップ…サービスを組合わせて利用する手法

⑶ アジャイル

■アジャイル型開発は，１～４週間程度の短い開発期間を繰り返す開発モデ

ルである。

□スクラム…アジャイル型開発を代表するフレームワーク
□スプリント…スクラムで繰り返される短期間の開発
□スプリントプランニング…スプリントの最初に行う計画
□デイリースクラム…スプリント中に毎日行う短時間の打合せ，朝会
□スプリントレビュー…成果物のデモンストレーションを行うレビュー
□スプリントレトロスペクティブ…スプリントの振返り
□XP（エクストリームプログラミング）…スクラムと並ぶアジャイル型開発の代表
□テスト駆動開発…XPのプラクティス。先にテスト仕様を定める
□ペアプログラミング…XPのプラクティス。二人一組でプログラミングを行う
□リファクタリング…XPのプラクティス。コードの改善を継続的に行う
□継続的インテグレーション…XPのプラクティス。完成したコードはすぐに結合する
□KPT…レトロスペクティブに用いる手法
□INVEST…良いユーザーストーリかどうかを評価する観点

(4) 調達と契約

■開発では，工程の一部を外部に委託したり，製品を外部から調達することもある。

□RFI…ベンダーに情報提供を依頼する文書
□RFP…ベンダーに提案を依頼する文書
□請負契約…仕事の完成を請け負う契約。完成責任，瑕疵担保責任が課せられる
□準委任契約…完成責任，瑕疵担保責任は課せられない契約
□グリーン購入法…環境負荷の小さな製品やサービスを選んで購入する法律
□WTO政府調達協定…政府調達で，加盟国間の公平な競争を行う協定

(5) CMMI

■CMMIは，組織やプロジェクトにおけるプロセスの成熟度を評価するモデルである。

(6) 構成管理

■成果物の依存関係やバージョンを管理するため，構成管理ツールを用いる。

(7) **ライセンス**

■ライセンスの利用形態やロイヤリティについても知識が必要である。

□イニシャルロイヤリティ…ライセンス契約時に最初に課される料金

□ランニングロイヤリティ…ライセンスの実施実績に応じて課される料金

□クロスライセンス…それぞれが持つライセンスを互いに無償で許諾する

□パテントプール…複数の特許をライセンス管理会社が一括して管理する

□グラントバック…改良技術の特許権を元になった技術の権利者に許諾する

□アサインバック…改良技術の特許権を元になった技術の権利者に譲渡する

9.1 開発ライフサイクルモデル

開発ライフサイクルモデルとは，ソフトウェアの開発工程を標準化してモデル化したもので，様々な開発手法のベースとなる。代表的なモデルには，**表9.1**のものがある。

▶表9.1　開発ライフサイクルモデル

ウォーターフォールモデル	開発工程を上流から下流に向けて一方向に進めるモデル
スパイラルモデル	「目的，代替案，制約の決定」「代替案とリスクの評価」「開発と検証」「計画」を繰り返すモデル
プロトタイプモデル	試作品（プロトタイプ）を作成して評価することを繰り返すモデル
段階的モデル	要求された機能をいくつかに分割して，段階的に開発してリリースするモデル
進化的モデル	要求が不明確な部分を含むような場合に，開発を繰り返して内容を洗練する開発モデル

■ ウォーターフォールモデル

ウォーターフォールモデルは，開発を上流工程から下流工程に向けて一方向に進めるモデルであり，原則として工程が後戻りしないという特徴を持つ。大規模なシステム開発において広く用いられ，情報処理技術者試験では，事例として，ウォーターフォールモデルの開発が最も多く出題される。

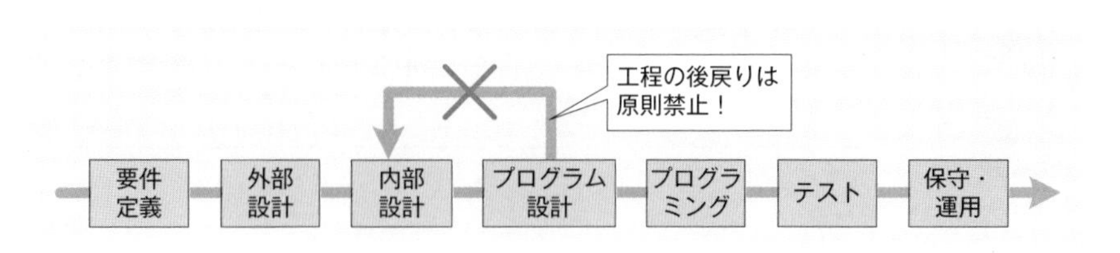

▶図9.1 ウォーターフォールモデル

ウォーターフォールモデルでは，ある工程が完了すると，その成果物を用いて次の工程を進める。そのため，前工程の欠陥が次工程に持ち越されると，修正に大きなコストが生じてしまう。このような「工程の後戻り」が起こらないように，各工程ではレビューやテストによって品質を確保することが重要である。

■スパイラルモデル

スパイラルモデルは，「目的，代替案，制約の決定」「代替案とリスクの評価」「開発と検証」「計画」という四つのフェーズを繰り返し，システムを完成させるモデルである。

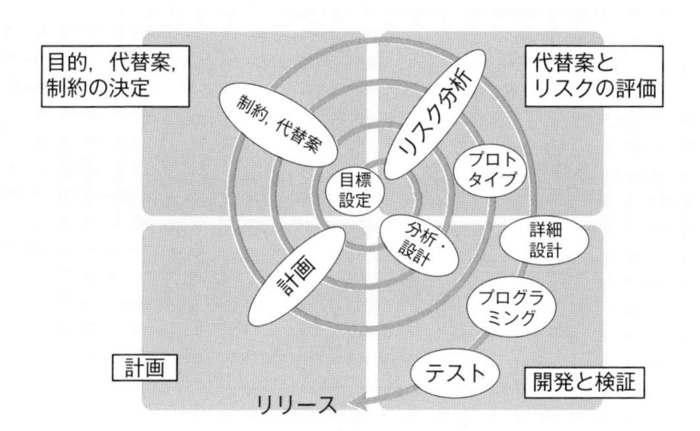

▶図9.2 スパイラルモデル

繰返しの中に代替案の決定やリスク分析が含まれていることに注意して欲しい。代替案の決定やリスク分析を繰り返すことで，開発中のリスクを低く抑え，プロジェクトを成功に導くことができる。

本試験では，繰返しが含まれたモデルを広義にスパイラルモデルと呼ぶことがあります。

■ プロトタイプモデル

プロトタイプモデルは，プロトタイピングを柱とするモデルである。プロトタイピングは，ソフトウェアの**試作品**（**プロトタイプ**）を作りユーザーの評価を求める開発手法で，変更があることを前提に試行錯誤を繰り返す。

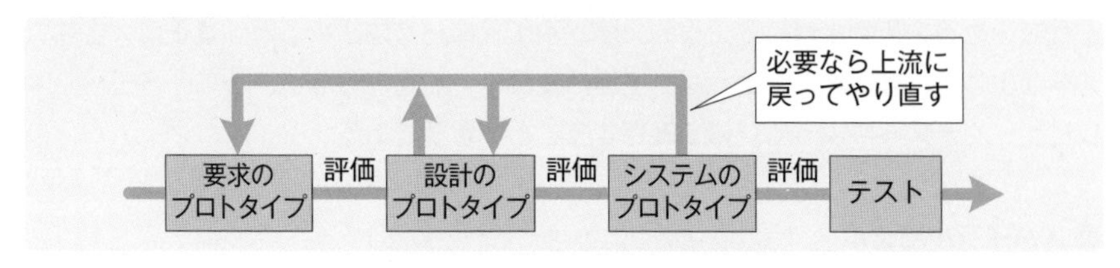

▶**図9.3　プロトタイプモデル**

■ 水平型プロトタイピングと垂直型プロトタイピング

プロトタイピングは，大きく**図9.4**の二つに分類することができる。

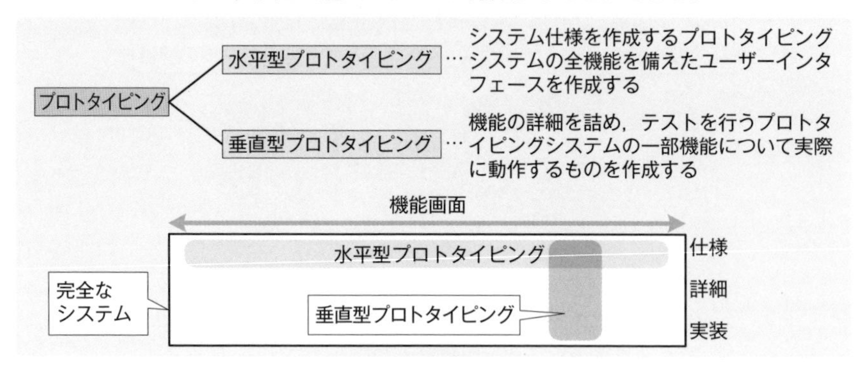

▶**図9.4　水平型／垂直型プロトタイピング**

水平型プロトタイピングは，詳細機能までは動作しないが，システム全体が動作するプロトタイプを作成する。ユーザーは詳細機能はテストできないが，ユーザーインタフェースの確認やテストを行うことができる。これに対し，垂直型プロトタイピングは，ある機能について動作するプロトタイプを作成する。画面の色や配置，機能の詳細などを詰めながら，ユーザーが実際にテストできる。

■ 段階的モデルと進化的モデル

段階的モデルと進化的モデルは，機能の段階的な開発とリリースを繰り返すモデルである。段階的モデルは，最初に要件定義と機能分割を行い，計画的にコア部分から順番に開発していく。これに対し，進化的モデルは，ユーザー要求が不確定な場合に適用し，ユーザー要求が明確な部分から順番に開発していく。

午前Ⅱ試験で「ソフトウェアの保守はどの開発ライフサイクルモデルを用いた場合に必要か」という問題が出題されました。解答は「全てのモデルで必要になる」です。保守が不必要な開発モデルは存在しないのです。

9.2 開発手法

システム開発プロジェクトは，大まかには開発ライフサイクルモデルに沿いながらも，個々のプロジェクトの事情に合わせた様々な開発手法を採用する。ここでは，出題実績の多い開発手法をまとめる。

■ クロス開発

ソフトウェア開発を，実際に動作する環境（実行環境）ではなく，PCなどで行う場合がある。このような実行環境とは異なる環境でソフトウェア開発を行う手法をクロス開発という。

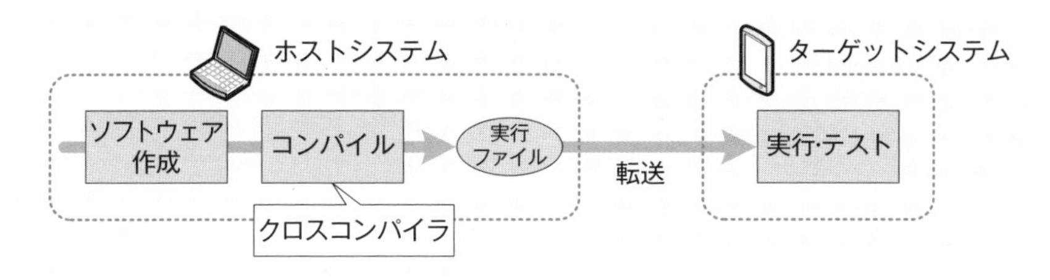

▶図9.5　クロス開発

クロス開発では，ソフトウェア開発に用いるシステムを**ホストシステム**，開発されたソフトウェアを実行するシステムを**ターゲットシステム**と呼ぶ，ターゲットシステム用の実行ファイルを作成するコンパイラを，**クロスコンパイラ**と呼ぶ。

■ コンカレントエンジニアリング

コンカレントエンジニアリングとは，企画・開発から生産設計，生産準備などの工程を並行して進めることで，品質の向上と開発期間の大幅な短縮を目指す手法である。

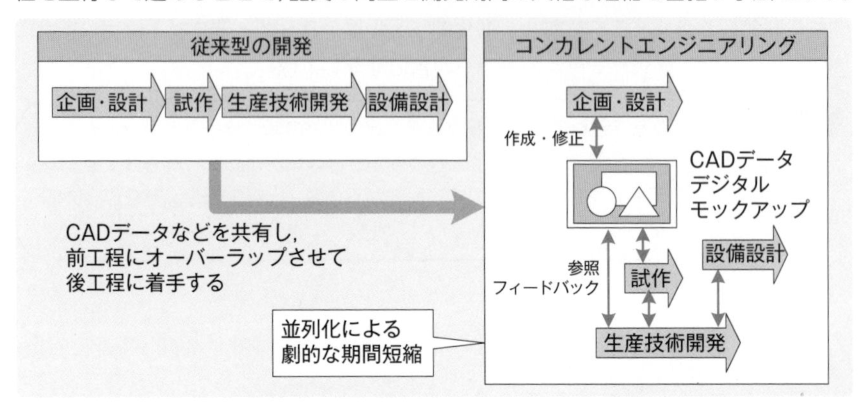

▶図9.7　コンカレントエンジニアリング

■ ドメインエンジニアリング

ドメインエンジニアリングとは，特定分野（ドメイン）のシステムに対して，業務知識，部品，ツールなどを体系的に整備し，再利用することによって，ソフトウェア開発の効率向上を図る活動や手法である。制御系，金融，流通，医療といった特定分野では，システム要件も似ているため，ドメインエンジニアリングの充実は生産性，信頼性の向上に役立つ。

■ マッシュアップ

マッシュアップとは，「複数のコンテンツ（サービス）を取り込み，組み合わせて利用する」手法の総称である。Webサービスで広く活用され，検索サイトや地図情報サイトを運営する事業者には，マッシュアップ用のAPIを作成・公開しているところも多い。

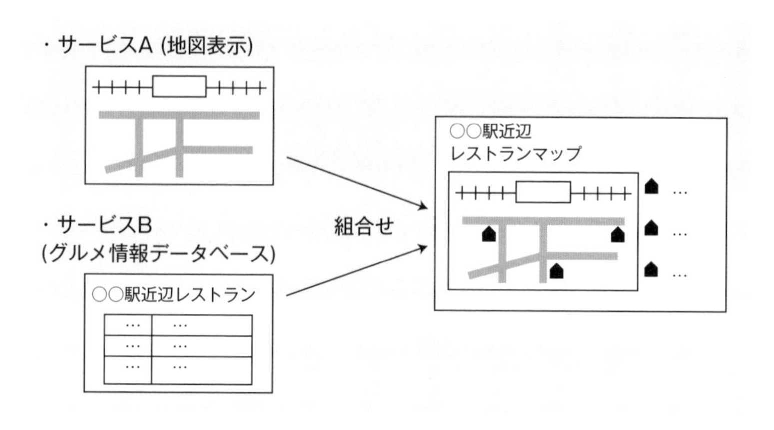

▶図9.8　マッシュアップの例

9.3 アジャイル

アジャイルは，比較的短い期間で機能を一つずつ開発・実装することを繰り返す開発手法である。本試験での出題実績が多いため，他の開発手法とは独立して説明する。

■ ウォーターフォールとアジャイル

ウォーターフォール型開発は，「全ての機能の要件定義をし，設計・開発し，テストする」モデルである。これに対し，アジャイル型開発は，「1～4週間程度の短い開発期間を設定して，一つの機能を開発・実装することを繰り返し，全ての機能を開発する」モデルである。

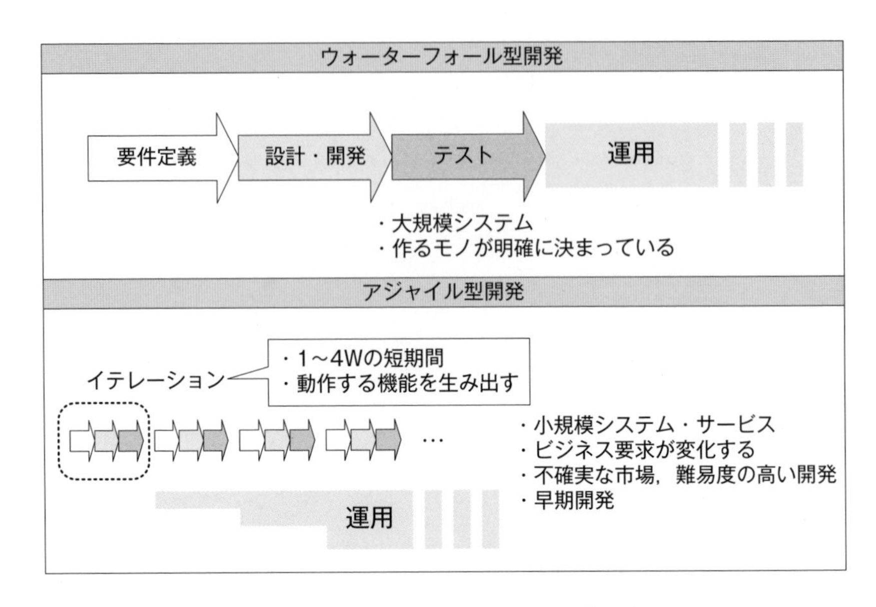

▶図9.9　ウォーターフォールとアジャイル

システム開発の途中で機能追加要求が発生した場合を考える。ウォーターフォール型開発では，機能追加の影響を分析し，影響が大きければ要求を棄却する。これに対し，アジャイル型開発は，開発を繰り返す中で機能追加を吸収して反映する。ウォーターフォール型開発が「開発に失敗しない」ための開発手法であるのに対し，アジャイル型開発はビジネス上のニーズに対し「積極的に成功を取りに行く」開発手法といえる。

■ アジャイルのリスク

アジャイル型開発では，開発の初期段階において，最終成果物やスケジュール，コストなどが不明確であることが多い。そのため，

- 最終成果物が得られない，ニーズに合わない
- スケジュールが当初予想よりも大幅に遅延する
- コストが当初予想よりも大幅に超過する

というリスクもある。

■ スクラム

スクラムは，アジャイル型開発を代表するフレームワークである。スクラムは，**図9.10**のプロセスで開発を進める。

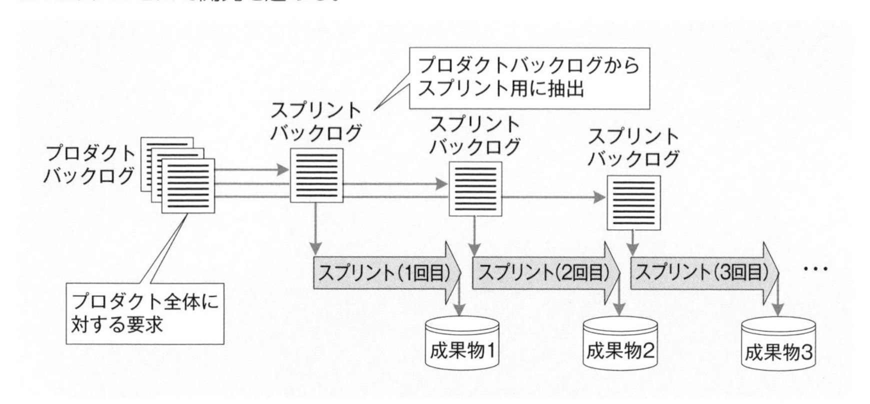

▶**図9.10　スクラムの開発プロセス**

スクラムで繰り返される短期間の開発を**スプリント**と呼ぶ。スプリントでは，**図9.11**の作業が行われる。

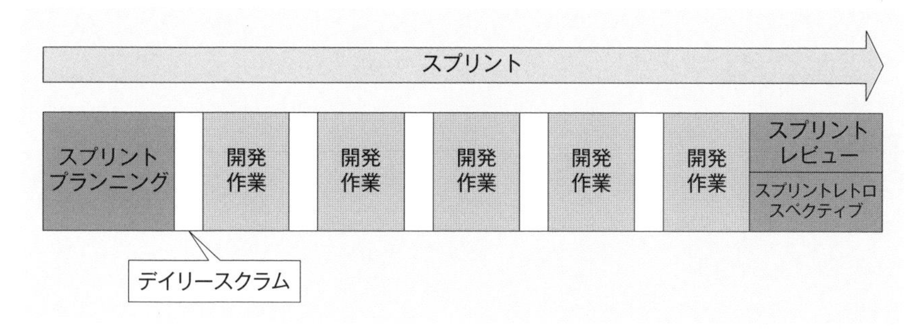

▶**図9.11　スプリントの構成**

スプリントの最初に**スプリントプランニング**を行う。ここでは，プロダクトバックログの中からスプリントで開発する機能（**スプリントバックログ**）を選定する。スプリント期間中，毎日**デイリースクラム**（朝会）を行う。ここでは，スプリントの進捗状況や課題がメンバー内で共有される。開発が終了すると**スプリントレビュー**を行う。ここでは，スプリントで開発した機能を関係者にデモンストレーションする。スプリントの最後に**スプリントレトロスペクティブ**を行う。ここではスプリントの「**振返り**」

を行い，次のスプリントに向けた改善点を話し合う。

■エクストリームプログラミング（XP：eXtreme Programing）

エクストリームプログラミング（XP）は，アジャイル型開発のフレームワークである。XPは，**図9.12**のプロセスで開発を進める。

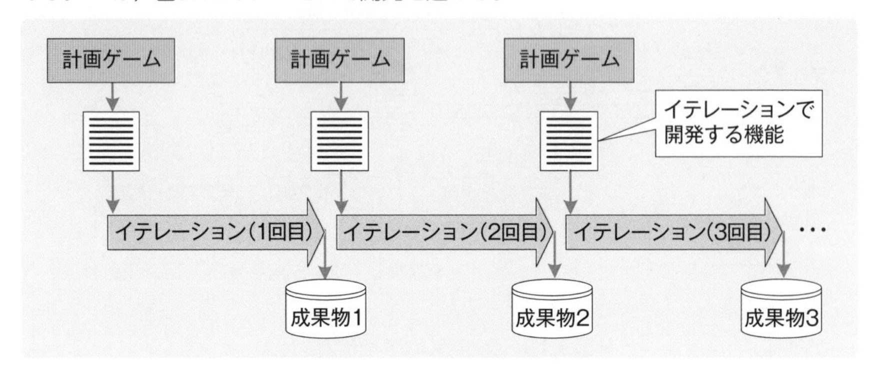

▶図9.12　XPの開発プロセス

XPで繰り返す短期間の開発をイテレーションと呼ぶ。イテレーションの最初に，ユーザーと開発チームはそのイテレーションで開発する機能を決定する。このようなイテレーションごとの計画プロセスを，計画ゲームと呼ぶ。

■XPのプラクティス

XPでは，アジャイル型開発を成功させる活動をプラクティスと呼ぶ。**表9.2**にいくつかのプラクティスを紹介する。

▶表9.2　XPのプラクティス

テスト駆動開発	先にテスト仕様を定め，テストをパスするように実装を定める
ペアプログラミング	二人一組でプログラミングを行う。一人はコードを作成し，もう一人は検証し助言する
リファクタリング	継続的にコードの改善を行う
コードの共同所有	チーム全員がコードを修正できる
継続的インテグレーション	完成したコードはすぐに結合しテストする

■ 振返りとKPT

KPTは，アジャイル型開発で行われる振返り（レトロスペクティブ）に用いられる手法である。KはKeep，PはProblem，TはTryの頭文字で，開発プロセスについてこれら三要素を分析する。

Keep：良かったこと，続けること
Problem：悪かったこと，やめること
Try：次に挑戦すること

■ ユーザーストーリとINVEST

アジャイル型開発では，ソフトウェアが実現すべき機能を定義するため，ユーザーストーリを作成する。ユーザーストーリは「ユーザは投稿をキーワードで検索できる」など，ソフトウェアが実現すべき機能をユーザー視点で簡潔に記述したものである。

ユーザーストーリを評価する観点にINVESTがある。これは，次の六つの観点の頭文字をとったものである。

Independent：複数のユーザーストーリが相互に「独立」している
Negotiable：顧客と「交渉可能」である
Valuable：顧客にとって「価値がある」
Estimatable：「見積り可能」である
Small：工数が適度に「小さい」
Testable：「テスト可能」である

9.4 調達と契約

システム開発では，工程の一部を外部に委託したり，必要な製品を外部から調達することが多い。ここでは，調達と契約について説明する。

■ 調達の流れ

企業がベンダーからシステム開発を含む製品を調達するとき，契約に至るまでの流れは**図9.13**のようになる。

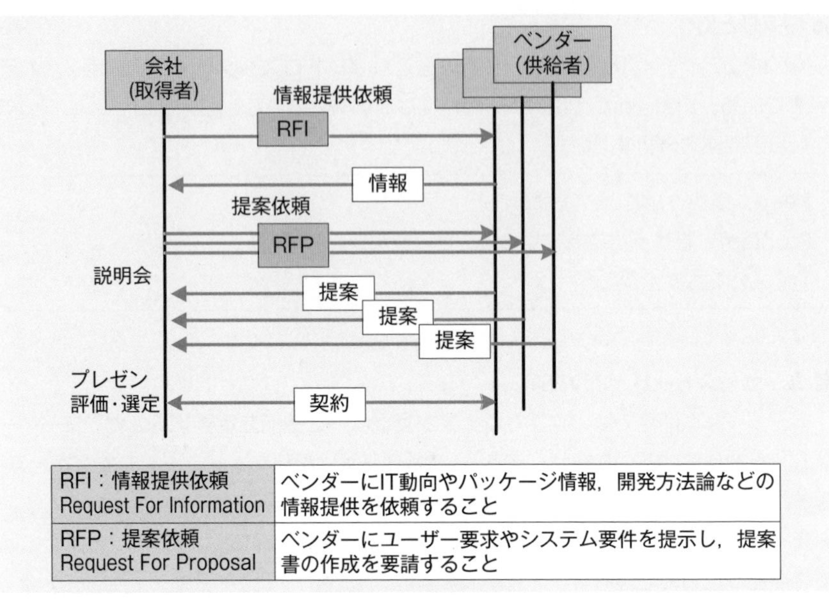

RFI：情報提供依頼 Request For Information	ベンダーにIT動向やパッケージ情報，開発方法論などの情報提供を依頼すること
RFP：提案依頼 Request For Proposal	ベンダーにユーザー要求やシステム要件を提示し，提案書の作成を要請すること

▶図9.13　調達の流れ

RFPはベンダーに提案を依頼する文書で，システムの概要，目的，予算，スケジュール，提案の評価項目など，提案書の作成に必要な全ての事項を記載する。

ベンダーから受け取った提案は，システム導入にかかわる利害関係者の代表からなる評価会議を開催し，プレゼンテーションなどの内容を含めて詳細に評価する。評価の観点は，開発の確実性，費用，スケジュールなど多岐にわたる。

■請負契約と準委任契約

システム開発や運用を，外部に委託する際の契約には，請負契約や準委任契約（委任契約）がある。請負契約と準委任契約の特徴を**表9.3**に示す。

▶表9.3　請負契約と準委任契約

	完成責任	契約不適合責任	外部要員の指揮命令権	外部要員の労働条件決定
請負契約	あり	あり	受託側	受託側
準委任契約	なし	なし	受託側	受託側

注意

請負契約は「仕事を任せる」契約で，受託側（役務を提供する側）には要求された内容と品質で成果物を完成して引き渡す責任，いわゆる完成責任と契約不適合責任が課せられる。一方，準委任契約は「仕事に協力してもらう」契約で，受託側には完成責任や契約不適合責任は課せられない。

経産省による情報システム・モデル取引・契約書では，開発工程における請負契約と準委任契約の使分けを，**図9.14**のように示している。

システム化計画	要件定義	システム外部設計	システム内部設計	ソフトウェア設計 プログラミング ソフトウェアテスト	システム結合	システムテスト	運用テスト
準委任契約			請負契約				準委任契約

委託側の責任で要件定義や外部設計を主導する

要件定義や外部設計を引き継いで，受託側が責任を持って完成させる。外部設計の一部を請け負うこともある

委託側がユーザー視点で確認する

▶**図9.14　請負契約と準委任契約の使分け**

請負契約，準委任契約とも，外部要員の指揮命令権は受託側が持ちます。外部要員が委託側の指揮命令の下で働く契約には，派遣契約があります。

■ 報酬の支払い形態

報酬の支払い形態は，大きく**表9.4**のように分類できる。

▶**表9.4　報酬の支払い形態**

	インセンティブなし	インセンティブあり
定額型	完全定額	定額インセンティブ
実費償還型	コストプラス定額フィー	コストプラスインセンティブフィー

定額型は，契約時に支払い金額を定める形態である。定額型でも，例えば，開発期間が大幅に短縮できたなど，パフォーマンスによって報酬が上乗せされる契約を**定額インセンティブ契約**と呼ぶ。インフレ率やコストの変化に応じて報酬を調整する，**経済価格調整付き定額契約**もある。

実費償還型は，開発に要した実費（コスト）に報酬を加えて支払う形態である。実費償還型にも，報酬が定額である**コストプラス定額フィー**，パフォーマンスによって

報酬が上乗せされるコストプラスインセンティブフィーがある。

■ グリーン購入法

環境への負荷ができるだけ少ない製品やサービスを選んで購入することをグリーン購入と呼ぶ。グリーン購入法は，国や地方公共団体，事業者・国民にグリーン購入に努めることを求める法律である。

グリーン購入法では，優先して調達すべき環境負荷低減に資する製品・サービスを，環境物品と呼んでいます。

■ WTO政府調達協定

政府調達では，自国の製品や事業者が優遇され，公正な競争が妨げられることがある。WTO政府調達協定は，締結国間で，このような不公正を排除し，国際的な競争の機会を増大させるとともに，苦情申し立て，協議及び紛争解決に関する実効的な手続きを定めたものである。

9.5 CMMI (Capability Maturity Model Integration)

システム開発は場当たり的にではなく，定義されたプロセス（プラクティス）に則って実施すべきである。そのためにも，標準的なプロセスを確立し，成熟させていくことが求められる。CMMIは，ソフトウェアを開発する組織やプロジェクトにおけるプロセスの成熟度を評価するモデルである。開発プロセスの成熟度は**図9.15**のように5段階に分けて定義されている。

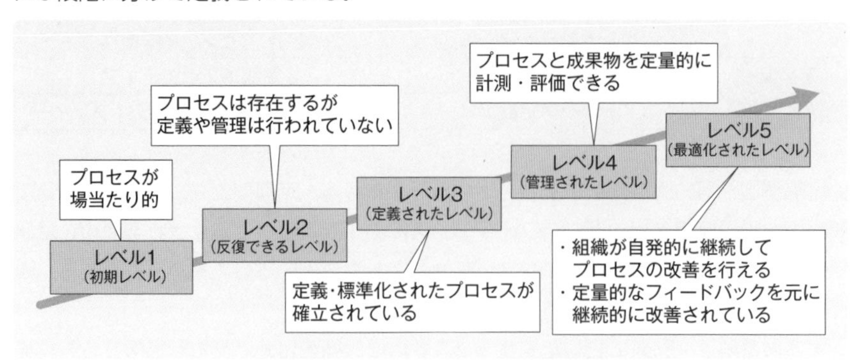

▶図9.15　CMMIにおける成熟度

9.6 構成管理

システムを適切に稼働させていくためには，システムがどのような品目（サブシステム，プログラムなど）の組合せで構成されているか，それらのバージョンはいくつか，いつ変更されたかといった事項を把握しておく必要がある。構成管理はこれらの事項を管理するために実施する。

■ 構成管理ツール

ある品目に変更の必要が生じた際に，関係する品目の変更を漏れなく行うために，構成管理ツールを使って，品目の依存関係やバージョンを管理する。構成管理ツールにおいて，構成品目を管理するデータベースを**リポジトリ**という。リポジトリへの操作には**表9.5**のようなものがある。

▶**表9.5　リポジトリへの操作**

チェックアウト	構成情報を保持したままソースコードをリポジトリから取り出す操作
インポート	新規作成したソースコードをリポジトリに登録する操作
エクスポート	構成情報を持たない状態でソースコードをリポジトリから取り出す操作
チェックイン（コミット）	変更したソースコードをリポジトリに戻す操作

ある資源に対して同時に更新が行われると，一貫性が保てなくなる。これを防ぐため，構成管理ツールはロック方式又はコピー・マージ方式を用いて，更新の競合を解決する。

ロック方式では，チェックアウトされた資源に対して，更新が完了してチェックインされるまでロックをかけ，他のユーザーの更新を禁止する。コピー・マージ方式は，競合が発生したことをユーザーに知らせ，ユーザー側で解決させる。

9.7 ライセンス

システム開発においては，知的財産の所有者の許可をとることなく，ツールを無断使用したり，コピー&ペーストするなど，知的財産権の侵害が生じやすい。ライセンスとは，知的財産の所有者が与える，知的財産の使用を許す（使用許諾）権利であり，所有者がユーザーにライセンスを与える契約を**ライセンス契約**という。

■ 知的財産権

知的財産権とは，知的創造活動によって生み出されたものについて，創作者に与えられる権利である。知的財産権は大きく「知的創造物の権利」と，「営業上の標識の権利」に分けることができる。

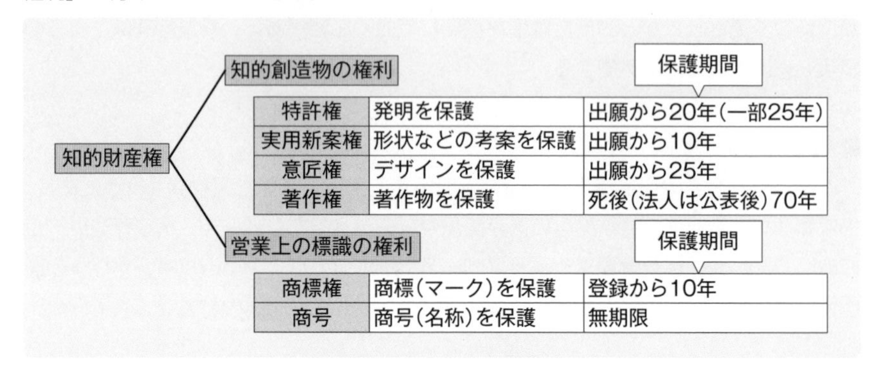

▶図9.16　知的財産権

■ ロイヤリティ

ロイヤリティとは，特許の所有者に対して，ライセンスを与えられたユーザーが支払う使用料である。ロイヤリティには，**表9.6**の二つがある。

▶**表9.6　ロイヤリティ**

イニシャルロイヤリティ	ライセンス契約時の最初に支払う使用料
ランニングロイヤリティ	使用実績に応じて支払う使用料

支払い形態は，ライセンス契約によって異なる。例えば，一時金としてイニシャルロイヤリティを支払い，その後は使用実績に応じて定期的にランニングロイヤリティを支払うなどがある。

ロイヤリティ（Royalty）と似た言葉にロイヤルティ（Loyalty）があります。後者は顧客が企業やブランドに抱く愛着や信頼の意味で用いられます。

■ ライセンス契約の形態

一つの特許に複数の所有者がいる場合，ライセンス契約は非常に複雑になる。この複雑さを避けるために，ライセンス契約には，**表9.7**のような形態がある。

▶表9.7　ライセンス契約の形態

クロスライセンス	異なる分野で特許技術を持つ事業者同士が技術供与協定を締結し，互いに無償で特許の使用を許諾する
パテントプール	一つの特許に対し複数の権利者がいるとき，特許をライセンス管理会社が管理し，ユーザーに一括して使用を許諾する

また，ライセンス契約をした特許技術を改良した技術に対して特許を取得した場合，その取扱いについても決めておく必要がある。

▶表9.8　グラントバックとアサインバック

グラントバック	元となった特許技術の所有者に改良技術の使用を許諾する
アサインバック	元となった特許技術の所有者に改良技術の特許権を譲渡する

グラントバックは，特許の所有者と使用者とが常識的で公平な関係である。アサインバックは支配的な関係があるため，場合によっては独占禁止法に抵触するおそれがある。

!Pick Up CMMIの概要

CMMIは「プロジェクトにおけるプロセスの成熟度を評価するモデル」である。ここでは，CMMIの全体像を概観するので，CMMIのイメージをつかんで欲しい。

CMMI ではバージョン 2.0 から，“プロセス” に替えて “プラクティス” という言葉を用いています。

■ CMMIの区分と能力領域

CMMIでは，システム開発に必要なプラクティスを，区分，能力領域，プラクティス領域に分類している。

▶表9.9 プラクティスの分類（v.2.0）

区分	能力領域	プラクティス領域
実行	サービスの提供と管理 DMS：Delivering & Managing Services	サービス提供管理 SDM：Service Delivery Management
		戦略的サービス管理　STSM：Strategic Service Management
	成果物のエンジニアリングと開発 EDP：Engineering & Developing Products	成果物統合　PI：Product Integration
		技術ソリューション TS：Technical Solution
	品質の確保 ENQ：Ensuring Quality	ピアレビュー　PR：Peer Reviews
		プロセス品質保証　PQA：Process Quality Assurance
		要件の開発と管理　RDM：Requirements Development & Management
		検証と妥当性確認 VV：Verification & Validation
	供給者の選定と管理 SMS：Selecting & Managing Suppliers	供給者合意管理　SAM：Supplier Agreement Management
		供給者選定 SSS：Supplier Source Selection
管理	……	……
支援	……	……
改善	……	……

■プラクティスの例

CMMIでは，個々のプラクティス領域に，組織の成熟に必要なプラクティスをレベルに応じて定義している。ここでは，その一例として，「要件の開発と管理」領域のプラクティスの一覧を見てみる。要件と開発の管理では，レベル３までプラクティスが定義されている。

▶表9.10　プラクティス一覧（v2.0）

レベル1	RDM1.1	要件を記録する。
レベル2	RDM2.1	利害関係者のニーズ，期待，制約，及びインタフェース又は接続を引き出す。
	RDM2.2	利害関係者のニーズ，期待，制約，及びインタフェース又は接続を，優先順位を付けた顧客要件へ変換する。
	RDM2.3	要件提供者と共に，要件の意味について理解を深める。
	RDM2.4	プロジェクト参加者から要件を実装できるというコミットメントを獲得する。
	RDM2.5	要件と活動，又は要件と作業成果物の間の双方向の追跡可能性を作成し，記録し，維持する。
	RDM2.6	計画と活動，又は計画と作業成果物が要件と首尾一貫した状態が保たれているようにする。
レベル3	RDM3.1	ソリューションとその構成要素の要件を作成し，最新に保つ。
	RDM3.2	運用の考え方とシナリオを作成する。
	RDM3.3	実装される要件を割り当てる。
	RDM3.4	インタフェース要件又は接続要件を特定し，作成し，最新に保つ。
	RDM3.5	要件が必要かつ十分であるようにする。
	RDM3.6	利害関係者のニーズと制約のつり合いを取る。
	RDM3.7	得られたソリューションが対象環境で意図したとおりに稼動するように，要件の妥当性を確認する。

確認問題

問1 ✔□ □□

表はシステムの特性や制約に応じた開発方針と，開発方針に適した開発モデルの組みである。a～cに該当する開発モデルの組合せはどれか。

（R3問12）

開発方針	開発モデル
最初にコア部分を開発し，順次機能を追加していく。	a
要求が明確なので，全機能を一斉に開発する。	b
要求に不明確な部分があるので，開発を繰り返しながら徐々に要求内容を洗練していく。	c

	a	b	c
ア	進化的モデル	ウォータフォールモデル	段階的モデル
イ	段階的モデル	ウォータフォールモデル	進化的モデル
ウ	ウォータフォールモデル	進化的モデル	段階的モデル
エ	進化的モデル	段階的モデル	ウォータフォールモデル

問1 解答解説

ウォータフォールモデルは，上流から下流へ，工程を完了させてから次の工程に進む後戻りのできない開発モデルである。上流で明確になった要求をもとに，下流で全機能を一斉に開発する。進化的モデルは，プロトタイプ（試作品）を作成し，評価・改良を繰り返し，試行錯誤しながらシステムの完成度を高めていく開発モデルである。要求に不明確な部分がある場合に適している。段階的モデルは，インクリメンタルモデルとも呼ばれ，システムを独立性の高い機能単位に分割し，機能ごとに設計，製造，テストを行い，追加していきながらシステムを完成させる開発モデルである。

したがって，aが段階的モデル，bがウォータフォールモデル，cが進化的モデルとなる。

《解答》イ

問2 ✔□ □□

銀行の勘定系システムなどのような特定の分野のシステムに対して，業務知識，再利用部品，ツールなどを体系的に整備し，再利用を促進することによって，ソフトウェア開発の効率向上を図る活動や手法はどれか。

(H29問13，H27問13，H25問13)

ア　コンカレントエンジニアリング　　イ　ドメインエンジニアリング
ウ　フォワードエンジニアリング　　エ　リバースエンジニアリング

問2　解答解説

特定の分野のシステムに対して，業務知識，再利用部品，ツールなどを体系的に整備し，再利用を促進することによって，ソフトウェア開発の効率向上を図る活動や手法を，ドメインエンジニアリングという。制御系，金融，流通，医療といった特定分野（ドメイン）では，システムの要件も類似するため，ドメインエンジニアリングの充実は生産性，信頼性の向上に役立つ。

コンカレントエンジニアリング：システム開発の各工程のうち，並行可能な工程を同時に行うことによって，開発期間を短期化する開発手法
フォワードエンジニアリング：リバースエンジニアリングによって既存のシステムから解析された設計書をもとに，再構築のシステムを開発すること
リバースエンジニアリング：既存のシステムを解析して，プログラム設計書や機能設計書を作成すること

《解答》イ

問3 ✔□□□　スクラムを適用したアジャイル開発において，スクラムチームで，人，関係，プロセス及びツールの観点から，何がうまくいき，何がうまくいかなかったのかを議論し，プロセス改善を促進するアクティビティはどれか。

(R5問12)

ア　スプリントレトロスペクティブ　　イ　スプリントレビュー
ウ　デイリースクラム　　エ　バックログリファインメント

問3　解答解説

スクラムを適用したアジャイル開発とは，システム開発を行うメンバーがつどスクラムを組んで，顧客にとってその時点で最適な開発成果物を短期間に開発する手法のことである。スクラムでは，プロジェクト全体をいくつかの短い期間に区切って，それをスプリントと呼ぶ。このスプリント単位に，バックログリファインメント，デイリースクラム＋毎日の開発作業，スプリントレビュー，スプリントレトロスペクティブの順でアクティビティを実施していく。

バックログリファインメント：各スプリントの開始前に，プロダクトバックログ（今後開発すべき開発項目）の価値を見直して必要なら分割をする。スプリントプランニン

グにおいて，そのスプリントで実施するスプリントバックログを決定するための準備にあたる

デイリースクラム：チームの状況を共有し，困っていれば助け合うために毎朝行う，短時間のミーティング

スプリントレビュー：スプリントの最後に行う成果物に対するレビュー

スプリントレトロスペクティブ：スプリントを振り返り，スプリントでよかった点や改善すべき点，その原因と改善策を，スクラムチームのメンバーで議論して，次回スプリントに生かす活動

よって，継続的なプロセス改善を促進するアクティビティは，“ア”の「スプリントレトロスペクティブ」となる。

《解答》ア

問4 ☑☐☐☐ アジャイル開発の初期段階において，プロジェクトの目的，スコープなどに対する共通認識を得るために，あらかじめ設定されている設問と課題について関係者が集まって確認し合い，その成果を共有する手法はどれか。（R4問1）

ア　アジャイルモデリング　　　イ　インセプションデッキ
ウ　プランニングポーカ　　　　エ　ユーザストーリマッピング

問4　解答解説

アジャイル開発の初期段階において，開発チームメンバーが集まって，10個の質問や課題に答えることによって，なぜこのプロジェクトが必要なのか（WHY），どのようにプロジェクトを進めるのか（HOW）といったプロジェクトについての共通認識を得る手法を，インセプションデッキという。

アジャイルモデリング：アジャイル開発に適したモデルを作成するための方法論。モデリング手法をどのように適用するかが目的であり，複数のモデルを使用する，少しずつモデル化する，テスト可能性を重視するなど，どのように実践するかを示す

プランニングポーカ：ユーザーストーリ（ユーザー視点の小規模機能）の相対的な開発工数見積り手法。チーム全体で行うため，早く正しい見積りができる

ユーザーストーリマッピング：多くのユーザーストーリの優先順位を判断するために視覚的に位置づける手法

《解答》イ

問5 ☑☐☐☐ アジャイル開発手法の一つであるスクラムを適用したソフトウェア開発プロジェクトにおいて，KPT手法を用いてレトロスペクティブを行った。KPTにおける三つの視点の組みはどれか。（R元問13）

ア　Kaizen，Persona，Try　　　イ　Keep，Problem，Try
ウ　Knowledge，Persona，Test　　エ　Knowledge，Practice，Team

問5　解答解説

アジャイル開発でよく用いられるスクラムは，開発チームの権限が強く，共通のゴールに向かって開発チームが一体となって働くことを重視する手法である。レトロスペクティブ（振りかえり）は，開発チームにおいて，チームそのものやチームの活動を振り返る活動のことで，アジャイル開発のスクラムにおける重要な作業である。レトロスペクティブの実施方法の一つであるKPT手法は，

① 各メンバーが良いことを挙げる。
② 各メンバーが悪いことを挙げる。（悪いことよりも良いことを先に挙げることが重要）
③ ディスカッションによって，良いことと悪いことを，Keep（継続）とProblem（課題）に振り分ける。
④ ProblemからTry（改善）を生み出す。

という流れで振り返る。よって，KPTの三つの視点は，Keep，Problem，Tryとなる。

《解答》イ

問6　タイピングを行う人をドライバと呼び，その様子を見ながら指摘や助言をする人をナビゲータと呼んで，２人が１台のPCを共有して共同でプログラムを作成する技法はどれか。　（R5問10）

ア　インスペクション　　　イ　ウォークスルー
ウ　パスアラウンド　　　　エ　ペアプログラミング

問6　解答解説

ペアプログラミングは，二人一組で一つのプログラムを開発する手法である。二人のプログラマが相談したりレビューしたりしながらプログラムを開発することで，プログラムが属人的・独善的になることを防止し，作業効率や成果物の品質の向上を目指すものである。二人一組で一つのプログラムを開発していても，作業を分担して別々に開発している場合は，ペアプログラミングとはいえない。

「タイピングを行う人をドライバと呼び，その様子を見ながら指摘や助言をする人をナビゲータと呼んで，２人が１台のPCを共有して共同でプログラムを作成する」という開発体制はペアプログラミングに該当する。

インスペクション：レビュー責任者（モデレーター）が主導し，公式な記録・分析を行うレビュー

ウォークスルー：成果物の開発者が入力データを仮定し，机上でシミュレーションを行うことで，プログラムの誤りや欠陥を具体的に発見する手法

パスアラウンド：成果物をチームのメンバー間で順に回し，各メンバーがレビューや承認を行う手法

《解答》エ

問7 ☑☐☐☐ ラボ契約の特徴はどれか。 (R4問15)

ア 依頼元がベンダ企業側の作業担当者を指名して直接指揮命令を行う契約であり，ベンダ企業はこれを前提に要員を割り当てる。

イ 依頼元は，契約に基づきスキルや人数などの基準を満たすように要員を確保することをベンダ企業に求めるかわりに一定以上の発注を約束する。

ウ 開発したシステムによって依頼元が将来獲得する売上や利益をベンダ企業にも分配することを条件に，開発時のベンダ企業への発注金額を抑える。

エ ベンダ企業が契約で定めた最低発注工数を下回って作業を完了した場合には，実稼働工数に基づいて請求することが求められる。

問7 解答解説

ラボ契約は準委任契約の一種で，依頼元に対してベンダ企業が一定期間，スキルを持った要員を一定数確保しておく契約である。成果物に対して費用の発生する契約ではなく，（要員数×期間）に対して費用の発生する契約となる。そのため，依頼元にとっては，仕様や要件が明確に決まっていないシステム開発にも柔軟に対応できることが最大のメリットとなる。一方，発注する作業がない場合でも費用を支払わなければならないことがデメリットとして挙げられる。

ア 準委任契約において，依頼元が派遣された作業担当者に直接指揮命令を行うと偽装請負となる。直接指揮命令を行うことができるのは，労働者派遣契約である。

ウ レベニューシェア型契約の特徴である。

エ SES（システムエンジニアリングサービス）契約の特徴である。

《解答》イ

問8 ☑☐☐☐ “情報システム・モデル取引・契約書”によれば，ユーザ（取得者）とベンダ（供給者）間で請負型の契約が適切であるとされるフェーズはどれか。 (H28問16，H23問15)

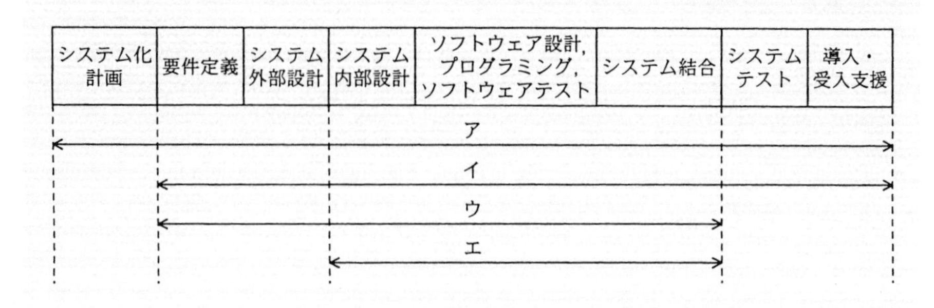

ア　システム化計画フェーズから導入・受入支援フェーズまで
イ　要件定義フェーズから導入・受入支援フェーズまで
ウ　要件定義フェーズからシステム結合フェーズまで
エ　システム内部設計フェーズからシステム結合フェーズまで

問8　解答解説

経済産業省の"情報システム・モデル取引・契約書"では，システム内部設計フェーズからシステム結合フェーズまでは，請負型の契約を推奨している。なお，システム外部設計フェーズ及びシステムテストフェーズは，請負型又は準委任型の両タイプを併記しており，要件定義やそれ以前のフェーズ及び導入・受入支援フェーズでは，準委任型を推奨している。

《解答》エ

問9　☑□ □□　システム開発における発注者と受注者であるベンダーとの契約方法のうち，実費償還契約はどれか。（R5問15）

ア　委託業務の進行中に発生するリスクはベンダーが負い，発注者は注文時に合意した価格を支払う。
イ　インフレ率や特定の製品の調達コストの変化に応じて，あらかじめ取り決められた契約金額を調整する。
ウ　契約時に，目標とするコスト，利益，利益配分率，上限額を合意し，目標とするコストと実際に発生したコストの差異に基づいて利益を配分する。
エ　ベンダーの役務や技術に対する報酬に加え，委託業務の遂行に要した費用の全てをベンダーに支払う。

問9　解答解説

実費償還契約とは，委託業務において，受注者であるベンダーが人件費を含め業務遂行に要した費用全てを発注者が支払う契約である。ベンダーが利益を確実に確保し，リスクは発注者が負う契約といえる。

ア　定額契約の説明である。
イ　経済価格調整付き定額契約の説明である。
ウ　コストプラスインセンティブフィー契約の説明である。　《解答》エ

問10 ☑□ □□　WTO政府調達協定の説明はどれか。　（R5問14，R3問15，H30問15）

ア　EU市場で扱われる電気・電子製品，医療機器などにおいて，一定基準値を超える特定有害物質（鉛，カドミウム，六価クロム，水銀など6物質）の使用を規制することを定めたものである。
イ　国などの公的機関が率先して，環境物品等（環境負荷低減に資する製品やサービス）の調達を推進し，環境物品等への需要の転換を促進するために必要な事項を定めたものである。
ウ　政府機関などによる物品・サービスの調達において，締約国に対する市場開放を進めて国際的な競争の機会を増大させるとともに，苦情申立て，協議及び紛争解決に関する実効的な手続を定めたものである。
エ　締約国に対して，工業所有権の保護に関するパリ条約や，著作権の保護に関するベルヌ条約などの主要条項を遵守することを義務付けるとともに，知的財産権保護のための最恵国待遇などを定めたものである。

問10　解答解説

外務省のホームページにおいて，1994年に締結されたWTO政府調達協定について，「適用範囲を新たにサービス分野の調達や地方政府機関による調達等にまで拡大するもので，政府調達における国際的な競争の機会を一層拡大させるとともに，苦情申立て，協議及び紛争解決に関する実効的な手続を定め，政府調達をめぐる締約国間の問題につき一層円滑な解決を図る仕組みが整備され」とある。WTO政府調達協定では，政府や自治体などが，基準額を超える調達をする際，原則として一般競争による入札を実施することが定められている。これは，締約国に対する市場開放を進めて国際的な競争の機会を増大させることを目的としている。

ア　RoHS指令の説明である。

イ　グリーン購入法の説明である。
エ　TRIPS協定の説明である。　《解答》ウ

問11 ☑□ □□　知的財産権使用許諾契約の中で規定する，ランニングロイヤリティの説明はどれか。　(R元問15)

ア　技術サポートを受ける際に課される料金
イ　特許技術の開示を受ける際に，最初に課される料金
ウ　特許の実施実績に応じて額が決まる料金
エ　毎年メンテナンス費用として一定額課される料金

問11 解答解説

知的財産権使用許諾契約とは，知的財産権を利用させることを許諾し，その相手から受け取る対価の有無や方法を取り決める契約である。知的財産には，著作権や特許権，意匠権，商標権などがあり，著作権の対象には文芸，美術，音楽，ソフトウェアなどがある。

対価である料金（ロイヤリティ）は，契約時に一括で支払う場合と，使用の実績に応じて一定期間ごとに支払う場合がある。この実績に応じて額が決まる料金をランニングロイヤリティという。ランニングロイヤリティは，売上高と設定した実施料率を掛け合わせる料率法や，単価を設定する従量法などで算出する。　《解答》ウ

問12 ☑□ □□　グラントバックの説明はどれか。　(R元問16)

ア　異なる分野で特許技術をもつ事業者同士が技術供与協定を締結し，互いに無償で特許の実施権を許諾すること
イ　自社固有のビジネスモデルに関してビジネスモデル特許を取得した上で，無償で広くその利用を許諾すること
ウ　ライセンスを受けた者が特許技術を改良して，新たに取得した特許について，ライセンスを与えた者へ譲渡する義務を課すこと
エ　ライセンスを受けた者が特許技術を改良して，新たに取得した特許は，ライセンスを与えた者に実施権が許諾されること

問12 解答解説

ライセンスを受けた者が，ライセンスを与えた者に対して，特許技術を改良して新たに取得した特許の実施を許諾することを，グラントバックという。ライセンスを受けた者からラ

イセンスを与えた者が，改良技術の恩恵を受けることを意味する。

ア　クロスライセンスの説明である。
イ　ライセンスフリーの説明である。
ウ　アサインバックの説明である。　《解答》エ

10 システム戦略

Point!

システムは戦略的に導入されなければならない。そのために，導入に先立って企業活動を分析し，システムが投資に見合うかを検討する。システムアーキテクトには，このようなシステム戦略の知識についても理解していることが求められる。ここでは，システム戦略にかかわる作業や技法のいくつかをとり上げて説明する。

… 30秒チェック！ …
Super Summary

⑴ **システム企画**

■情報システムの構築に先だって，システム化の方針や実施計画を作成する。

□ビジネスモデルキャンバス…ビジネスモデルの分析・整理に用いるフレームワーク

⑵ **エンタープライズアーキテクチャ（EA）**

■EAは，全体最適化を進める際のフレームワークの一つで，4階層からなる。

□BA…ビジネスや業務活動を可視化した層

□DA…組織が利用する情報を可視化した層

□AA…情報システムの構造を可視化した層

□TA…情報システムの稼働に必要なハードウェア・ソフトウェア・ネットワークの構造を可視化した層

⑶ **情報化投資の評価**

■情報システムの構築に先立って，費用に対するシステム投資効果の分析を行う。

□NPV法…割引率を考慮して算出した正味現在価値で評価する方法

□IRR法…投資の内部利益率の大小で評価する方法

□PBP法…投資の回収期間で評価する方法

□TCO…情報システムの保有に必要な費用の総額

□NRE…設計や試作など，一度だけ行われる工程に要する費用

□バランススコアカード（BSC）…戦略を四つの視点からバランス良く設定する枠組み

(4) **開発体制**

■システム企画では，プロジェクト推進体制の策定も行う。

□プログラムマネジメント…相互に関連するプロジェクト群を管理すること

10.1 システム企画

システム企画では，システム構築に先だって，システム化の方針や実施計画を作成する。システム企画は，

システム化構想の立案 → システム化計画の立案

の順で進める。

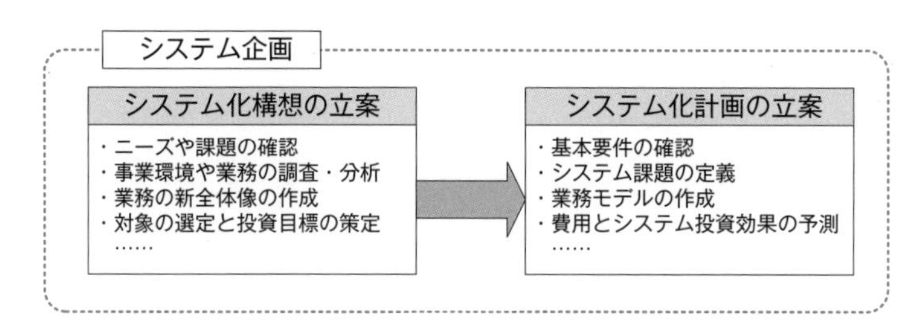

▶図10.1　システム企画

■ ビジネスモデルキャンバス

システム化構想の立案では，企業のニーズや課題に合ったシステムの導入を検討するため，企業のビジネスモデルを改めて分析し整理する。その際に用いられるフレームワークに，ビジネスモデルキャンバスがある。

ビジネスモデルキャンバスは，企業がどのように価値を創造し，顧客に届け，収益を生み出しているのかを，次の九つのブロックを用いて可視化し，分析する。**図10.2**は，自転車シェアリング事業のビジネスモデルキャンバスである。

パートナー	主要活動	価値提案	顧客との関係	顧客セグメント
・自転車ショップ ・観光業者 ・集配業者	・企画，運営 ・マーケティング	・エコ ・渋滞解消 ・観光促進 ・社用車の削減	・通勤手段の提供 ・セルフサービス	・観光客 ・通勤利用者
	リソース		チャネル	
	・駐輪場 ・自転車		・観光窓口 ・法人営業	
コスト構造		収益の流れ		
・運営・管理コスト ・集配にかかわる人件費		・都度利用料 ・法人契約料		

▶図10.2　ビジネスモデルキャンバス

10.2 エンタープライズアーキテクチャ（EA）

システム企画では，企業活動の全体像を調査し分析しなければならない。エンタープライズアーキテクチャ（EA）は，企業の「見える化」を実現する，**全体最適化**を進める際のフレームワークの一つである。EAでは，企業基盤や活動を，**図10.3**の四つの階層で考える。

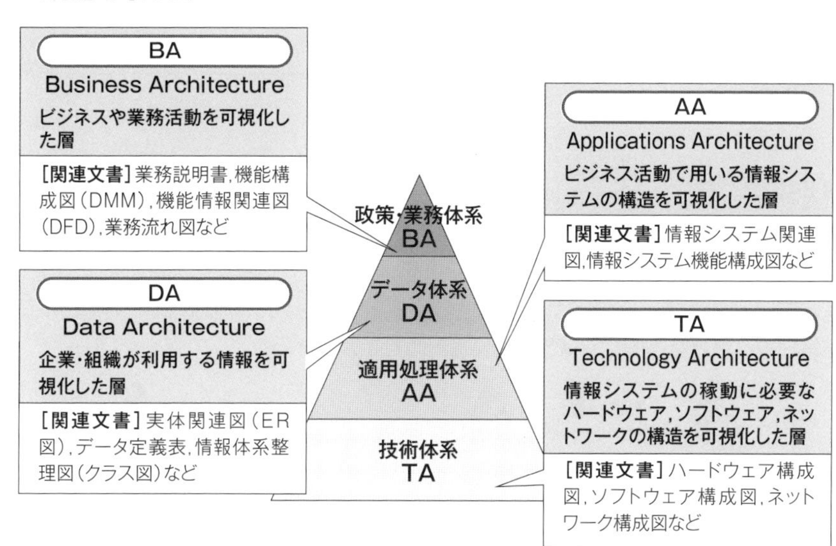

▶図10.3　EAの階層と関連文書

■ 全社モデルの作成

EAでは，BAで全社的な業務モデルを，DAで全社的なデータモデルを作成する。全社的なモデルを作成する場合は，まず主要な機能やデータを抽出した「鳥瞰図（ちょうかんず）」を作成し，次にそれらを詳細化するように進める。

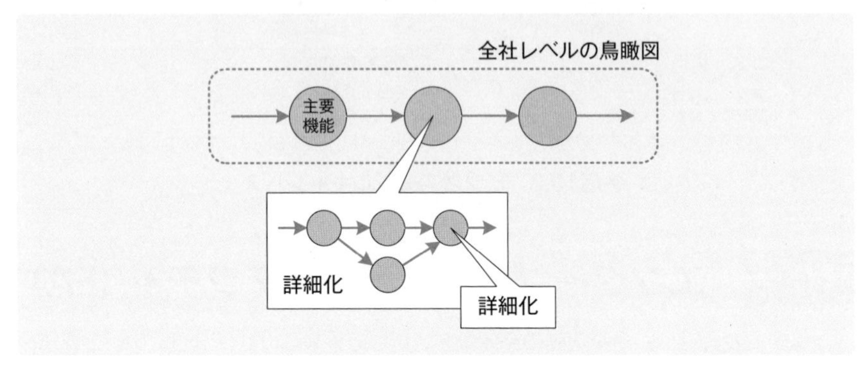

▶図10.4　全社モデルの作成

業務モデルは日常的な業務活動だけではなく，意思決定や戦略計画活動も含めましょう。

■ EAの進め方

EAを進める上では，まず現状のモデル（AsIs）を，次に最終的な理想のモデル（ToBe）を明らかにし，次期モデル（Next）をAsIsとToBeの間に設定してシステム企画を立案する。このように，企業の全体像を把握し，ToBeを意識することで，整合性のとれた計画的なシステム開発を行うことができる。

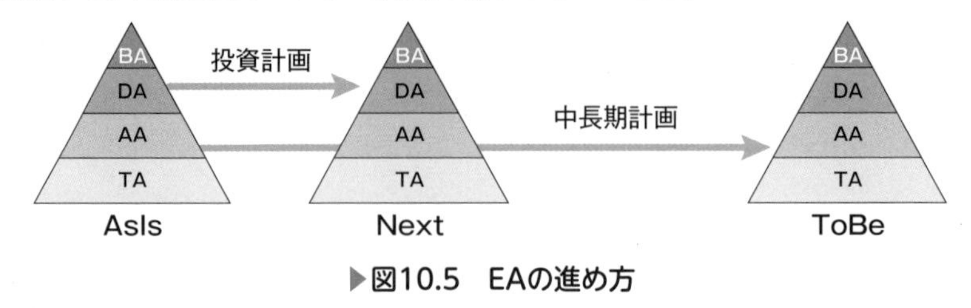

▶図10.5　EAの進め方

■ **EAの参照モデル**

EAのひな型となるモデルを参照モデルと呼ぶ。EAの階層ごとに参照モデルが定められている。

▶**表10.1　EAの参照モデル**

階層	モデル	説明
BA	BRM Business Reference model	ビジネス参照モデル。 組織全体で業務やシステムの共通化の対象領域を洗い出すためのモデル
DA	DRM Data Reference model	データ参照モデル。 情報の再利用・統合を促進するためのモデル
AA	SRM Service Component Reference model	サービスコンポーネント参照モデル。 アプリケーションの再利用を促進するためのモデル
TA	TRM Technical Reference model	技術参照モデル。 組織全体での技術の標準化を促進するモデル

10.3 情報化投資の評価

システム構築に先立って，費用に対する投資効果の分析を行う。投資効果の評価として知られている方法として，**表10.2**のようなものがある。

▶**表10.2　情報化投資の評価方法**

方法	説明
NPV法	割引率を考慮して算出した正味現在価値で評価する方法
IRR法	投資の内部収益率の大小で評価する方法
PBP法	投資の回収期間で評価する方法

■ **NPV**（Net Present Value：正味現在価値）**法**

NPV法は，回収される利益を現在価値に割り引いて，投資効果を評価する方法である。回収額を現在価値に割り引いたものから投資額を引いて投資効果を算出し，その大小を比較する。例えば，初期投資が220万円，割引率が５％，１～３年目の回収額が120万円，80万円，40万円である場合，回収額の現在価値は**図10.6**のように計算できる。

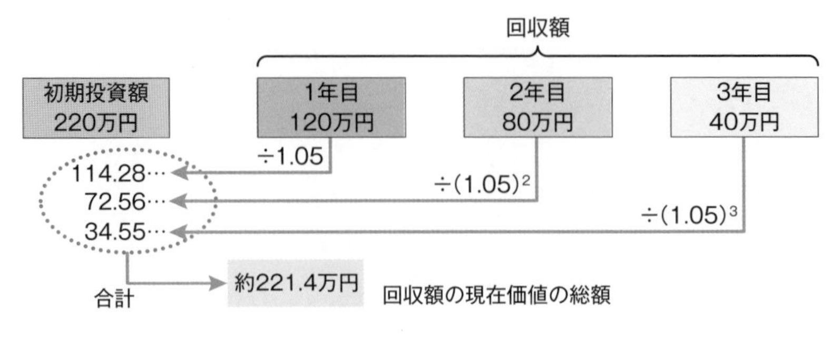

▶図10.6　NPV法

3年間の回収額の現在価値の総額はおよそ221.4万円となって，投資額の220万円を上回り，投資効果は1.4万円となる。

■ IRR（Internal Rate of Return：内部収益率）法

IRRは，投資額の現在価値と回収額の現在価値の総額が等しくなる収益率のことである。IRR法は，IRRの大小で投資効果を評価する手法で，IRRの値が大きいほど投資効果が高いといえる。

IRRは，投資額の現在価値と回収額の現在価値の総額が等しくなる割引率ともいえる。NPV法の説明で用いた例において，割引率を5.4%とすると，

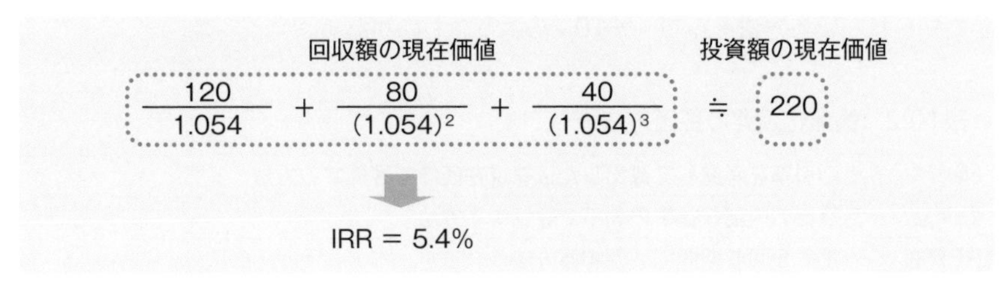

▶図10.7　IRR法

となり，投資額の現在価値と回収額の現在価値の総額がほぼ等しくなる。よって，この投資のIRRは5.4%となる。

■ PBP（Pay Back Period：回収期間）法

PBPは，投資を回収できるまでに要する期間のことである。PBP法は，PBPの短い投資案件ほど投資効率が良いと評価する。

PBP法は，計算は単純であるが，時間的価値や回収期間以降の投資や回収が考慮されないなどの欠点がある。例えば，**図10.8**のA案とB案をPBP法で比較すると，回収額の総額ではA案のほうが多いにもかかわらず，PBPが短いB案のほうが投資効率は良いと評価されてしまう。

投資額 500万円

	回収額				
	1年目	2年目	3年目	4年目	5年目
A案	200万円	200万円	100万円	200万円	300万円
B案	300万円	200万円	100万円	50万円	50万円

B案のPBP＝2年　A案のPBP＝3年

▶図10.8　PBP法

■ 投資費用

情報化投資の評価では，費用の算出も不可欠である。費用については，**表10.3**の用語があるので覚えておいてほしい。

▶表10.3　費用に関する用語

用語	説明
TCO (Total Cost of Ownership)	システムの導入，運用，維持・管理，廃棄などにかかる「費用の総額」
NRE (Non-Recurring Engineering)	設計や試作など「一度だけ行われる工程に要する費用」

TCOは，非常に大切な考え方で，システム導入を検討する場合，導入費用だけではなく，ライフサイクルを通して必要となる全ての資金を考慮している。NREは，もとは工業製品の製造で用いられる用語である。システム開発の委託先に支払う費用をNREと呼ぶこともある。

■ バランススコアカード（BSC：Balanced ScoreCard）

バランススコアカードは，企業戦略を「財務」「顧客」「内部業務プロセス」「学習と成長」の四つの視点で，バランス良く設定するための枠組みである。これを，情報化投資の評価に用いれば，売上や利益に偏りがちな投資評価を，複数の視点から多面的に評価することができる。

BSC

評価の視点	評価の指標
財務の視点	利益率，キャッシュフロー，…
顧客の視点	市場シェア，リピート率，…
内部業務プロセスの視点	生産性，業務プロセスの品質，…
学習と成長の視点	従業員のスキル，ナレッジ，…

▶図10.9　バランススコアカード

10.4 開発体制

システム企画では，システム開発で発生する工数の見積り値をもとに，プロジェクト推進体制の策定を行う。策定においては，開発プロジェクトの体制や要員数，役割分担，受入れテスト体制，利用部門との協力などについて明確にする必要がある。

■ 開発プロジェクト

プロジェクトとは，独自性や有期性（開始と終了が定まっている）のある業務で，通常の業務とは別に発生する。プロジェクト組織は，企業の事業部門や職能部門をまたがって組織され，プロジェクトマネージャやプロジェクトリーダーによって管理・指揮される。

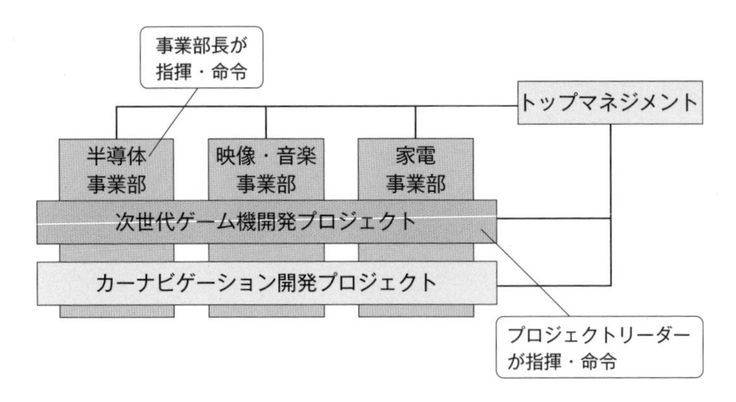

▶図10.10　プロジェクト

■ プログラムマネジメント

同時並行的に進められる複数のプロジェクトにおいて，相互に関連するプロジェクト群を管理することを，プログラムマネジメントと呼ぶ。プログラムマネジメントを行うことで，順調なプロジェクトから遅れているプロジェクトへ要員を融通したり，あるプロジェクトの成果を別のプロジェクトと共有するなど，プロジェクト同士を連携させ，全体としての価値を高めることができる。

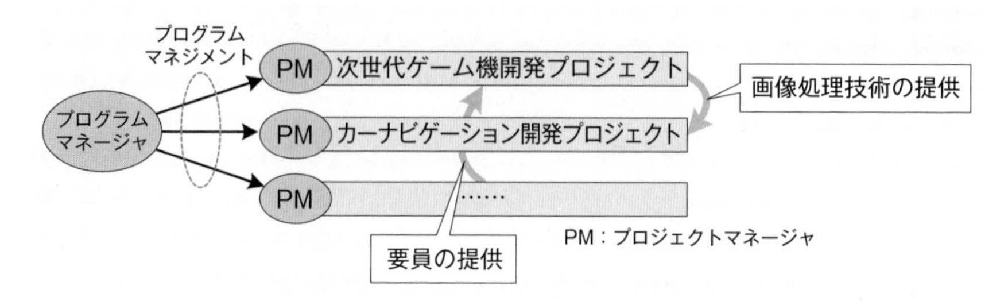

▶図10.11　プログラムマネジメント

プログラムマネジメントは，プログラムマネージャが実施する。プログラムマネージャは「プロジェクトマネージャのマネージャ」といえる。

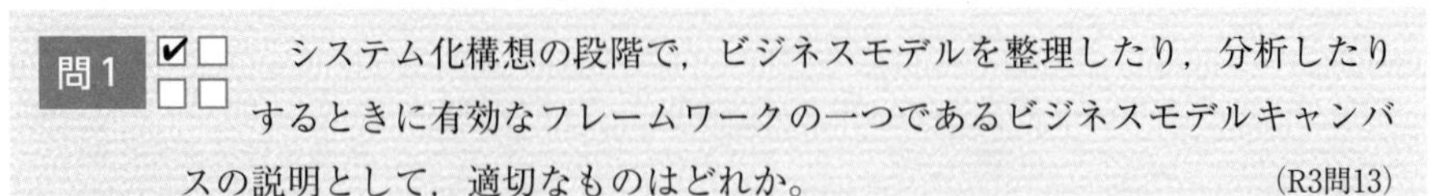

確認問題

問1 ☑□□□ システム化構想の段階で，ビジネスモデルを整理したり，分析したりするときに有効なフレームワークの一つであるビジネスモデルキャンバスの説明として，適切なものはどれか。 (R3問13)

ア 企業がどのように，価値を創造し，顧客に届け，収益を生み出しているかを，顧客セグメント，価値提案，チャネル，顧客との関係，収益の流れ，リソース，主要活動，パートナ，コスト構造の九つのブロックを用いて図示し，分析する。

イ 企業が付加価値を生み出すための業務の流れを，購買物流，製造，出荷物流，販売・マーケティング，サービスという五つの主活動と，調達，技術開発など四つの支援活動に分類して分析する。

ウ 企業の強み・弱み，外部環境の機会・脅威を分析し，内部要因と外部要因をそれぞれ軸にした表を作成することによって，事業機会や事業課題を発見する。

エ 企業目標の達成を目指し，財務，顧客，内部ビジネスプロセス，学習と成長の四つの視点から戦略マップを作成して，四つの視点においてバランスのとれた事業計画を策定し進捗管理をしていく。

問1 解答解説

ビジネスモデルキャンバス（BMC）は，ビジネスモデルを可視化するためのフレームワークの一つである。顧客セグメント，価値提案，販路（チャネル），顧客との関係，収益の流れ，リソース，主要活動，パートナ，コスト構造という九つのブロックを用いて，“誰に対して，どのような価値を，どのようにして提供しているのか”を，端的に図示する。ビジネスモデル全体を俯瞰して各ブロックの関係性からビジネスの現状を把握することができ，新たな事業の構想に役立てることができる。

イ マイケル・E・ポーターが提唱したバリューチェーン分析の説明である。
ウ SWOT分析の説明である。
エ バランススコアカード（BSC）の説明である。 《解答》ア

問2 ☑□□□ 情報システムの全体計画立案のためにE-Rモデルを用いて全社のデータモデルを作成する手順はどれか。 (H26問15，H24問15，H22問15)

ア 管理層の業務から機能を抽出し，機能をエンティティとする。次に，機能の相互関係に基づいてリレーションシップを定義する。さらに，全社の帳票類を調査して

整理し，正規化された項目に基づいて属性を定義し，全社のデータモデルとする。
イ　企業の全体像を把握するために，主要なエンティティだけを抽出し，それらの相互間のリレーションシップを含めて，鳥瞰図を作成する。次に，エンティティを詳細化し，全てのリレーションシップを明確にしたものを全社のデータモデルとする。
ウ　業務層の現状システムを分析し，エンティティとリレーションシップを抽出する。それぞれについて適切な属性を定め，これらを基にE-R図を作成し，それを抽象化して，全社のデータモデルを作成する。
エ　全社のデータとその処理過程を分析し，重要な処理を行っている業務を基本エンティティとする。次に，基本エンティティ相互のデータの流れをリレーションシップとして捉え，適切な識別名を与える。さらに，基本エンティティと関係のあるデータを属性とし，全社のデータモデルを作成する。

問2　解答解説

E-Rモデルは，現実世界で扱う情報を抽象化して，エンティティ（実体）とリレーションシップ（関連）の二つの要素を用いて表現したものである。

E-Rモデルを用いて全社レベルのデータモデルを作成する場合，まず，企業の全体像を把握するために基本的なエンティティを抽出し，それらの相互関係を表すE-Rモデルを作成する。次に，業務レベルのエンティティ，正規化のためのエンティティといった具合に，エンティティをトップダウンで詳細化していき，全てのリレーションを表現した全社のデータモデルを作成する。

ア　全社レベルのE-Rモデルは，企業のあるべき姿をデータモデルとして表すものである。したがって，E-Rモデルの作成は，企業のあるべき姿から基本業務を抽出し，これをエンティティとしなければならない。現実の管理層業務から機能を抽出してエンティティとしたり，帳票類を調査して属性を定義して全社データモデルとするものではない。
ウ　業務層の現状システム分析から始めて，ボトムアップ的に全社のデータモデルを作成することは，全社のあるべき姿を作成するのではなく，現状分析を行っているに過ぎない。
エ　全社のデータとその処理過程を分析するためには，E-Rモデルではなく，DFDを用いる。

《解答》イ

問3　☑□□□　エンタープライズアーキテクチャ（EA）における，ビジネスアーキテクチャの成果物である機能情報関連図（DFD）を説明したものはどれか。
（H28問17，H26問17，H23問16）

ア　業務・システムの処理過程において，情報システム間でやり取りされる情報の種類及び方向を図式化したものである。
イ　業務を構成する各種機能を，階層化した３行３列の格子様式に分類して整理し，業務・システムの対象範囲を明確化したものである。
ウ　最適化計画に基づき決定された業務対象領域の全情報（伝票，帳票，文書など）を整理し，各情報間の関連及び構造を明確化したものである。
エ　対象の業務機能に対して，情報の発生源と到達点，処理，保管，それらの間を流れる情報を，統一記述規則に基づいて表現したものである。

問3　解答解説

機能情報関連図（DFD）は，対象業務の処理過程と情報の流れを統一記述規則に基づいて表現したものである。企業の業務やシステムの全体最適化を目的としたエンタープライズアーキテクチャ（EA：Enterprise Architecture）の最上位層のビジネスアーキテクチャの策定時に，機能構成図（DMM）をもとに作成される。

ア　情報システム関連図の説明である。情報システム関連図は，業務・システムの処理過程において，情報システム間でやりとりされる情報の種類及び方向を図式化したものである。アプリケーションアーキテクチャ策定の成果物として作成される。
イ　ビジネスアーキテクチャの成果物である機能構成図の説明である。
ウ　データアーキテクチャの成果物であるE-R図の説明である。　《解答》エ

問4 ☑☐☐☐　エンタープライズアーキテクチャの参照モデルのうち，BRM（Business Reference Model）で提供されるものはどれか。

（H24問17）

ア　アプリケーションを機能的な観点から分類・体系化したサービスコンポーネントから成る，アプリケーションの再利用を促進するためのモデル
イ　業務分類に従った業務・システム体系と各種業務モデルから成る，組織全体で業務やシステムの共通化の対象領域を洗い出すためのモデル
ウ　サービスコンポーネントを実際に活用するためのプラットフォームやテクノロジの標準仕様から成る，組織全体での技術の標準化を促進するためのモデル
エ　組織間で共有される可能性の高い情報について，名称，定義及び各種属性を総体的に記述したモデルから成る，情報の再利用・統合を促進するためのモデル

問4 解答解説

エンタープライズアーキテクチャの参照モデルは，エンタープライズアーキテクチャの策定にあたって参考書や辞書のような役割を果たす。BRM（Business Reference Model）は，業務参照モデルで，ビジネスアーキテクチャの策定に際して活用される参照モデルである。業務を実施部署と切り離して機能的に記述したもので，業務と情報システムの全体最適化計画の基礎となる。

ア　SRM（Service Component Reference Model；サービスコンポーネント参照モデル）で提供されるモデルである。
ウ　TRM（Technical Reference Model；技術参照モデル）で提供されるモデルである。
エ　DRM（Data Reference Model；データ参照モデル）で提供されるモデルである。

《解答》イ

問5 ✔□□□□　投資効果を現在価値法で評価するとき，最も投資効果の大きい（又は損失の小さい）シナリオはどれか。ここで，期間は3年間，割引率は5％とし，各シナリオのキャッシュフローは表のとおりとする。

（H26問14，H23問12）

単位　万円

シナリオ	投資額	回収額		
		1年目	2年目	3年目
A	220	40	80	120
B	220	120	80	40
C	220	80	80	80
投資をしない	0	0	0	0

ア　A　　イ　B　　ウ　C　　エ　投資をしない

問5 解答解説

現在価値法は，将来回収される利益を現在の価値に割り引いて，投資効果を評価する方法である。回収額を現在価値に割り引いたものから投資額を引いた金額が投資効果となる。割引率が5％の場合，1年目の回収額を1.05で割った金額が現在価値となる。2年目の回収額を1.05×1.05＝1.1025で割った金額と，3年目の回収額を1.1025×1.05＝1.157625で割った金額が，それぞれ2年目，3年目の利益の現在価値となる。

本問題のように，投資額と，回収額の合計のそれぞれがシナリオA，B，Cで同額という条件の場合，現在価値法で評価すると，1年目の回収額の割合が一番大きいシナリオBがシナリオAやCよりも投資効果は大きくなる。シナリオBの回収額の現在価値は，次のとおりである。

$$120 \div 1.05 + 80 \div 1.1025 + 40 \div 1.157625 \fallingdotseq 221.4 \ [万円]$$

シナリオBの投資効果は，投資額の220万円を引いた1.4万円である。

投資をしないシナリオの場合，投資効果は0万円なので，最も投資効果の大きいシナリオはBである。

《解答》イ

問6 ☑☐ ☐☐ 製品Xと製品Yを販売している企業が，見積作成と提案書作成に掛かる業務時間を，それぞれ20%削減できるシステムの構築を検討している。Activity-Based Costingを用いて，次の条件が洗い出された。本システム構築による製品Xの見積作成と製品Xの提案書作成に関する月間総人件費削減効果は幾らか。(R5問13)

〔条件〕

- 製品Xの見積作成に掛かる月間業務時間は，50時間
- 製品Xの提案書作成に掛かる月間業務時間は，50時間
- 製品Yの見積作成に掛かる月間業務時間は，100時間
- 製品Yの提案書作成に掛かる月間業務時間は，400時間
- 製品Xと製品Yの見積作成に掛かる月間総人件費は，60万円
- 製品Xと製品Yの提案書作成に掛かる月間総人件費は，360万円
- 見積作成と提案書作成は，それぞれ人件費単価が異なる部門が担っている
- 製品Xと製品Yの見積作成に掛かる人件費単価は，同じである
- 製品Xと製品Yの提案書作成に掛かる人件費単価は，同じである

ア 4万円　　イ 8万円　　ウ 12万円　　エ 14万円

問6 解答解説

Activity-Based Costing（活動基準原価計算）は，製品製造に関係する活動を整理して，その内容により間接費を配賦する原価計算の手法である。次の手順で，システム構築による製品Xの見積作成と製品Xの提案書作成に関する月間総人件費削減効果を求めていく。

①製品Xと製品Yの見積作成，及び，製品Xと製品Yの提案書作成に掛かる人件費単価が同じであることから，

「二つの製品の見積作成に掛かる月間業務時間」に対する「製品Xの見積作成に掛かる月

間業務時間」の割合は，

50［時間］÷（50［時間］＋100［時間］）＝1/3

「二つの製品の提案書作成に掛かる月間業務時間」に対する「製品Xの提案書作成に掛かる月間業務時間」の割合は，

50［時間］÷（50［時間］＋400［時間］）＝1/9

②20％削減できるシステムによる製品Xの月間総人件費削減効果は，①の値を使って，

見積作成の削減分は，

60［万円］×1/3×20［％］＝4［万円］

提案書作成の削減分は，

360［万円］×1/9×20［％］＝8［万円］

③月間総人件費削減効果は，②の合計となり，

4［万円］＋8［万円］＝12［万円］

《解答》ウ

問7 ☑□□□ NRE（Non-Recurring Expense）の例として，適切なものはどれか。

（H30問16）

ア　機器やシステムの保守及び管理に必要な費用

イ　デバイスの設計，試作及び量産の準備に掛かる経費の総計

ウ　物理的な損害や精神的な損害を受けたときに発生する，当事者間での金銭のやり取り

エ　ライセンス契約に基づき，特許使用の対価として支払う代金

問7 解答解説

NRE（Non-Recurring Expense）とは，製品や部品を開発・製造する際，設計・開発工程の作業に掛かる開発経費の総計を指す。試作品の製造経費は含むが，量産品の製造経費は含まない。半導体製品について用いられることが多く，ASIC（特定用途向け集積回路）などでは，NREが高額となることもある。

ア　運用経費のことであり，NREには該当しない。

ウ　損害賠償経費のことであり，NREには該当しない。

エ　特許使用料は，NREには該当しない。

《解答》イ

問8 ☑□□□ IT投資に対する評価指標の設定に際し，バランススコアカードの手法を用いてKPIを設定する場合に，内部ビジネスプロセスの視点に立ったKPIの例はどれか。

（R4問13）

ア　ITリテラシ向上のための研修会の受講率を100％とする。

イ　売上高営業利益率を前年比５％アップとする。
ウ　顧客クレーム件数を１か月当たり20件以内とする。
エ　注文受付から製品出荷までの日数を３日短縮とする。

問８　解答解説

バランススコアカード（BSC）は，企業の業績を，「財務」，「顧客」，「内部ビジネスプロセス（業務プロセス）」，「学習と成長」の四つの視点で多角的に評価する手法である。内部ビジネスプロセスでは，製造工程や業務フローといった組織内の業務の進め方に注目するので，「業務の効率性」に関する指標がKPIとなる。「注文受付から製品出荷までの日数を３日短縮とする」は，受付から出荷までの工程の時間効率に関する指標なので，KPIとして適切である。

ア　学習と成長の視点に立ったKPIの例である。
イ　財務の視点に立ったKPIの例である。
ウ　顧客の視点に立ったKPIの例である。　《解答》エ

問９

☑☐
☐☐　事業目標達成のためのプログラムマネジメントの考え方として，適切なものはどれか。（H25問17）

ア　活動全体を複数のプロジェクトの結合体と捉え，複数のプロジェクトの連携，統合，相互作用を通じて価値を高め，組織全体の戦略の実現を図る。
イ　個々のプロジェクト管理を更に細分化することによって，プロジェクトに必要な技術や確保すべき経営資源の明確化を図る。
ウ　システムの開発に使用するプログラム言語や開発手法を早期に検討することによって，開発リスクを低減し，投資効果の最大化を図る。
エ　リスクを最小化するように支援する専門組織を設けることによって，組織全体のプロジェクトマネジメントの能力と品質の向上を図る。

問９　解答解説

プログラムマネジメントとは，同時に進行している互いに関連する複数のプロジェクトを管理する考え方である。プログラムは，プロジェクト群で構成され，個々のプロジェクトが円滑に進捗（しんちょく）する基盤を提供し，組織全体の戦略の実現を図る。

イ　プロジェクトマネジメントの考え方である。プロジェクトマネジメントでは，プロジェクトを構成する作業を抽出し，さらにその作業を細かい作業に分解し，WBS（Work Breakdown Structure）を作成する。これによって，スケジュール，資源，コストの

見積りをする。

ウ　プロジェクトマネジメントの開発技術マネジメントの考え方である。

エ　プロジェクトマネジメントのPMO（Project Management Office）設置の考え方である。

《解答》ア

関連知識
午前Ⅱ試験対策

コンピュータシステム技術

Point!

システムアーキテクトには，システムを構成する機器の性能をもとにキャパシティを計算する能力が求められる。午前Ⅱ試験のハードウェアやソフトウェア関連の出題では，およそ$\frac{2}{3}$が計算問題である。計算問題は同じ問題が繰返し出題される傾向が見受けられるため，過去問演習で怠りなく対策をしておこう。

1.1 プロセッサと主記憶の知識

プロセッサや主記憶（メモリ）に関する基本的な知識を整理しておこう。

出題用語と周辺知識

プログラムカウンタ	現在実行中の（もしくは次に実行する）命令のアドレスを格納するレジスタ
命令レジスタ	命令そのものを格納するレジスタ
デコード	命令を解読し，命令に応じた制御信号を生成する動作
命令フェッチ	実行する命令を命令レジスタに取り込む動作
命令パイプライン	命令を並列に実行させることで高速化を実現する技術
VLIW：Very Long Instruction Word	同時に実行可能な複数命令を一つの長形式命令に編集し，複数の演算ユニットで同時に実行させることで高速化を実現する技術
スーパースカラ	プロセッサ内に命令の実行ユニットを複数用意し，各ユニットで命令パイプラインを実行させる技術
クロック周波数	プロセッサの動作を同期させるために用いる同期信号
CPI：Cycles Per Instruction	1命令を実行するために必要なクロックサイクル数
MIPS	1秒間に実行できる命令数の平均値を，100万を単位として表した値

アムダールの法則	マルチプロセッサ化による性能向上の割合を表す式
ベクトルプロセッサ	複数の演算を一度に実行する機能を備えたプロセッサ。スーパーコンピュータに採用される
キャッシュメモリ	プロセッサと主記憶の速度差を緩和させるために，プロセッサと主記憶装置の間におかれる高速小容量のメモリ
ヒット率	プロセッサが要求するデータがキャッシュメモリ上に存在する確率
メモリインタリーブ	主記憶を複数の独立したバンクに分け，各バンクを並列にアクセスすることで高速化を行う方式

■命令の実行

主記憶に格納された命令やデータは，**図1.1**のように実行される。

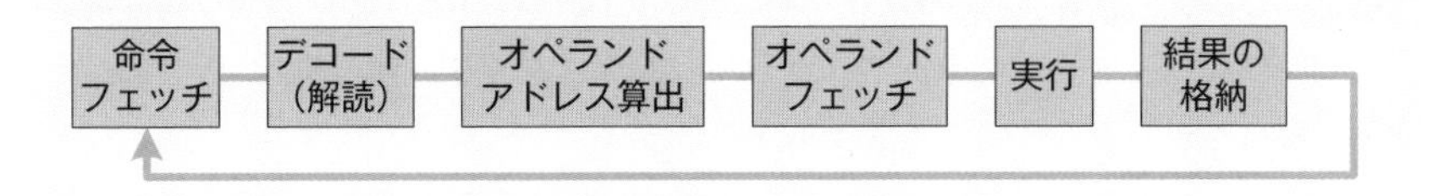

▶**図1.1　命令やデータの実行過程**

命令フェッチは，プログラムカウンタが指す主記憶上の命令を命令レジスタに取り込む動作で，命令の実行過程の最初に行われる。命令フェッチで取り込まれた命令は，デコード（解読）のためデコーダ（解読器）に送られる。

命令フェッチに対し，データの取込み動作をオペランドフェッチと呼ぶ。オペランドフェッチは，データアドレスレジスタの指す主記憶上のデータをデータレジスタに取り込む動作で，命令フェッチとは関連するレジスタが異なる。混乱しないように区別して整理しておこう。

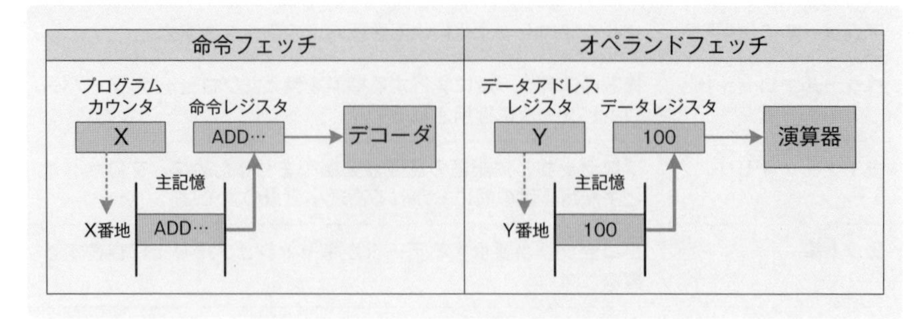

▶図1.2　命令フェッチとオペランドフェッチ

■ 命令パイプラインの処理時間

命令パイプラインは，命令を並列に実行させることで高速化を実現する技術である。具体的には，命令をいくつかのステージ（段階）に分け，各ステージをオーバーラップさせながら実行させる。このとき，１ステージを処理するために必要な時間をピッチ，同時に実行できる命令数をパイプラインの深さと呼ぶ。**図1.3**は，五つの命令を並列に実行できる深さ５のパイプラインである。

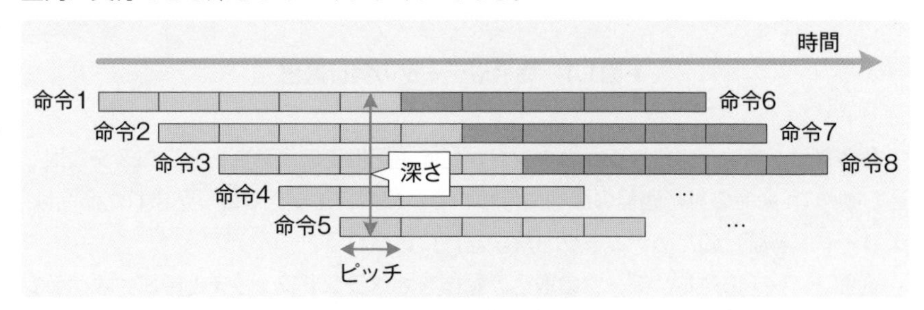

▶図1.3　命令パイプライン

例えば，深さがD，ピッチがP秒である命令パイプラインにおいて，S個の命令を実行するのに必要な時間を考える。なお，全ての命令は処理にDステージ分の時間がかかり，各ステージは１ピッチで処理されるものとする。

１命令の実行に要する時間は（D×P）秒なので，パイプライン制御でなければ，S個の命令の実行に必要な時間は（S×D×P）秒となる。一方，深さDのパイプライン制御を行うと，D個の命令が並列に実行されるため，命令の実行時間はパイプライン制御でない場合の１/D倍となり，S個の命令の実行に必要な時間は（S×P）秒となる。ただし，これは「全ての命令が完全に並列に実行される」と仮定した場合の値である。

実際には，最初の（D－１）個の命令は，並列に実行される命令を徐々に増やしながら実行され，その部分の時間を加算する必要がある。よって，実際の実行時間は，

S×P＋(D－１)×P ＝ (S＋D－１)×P[秒]

と計算できる。

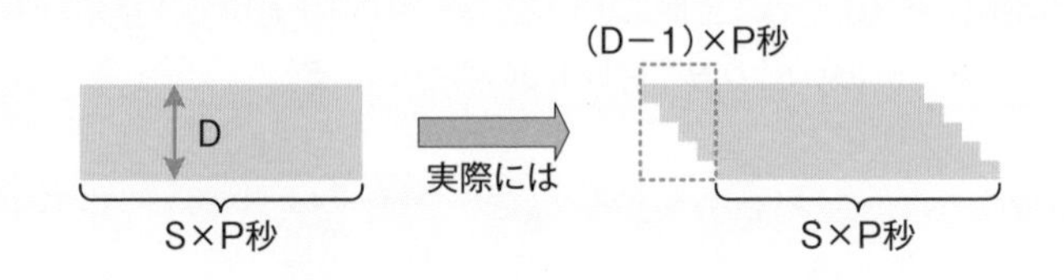

▶図1.4　S個の命令の実行時間

■ プロセッサの処理時間

１命令の実行に必要なクロック数であるクロックサイクル（CPI）は命令ごとに異なる。そのため，プロセッサの処理時間は，各命令の出現頻度をもとにした期待値から求めたCPIの平均値を用いて計算する。このとき用いる「命令の出現頻度表」を命令ミックスと呼ぶ。

例えば，クロック周波数が１GHzのプロセッサで，**表1.1**の命令ミックスで表される1,000,000命令からなるプログラムを実行するのに要する時間を考える。

▶**表1.1　命令ミックス**

命令の種類	クロックサイクル数	出現頻度
浮動小数点数演算	6	0.2
メモリアクセス	3	0.4
分岐その他	2	0.4

CPIの平均値は，命令ミックスを用いると，

Σ（命令のクロックサイクル数×命令の出現頻度）

＝ 6×0.2 ＋ 3×0.4 ＋ 2×0.4 ＝ 3.2

と計算できる。プロセッサのクロック周波数は１GHzなので，１クロック当たりの時間はクロック周波数の逆数である１ナノ秒である。したがって，１命令の実行に必要な時間は3.2ナノ秒となり，1,000,000命令のプログラムを実行する時間は，

1,000,000×3.2ナノ秒 ＝ 3.2ミリ秒

と計算できる。

■ アムダールの法則

アムダールの法則は，マルチプロセッサなどの高速化技術を適用したときの性能の向上比を，

高速化度（n）：その技術によって何倍の速度が実現可能かという理論値

高速化部分率（r）：処理全般において，その技術が適用できる割合

を用いた式で表す。その導出の理屈は**図1.5**のようになる。

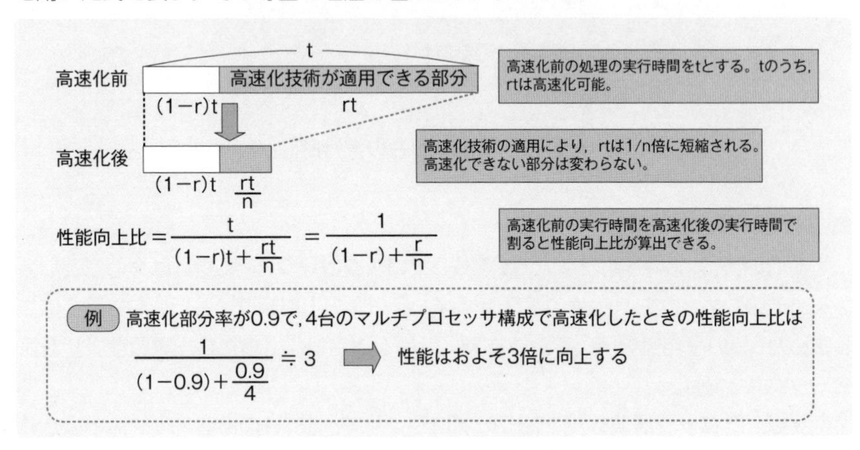

▶図1.5　性能向上比の式

注目すべきことは，アムダールの法則の本質は「性能がこのように向上する」ということではなく，「性能向上には限界がある」ということである。

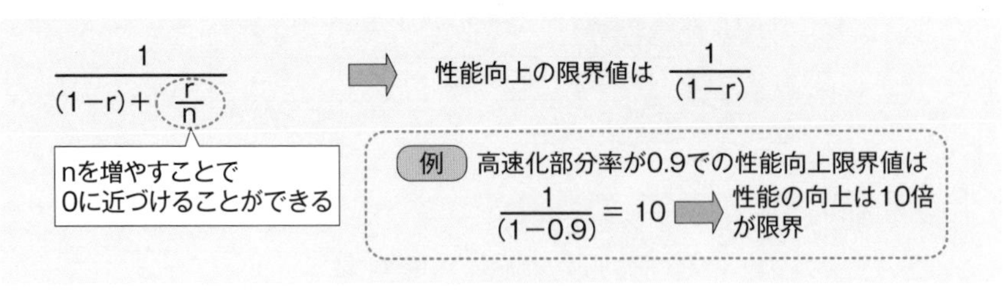

▶図1.6　性能向上の限界

問題によっては，高速化部分率ではなくオーバーヘッドの割合（1 −高速化部分率）が与えられることがあるので，間違えないよう注意しよう。

■ キャッシュメモリと実効アクセス時間

キャッシュメモリを用いた場合の**実効アクセス時間**を求める計算問題が出題されることがある。情報処理技術者試験ではお馴染みの問題であるが，改めて整理しておこう。

主記憶へのアクセス時間：Tm
キャッシュメモリへのアクセス時間：Tc
キャッシュメモリのヒット率：r

⇒ 実効アクセス時間＝(1−r)×Tm＋r×Tc

例 主記憶へのアクセス時間が100ナノ秒，キャッシュメモリへのアクセス時間が20ナノ秒，キャッシュメモリのヒット率が90%であった場合，実効アクセス時間は何ナノ秒か。

(1−0.9)×100＋0.9×20＝10＋18＝28[ナノ秒]

▶図1.7　実効アクセス時間の計算式

キャッシュメモリに目的のものが存在する（ヒットする）場合と存在しない場合があり，存在しない場合には主記憶にアクセスすることになる。したがって，実効アクセス時間は，キャッシュメモリと主記憶それぞれのアクセス時間の期待値を合算する。この式を覚えておけば，問題を少々捻られても十分解答できる。

例 主記憶へのアクセス時間が100ナノ秒，キャッシュメモリへのアクセス時間が20ナノ秒であるとき，実効アクセス時間を24ナノ秒以下にするには，少なくとも何%のヒット率が必要か。

求めるヒット率をrとすると，
(1−r)×100＋r×20 ≦ 24
→ 100−80r ≦ 24
→ r ≧ 0.95

⇒ 少なくともヒット率は95%必要

▶図1.8　計算例

1.2 OSの知識

OSの知識からは，主記憶管理や仮想記憶管理の問題が出題されることが多い。仮想記憶の仕組みも改めて整理しておこう。

出題用語と周辺知識

用語	説明
割込み	何らかの事象の発生をOSの中核であるカーネルに通知する仕組み。外部割込みと内部割込みに大別できる
内部割込み	実行中のプログラムが原因で発生する割込み
外部割込み	実行中のプログラムとは別に，外的な要因で発生する割込み
SVC：Super Visor Call	ユーザープログラムがOSの機能を利用するために行うシステムコール。SVC命令を実行すると内部割込みであるSVC割込みが発生する
メモリアロケーション	プログラムの実行のため，主記憶領域を割り当てること
ガーベジコレクション	プログラムが確保した主記憶領域のうち，実行に不要な領域を自動的に解放すること
メモリフラグメンテーション	主記憶領域の確保と開放を繰り返すことで，主記憶が断片化し利用効率が低下すること
仮想記憶	プログラムやデータをページに分け，必要なページのみを主記憶に読み込んで実行する方式
ページイン	実行に必要なページを補助記憶から主記憶へ読み込むこと
ページアウト	主記憶上のページを補助記憶に戻し，主記憶の空き領域を確保すること
ページフォールト	実行に必要なページが主記憶上に存在しない状態
スラッシング	ページフォールトが頻発し，ページイン／アウトが繰り返されることで，システムの性能が悪化する現象。主に主記憶不足が原因で発生する

■ 割込み制御

OSはプロセスを制御するため，常にイベントの発生を監視している。イベントの発生は，割込みと呼ばれる仕組みを用いてOSに通知され，OSは割込みの種類に応じた割込みルーチンを実行する。

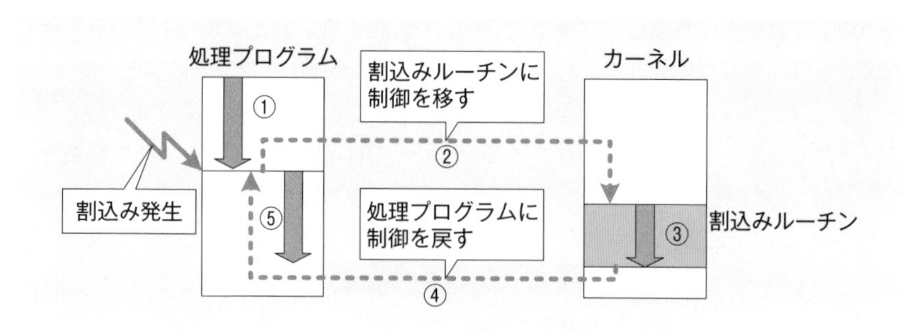

▶図1.9　割込み制御

割込みは，大きく外部割込みと内部割込みに分類される。

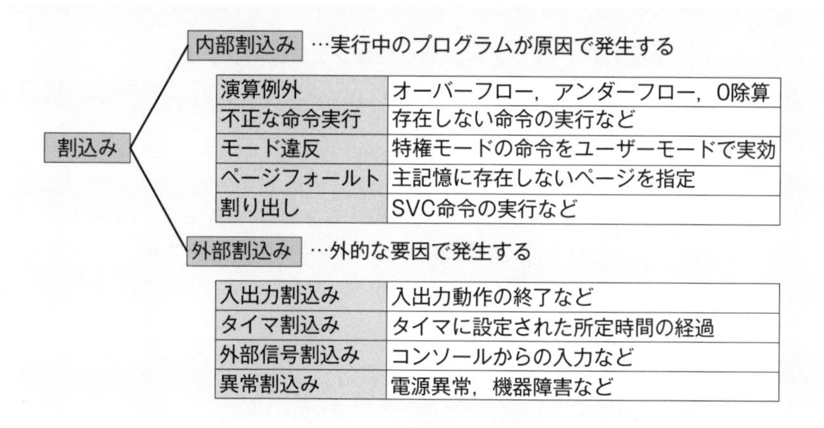

演算例外	オーバーフロー，アンダーフロー，0除算
不正な命令実行	存在しない命令の実行など
モード違反	特権モードの命令をユーザーモードで実効
ページフォールト	主記憶に存在しないページを指定
割り出し	SVC命令の実行など

入出力割込み	入出力動作の終了など
タイマ割込み	タイマに設定された所定時間の経過
外部信号割込み	コンソールからの入力など
異常割込み	電源異常，機器障害など

▶図1.10　割込みの分類

内部割込みの演算例外は**プログラム割込み**と呼ばれることもある。また，ユーザープログラムがOSのサービスを利用するためにSVC（Super Visor Call）命令を出すことで生じる内部割込みを**SVC割込み**という場合もある。

■主記憶管理

OSの記憶管理は，主記憶上の空き領域を「空き領域リスト」で管理している。プログラムが確保した領域のうち，使用を終えて解放された領域は記憶管理により自動的に空き領域リストに戻される。これを**ガーベジコレクション**と呼ぶ。

ガーベジコレクションだけでは，空き領域の管理は十分ではない。プログラムの実行や終了が繰り返されると，空き領域リストで管理されている領域の中に小さすぎて利用できない領域が多発する。この現象を，主記憶の断片化（フラグメンテーション）と呼び，フラグメンテーションを放置しておくと，主記憶の利用効率は低下してしまう。そこで，主記憶管理は適切なタイミングでプログラムを再配置し，空き領域を一つの利用可能な領域にまとめる。この処理をコンパクションと呼ぶ。

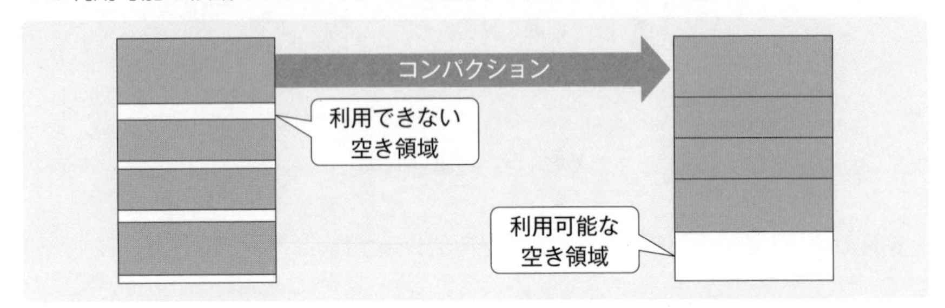

▶図1.11　フラグメンテーションとコンパクション

■仮想記憶と平均アクセス時間

主記憶のアクセス時間についても，オーバーヘッドを考慮した実効アクセス時間を計算する必要がある。例えば，仮想記憶を搭載するシステムで，実行に必要なページが主記憶上に存在しなければ，**図1.12**のようなページリプレースメントが発生し，これがアクセス上のオーバーヘッドになる。

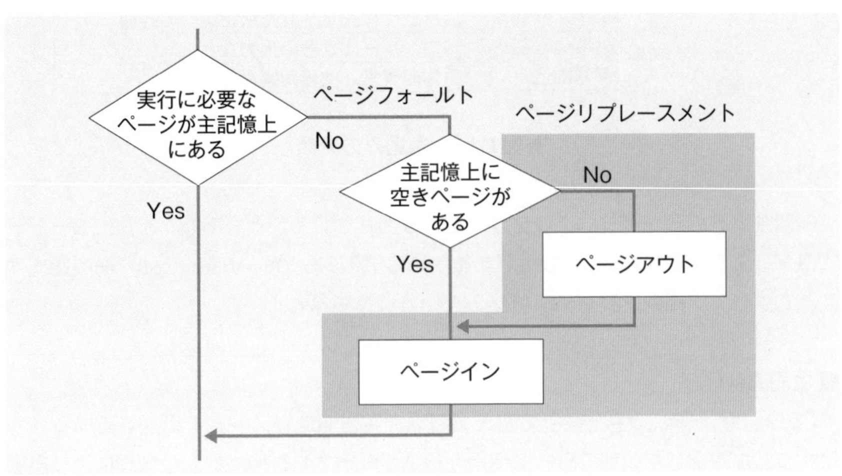

▶図1.12　ページリプレースメント

仮想記憶を搭載するシステムの主記憶の実効アクセス時間の計算は，ページフォールトが発生しない場合のアクセス時間の期待値と，ページフォールトが発生してオーバーヘッドが生じる場合のアクセス時間の期待値を求め，それらを合算すればよい。

例　ページング方式の仮想記憶において，主記憶への1回のアクセス時間が300ナノ秒で，主記憶アクセス100万回に1回の割合でページフォールトが発生し，ページフォールト1回当たり200ミリ秒のオーバーヘッドを伴うコンピュータがある。主記憶の実効アクセス時間は何ナノ秒か。

ページフォールトの発生確率は $\frac{1}{10^6}$

ページフォールトが発生すると，300ナノ秒のアクセス時間の他に，200ミリ秒(=200×10^6ナノ秒)のオーバーヘッドが発生するので，実行アクセス時間は

$$\left(1-\frac{1}{10^6}\right) \times 300+\frac{1}{10^6} \times (300+200 \times 10^6)$$

$$= 300+200=500[ナノ秒]$$

▶図1.13　実効アクセス時間の計算

1.3 ユーザーインタフェース

■ ユーザーインタフェース

人間と機械（コンピュータなど）との境界面を，ユーザーインタフェースという。ユーザーインタフェースの設計において，ユーザー（人間）にとっての使いやすさなどに重きを置いた設計を行うことを人間中心設計という。

■ ユーザビリティ（Usability）

システムの「使い勝手」や「使いやすさ」を表す言葉であり，処理の効率性やユーザーの満足度なども含む。国際規格のISO 9241-11では，特定の利用状況において，特定のユーザーによって，ある製品が指定された目標を達成するために用いられる際の有効さ，効率，ユーザーの満足度の度合いと定義されている。

複数のユーザーを被験者として，対象となる製品を使用してもらい，ユーザーの行動や発言などを観察することによって，隠れたユーザビリティの問題点を洗い出す手法を**ユーザビリティテスト**という。

■ インタラクティブシステム

ユーザーとシステムの間で対話型のやり取りができるシステムのことである。**双方**

向でやり取りを行いながら，ユーザーの使いやすさなどを向上させる。

インタラクティブシステムの人間中心設計プロセスを規定した国際規格として，ISO 13407がある。この規格は，設計プロセスそのものをユーザー中心にし，ユーザーにとっての使いやすさ，すなわちユーザビリティの向上を図るもので，次の四つの原則を示している。

・ユーザーの積極的な参加，及びユーザー並びに仕事の要求の明確な理解
・ユーザーと技術に対する適切な機能配分
・設計による解決の繰返し
・多様な職種に基づいた設計

■ アクセシビリティ（accessibility）

製品，建物，サービスなどや，ソフトウェア，情報サービス，Webサイトなどを，高齢者や障害者を含む誰もが利用できる，又は利用しやすいことをアクセシビリティという。利用のしやすさの度合いを表す意味でも使用される。例えば，マウスが使用できない人のためにキーボードのみで操作できるようにしたり，視覚障害者のために音声読み上げソフトを導入したりすることなどは，アクセシビリティの向上に有効である。

アクセシビリティガイドラインとして，JIS X 8341「高齢者・障害者等配慮設計指針－情報通信における機器，ソフトウェア及びサービス－」が制定されており，公的機関や民間企業に対して積極的にこれに準拠することが求められている。Webコンテンツのアクセシビリティに関するガイドラインであるJIS X 8341-3は，W3C（Web技術の標準化を行う非営利団体）が策定したウェブコンテンツ・アクセシビリティ・ガイドライン（WCAG）がもとになっている。

■ ユニバーサルデザイン（universal design）

年齢や能力，言語などの「壁」を取り払い，誰もが使いやすい設計を行おうという考え方である。メイスらによってユニバーサルデザインの７原則が提唱されている。

・あらゆる人が公平に使えること（Equitable Use）
・使用上の柔軟性が高いこと（Flexibility in Use）
・単純かつ直感的に使えること（Simple and Intuitive Use）
・必要な情報が知覚できること（Perceptible Information）
・誤りを招かないあるいは誤りが重大な結果にならないこと（Tolerance for Error）
・身体的な負担を軽減すること（Low Physical Effort）

・接近及び利用するためのサイズとスペースを確保すること（Size and Space for Approach and Use）

例えば，システム設計においては，次のようなものがある。

・文字だけでなく，アイコン（絵）を用いる
・音声による入出力が行えるようにする
・必要に応じて文字を大きく表示できるようにする

■ UX（User eXperience）デザイン

製品やサービスを通じてユーザーがどのような経験（ユーザーエクスペリエンス）を得られるかを意識して設計を行うことである。スマートフォンの外観をスタイリッシュにして高級感を演出する，購入した商品の金額に応じてポイントが貯まるポイントシステムを導入する，などはUXデザインに該当する。

■ 情報デザイン

身の回りにあふれる情報を，目的に応じて分かりやすく提示する手法のことである。どんな情報をどんなユーザーにどの程度提示するのかを明確にして，情報の選択，整理，階層化などを行う。

■ 画面・帳票設計

画面や帳票は，分かりやすく，使いやすいものでなければならない。一般には，次のようなことに留意して設計するのが効果的とされている。

▶表1.2　インタフェース設計時の留意点

画面の設計	項目の配置	・入力項目は，入力する順序に従って「左上から右下」へ流れるように配置する。 ・関連する項目は隣接して配置する。 ・既存の入力原票を見ながら入力する場合，その原票のレイアウトに近い配置にする。 姓　名　郵便番号　住所 ＜左上から右下へ＞　＜関連項目は隣接＞
	自動化	・郵便番号を入力すると住所が途中まで自動的に入力される，数量を入力すると「単価×数量」によって料金が自動設定されるなど，計算やファイル参照などで導出できる部分は自動化する。 ・ユーザーが入力する部分と，自動的に設定される部分の区別がつきやすいように表示を工夫する。 ・よく使う値が決まっている場合は，それをデフォルト値（既定値）としてあらかじめ設定しておく。
	習熟レベルの配慮	・初心者向けにはGUI部品やメニューを活用してわかりやすく，熟練者向けにはキーボードからの直接入力で高速に，といったように，ユーザー習熟度によって複数の操作を使い分けられるようにしておく。 ・初心者が操作中でもすぐに操作ガイドを閲覧できるよう，画面上にヘルプを表示するオンラインヘルプ形式の採用も検討する。
出力帳票の設計		・形式が固定しているような帳票は，あらかじめ罫線や表題などが印刷された専用用紙を用意しておく。 ・特別な理由がない限り，文字の種類や大きさ，罫線の太さなどのデザインは各帳票で統一（標準化）しておく。 ・部署ごと，地域ごとといったようにグループ分けが可能な場合は，その単位ごとに改ページする。

■GUI（Graphical User Interface）設計

GUIは，グラフィック画面とポインティングデバイスを用いて，分かりやすく，直感的に操作を行うためのユーザーインタフェースである。GUI設計においては，GUI部品の特徴と用途を把握しておくことが重要となる。代表的なGUI部品と画面の例を次に示す。

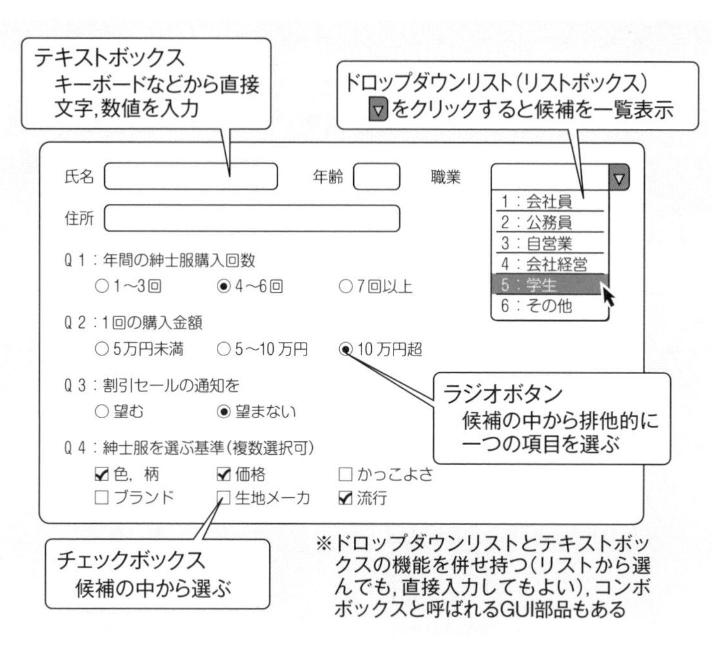

▶図1.14　GUI部品の特徴

■ 画面遷移設計

システムでは，メニュー画面やデータ入力画面など，状況に応じて画面が切り替わる。「各画面から，どの画面へ切り替わる（遷移する）か」という流れを整理して図に表したものを画面遷移図という。画面遷移図の形式にはいくつかあり，代表的なものとして，

・各画面を１本の線で表して平行に並べ，その間に遷移を表す矢線を引く
・各画面を丸や四角で表し，それぞれの間を矢線で結ぶ

などがある。

- システム開始時は，トップメニューを表示する。
- トップメニューからは，データ入力画面と一覧画面に遷移できる。
- データ入力画面で内容を入力した後，「変更」ボタンを押すと，確認画面に遷移する。入力をとりやめる場合は，「戻る」ボタンでトップメニューに戻る。
- 確認画面では，「確認」を押すとデータが登録され，トップメニューに戻る。「戻る」を押すとデータ入力画面に戻る。
- 一覧画面では，データ一覧が表示される。「戻る」ボタンでトップメニューに戻る。

という画面の切替わりを，画面遷移図に表すと次のようになる。

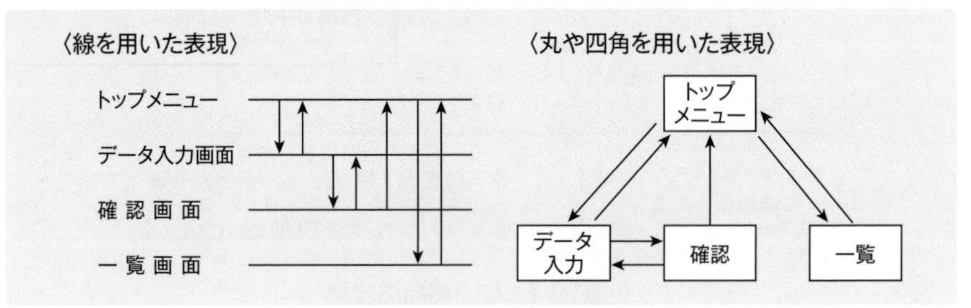

▶図1.15　画面遷移図の例

確認問題

問1 ☑□ □□ パイプラインの深さをD，パイプラインピッチをP秒とすると，I個の命令をパイプラインで実行するのに要する時間を表す式はどれか。ここで，パイプラインは1本だけとし，全ての命令は処理にDステージ分の時間がかかり，各ステージは1ピッチで処理されるものとする。また，パイプラインハザードについては，考慮しなくてよい。（R3問21）

ア　(I＋D)×P　　イ　(I＋D－1)×P　　ウ　(I×D)＋P　　エ　(I×D－1)＋P

問1　解答解説

パイプラインの深さ（D）は1命令を構成するステージ数（段数）を，パイプラインピッチ（P）は1ステージ（サイクル）当たりの実行時間を意味する。

パイプライン制御では命令が1ステージ分ずつずれて並列処理されるため，I個の命令を実行するのに必要な全ステージ数は，次のようになる。

命令数＋深さ－1＝I＋D－1

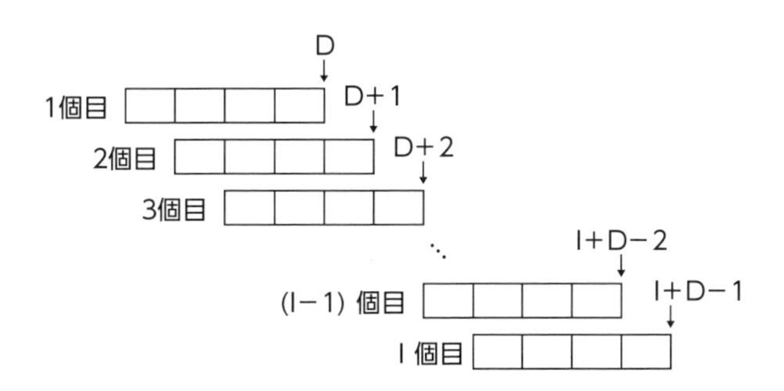

図　パイプライン処理

よって，この全ステージ数にパイプラインピッチP秒を乗じた，

(I＋D－1)×P

が，I個の命令を実行するのに要する時間となる。　《解答》イ

問2 ☑□ □□ 表のCPIと構成比率で，3種類の演算命令が合計1,000,000命令実行されるプログラムを，クロック周波数が1GHzのプロセッサで実行するのに必要な時間は何ミリ秒か。（H29問18）

演算命令	CPI（Cycles Per Instruction）	構成比率（%）
浮動小数点加算	3	20
浮動小数点乗算	5	20
整数演算	2	60

ア　0.4　　イ　2.8　　ウ　4.0　　エ　28.0

問2　解答解説

与えられたCPIと構成比率から，プログラムの平均CPI（1命令の平均クロックサイクル）を求めると，

$3 \times 0.2 + 5 \times 0.2 + 2 \times 0.6$

$= 0.6 + 1.0 + 1.2 = 2.8$

となる。よって，1,000,000命令を実行するために必要なクロックサイクルは，

$2.8 \times 1{,}000{,}000 = 2{,}800{,}000 = 2.8 \times 10^6$

であるから，これを1GHzのプロセッサで実行するのに必要な時間は，

$2.8 \times 10^6 \div 10^9$

$= 0.0028$ ［秒］

$= 2.8$ ［ミリ秒］

となる。

《解答》イ

問3

☑☐
☐☐

1台のCPUの性能を1とするとき，そのCPUをn台用いたマルチプロセッサの性能Pが，

$$P = \frac{n}{1 + (n-1)a}$$

で表されるとする。ここで，aはオーバヘッドを表す定数である。例えば，a＝0.1，n＝4とすると，P≒3なので，4台のCPUから成るマルチプロセッサの性能は約3になる。この式で表されるマルチプロセッサの性能には上限があり，nを幾ら大きくしてもPはある値以上には大きくならない。a＝0.1の場合，Pの上限は幾らか。

（H30問19，H25問19）

ア　5　　イ　10　　ウ　15　　エ　20

問3 解答解説

与えられた数式のnを無限大に接近させる極限値を計算すると，

$$\lim_{n\to\infty}\frac{n}{1+(n-1)a}$$
$$=\lim_{n\to\infty}\frac{n}{an+1-a}$$
$$=\lim_{n\to\infty}\frac{1}{a+\frac{1-a}{n}}=\frac{1}{a}$$

となる。これは，nをいくら大きくしても，$\frac{1}{a}$以上にはならないことを示している。よって，a＝0.1の場合，nをいくら大きくしても性能Pは10以上にはならない。《解答》イ

問4 ✔□□□ 容量がaMバイトでアクセス時間がxナノ秒の命令キャッシュと，容量がbMバイトでアクセス時間がyナノ秒の主記憶をもつシステムにおいて，CPUからみた，主記憶と命令キャッシュとを合わせた平均アクセス時間を表す式はどれか。ここで，読み込みたい命令コードが命令キャッシュに存在しない確率をrとし，キャッシュ管理に関するオーバヘッドは無視できるものとする。（R4問21）

ア $\frac{(1-r)\cdot a}{a+b}\cdot x+\frac{r\cdot b}{a+b}\cdot y$　　イ $(1-r)\cdot x+r\cdot y$

ウ $\frac{r\cdot a}{a+b}\cdot x+\frac{(1-r)\cdot b}{a+b}\cdot y$　　エ $r\cdot x+(1-r)\cdot y$

問4 解答解説

キャッシュメモリを用いる場合の平均アクセス時間は，キャッシュメモリにデータが存在しない確率（NFP：Not Found Probability）や存在する確率（ヒット率）を用いて，次式で算出することができる。ヒット率＋NFP＝1は常に成り立つ。

平均アクセス時間
＝（1－NFP）×キャッシュメモリのアクセス時間＋NFP×主記憶のアクセス時間
＝ヒット率×キャッシュメモリのアクセス時間＋(1－ヒット率)
×主記憶のアクセス時間

キャッシュメモリのアクセス時間がxナノ秒，主記憶のアクセス時間がyナノ秒，NFPがrとなっているので，これらを前述の式に代入すればよい。よって，平均アクセス時間を求める式は，

$(1-r)\cdot x+r\cdot y$

となる。《解答》イ

問5 ☑□ □□ SVC（SuperVisor Call）割込みが発生する要因として，適切なものはどれか。 (H27問18)

ア　OSがシステム異常を検出した。

イ　ウォッチドッグタイマが最大カウントに達した。

ウ　システム監視LSIが割込み要求を出した。

エ　ユーザプログラムがカーネルの機能を呼び出した。

問5　解答解説

SVC（SuperVisor Call）割込みとは，スーパーバイザすなわちOSのカーネル部分の機能を，ユーザープログラムが実行中に呼び出すことをいう。ユーザープログラムのプロセス自身が，プロセスの切換えを行ったり，例外処理を起動したりする場合に利用する。

割込みは，その発生要因によって，ハードウェアに起因する外部割込みと，ソフトウェアに起因する内部割込みに大別される。SVC割込みは内部割込みに分類される。

ア　内部割込みであるが，SVC割込みではない。

イ　外部割込みに分類される，タイマ割込みである。

ウ　システム監視LSIによる割込みは外部割込みで，電源異常などを監視する目的で用いられる。

《解答》エ

問6 ☑□ □□ ガーベジコレクションを行っている間は，全てのアプリケーションの実行が停止するWebアプリケーションサーバがある。Webアプリケーションサーバの仕様が次の場合，ガーベジコレクションによってアプリケーションの実行が停止している時間はCPU稼働時間のうちの何％となるか。ここで，WebアプリケーションサーバのCPU稼働時間はガーベジコレクションの処理時間とアプリケーションの処理時間から成り，その他の要因については考慮しないものとする。 (H24問19)

〔Webアプリケーションサーバの仕様〕

CPU数	1
CPU使用率	常に80％
ガーベジコレクション処理時間	1回当たり100ミリ秒
ガーベジコレクションの頻度	5秒間に1回

ア　2.00　　イ　2.50　　ウ　6.25　　エ　8.33

問6　解答解説

〔Webアプリケーションサーバの仕様〕によると，ガーベジコレクションは，5秒間に1回行われその処理時間は100ミリ秒である。一方，CPUの使用率は常に80％であるので，5秒間のCPUの稼働時間は，

　　5［秒］×0.8＝4［秒］

となる。これより，CPU稼働時間に対するガーベジコレクションの処理時間の割合は，

　　100［ミリ秒］÷4［秒］
　　＝0.1［秒］÷4［秒］
　　＝0.025

となり，2.50％となる。　　《解答》イ

問7 　ページング方式の仮想記憶において，主記憶の1回のアクセス時間が300ナノ秒で，主記憶アクセス100万回に1回の割合でページフォールトが発生し，ページフォールト1回当たり200ミリ秒のオーバヘッドを伴うコンピュータがある。主記憶の平均アクセス時間を短縮させる改善策を，効果の高い順に並べたものはどれか。　(R元問19，H25問20)

〔改善策〕

a　主記憶の1回のアクセス時間はそのままで，ページフォールト発生時の1回当たりのオーバヘッド時間を$\frac{1}{5}$に短縮する。

b　主記憶の1回のアクセス時間を$\frac{1}{4}$に短縮する。ただし，ページフォールトの発生率は1.2倍となる。

c　主記憶の1回のアクセス時間を$\frac{1}{3}$に短縮する。この場合，ページフォールトの発生率は変化しない。

ア　a，b，c　　イ　a，c，b　　ウ　b，a，c　　エ　c，b，a

問7　解答解説

改善策a，b，cの主記憶アクセス100万（1×10^6）回にかかる所要時間を求める。

〔改善策a〕

・主記憶アクセス1回の時間が300ナノ秒（3×10^{-4}ミリ秒）
・ページフォールトの発生回数が1回（主記憶アクセスが100万回なので）
・ページフォールト1回当たりのオーバヘッドが40ミリ秒

　　所要時間＝$1\times10^6\times3\times10^{-4}+1\times40$
　　　　　　＝300＋40

$=340$ [ミリ秒]

〔改善策b〕

・主記憶アクセス１回の時間が75ナノ秒（0.75×10^{-4}ミリ秒）

・ページフォールトの発生回数が1.2回

・ページフォールト１回当たりのオーバヘッドが200ミリ秒

$$所要時間=1\times10^{6}\times0.75\times10^{-4}+1.2\times200$$
$$=75+240$$
$$=315\ [ミリ秒]$$

〔改善策c〕

・主記憶アクセス１回の時間が100ナノ秒（1×10^{-4}ミリ秒）

・ページフォールトの発生回数が１回

・ページフォールト１回当たりのオーバヘッドが200ミリ秒

$$所要時間=1\times10^{6}\times1\times10^{-4}+1\times200$$
$$=100+200$$
$$=300\ [ミリ秒]$$

これらから，改善策を効果の高い順に並べると，c，b，aとなる。　《解答》エ

問8 ✔□□□　ユーザインタフェースのユーザビリティを評価するときの，利用者が参加する手法と専門家だけで実施する手法との適切な組みはどれか。

（AP・R4春問24）

	利用者が参加する手法	専門家だけで実施する手法
ア	アンケート	回顧法
イ	回顧法	思考発話法
ウ	思考発話法	ヒューリスティック評価法
エ	認知的ウォークスルー法	ヒューリスティック評価法

問8　解答解説

選択肢にある各手法の概要は次のようになる。

アンケート：質問項目を書いたアンケート用紙に解答してもらい，回収して集計する

回顧法：ユーザーなどの評価者に実際に製品などを使用してもらう評価法の一つ。使用後に思ったことや感じたことをヒアリングし，記録，評価，分析する

思考発話法：ユーザーなどの評価者に実際に製品などを使用してもらう評価法の一つ。使用しながら思ったことや感じたことをそのつど口にしてもらい，それを記録，評価，

分析する

ヒューリスティック評価法：専門家などが自身の経験則に基づいてインタフェースを評価する手法。短期間で効率の良い評価が可能な反面，評価者のスキルや嗜好によって評価が変わってしまうという短所を持つ

認知的ウォークスルー法：担当者がユーザーの思考や行動を想定しながら，ユーザー代理の立場で製品を評価する手法。評価を行う一般ユーザーを手配できない場合やユーザーテストを行う前の問題点の洗出しなどで用いられる

よって，各立場と手法を適切に組み合わせているのは，

利用者の立場から：思考発話法

専門家の立場から：ヒューリスティック評価法

である。

《解答》ウ

問9 ☑☐☐☐ Webページの設計の例のうち，アクセシビリティを高める観点から最も適切なものはどれか。（AP・H30春問24）

ア　音声を利用者に確実に聞かせるために，Webページを表示すると同時に音声を自動的に再生する。

イ　体裁の良いレイアウトにするために，表組みを用いる。

ウ　入力が必須な項目は，色で強調するだけでなく，項目名の隣に“(必須)”などと明記する。

エ　ハイパリンク先の内容が推測できるように，ハイパリンク画像のalt属性にリンク先のURLを付記する。

問9　解答解説

アクセシビリティ（accessibility）は，“年齢や国籍の別，障がいの有無などを問わず，誰もが利用できる（使用法を理解できる）”ことを表す言葉である。アクセシビリティに関するガイドラインには，W3Cが策定したウェブコンテンツ・アクセシビリティ・ガイドライン（WCAG）や，それをもとに改訂されたJIS X 8341-3などがある。いずれにおいても，情報を伝える場合の視覚的手段として「色だけを使用してはならない」ことが示されている。入力が必須の項目を色で強調することは，白黒表示のディスプレイ環境しかない場合や，色覚に問題を抱えるユーザーの場合には認識できない可能性がある。色による区別だけでなく文字情報を付け加えることで，より多くの人が認識できるようになり，アクセシビリティが高まるといえる。

ア　音声が最初から無条件で自動再生されると，スクリーンリーダー（テキストを読み上げる機能）を用いるユーザーの邪魔になる危険性がある。音声再生の制御については，ユーザーによる音量調整や再生・停止が制御できる機能を提供するのが望ましいとされ

ている。

イ　表組み（テーブル構造）はあくまでも表としての意味を持たせる場合に用いるべきであり，単にレイアウト目的であれば，表組みではなくCSS（スタイルシート）を用いるべきとされている。

エ　画像のalt属性には，“次へ”などのように，その画像がどんな内容（意味）を持つかという情報を代替テキストとして記述すべきである。　《解答》ウ

2 システム構成技術

Point! システム構成技術に関しては，午前Ⅱ試験での出題が中心である。特にストレージ系の問題は，繰返し出題されているので注意が必要である。計算問題については稼働率の計算以外目立った出題はない。また，出題実績はないものの，今後重要性が増すと思われる仮想化技術についても整理しておきたい。

2.1 システム構成

分散システムについて，どのような構成がどのような目的で用いられるのか整理しておこう。

出題用語と周辺知識

集中処理システム	大型で高性能なコンピュータをセンターに設置し，全ての機能をセンターに集約するシステム方式
分散処理システム	複数のコンピュータに機能を分散させるシステム方式。機能をサーバに分けるクライアント／サーバ型のシステム構成は，分散処理システムに分類される
クライアント／サーバ	サービスを提供するサーバと，サービスを要求するクライアントからなるシステム方式
RPC：Remote Procedure Call	遠隔手続き呼出し。ネットワークで接続された遠隔地のコンピュータ上の処理を呼び出す仕組み
クラスタリング	同一の機能をネットワークで結合した複数のコンピュータで提供することで，信頼性や性能の向上を図る技術
スケールアウト	クラスタリングにおいて，コンピュータ（サーバ）を増やして処理性能を向上させること
グリッドコンピューティング	広い範囲に存在するコンピュータシステムを，インターネットなどの広域網を用いて接続し，大規模な処理を実行する方法
ロードバランサー	複数のサーバに処理を振り分けることで，負荷分散を実現する機器
仮想化	1台のコンピュータ上でOSを含めた複数の実行環境を提供する技術

■分散処理システムの透過性

分散処理システムでは，物理的に離れた場所にサーバやデータなどの資源を分離するが，そのことをユーザーやアプリケーションなどの利用者から隠さなければならない。これを，分散システムの透過性と呼ぶ。分散システムの透過性には，**表2.1**のものがある。

▶**表2.1　分散システムの透過性**

アクセス透過性	利用者が遠隔地の資源を，ローカルと同じようにアクセスできること
位置透過性	利用者が資源の位置に関する情報を知らなくても利用できること
移動透過性	資源の場所を移動しても，利用者には影響しないこと
規模透過性	システムの構造を変更することなく，規模の拡張が可能であること
障害透過性	個々の資源に障害が発生しても，利用者が意識することなく利用できること
複製透過性	資源の複製を利用する場合でも，利用者が意識することなく（一つの資源として）利用できること
並行透過性	複数の利用者が，同時に並行して同じ資源を利用できること

これらの透過性を実現するため，様々な技術や仕組みが取り入れられている。

インターネット上の様々な資源をURLを用いてアクセスするとき，利用者は「サーバが実際にはどこに存在するか」を意識しない。つまり，位置に関する透過性が実現されているからである。また，障害が発生した場合でも，障害部分を切り離して処理を継続できるため，利用者は個々のコンピュータに障害が起きていることを認識することなく，システムを利用できる。これは，コンピュータをクラスタリング構成にして，障害透過性を実現しているからである。

■ロードバランサー

ロードバランサー（負荷分散装置）とは，クライアントからの要求を複数台のサーバに振り分ける装置である。ロードバランサーと複数のサーバでクラスタを構成することで，サーバグループを１台の高性能サーバであるかのように振る舞わせることができる。ロードバランサーには，負荷分散機能のほかにも，**表2.2**の機能が実装されている。

▶**表2.2 ロードバランサーの機能**

セッション維持機能	同じセッションのパケットは同一のWebサーバに振り分ける
稼働監視機能	サーバやアプリケーションの状況を監視し，障害を検知した場合にはそのサーバを切り離し，アクセスを振り分けないようにする
SSLアクセラレータ機能	SSL処理（暗号化／復号）をWebサーバに代わって実行する
アクセス集中への対応	想定外の大量アクセスが発生したとき，アクセスをsorryサーバへ振り分け，「ただいま，アクセスが込み合っています」などのメッセージを表示する

ロードバランサーが行う稼働監視は，製品によってレベルが異なるため，導入の際には十分注意しなければならない。例えば，サーバに対する疎通確認（ping）しか行わない製品では，ネットワークは接続されているものの，アプリケーションがダウンしているような障害は検知できない。アプリケーションの稼働監視を行うには，サーバのアプリケーションURLにアクセスして結果を確認するなどの処理が必要である。

■ 仮想化

仮想化は，１台のコンピュータ上でOSを含めた複数の実行環境を提供する技術で，仮想化によって１台のサーバマシン上で「OSの異なる複数のサーバプロセス」を実行することが可能になる。このとき，サーバ上に構築された「個々の仮想的な実行環境」を仮想マシン，サーバ上で動作するOSをホストOS，仮想マシン上で動作するOSをゲストOSと呼ぶ。

仮想化には**図2.1**のような方式がある。

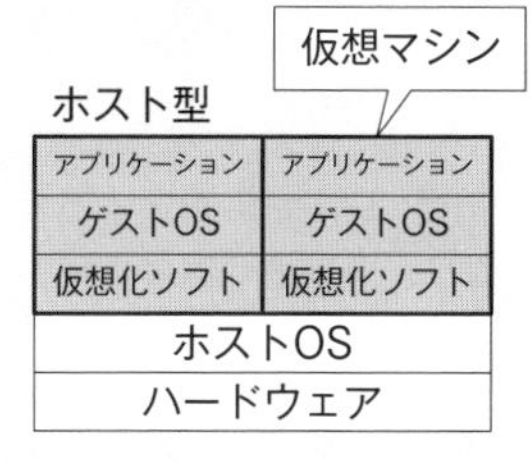

▶**図2.1 仮想化の方式**

ホスト型はホストOS上に仮想マシンを構築する方式で，すでに運用しているコンピュータ上に仮想マシンを構築することができる。ただし，仮想化ソフトウェアとホストOSを稼働しなければならないため，速度面に不利がある。**ハイパーバイザ型**は，仮想化に特化したハイパーバイザ上に仮想マシンを構築する方式で，ホストOSを必要としない分，ホスト型に比べると高速に動作する。**コンテナ型**は，アプリケーションの実行に特化したコンテナを用いる方式で，ゲストOSを用いる仮想マシンとは考え方が異なる。コンテナはアプリケーションの実行に必要最小限の資源しか必要としないため，効率が良い。ただし，他の方式に比べると，運用が煩雑になる傾向がある。

2.2 ストレージ技術

午前Ⅱ試験では，システム構成からはストレージ技術に関する問題が繰返し出題されている。特に，SANとファイバーチャネルの関係は押さえておこう。

出題用語と周辺知識

用語	説明
DAS：Direct Attached Storage	サーバに接続され，サーバを介してアクセスされる補助記憶装置
NAS：Network Attached Storage	LANに接続され，複数のコンピュータからアクセスされる補助記憶装置
SAN：Storage Area Network	ストレージ専用のネットワークに接続される補助記憶装置。非常に高速なアクセスができる
ファイバーチャネル	ストレージ専用ネットワークを構築する技術の一つ。光ファイバーを用いて非常に高速なアクセスを実現する
DAFS	ストレージを異なるコンピュータから直接アクセスするための，ファイル共有プロトコル
RAID	磁気ディスクを並列化・多重化することで，性能や信頼性を向上させる技術
シン・プロビジョニング	磁気ディスクを効率的に利用する技術。利用者に提供する仮想ボリュームのうち，実際に使用されている容量を物理的に磁気ディスクに割り当てる

■ DAS・NAS・SAN

磁気ディスクなどのストレージを，異なるコンピュータから共有する方式として，DAS，NAS，SANなどの方式がある。

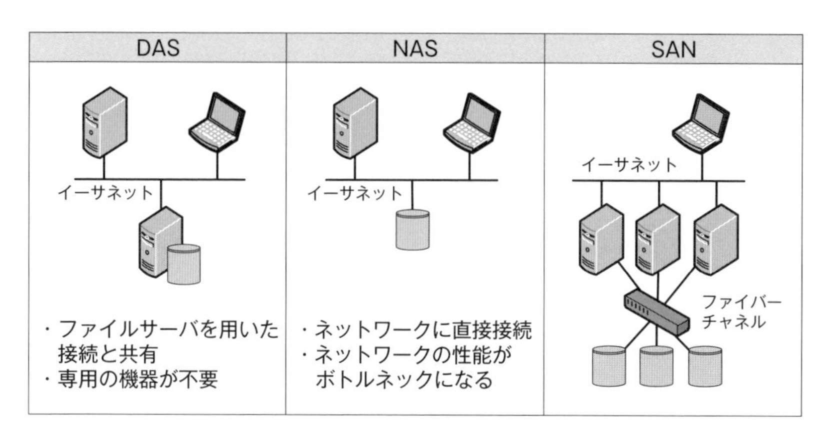

▶図2.2　DAS・NAS・SAN

NASとSANは，共にストレージをネットワークに接続する。NASはイーサネットなどの汎用ネットワークに接続されるため，ネットワークの性能がボトルネックになることがある。これに対し，SANは高速なストレージ専用のネットワークを用いるため，NASに比べて高速で信頼性の高いアクセスが実現できる。

■ RAID

RAIDとは，システムの性能や信頼性を向上させるために，磁気ディスクの並列化や多重化する技術の総称である。RAIDには**図2.3**のような方式がある。

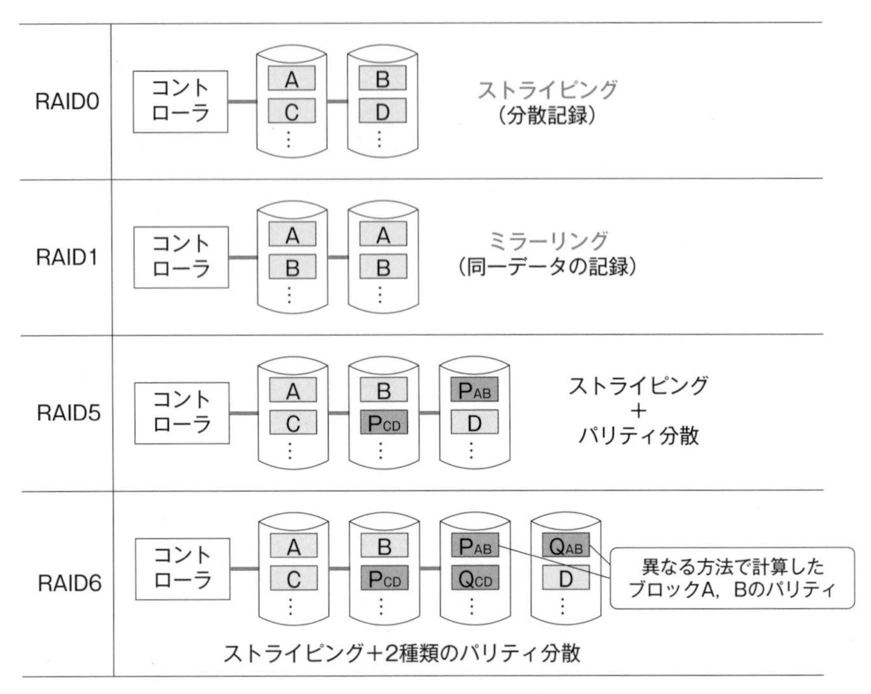

▶図2.3　RAIDの方式

RAID0を除く各方式は，データ及び冗長ビットの記録方法と記録場所の組合せ方が異なる。**RAID5**は，３台以上の磁気ディスクで構成され，障害が発生した磁気ディスクが１台であれば，他の２台の磁気ディスクの内容から復旧できる。しかし，同時に２台以上の磁気ディスクに障害が発生した場合には復旧できない。**RAID6**は，２種類のパリティを記録しているので，同時に障害が発生した磁気ディスクが２台までなら復旧できる。

なお，RAID2，RAID3，RAID4は現在は使われていない。RAID2は**冗長ビット**の記録方法にハミング方式を用いていた。RAID3とRAID4はRAID5と同様に冗長ビットにパリティを用いていたが，冗長ビットは分散せず固定のディスク（パリティディスク）に記録していた。

2.3 システムの信頼性とフォールトトレランス技術

稼働率の計算以外にも，信頼性関連の知識やフォールトトレランスの用語を整理しておこう。

出題用語と周辺知識

MTBF：Mean Time Between Failures	故障が回復してから次の故障が発生するまでの平均時間。平均故障間隔
MTTR：Mean Time To Repair	故障発生から復旧までに要する平均時間。平均修理時間
稼働率	システムが稼働している割合。MTBF ／（MTBF＋MTTR）
故障率	本来は故障が発生する確率だが，情報処理技術者試験では，システムが故障によって使えない確率（1－稼働率）の意味で用いられることが多い
フォールトトレランス	システムの構成要素に障害が生じても正常に稼働し続けること。主要な構成要素を多重化することで実現できる
フォールトアボイダンス	障害の発生自体を抑えることで，システムの信頼性を向上させること。品質管理などを通して，個々のシステム要素の信頼性を高めることで実現できる
フェールオーバー	多重化された要素の一方に障害が発生したとき，自動的に他方に切り替える仕組み
フェールソフト	障害によって機能が低下しても，停止させずにシステムの稼働を継続すること
フォールバック	フェールソフトによって，機能を縮小した状態でシステムを稼働すること。縮退運転
フェールセーフ	障害が発生したとき，あらかじめ指定された安全な状態に誘導すること

■ 稼働率の計算

午前Ⅱ試験では，稼働率を求める「やや捻った」問題が出題されることがあるが，基本は直列／並列システムの稼働率である。改めて整理しておこう。

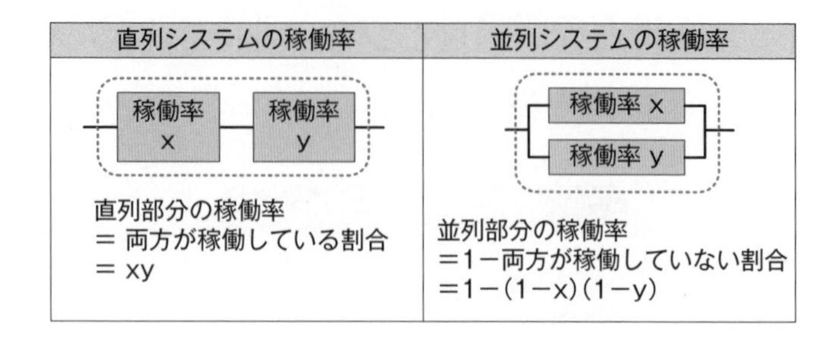

▶図2.4　稼働率の計算式

例　ホストコンピュータとそれを使用するための2台の端末を接続したシステムがある。ホストコンピュータの故障率をa，端末の故障率をbとするとき，このシステムが故障によって使えなくなる確率を示せ。ここで，端末は1台以上が稼働していればよく，通信回線など他の部分の故障は発生しないものとする。

・ホストと端末はどちらも利用できなければならないので直列接続
・端末は2台のうち1台が稼働していればよいので，端末部分は並列接続とモデル化できる。

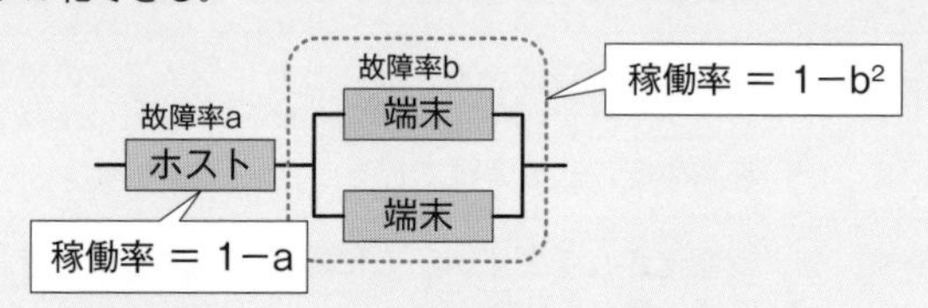

システム全体の稼働率=$(1-a)(1-b^2)$
システムが故障によって使えなくなる確率=1−稼働率=$1-(1-a)(1-b^2)$

▶図2.5　稼働率の計算例

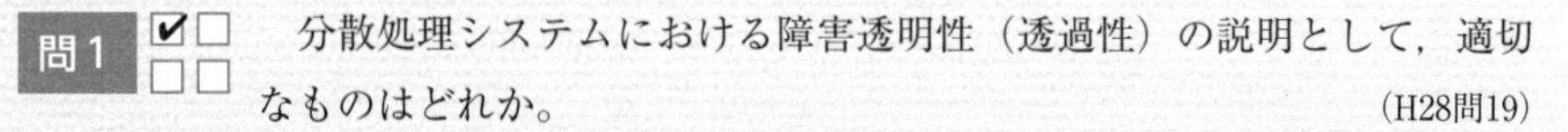

確認問題

問1 ☑☐☐☐ 分散処理システムにおける障害透明性（透過性）の説明として，適切なものはどれか。 (H28問19)

ア　管理者が，システム全体の状況を常に把握でき，システムを構成する個々のコンピュータで起きた障害をリアルタイムに知ることができること

イ　個々のコンピュータでの障害がシステム全体に影響を及ぼすことを防ぐために，データを１か所に集中して管理すること

ウ　どのコンピュータで障害が起きてもすぐ対処できるように，均一なシステムとなっていること

エ　利用者が，個々のコンピュータに障害が起きていることを認識することなく，システムを利用できること

問1　解答解説

分散処理システムにおける障害透明性（透過性）とは，利用者が使用中のコンピュータで障害が発生しても，他のコンピュータが処理を引き継ぐという運用方法によって，利用者が障害が起きたことを意識することなくシステムを利用できる性質をいう。なお，分散処理システムの透過性には，代表的なものとしてほかにも次のような透過性がある。

規模透過性：OSやアプリケーションの構成に影響を与えることなくシステムの規模を変更できること
移動透過性：データを他のサーバに移動させても影響が出ないこと
性能透過性：性能を改善するためにシステムを再構成できること
複製透過性：データが複数のサーバに重複して格納されていても意識せずに利用できること
位置透過性：データの存在位置を意識せずにアクセスできること
並行透過性：複数プロセスを同時に処理できること

《解答》エ

問2 ☑☐☐☐ Webシステムにおいて，ロードバランサ（負荷分散装置）が定期的に行っているアプリケーションレベルの稼働監視に関する記述として，最も適切なものはどれか。 (H22問19)

ア　WebサーバでOSのコマンドを実行し，その結果が正常かどうかを確認する。

イ　Webサーバの特定のURLにアクセスし，その結果に含まれる文字列が想定値と一致するかどうかを確認する。
ウ　Webサーバの特定のポートに対して接続要求パケットを発行し，確認応答パケットが返ってくるかどうかを確認する。
エ　ネットワークの疎通を確認するコマンドを実行し，Webサーバから応答が返ってくるかどうかを確認する。

問2　解答解説

ロードバランサ（負荷分散装置）が行うアプリケーションレベルの稼働監視は，Webサーバが活動しているかどうかだけでなく，正常に動いているかどうかも含めたところまでの監視となる。したがって，Webサーバの特定のURLにアクセスして，結果の妥当性を確認するところまでが含まれる。

ア　OSレベルの稼働監視に該当する。
ウ　トランスポートレベルの稼働監視に該当する。
エ　ネットワークレベルの稼働監視に該当する。　《解答》イ

問3 ✔□□□　磁気ディスク装置や磁気テープ装置などの外部記憶装置とサーバを，通常のLANとは別の高速な専用ネットワークで接続してシステムを構成するものはどれか。（H30問22，H28問22，H25問23，H23問22）

ア　DAFS　　イ　DAS　　ウ　NAS　　エ　SAN

問3　解答解説

磁気ディスク装置や磁気テープ装置などのストレージ（補助記憶装置）をネットワーク上に配置する方式として，DAS，NAS，SANなどがある。これらのうち，SAN（Storage Area Network）はファイバチャネルなどを用いてLANとは別の高速な専用ネットワークを構築し，そのネットワーク上にストレージを接続する方式である。通常のLANに大きな負担をかけることなくデータにアクセスすることができる。

DAFS（Direct Access File System）：高スループット，低遅延を実現するファイル共有プロトコル
DAS（Direct Attached Storage）：ストレージを接続したサーバやホストコンピュータをネットワークに接続し，ネットワーク上で共有利用できるようにする方式
NAS（Network Attached Storage）：専用のストレージをネットワークに直接接続し，ネットワーク上で共有利用できるようにする方式。SANのように専用のネットワークを用意する必要がなく，ネットワーク上からは通常のファイルサーバのように

見える 《解答》エ

問4 ☑☐☐☐ ストレージのインタフェースとして用いられるFC（ファイバチャネル）の特徴として，適切なものはどれか。 (H30問18)

ア　TCP/IPの上位層として作られた規格である。
イ　接続形態は，スイッチを用いたn対n接続に限られる。
ウ　伝送媒体には電気ケーブル又は光ケーブルを用いることができる。
エ　物理層としてパラレルSCSIを用いることができる。

問4　解答解説

FC（ファイバチャネル）は，コンピュータ（サーバ）と周辺機器（ストレージ）間のデータ転送方式の一つであり，ストレージのインタフェースとして用いられている。伝送媒体に，最大転送速度32Gビット/秒の光ケーブルや電気ケーブル（同軸ケーブルなど）を使用し，最大伝送距離10kmの高速データ転送を実現する。

ア　TCP/IPの上位層ではなく，TCP/IPを包含して作られている。FCはF0からF4の５層で構成され，F2がIPに，F3がTCPにそれぞれ対応している。
イ　接続形態としては，サーバとストレージとの１対１接続やn対１接続，スイッチを介するn対n接続のいずれもが可能である。
エ　パラレルSCSIを用いるのは，物理層ではなく，トランスポート層である。《解答》ウ

問5 ☑☐☐☐ クラウドサービスに関係するデータのうち，クラウドサービス派生データに関する記述はどれか。 (R5問23)

ア　あるクラウドサービスから別のクラウドサービスへ移行するときに，データの再入力が不要で，移行先でも活用されるデータ
イ　クラウドサービスの提供者の管理下にあり，データセンター全体の構成や，ストレージのリソース配分などのクラウドサービスの維持に使用するデータ
ウ　利用者がクラウドサービスの公開インタフェースを使って入力したデータやサービスを実行して作成したデータ
エ　利用者がクラウドサービスを利用した時間や作業内容などが記録されたログデータ

問5　解答解説

クラウドサービスを利用する場合，クラウドサービスに関係するデータとしては，クラウドサービスの契約に関する契約データ，クラウドサービス利用者が扱うデータ，クラウドサービス派生データなどがある。クラウドサービス派生データとは，利用者がクラウドサービスを利用することによって生じるデータで，利用者の誰が，いつ，どのような作業を行ったかが記録されたログデータのことを指す。クラウドサービス派生データ及び契約データは，クラウドサービスプロバイダーによって適切に管理されなくてはならない。

ア　データの可搬性に関する説明である。

ウ　クラウドサービス利用者が扱うデータに該当する。クラウドサービス利用者が扱うデータは，クラウドサービス利用者に管理責任がある。　《解答》エ

問6

☑□
□□

RAID 1～5の方式の違いは，何に基づいているか。　（H28問18）

ア　構成する磁気ディスク装置のアクセス性能

イ　コンピュータ本体とのインタフェース

ウ　磁気ディスク装置の信頼性を示すMTBFの値

エ　データ及び冗長ビットの記録方法と記録位置との組合せ

問6　解答解説

RAID（Redundant Arrays of Inexpensive Disks：ディスクアレイ）は，アクセスの高速化及びデータの高信頼性を実現する目的で，複数のディスク装置を並列化・多重化する，ディスクの冗長構成技法である。RAIDには，データの記録方法の違い，パリティ（冗長）ビットの有無や記録方法・記録位置の違いによって，いくつかの方式がある。

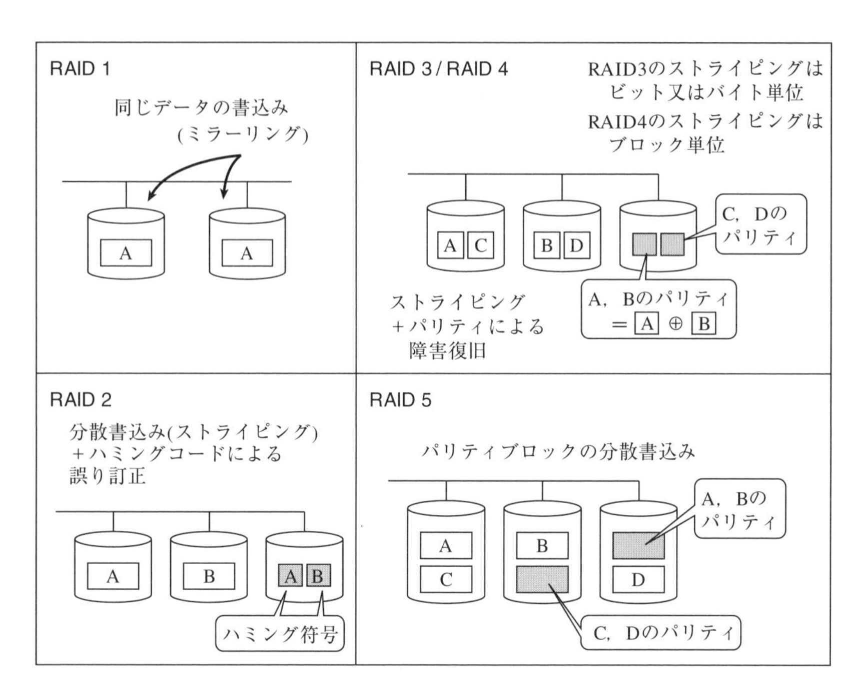

図　RAIDの分類

《解答》エ

第2部 関連知識

問7 ☑☐☐☐　データベースサーバのクラスタリング技術の特徴のうち，シェアードエブリシングはどれか。 (R4問22)

ア　クラスタリング構成にして可用性を高めることによって，故障発生時に担当していた範囲のデータを待機系のサーバに引き継ぐことができる。

イ　サーバごとに管理する対象データが決まっているので，1台のサーバに故障が発生すると故障したサーバが管理する対象データを処理できなくなり，システム全体の可用性が低下する。

ウ　データを複数の磁気ディスクに分割配置し，更にサーバと磁気ディスクが1対1に対応しているので，複数サーバを用いた並列処理が可能になる。

エ　負荷を分散し，全てのサーバのリソースを有効活用できることに加えて，データを共有することによって1台のサーバに故障が発生したときでも処理を継続することができる。

問7　解答解説

シェアードエブリシングは，全てのサーバが一つのデータベースを共有（シェア）する技術である。複数のサーバを同時に稼働することができるため，サーバ処理の負荷分散が可能となり，サーバリソースの有効活用が可能になる。さらに，データベースが共有されているので，あるサーバに障害が発生しても，他のサーバによって処理を継続することが可能となる。

ア　デュプレックスシステムの説明である。

イ，ウ　シェアードナッシングの説明である。シェアードナッシングは，サーバごとに操作できるデータが決まっており，他のサーバから操作できない。そのため，複数のサーバによる並列処理が可能になるが，あるサーバに障害が発生するとそのサーバの対象データの処理ができなくなる。

《解答》エ

問8

幾つかのサブシステムから成るシステムの信頼性に関する記述のうち，適切なものはどれか。（R4問23）

ア　あるサブシステムで発生したフォールトの影響が他のサブシステムに波及することを防ぐフォールトマスクは，システムのMTBFは変化させないが，MTTRの短縮につながる。

イ　サブシステムにフォールトが検出されたとき，再試行すると正しい結果が得られる場合もあるので，再試行はシステムのMTBFの向上とMTTRの短縮につながる。

ウ　サブシステムの稼働中に行われるフォールトの検出は，システムを停止せず行われるので，システムのMTTRは変化させないが，MTBFの向上につながる。

エ　フォールトが発生したあるサブシステムを切り離して，待機系のサブシステムに自動で切り替えるフェールオーバは，システムのMTBFは変化させないが，MTTRの短縮につながる。

問8　解答解説

MTBF（Mean Time Between Failure：平均故障間隔）は，故障などにより停止していたシステムが稼働を再開してから，次に故障などによって停止するまでの平均時間であり，システムが“正常に稼働している時間”である。MTTR（Mean Time To Repair：平均修理時間）は，故障したシステムの復旧にかかる平均時間であり，“復旧にかかる時間”である。

フォールトとは，サブシステムレベルの異常な状態又は欠陥であって故障につながる可能性があるものである。幾つかのサブシステムから成るシステムにおいて，「フォールトが発生したあるサブシステムを切り離して，待機系のサブシステムに自動で切り替えるフェールオーバは，システムのMTBFには影響しないが，MTTRの短縮につながる」といえる。

ア　フォールトマスクは，あるサブシステムで発生したフォールトの影響が他のサブシステムに波及することを防ぐので，システムのMTBFの向上につながるが，MTTRは変化しない。

イ　サブシステムにフォールトが検出され再試行して正しい結果が得られる場合もあるので，再試行はシステムのMTBFを向上させる。しかし，MTTRは変化しない。《解答》エ

問9 ☑☐☐☐　故障の予防を目的とした解析手法であるFMEAの説明はどれか。

(R4問10，H29問12)

ア　個々のシステム構成要素に起こり得る潜在的な故障モードを特定し，それらの影響度を評価する。

イ　故障を，発生した工程や箇所などで分類して分析し，改善すべき工程や箇所を特定する。

ウ　発生した故障について，故障の原因に関係するデータ，事象などを収集し，"なぜ"を繰り返して原因を掘り下げ，根本的な原因を追究する。

エ　発生した故障について，その引き金となる原因を列挙し，それらの関係を木構造で表現する。

問9　解答解説

FMEA（Failure Mode and Effect Analysis：故障モード影響解析）は，故障の効果的な防止に役立てるために，故障モードに着目して故障を解析する手法である。故障モードとは，故障の原因をいくつかに分類したものである。システムの構成要素に起こり得る故障モードを特定して，故障の発生確率や故障が発生した場合の影響度などを事前に解析・評価して，対策を講じる。

イ　故障原因の一般的な分類方法の説明である。

ウ　トヨタが活用する不具合の根本的解析ツール，なぜなぜ分析の説明である。

エ　FTA（Fault Tree Analysis：故障の木解析）の説明である。　《解答》ア

問10 ☑☐☐☐　ヒューマンインタフェースをもつシステムにおいて，機能とヒューマンインタフェースとの相互依存を弱めることによって，修正性や再利用性を向上させることを目的としたアーキテクチャパターンはどれか。

(R5問４)

ア　MVC　　　　イ　イベントシステム

ウ　マイクロカーネル　　　　エ　レイヤー

問10　解答解説

MVC（Model View Controller）は，ヒューマンインタフェースを持つシステムを実装するためのアーキテクチャパターンの一つである。システムをモデル（model），ビュー（view），コントローラー（controller）に分割することで，内部データをユーザーが利用する情報から分離する。これによって，機能とヒューマンインタフェースの相互依存性が弱まり，修正や再利用がしやすくなる。

イベントシステム：イベントが発生した場合に決められた処理手順を実行するアーキテクチャパターン。システムの開発生産性や保守性が向上する
マイクロカーネル：OSはメモリ管理やタスク管理などの最小限の機能を提供するだけで，他の機能はサーバプロセスが提供するアーキテクチャパターン
レイヤー：層という意味の語。階層状の構造を持つシステム，アプリケーション，ネットワーク，ハードウェアにおいて，階層のそれぞれの要素をレイヤーという

《解答》ア

3 データベース技術

Point!

データ分析や設計は，システム開発の非常に重要な柱である。システムアーキテクトは，データベーススペシャリストと協力して，データベースの基本的な設計に携わらなければならない。データベース関連の問題は，午前Ⅱ試験でも比較的多く出題される。目立ったテーマへの偏りはないので，まんべんなく対策しよう。

3.1 関係データベース理論

関係データベースの基礎知識は，システムアーキテクトにとって必須の知識である。特に，概念モデルの設計やテーブル（表）の設計などのDBの設計は，午後試験でも問われる可能性がある。しっかりと対策しておきたい。

出題用語と周辺知識

用語	説明
候補キー	行を一意に識別するために必要な，属性の最小限の組合わせ。 候補キーのうち，意味的に最もふさわしいものが主キーとなる
主キー制約	主キーに課せられる制約。一意性制約と非ナル制約がある 一意性制約：表の中で主キーは必ず一意である（行ごとに異なる）こと 非ナル制約：主キーに含まれる属性は空値（NULL）をとらないこと
外部キー	他の表を参照するためのキー
外部キー制約	外部キーに課せられる制約。参照制約とも呼ばれる 参照制約：外部キーの値が参照先の表に必ず存在すること
第1正規形	全ての属性値が単純で，繰返しや連結値などを持たない表の形
第2正規形	全ての非キー属性が候補キーに完全関数従属する表の形
第3正規形	全ての非キー属性が候補キーに推移的関数従属しない表の形
完全関数従属	キーの一部に従属する部分関数従属がないこと
推移的関数従属	A→B→Cのような間接的な関数従属があること

■ 第２正規形への正規化

第１正規形から第２正規形への正規化を概説する。根拠となる**完全関数従属性**とともに，改めて確認してほしい。

目標 全ての非キーが候補キーに完全関数従属するように，表を分ける。

↓

候補キーの一部に部分関数従属する非キー属性は，別表に独立させる。

社員がその資格を取った日付

社員番号	資格コード	資格名称	取得日
1234	FE	基本情報	2021/4
1234	AP	応用情報	2022/10

{社員番号, 資格コード}→{資格名称, 取得日}
という関数従属性の中で，資格名称は候補キーの一部である資格コードに部分関数従属している。
資格コード → 資格名称
これを排除するため，資格名称を資格コードをキーとする表に独立させる。

社員番号	資格コード	取得日
1234	FE	2021/4
1234	AP	2022/10

資格コード	資格名称
FE	基本情報
AP	応用情報

▶図3.1　第２正規化

■ 第３正規形への正規化

第２正規形から第３正規形への正規化を概説する。根拠となる**推移的関数従属性**とともに，改めて確認してほしい。

目標 全ての非キーが候補キーに推移的関数従属しないように，表を分ける。

候補キーの一部に推移的関数従属する非キーは，別表に独立させる。

資格コード	資格名称	団体コード	団体名称
K1	経理1級	XXX	経理協会
AP	応用情報	YYY	IPA

資格コード → {資格名称，団体コード，団体名称}
という関数従属性の中で，団体名称は団体コードを介して資格コードに推移的関数従属している。
資格コード → 団体コード → 団体名称
これを排除するため，団体名称を団体コードをキーとする表に独立させる。

資格コード	資格名称	団体コード
K1	経理1級	XXX
AP	応用情報	YYY

団体コード	団体名称
XXX	経理協会
YYY	IPA

▶図3.2　第３正規化

■ DBの設計

DBの設計は，大まかに

概念モデルの設計 → テーブルの設計

という手順で進む。概念モデルの設計では，組織が活用するデータをもとにデータ項目を洗い出し，それらをERD（E-R図）を用いて整理して，エンティティやエンティティ間のリレーションシップ（関連）を明らかにする。テーブルの設計では，ERDをもとに属性を決定し，主キーや外部キーを設定する。

第2部 関連知識

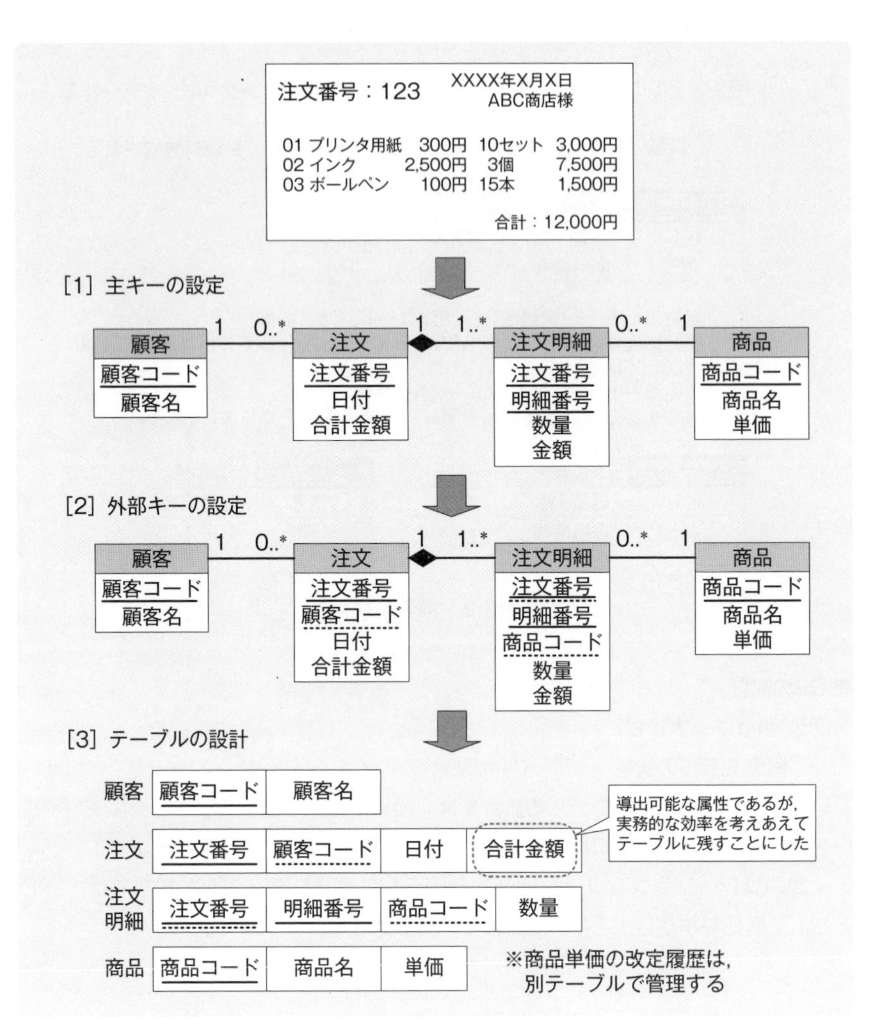

▶図3.3　DBの設計

ERDにおいて，関係するエンティティ間の多重度が1：多であるとき，「1」側のエンティティの主キーを，「多」側のエンティティに外部キーとして設定する。多重度が1：1であれば，意味的にふさわしい側のエンティティに外部キーを設定するか，エンティティをまとめられないかを検討する。多重度が多：多であれば，新たなエンティティ（**連関エンティティ**）を間に挟んで多重度を1：多にしてから主キーと外部キーを設定する。

属性を決定する際には，他の属性から計算される属性は原則として排除する。図では，「注文明細」エンティティに存在する属性「金額」は，「注文明細」エンティティの数量と「商品」エンティティの単価から計算できるため，「注文明細」テーブルから排除した。一方，「注文」テーブルの合計金額は，「注文明細」エンティティの金額を加算することで導出できるが，テーブルの無駄な結合や集計を避けるため，「注文」テーブルに残している。

主キーが外部キーを兼ねる場合は，破線を省略することもあり，本試験ではこれを採用しています。しかし，ここでは分かりやすさを優先し，実線と破線の両方を記載しています。

■ 設計の事例

午前Ⅱ試験で出題されたERDをもとに，テーブルを設計する。

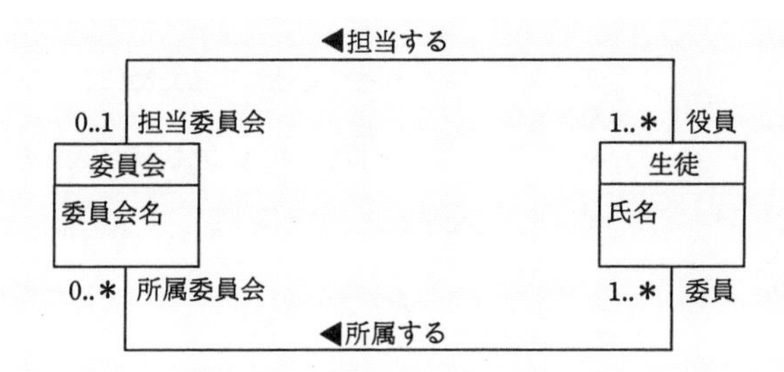

▶図3.4　ERD（平成29年秋SA午前Ⅱ問21より引用）

委員会と生徒には，次の二つの関係がある。

　①生徒は，役員として複数の委員会を担当できない

　②生徒は，委員として複数の委員会に所属できる

①では，関係する「委員会」エンティティと「生徒」エンティティの多重度が1：多なので，「委員会」エンティティの主キーである「委員会ID」を「生徒」エンティティに外部キーとして設定すればよい。

②では，関係する「委員会」エンティティと「生徒」エンティティの多重度が多：多なので，まず，連関エンティティである「所属関連」エンティティを導入して多重度を1：多に整理する。「所属関連」エンティティの主キーは，多くの場合，整理する前の二つのエンティティの主キーの組合せとなる。

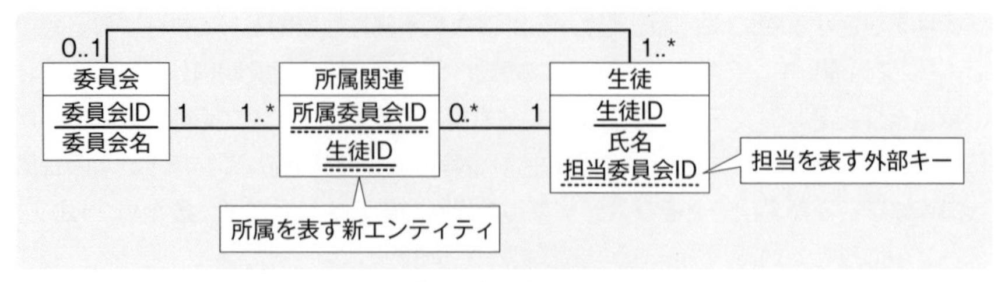

▶図3.5　関連の表し方

3.2 データベースの整合性と一貫性

データベースの更新や障害対応の仕組みについて，ロック制御やコミットメント制御とともに整理しておこう。

出題用語と周辺知識

ACID特性	データベースを矛盾なく更新するためにトランザクションが備える性質 A：原子性　C：一貫性　I：独立性　D：耐久性
ロック	データの参照や更新に先だって行われる占有処理
デッドロック	トランザクションが互いのアンロックを待ち合うことで，処理が進まなくなる状態
コミット	トランザクションの更新結果を確定させる処理。
ロールバック	トランザクションの更新結果を取り消す処理。コミットされていない結果は取り消すことができるが，コミットされた結果は取り消すことはできない
ロールフォワード	トランザクションの更新結果をデータベースに反映する処理
2層コミットメント	分散データベースで行われるコミット処理

■共有ロックと専有ロック

ロックには，データの参照時に行う共有ロックと，データの更新時に行う専有ロックがある。共有ロック同士は同時にかけることができるが，共有ロックと専有ロック，あるいは専有ロック同士は同時にかけることができない。

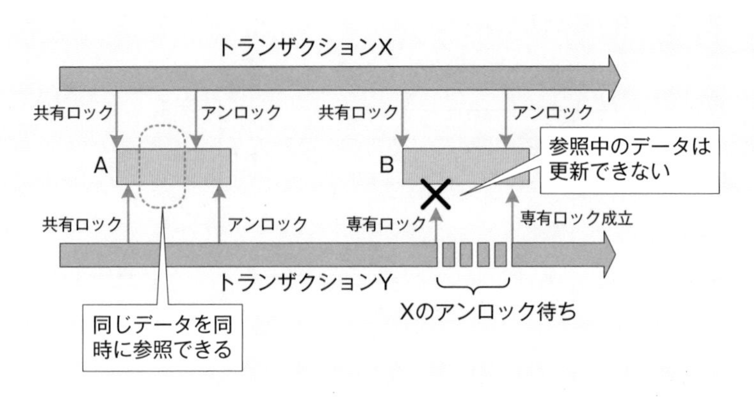

▶図3.6　共有ロックと専有ロック

■ コミットとログファイル

トランザクションの処理結果は，ストレージ上のデータベースに反映されるのではなく，ログファイル（ジャーナルファイル）に記録される。ログファイルには，更新前情報と更新後情報に加え，コミット情報も記録される。コミット情報は，トランザクションがコミットしたことを表す情報で，ログファイルにコミット情報を記録した時点でコミット処理は，完了する。ログファイルの内容は，適切なタイミング（チェックポイント）でデータベースに反映される。

■ データベースの回復処理

トランザクションは，完全に実行された状態か，あるいは全く実行されなかった状態のいずれかに保たなければならない（原子性）。これを保証するため，**表3.1**の回復処理が用意されている。

▶表3.1　データベースの回復処理

ロールバック	ログファイルの更新前情報を用いて，トランザクションの更新結果を取り消す
ロールフォワード	ログファイルの更新後情報を用いて，トランザクションの更新結果を反映する

コミットすることなく終了したトランザクション（トランザクション障害）は，ロールバック処理が行われ，トランザクション実行前の状態に戻される。システム障害が発生した場合には，障害発生前にコミットしたかどうかによって，ロールバックと

ロールフォワードが使い分けられる。

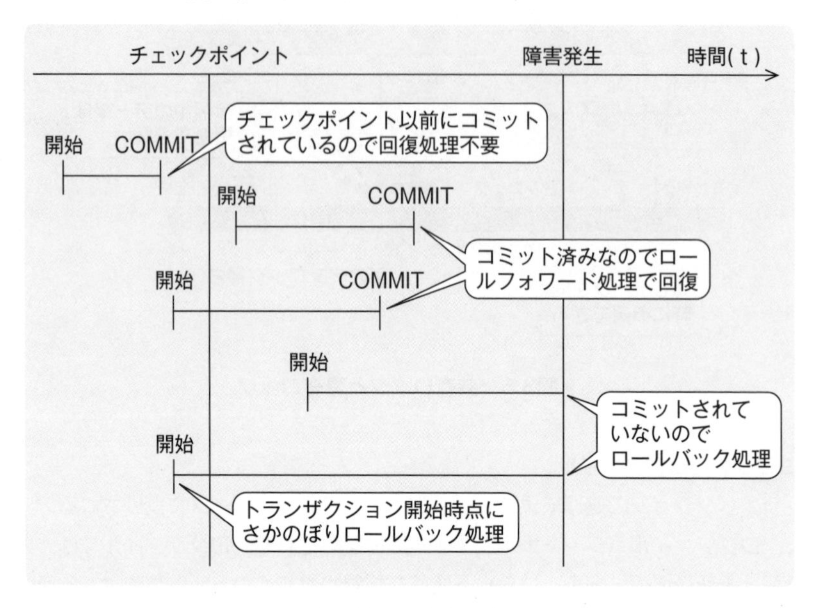

▶図3.7　障害回復

媒体が破損してデータが失われたとき（**媒体障害**）は，次の手順で回復する。

①媒体を交換してバックアップデータをロード（リストア）する

②バックアップ取得以降にコミットされたトランザクションの更新を，ロールフォワードする

3.3 データ分析

ビッグデータやデータ分析，データサイエンスは今後ますます注目される技術である。基本的な知識は押さえておきたい。

出題用語と周辺知識

データウェアハウス	企業の様々な活動を介して得られた大量のデータを整理・統合して蓄積したもの。データマイニングや意思決定支援などに利用する

データマイニング	データウェアハウスに蓄積されデータを分析し，有益な規則や因果関係を見つけ出す手法
OLAP：OnLine Analytical Processing	データウェアハウスを分析するなど，分析を主体とするシステムの利用形態
データクレンジング	業務データをデータウェアハウスに格納するため，形式やデータ属性を変換・修正すること
データマート	データウェアハウスから，特定のデータを切り出して整理したもの
ビッグデータ	インターネットが生み出した，構造を持たない膨大なデータ
パーソナルデータ	行動や購買履歴などの個人データ。個人の同意を得て企業が収集し，必要なら匿名加工が施される
オープンデータ	政府などの公的機関が保有する公開されたデータ
データサイエンティスト	ビッグデータからビジネスに活用する知見を引き出す職務

■ データウェアハウスの分析手法

データウェアハウスは，例えば，商品の販売実績のような事実（ファクト）を，

　　商品，販売チャネル，時間，顧客タイプ

など，様々な観点（次元）で分析することができる。このような，多次元での分析が可能なデータベースを**多次元データベース**と呼び，データウェアハウス用のデータベースとして採用されている。多次元データベースは，**表3.2**のような手法を用いて分析する。

▶表3.2　分析手法

ダイシング（ダイス）	「商品と販売チャネル」「商品と時間」など，分析軸を入れ替えて異なる角度から分析すること
スライシング	「ある月における商品と販売チャネルごとの売上」など，一面を切り取って分析すること
ドリルダウン	「ある月の売上についてさらに日別の売上を表示する」など，データを詳細化して分析すること

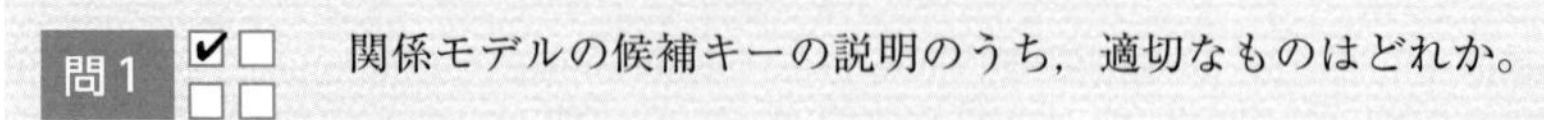

確認問題

問1 ✔□ □□　関係モデルの候補キーの説明のうち，適切なものはどれか。

（H30問21）

ア　関係Rの候補キーは関係Rの属性の中から選ばない。

イ　候補キーの取る値はタプルごとに異なる。

ウ　候補キーは主キーの中から選ぶ。

エ　一つの関係に候補キーが複数あってはならない。

問1　解答解説

候補キーとは，関係のタプルを一意に識別できる属性集合（一つ以上の属性）のうち，それ以上属性を減らすとタプルを一意に識別できなくなる必要最小限の属性集合をいう。一つの関係に候補キーが一つの場合は，その候補キーが主キーとなる。しかし，一つの関係に複数の候補キーが存在する場合は，複数の候補キーの中から一つを選択し主キーとする。また，候補キーは関係のタプルを一意に識別できる属性集合なので，タプルごとに実現値は異なる。

ア　候補キーはタプルを一意に識別する属性集合なので，その関係の属性の中から選択する。

ウ　主キーの中から候補キーを選ぶのではなく，候補キーの中から主キーを選ぶ。

エ　候補キーは，複数存在することもある。

《解答》イ

問2 ✔□ □□　関数従属｛A, B｝→Cが完全関数従属性を満たすための条件はどれか。

（R元問21）

ア　｛A，B｝→B又は｛A，B｝→Aが成立していること

イ　A→B→C又はB→A→Cが成立していること

ウ　A→C及びB→Cのいずれも成立しないこと

エ　C→｛A，B｝が成立しないこと

問2　解答解説

完全関数従属性とは，属性集合Yが属性集合Xに関数従属しているとき，属性集合Xのいかなる真部分集合xに対しても属性集合Yが関数従属していない関数従属性である。

関数従属｛A，B｝→Cの場合，｛A，B｝の真部分集合であるA，Bのいずれに対してもCが関数従属していないこと，つまり，「A→C及びB→Cのいずれも成立しないこと」が完全関数従属性を満たす条件となる。

《解答》ウ

問3 ✔□ □□ 社員と年の対応関係をUMLのクラス図で記述する。二つのクラス間の関連が次の条件を満たす場合，a，bに入る多重度の適切な組合せはどれか。ここで，年クラスのインスタンスは毎年存在する。 (H24問21)

〔条件〕
（1） 全ての社員は入社年を特定できる。
（2） 年によっては社員が入社しないこともある。

	a	b
ア	0..＊	0..1
イ	0..＊	1..1
ウ	1..＊	0..1
エ	1..＊	1..1

問3 解答解説

UML（Unified Modeling Language）のクラス図は，クラス，関係，多重度などで表現する。多重度とは，クラス間の関係に対して，それぞれのクラスにどれだけインスタンスがあるのかを示す数値であり，実数，＊（上限がないことを示す），値の範囲（「m..n」は，m以上n以下を示す）などを用いて表す。

空欄aに入る多重度は，“年”から見た“社員”のインスタンスの数である。〔条件〕（2）の「年によっては社員が入社しないこともある」から，年に対して社員が一人も存在しないこともあるし，複数人存在することもあるということが分かる。よって，空欄aに入る多重度は「0..＊」となる。

空欄bに入る多重度は，“社員”から見た“年”のインスタンスの数である。〔条件〕（1）の「全ての社員は入社年を特定できる」から，社員に対して入社年は必ず一つだけ存在することが分かる。よって空欄bに入る多重度は「1..1」となる。 《解答》イ

問4 ✔□ □□ t_1～ t_{10}の時刻でスケジュールされたトランザクションT_1～ T_4がある。時刻t_{10}でT_1がcommitを発行する直前の，トランザクションの待ちグラフを作成した。aに当てはまるトランザクションはどれか。ここで，select(X)

は共有ロックを掛けて資源Xを参照することを表し，update（X）は専有ロックを掛けて資源Xを更新することを表す。これらのロックは，commitされた時にアンロックされるものとする。また，トランザクションの待ちグラフの矢印は，$T_i \rightarrow T_j$としたとき，T_jがロックしている資源のアンロックを，T_iが待つことを表す。（R4問24）

〔トランザクションのスケジュール〕

時刻	トランザクション			
	T_1	T_2	T_3	T_4
t_1	select (A)	—	—	—
t_2	—	select (B)	—	—
t_3	—	—	select (B)	—
t_4	—	—	—	select (A)
t_5	—	—	—	update (B)
t_6	select (C)	—	—	—
t_7	—	select (C)	—	—
t_8	—	update (C)	—	—
t_9	—	—	update (A)	—
t_{10}	commit	—	—	—

〔トランザクションの待ちグラフ〕

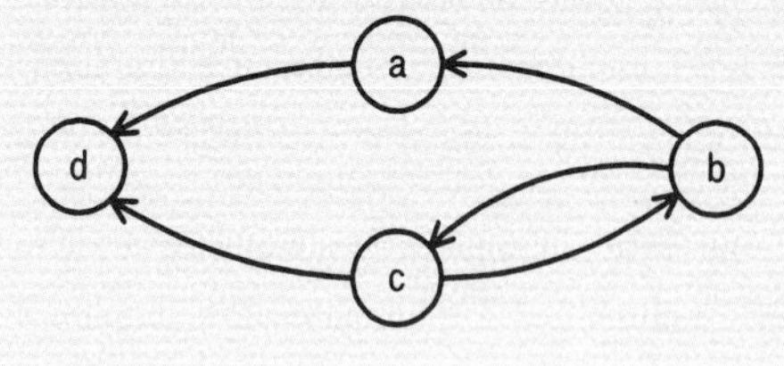

ア T_1　　イ T_2　　ウ T_3　　エ T_4

問4 解答解説

〔トランザクションの待ちグラフ〕において，a→dは，dがロックしている資源のアンロックをaが待っていることを示している。また，c⇆bは，cとbがお互いに相手がロックしている資源がアンロックされるのを待っているデッドロック状態であることを示している。一方，〔トランザクションのスケジュール〕を見ると，時刻t_5でT_4がupdate（B）を実行しようとすると，資源BはT_2及びT_3による共有ロックによって，専有ロックを掛けることができず，T_2及びT_3がBをアンロックするまで待つことになる。また，時刻t_8でT_2がupdate（C）を実行しようとすると，資源CはT_1による共有ロックによって，専有ロックを掛けることができず，T_1がCをアンロックするまで待つことになる。また同様に，時刻t_9でも，T_3がT_1及びT_4がAをアンロックするまで待つことになる。

以上のことから，

$T_4 \rightarrow T_2$，$T_4 \rightarrow T_3$
$T_2 \rightarrow T_1$
$T_3 \rightarrow T_1$，$T_3 \rightarrow T_4$

が成立する。T_3とT_4の間でデッドロックが発生することから，時刻t_{10}の直前のトランザクションの待ちグラフを表すと次のようになる。

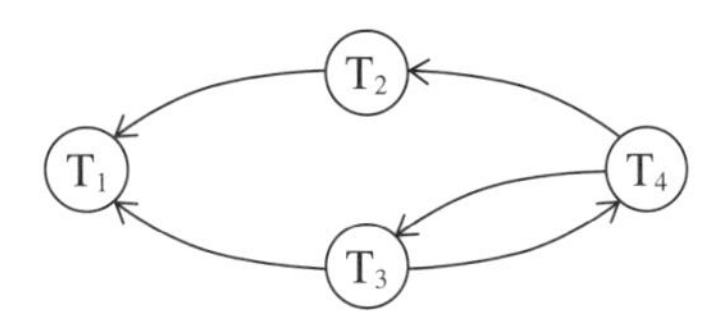

よって，aに当てはまるトランザクションはT_2となる。 《解答》イ

問5 ☑□□□ DBMSがトランザクションのコミット処理を完了するタイミングはどれか。 (R5問24)

ア　アプリケーションプログラムの更新命令完了時点
イ　チェックポイント処理完了時点
ウ　ログバッファへのコミット情報書込み完了時点
エ　ログファイルへのコミット情報書込み完了時点

問5 解答解説

トランザクションがコミットするときは，トランザクションの更新情報をログファイルに書き込む。システム障害発生時には，ディスク上のデータベースの内容にログファイルの更新情報を反映することで，データベースの内容を最新状態に復旧する。よって，コミット処理完了とみなすタイミングは，コミット情報のログファイルへの書込みが完了した時点が適切である。

ア　アプリケーションプログラムの更新命令の完了によって，コミット処理を開始する。よって，アプリケーションプログラムの更新命令完了時点でコミット処理完了とみなすのは適切ではない。

イ　作業領域上の更新内容をディスク上のデータベースに書き込むことをチェックポイント処理という。チェックポイント処理は，コミット処理と非同期に行われるため，コミット処理完了のタイミングとは関係ない。

ウ　ログバッファへ書き込んだコミット情報は，システム障害発生時には消失してしまう。コミット情報は，システム障害発生時にも消失しないログファイルへ書き出す必要がある。

《解答》エ

問6 ☑☐ ☐☐　データベースに媒体障害が発生したときの回復法はどれか。

（H26問22）

ア　障害発生時，異常終了したトランザクションをロールバックする。

イ　障害発生時点でコミットしていたがデータベースの実更新がされていないトランザクションをロールフォワードする。

ウ　障害発生時点でまだコミットもアボートもしていなかった全てのトランザクションをロールバックする。

エ　バックアップコピーでデータベースを復元し，バックアップ取得以降にコミットした全てのトランザクションをロールフォワードする。

問6　解答解説

媒体（磁気ディスク装置など）に障害が発生した場合は，その媒体に記録されているデータベースが使用できなくなる。よって，別にバックアップを取得しておき，そちらを用いた回復措置を行う必要がある。具体的には，

① バックアップデータを用いてデータベースを復元（リストア）
② ログ（ジャーナル）の情報を用いて，バックアップ以降にコミットしているトランザクションをロールフォワード

という手順を実施する。これにより，コミット済みのトランザクションの結果を失うことなく，媒体障害直前の状態にデータベースを戻すことができる。

ア　トランザクション障害時の回復法である。

イ，ウ　システム障害時の回復法である。

《解答》エ

問7 ☑☐ ☐☐　OLAPによって，商品の販売状況分析を商品軸，販売チャネル軸，時間軸，顧客タイプ軸で行う。データ集計の観点を，商品，販売チャネルごとから，商品，顧客タイプごとに切り替える操作はどれか。　（H27問21）

ア　ダイス　　　　　　イ　データクレンジング
ウ　ドリルダウン　　　エ　ロールアップ

問7　解答解説

商品の販売状況を，商品軸，販売チャネル軸，時間軸，顧客タイプ軸で分析する場合には，商品の販売状況をこれらを軸とする多次元データベースとして構築する必要がある。多次元データベースにアクセスして検索・分析するアプリケーションのことを，OLAP（On-Line Analytical Processing）という。OLAPには，ダイス，ドリルダウン，ロール（ドリル）アップ，スライスなどの機能がある。これらの機能を用いることにより，データを多角的に比較分析することができる。

ダイス：切り取る次元を切り替えて（縦軸や横軸の項目を替えて）表示する機能
ドリルダウン：データのサマリレベルを１レベルずつ下げて詳細データを表示する機能
ロールアップ：データのサマリレベルを１レベルずつ上げてサマリを表示する機能
スライス：多次元データベースの任意の次元の項目で切り取り，切り取った面を表示する機能

なお，データクレンジングとは，データ分析にあたって，データの整合性や値の妥当性を確認して，分析対象データを整えることをいう。

これより，データ集計の観点を，商品，販売チャネルごとから，商品，顧客タイプごとに切り替える操作は，ダイスである。　《解答》ア

4 ネットワーク技術

Point!

午前Ⅱ試験では，ネットワーク関連の出題は少ない。そのため，午前Ⅱ対策としてネットワーク技術を学習するのは効率的ではない。午前Ⅱ対策は用語程度に留め，データベースやセキュリティに学習時間を割くほうがよいだろう。

4.1 規格・プロトコルの知識

規格やプロトコルに関しては，データリンク層からトランスポート層まで偏りなく出題されている。そのため，重要用語に絞ることはできない。苦手ならば対策はあきらめよう。

出題用語と周辺知識

CSMA/CD	有線LANのアクセス制御方式の一つ。衝突を検知して再送する
CSMA/CA	無線LANのアクセス制御方式の一つ。衝突が発生しないよう制御する
トークンパッシング	トークン（送信権）を用いるLANのアクセス制御方式
TCP/IP	インターネットで用いられるプロトコル群の総称。IPはネットワーク層，TCPはトランスポート層のプロトコル
MACアドレス	データリンク層のレベルで機器を識別する物理アドレス
IPアドレス	ネットワーク層のレベルでホストを識別するアドレス
ポート番号	ホスト上のアプリケーションプロセスを識別するアドレス
Bluetooth	デジタル機器用の近距離無線通信規格の一つ
2.4GHz帯	免許不要で使用できる無線周波数帯域。各種産業用機器のほか，無線LANやBluetoothが利用している
5GHz帯	条件付きで利用できる無線周波数帯域。現在の無線LANは2.4GHz帯と5GHz帯を併用するものが多い

■ CSMA方式

回線を共有する有線LANや無線LANにおいて，フレーム同士の衝突を避けてフレームを正しく送受する制御を**アクセス制御**と呼ぶ。

CSMA/CD方式は，初期のイーサネットで用いられたアクセス制御方式で，フレームの衝突を検知した場合にはフレームを再送するという制御をする。そのため，LANの利用率が高くなるとフレームの衝突が増加し，スループットが低下する。

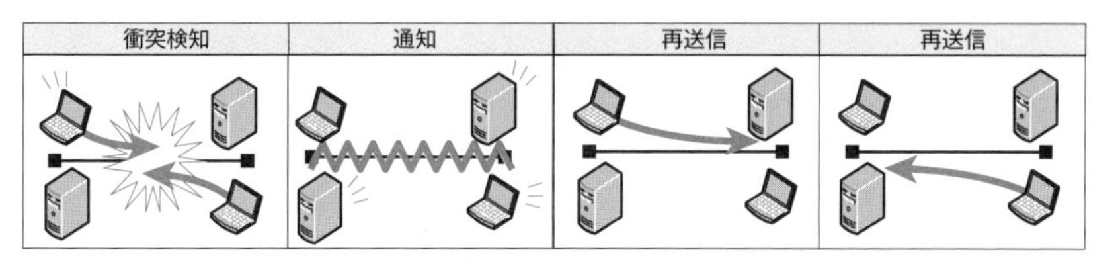

▶図4.1　CSMA/CD方式（衝突検知と再送）

CSMA/CA方式は，無線LANに用いられるアクセス制御方式で，フレームが衝突しないように制御する。なお，CSMA/CDやCSMA/CAに共通するCSMA方式は，搬送波（キャリア信号）を検出し，データの送信を制御する方式である。

4.2 IP電話

午前Ⅱ試験では,「内線網とIPネットワークの統合」の再出題率がなぜか非常に高い。この傾向が今後も続く保証はないが，念のため押さえておこう。

出題用語と周辺知識

用語	説明
VoIP	IPネットワーク上で音声通話を実現する技術。Voice over Internet Protocol
PBX	構内電話とPSTN（公衆電話網）などの公衆網を接続する機器
VoIPゲートウェイ	音声信号（アナログ）をデジタル信号に符号化，デジタル信号を音声信号に復号する通信機器
SIPサーバ	IP電話における呼制御のプロトコルであるSIP機能を搭載したサーバ

■ IP電話のネットワーク構成

IP電話の構築例を**図4.2**に示す。この構築例は，PBXに接続された既存の電話機（ア

ナログ電話機）をそのまま用いて，新たに導入したIP電話機と混在させた例である。同様の構成で，

電話機 → PBX → VoIPゲートウェイ → ルータ → IP網

という接続が午前Ⅱ試験で出題されている。確認しておこう。

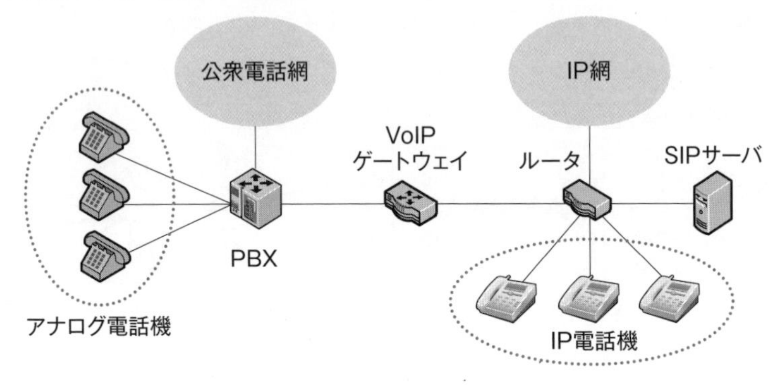

▶図4.2　IP電話の構成

確認問題

問1 ☑☐☐☐ 10mW/MHz以下の電力密度であれば無線局の免許が不要であり，Bluetoothや，IEEE 802.11b及びIEEE 802.11gの無線LANで使用されている周波数帯はどれか。 (H22問23)

ア 13.56MHz帯　イ 950MHz帯　ウ 2.4GHz帯　エ 5.2GHz帯

問1 解答解説

2.4GHz周波数帯は，10mW/MHz以下の出力であれば無線局の免許なしで利用でき，産業・科学・医学用の機器に用いられていることから，“ISMバンド（Industry Science Medical band）”と呼ばれている。2.4GHz周波数帯を使う通信には，IEEE802.11b及びIEEE802.11gの無線LANやBluetooth，HomeRF（家庭内無線通信）などがある。

13.56MHz帯：RFIDタグ（無線ICチップ）を用いた自動車生産ライン，図書館蔵書管理，博物館所蔵品管理，航空手荷物管理などに使われる周波数帯
950MHz帯：RFIDタグを用いた倉庫の出入庫管理などに使われる周波数帯
5.2GHz帯：IEEE802.11aの無線LANに使われる周波数帯。 2.4GHzの無線LANと比べると伝送距離が短く障害物の影響を受けやすいが，伝送できる情報量が非常に大きく，ノイズに強い

《解答》ウ

問2 ☑☐☐☐ CSMA/CAやCSMA/CDのLANの制御に共通しているCSMA方式に関する記述として，適切なものはどれか。 (H27問22)

ア キャリア信号を検出し，データの送信を制御する。
イ 送信権をもつメッセージ（トークン）を得た端末がデータを送信する。
ウ データ送信中に衝突が起こった場合は，直ちに再送を行う。
エ 伝送路が使用中でもデータの送信はできる。

問2 解答解説

CSMA（Carrier Sense Multiple Access）方式は，キャリア信号の有無によって，伝送路が空いているかを判断して，伝送路が空いていればデータを送出するという単純なアクセス方式である。複数のノードが同時に「空いている」と判断してデータを送信すると，衝突が発生する。CSMA/CD（CSMA/Collision Detection）では，送信中に衝突を検出した場合には，任意の待ち時間後にデータを再送する。衝突を検出する確かな方法がない場合には，CSMA/CA（CSMA/Collision Avoidance）によって，送信の前に待ち時間を毎回挿

入する。

イ　トークンパッシング方式に関する記述である。
ウ　衝突を検出した場合は，任意の待ち時間後にデータを再送する。
エ　伝送路が使用中の場合はデータを送信せず，キャリア信号が感知されなくなるまで待ってから送信する。

《解答》ア

問3 ☑☐☐☐ CSMA/CD方式のLANで使用されるスイッチングハブ（レイヤー2スイッチ）は，フレームの蓄積機能，速度変換機能や交換機能をもっている。このようなスイッチングハブと同等の機能をもち，同じプロトコル階層で動作する装置はどれか。 (R5問25)

ア　ゲートウェイ　　イ　ブリッジ
ウ　リピータ　　エ　ルータ

問3 解答解説

スイッチングハブ（レイヤー2スイッチ）は，複数のLANをデータリンク層で接続する装置であり，ブリッジと同様の機能を実現する。スイッチングハブやブリッジにはバッファと呼ばれる記憶領域があり，受信したフレームを一旦バッファに格納し，適切な伝送路にデータを伝送する（フォワーディング）。この機能により，伝送速度の異なるLANを相互に接続することが可能となる。

ゲートウェイ：アプリケーション層までを含む全ての層で，ネットワークを相互に接続する装置。プロトコル変換や異機種間接続などが実現できる
リピータ：複数のLANを物理層で接続する装置。電気信号の整形や増幅を行い，主に伝送路長の延長などに用いられる
ルータ：ネットワーク層で，ネットワークを相互に接続する装置。ルーティング機能やフィルタリング機能を有し，エンドシステム間の通信を実現するために用いられる

《解答》イ

問4 ☑☐☐☐ 図は，既存の電話機とPBXを使用した企業内の内線網を，IPネットワークに統合する場合の接続構成を示している。図中のa～cに該当する装置の適切な組合せはどれか。(R4問25，R元問22，H29問22，H26問23，H23問23)

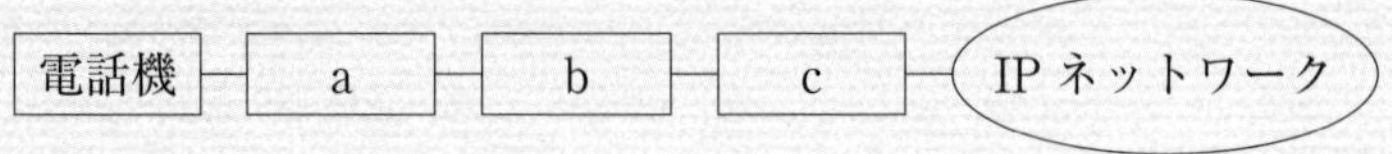

	a	b	c
ア	PBX	VoIPゲートウェイ	ルータ
イ	PBX	ルータ	VoIPゲートウェイ
ウ	VoIPゲートウェイ	PBX	ルータ
エ	VoIPゲートウェイ	ルータ	PBX

問4　解答解説

既存の電話機を使用した企業内PBXの内線網を，IPネットワークに統合して，IP電話として使用する場合の接続構成である。

まず，電話機に接続するaは，「PBX」となる。次に，PBXの音声データをIPパケットに変換してIPネットワークに送出したり，受信したIPパケットを連続した音声データに復元したりする機能を持つ「VoIPゲートウェイ」がbに該当する。さらに，IPネットワークとのインタフェースに位置して，IPパケットのIPアドレスを識別してルーティングを行う「ルータ」がcに該当する。

《解答》ア

5 セキュリティ技術

Point!

システムアーキテクトは，要件定義の段階でセキュリティを定義しなければならない。したがって，セキュリティはシステムアーキテクトには必須の知識である。午前Ⅱ試験ではセキュリティ関連の問題が数多く出題されており，出題テーマも基礎技術からプロトコル，マネジメントまで幅広い。セキュリティ技術に関しては，時間を割いて対策すべきである。

5.1 暗号化とデジタル署名

暗号化やデジタル署名などの「セキュリティの基礎技術」からは，非常に多く出題されている。ここでは，その中から特に出題実績の多い知識を中心に整理した。

出題用語と周辺知識

共通鍵暗号方式	暗号化と復号に同じ鍵を用いる暗号方式。暗号化や復号を高速に行えるが，通信相手が多くなると鍵の数が増えて管理が煩雑になる
公開鍵暗号方式	暗号化と復号に対になった二つの鍵（鍵ペア）を用いる暗号方式。鍵ペアを通信相手ごとに作成し，鍵ペアの一方を公開し（公開鍵），他方を秘密に管理する（秘密鍵）
AES	共通鍵暗号方式の代表的な暗号規格。無線LANなどに採用されている
RSA	公開鍵暗号方式の代表的な暗号規格。大きな数の素因数分解が困難であることを利用している
ElGamal暗号	公開鍵暗号方式の暗号規格。位数が大きな群の離散対数問題が困難であることを利用している
楕円曲線暗号	公開鍵暗号方式の暗号規格。楕円曲線上の離散対数問題が困難であることを利用している
デジタル署名	データの真正性と本人の正当性を保証するために，送信者が付与するデジタル的な署名。送信者の秘密鍵で作成され，送信者の公開鍵で確認する

デジタル証明書	公開鍵の正当性を保証する証明書。デジタル証明書によって，公開鍵は「証明書に記載された所有者本人のもの」であることが保証される
CRL	デジタル証明書の失効リスト。有効期限内に失効したデジタル証明書のシリアル番号が登録されている
OCSP	認証局に問い合わせることでデジタル証明書の有効性を判断するプロトコル。デジタル証明書の失効状態をよりタイムリーに確認できる
コードサイニング証明書	ソフトウェアの正当性を保証する証明書。ソフトウェアの作成者と改ざんをされていないことを保証する

■ 暗号化通信の仕組み

暗号化通信は，大きく**共通鍵暗号方式**と**公開鍵暗号方式**に分けることができる。

共通鍵暗号方式は，暗号化と復号に同じ鍵（共通鍵）を用いる。送信者と受信者で共通鍵を持ち，共通鍵を用いた演算を平文や暗号文に施すことで暗号化／復号を行う。共通鍵は対象鍵ともいう。

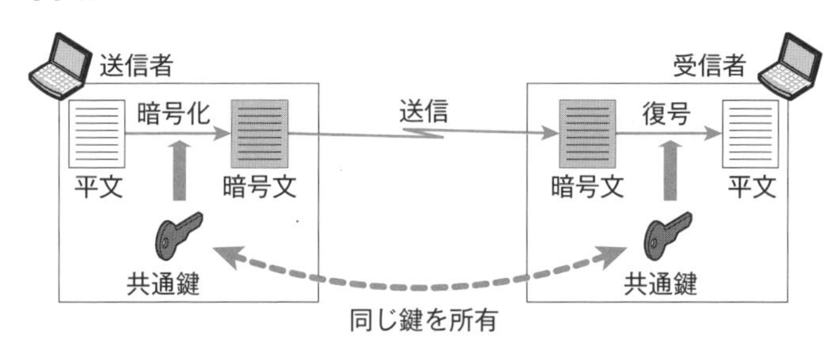

▶**図5.1　共通鍵暗号方式**

公開鍵暗号方式は，暗号化と復号に対になった二つの鍵（鍵ペア）を用いる。鍵ペアの一方を秘密鍵として他者に知られないよう厳重に管理し，もう一方を公開鍵として公開する。公開鍵暗号方式による暗号化通信は**図5.2**のように行われる。

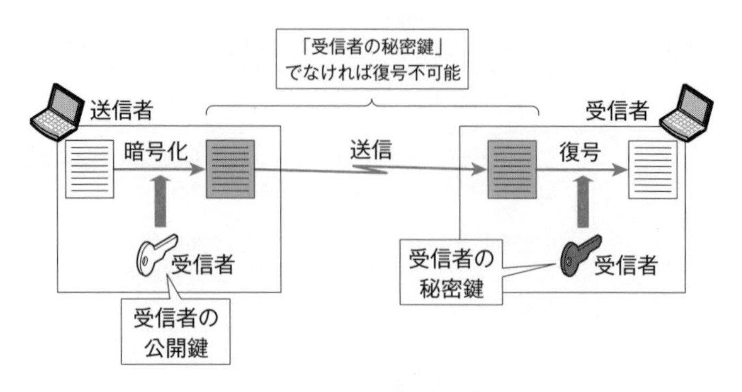

▶図5.2　公開鍵暗号方式

■ デジタル署名

デジタル署名は，データが改ざんされていないこと（**真正性**）と送信者がなりすまされていないこと（**正当性**）を保証するために，送信者が付与するデジタル的な署名である。

送信者は，送信データ（メッセージ）の要約（**メッセージダイジェスト**）を送信者の秘密鍵で暗号化したものを署名としてメッセージに添付して送信する。署名付きのメッセージを受け取った受信者は，署名を送信者の公開鍵で復号して検証する。正しく検証できた場合には，受信したメッセージについて，

・署名者が送信者本人であること
・メッセージが改ざんされていないこと

が確認できる。

図5.3は，送信者が署名付きデータを送信し，受信者が署名を検証する流れである。

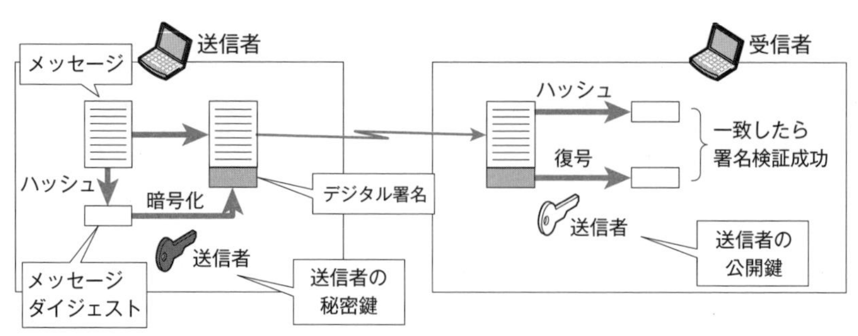

▶図5.3　デジタル署名の添付と検証

5.2 ネットワークセキュリティ

ネットワークセキュリティに関しては，電子メール関連のセキュリティ技術が複数回出題された。

出題用語と周辺知識

IPsec	IPにパケット認証，暗号化，鍵交換などの機能を提供するプロトコル。IPパケットを暗号化することでセキュリティ機能を提供する
SSL/TLS	サーバ認証，クライアント認証，通信内容の暗号化，完全性の保証などの機能を提供するプロトコル。トランスポート層（TCP）でのセキュリティ機能を提供する
SSH	ネットワーク上で安全なリモートアクセスとサービスを実現するためのセキュリティプロトコル。暗号化や認証の機能を備えている
SMTP-AUTH	SMTPに認証機能を付け加えた拡張仕様
サブミッションポート	SMTP-AUTHを利用するためのポート

■ 電子メールのセキュリティ

SMTPを用いた電子メールの送信にはユーザー認証の機能がない。そのため，攻撃者は身元を知られることなく大量の電子メールをばらまくことができる。これを防ぐために，メール送信に先だってユーザー認証を実施する，SMTPに認証機能を加えた拡張規格がSMTP-AUTHである。

OP25B（Outbound Port 25 Blocking）は，SMTP-AUTHを運用するための仕組みである。OP25Bは，メールサーバがスパムメールの踏み台にならないよう，外部とのメール送信にSMTPではなくSMTP-AUTHを強制する。**図5.4**は，プロバイダーがOP25Bを採用した例である。

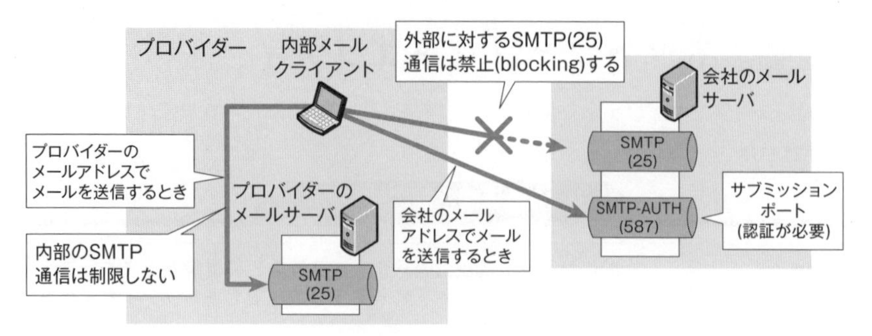

▶図5.4　OP25B

5.3 攻撃と対策

代表的な攻撃手法とその対策は知っておきたい。ここでは，午前Ⅱ試験で出題実績のあるものをまとめたが，これら以外についても午前Ⅰ対策で意識して覚えておこう。

出題用語と周辺知識

用語	説明
SQL インジェクション	不正なSQLを含む悪意の入力データを与え，データベースに対する不正な問合せを実行させる攻撃。 【対策例】 ・バインド機構（静的プレースホルダー）を用いる ・サニタイジングを行う
クロスサイト スクリプティング	攻撃者から送り込まれた悪意のスクリプトを，別サイトのアクセス時に実行させる。 【対策例】 ・サニタイジングを行う
クロスサイト リクエスト フォージェリ	攻撃者が用意したサイトから不正なHTTPリクエストを送信し，利用者が意図しない操作を行わせる。 【対策例】 ・商品購入などの節目でパスワードを要求する
セッション ハイジャック	他者のセッションを横取りし，不正な操作を行う 【対策例】 ・予測困難なセッションIDを用いる ・節目でパスワードを要求する
ファジング	ソフトウェアの脆弱性を検出する検査手法。検査対象ソフトウェアに問題を引き起こしそうなデータを大量に送り，挙動を観察する

セキュアOS	管理者によるアクセス制御が強制される（強制アクセス制御）など，セキュリティ機能を強化したOS
セキュアプログラミング	脆弱性を事前に排除したセキュアなソフトウェアを開発する手法
WAF：Web Application Firewall	Webアプリケーションへの攻撃を監視し阻止するファイアウォール
侵入検知システム(IDS) **侵入防止システム(IPS)**	ネットワークやサーバへの侵入を検知し，管理者に通知したり不正な通信を遮断するシステム

■ **SQLインジェクションと対策**

SQLインジェクションは，入力した文字列をそのままSQL文に連結するような脆弱性を持つサイトに対して，SQL文の一部となるデータを入力して，任意のSQL文を実行させる攻撃である。

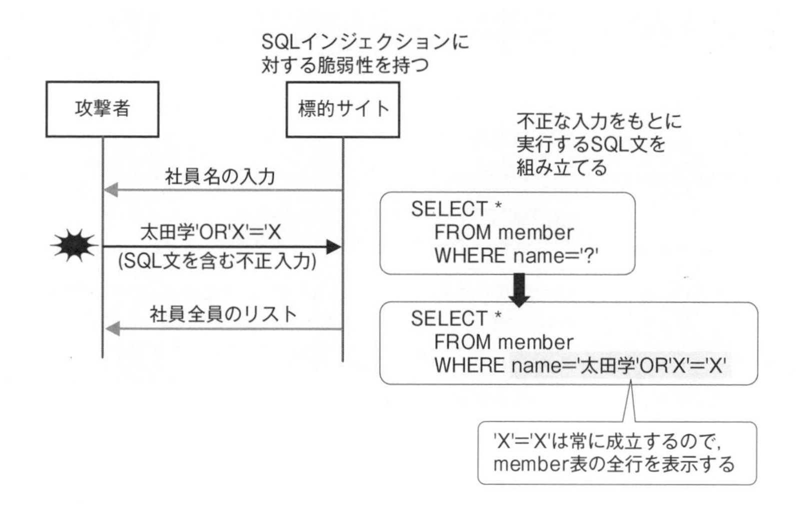

▶**図5.5　SQLインジェクション**

効果的な対策の一つに静的**プレースホルダー**の使用がある。これは，データベースにSQL文のひな型とパラメータ値を送り，データベース側でSQL文を組み立てる機能で，SQL文を組み立てる前にSQL構文が確定するため，SQLインジェクションの脆弱性が生じない。このようにSQL文を組み立てるデータベースの機能を**バインド機構**と呼ぶ。

■ WAF

WAFは，Webアプリケーションに対するアクセスを監視し，不正な通信を遮断する機器である。不正通信の検知には，**表5.1**の方式がある。

▶**表5.1　不正操作の検知・遮断**

ホワイトリスト方式	デフォルトを通信禁止とし，許可条件に該当する通信を許可する
ブラックリスト方式	デフォルトを通信許可とし，拒否条件に該当する通信を遮断する

また，WAFの持つ**サニタイジング**機能は，SQLインジェクションやコマンドインジェクション，クロスサイトスクリプティングなどで入力された不正コマンドを無力化できる。そのため，WAFの設置は不正アクセス全般に対して極めて有効である。

5.4 セキュリティマネジメント

セキュリティマネジメントについても出題が見られるが，基礎技術や攻撃対策に比べると少ない。学習時間がない場合，セキュリティマネジメントは省略して，セキュリティ技術に注力した方が効果的だ。

出題用語と周辺知識

NOTICE	脆弱な状態にあるIoT機器を調査し，注意喚起を行う取組み。総務省とNICT（情報通信研究機構）などが共同で実施している
コモンクライテリア（ISO/IEC 15408）	製品やシステムに対して，情報セキュリティを評価し認証するための評価基準
情報セキュリティマネジメント	情報セキュリティを確保するための管理活動
情報セキュリティガバナンス	組織の情報セキュリティ活動を指導し，管理する仕組み

■ 情報セキュリティガバナンスのプロセス

情報セキュリティガバナンスを定めた規格に，JIS Q 27014がある。その中で，情報セキュリティを統治するために行うプロセス（ガバナンスプロセス）として，**表**

5.2の五つのプロセスを定義している。

▶表5.2　ガバナンスプロセス

評価	現在のプロセス及び予測される変化に基づくセキュリティ目的の現在及び予想される達成度を考慮し，将来の戦略的目的の達成を最適化するために必要な調整を決定するプロセス
指示	経営陣が，実施する必要がある情報セキュリティの目的及び戦略についての指示を与えるプロセス
モニタ	経営陣が戦略的目的の達成を評価することを可能にするプロセス
コミュニケーション	経営陣及び利害関係者が，双方の特定のニーズに沿った情報セキュリティに関する情報を交換する双方向のプロセス
保証	経営陣が独立した客観的な監査，レビュー又は認証を委託するプロセス

確認問題

問1 ☑□ □□　暗号方式に関する記述のうち，適切なものはどれか。（R4問18）

ア　AESは公開鍵暗号方式，RSAは共通鍵暗号方式の一種である。

イ　共通鍵暗号方式では，暗号化及び復号に同一の鍵を使用する。

ウ　公開鍵暗号方式を通信内容の秘匿に使用する場合は，暗号化に使用する鍵を秘密にして，復号に使用する鍵を公開する。

エ　デジタル署名に公開鍵暗号方式が使用されることはなく，共通鍵暗号方式が使用される。

問1　解答解説

共通鍵暗号方式は，暗号化と復号に同じ鍵を用いるのが特徴である。鍵の管理が難しいのが欠点であるが，公開鍵暗号方式と比較して暗号化や復号の処理が高速であるという利点がある。

ア　AESはDESの後継として位置付けられる共通鍵暗号方式の標準暗号規格であり，RSAは公開鍵暗号方式の代表例である。

ウ　公開鍵暗号方式を通信内容の秘匿に使用する場合，暗号化鍵を公開して復号鍵を秘密にする。

エ　デジタル署名は，公開鍵暗号方式を利用して実現されていることが多い。《解答》イ

問2 ☑□ □□　ファイルを送受信する際の情報漏えい対策のうち，適切なものはどれか。（H27問23）

ア　送信者Aは，共通鍵暗号方式の鍵でファイルを暗号化し，鍵と一緒に暗号化ファイルを受信者Bへ送付する。受信者Bは，受信した鍵で暗号化ファイルを復号する。

イ　送信者Aは，公開鍵暗号方式において送信者Aが公開している鍵でファイルを暗号化し，暗号化ファイルを受信者Bへ送付する。受信者Bは，受信者Bが秘密に管理している鍵で暗号化ファイルを復号する。

ウ　送信者Aは，公開鍵暗号方式において送信者Aが秘密に管理している鍵でファイルを暗号化し，暗号化ファイルを受信者Bへ送付する。受信者Bは，送信者Aが公開している鍵で暗号化ファイルを復号する。

エ　送信者Aは，パスワードから生成した共通鍵暗号方式の鍵でファイルを暗号化し，

暗号化ファイルを受信者Bへ送付する。受信者Bは，送信者Aからパスワードの通知を別手段で受け，そのパスワードから生成した鍵で暗号化ファイルを復号する。

問2 解答解説

ファイルを送受信する際の情報漏えい対策では，安全性が高く，暗号化／復号の鍵の管理が煩雑でない方法を採用する必要がある。ファイルの暗号化に用いた鍵そのものではなく鍵のもととなるパスワードを，暗号化したファイルと別に送付する方法は，暗号化ファイルが復号される危険性が低く，共通鍵暗号方式を用いた情報漏えい対策として有効である。

ア　共通鍵暗号方式では，暗号化と復号に同じ鍵を用いる。したがって，ファイルを暗号化するのに用いた鍵を暗号化ファイルと一緒に送付すると，暗号化ファイルが漏えいした場合，同梱の鍵で復号できるため，情報漏えい対策とはならない。

イ　公開鍵暗号方式では，暗号化と復号にペアになった異なる鍵を用いる。情報漏えい対策を目的にする場合には，受信者しか持ち得ない受信者の秘密にしている鍵で復号することを前提に，受信者が公開している鍵で暗号化する。したがって，ファイルを暗号化する鍵は受信者Bが公開している鍵でなくてはならない。

ウ　復号に送信者の公開している鍵を用いるので，暗号化されたファイルさえ手に入れればファイルの復号は可能になる。送信者認証を目的に公開鍵暗号方式を用いる方法であり，ファイルの情報漏えい対策にはならない。

《解答》エ

問3 ☑☐☐☐　CRYPTRECの役割として，適切なものはどれか。（R4問19）

ア　外国為替及び外国貿易法で規制されている暗号装置の輸出許可申請を審査，承認する。

イ　政府調達においてIT関連製品のセキュリティ機能の適切性を評価，認証する。

ウ　電子政府での利用を推奨する暗号技術の安全性を評価，監視する。

エ　民間企業のサーバに対するセキュリティ攻撃を監視，検知する。

問3 解答解説

CRYPTREC（CRYPTography Research and Evaluation Committees）とは，電子政府推奨暗号の安全性を評価・監視し，暗号技術の適切な実装法・運用法を調査・検討する組織である。電子政府における調達のために推奨すべき暗号リスト（CRYPTREC暗号リスト）を策定し，電子政府推奨暗号リスト，推奨候補暗号リスト，運用監視暗号リストを公開している。

ア　経済産業省の役割である。外国為替及び外国貿易法で規制されている暗号装置の輸出については，経済産業大臣の許可が必要である。

イ　政府調達におけるIT関連製品については，ITセキュリティ評価及び認証制度（JISEC）に基づく認証取得製品やそこで求められるセキュリティ要件リストを活用して，調達の実効性や効率性が確保されている。

エ　セキュリティオペレーションセンター（SOC）の役割である。　《解答》ウ

問4 ☑☐ ☐☐　eシールの説明はどれか。　（R6問16，R4問16）

ア　インターネット上のゲーム内に限定されたキャラクターのイメージデータの作成者を証明する仕組みの一つである。

イ　個人の意思表示や，意思表示をしている個人の本人確認が必要な電子文書データについて，その電子文書データの作成者の証明と改ざん防止のために，個人が行う電子署名である。

ウ　電子文書データの作成者の証明と改ざん防止のために，重要文書を扱う国や地方自治体などの公共機関だけに使用が許されている電子署名である。

エ　法人が作成した電子文書データについて，その電子文書データの作成者が間違いなくその法人であり，かつ，その電子文書データは作成後に改ざんされていないことを証明する仕組みである。

問4　解答解説

総務省デジタル庁のeシールに係る指針において，eシールとは，「電子文書等の発行元の組織等を示す目的で行われる暗号化等の措置であり，当該措置が行われて以降当該文書等が改ざんされていないことを確認する仕組み」と定義されている。したがって，電子文書等の作成時に発行元の組織がeシールを付加した場合，「法人が作成した電子文書データについて，その電子文書データの作成者が間違いなくその法人であり，かつその電子文書データが作成後に改ざんされていないことを証明する仕組み」といえる。

ア　NFT（Non Fungible Token）の説明である。

イ　総務省デジタル庁のeシールに係る指針によると，eシールを個人が使用することはできない。

ウ　政府認証基盤（GPKI）の官職証明書による電子署名（官職署名）の説明である。

《解答》エ

問5 ☑□□□ デジタル証明書が失効しているかどうかをオンラインで確認するためのプロトコルはどれか。 (R6問19, R3問18)

ア CHAP　イ LDAP　ウ OCSP　エ SNMP

問5 解答解説

OCSP（Online Certificate Status Protocol）は，デジタル証明書の失効情報問合せに用いるプロトコルである。OCSPを用いることで，各クライアントがCRL（失効リスト）を保持・検索する方法と比べ，リアルタイム性の向上，クライアント負荷の軽減などが期待できる。

CHAP（Challenge Handshake Authentication Protocol）：PPP接続で用いられるユーザー認証方式の一つ

LDAP（Lightweight Directory Access Protocol）：X.500に対応したディレクトリサービスにアクセスするためのプロトコル

SNMP（Simple Network Management Protocol）：ネットワーク上の機器を管理するためのプロトコル

《解答》ウ

問6 ☑□□□ 送信者Aは，署名生成鍵Xを使って文書ファイルのデジタル署名を生成した。送信者Aから，文書ファイルとその文書ファイルのデジタル署名を受信者Bが受信したとき，受信者Bができることはどれか。ここで，受信者Bは署名生成鍵Xと対をなす，署名検証鍵Yを保有しており，受信者Bと第三者は署名生成鍵Xを知らないものとする。 (R5問20)

ア 文書ファイルが改ざんされた場合，デジタル署名，文書ファイル及び署名検証鍵Yの整合性を確認することによって，その改ざん部分を判別できる。

イ 文書ファイルが改ざんされていないこと，及びデジタル署名が署名生成鍵Xによって生成されたことを確認できる。

ウ 文書ファイルがマルウェアに感染していないことを認証局に問い合わせて確認できる。

エ 文書ファイルとデジタル署名のどちらかが改ざんされた場合，どちらが改ざんされたかを判別できる。

問6 解答解説

問題文に示された手順は，デジタル署名の手順を示している。

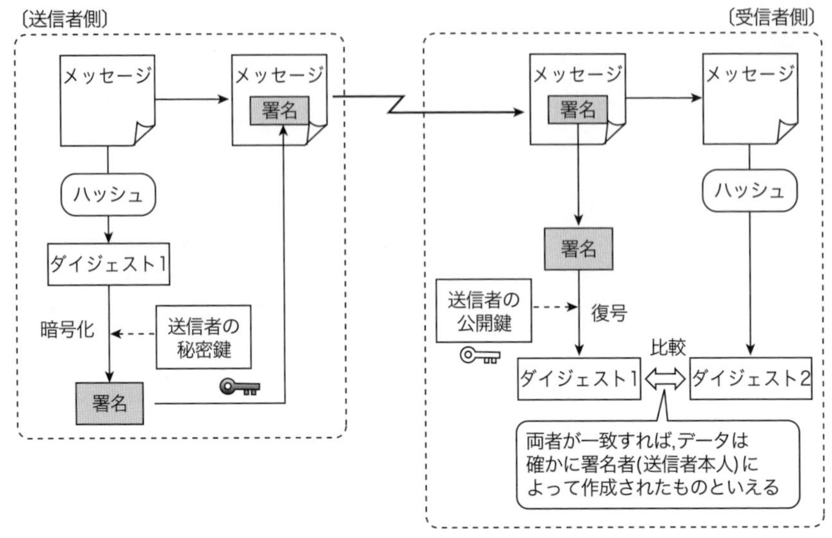

図　デジタル署名

受信者Bが行う署名の検証は，署名検証鍵Y（送信者Aの公開鍵）で署名を復号し，受信したメッセージから作成したダイジェストと比較照合することで行う。署名の検証に成功した（適切に復号が行え，照合結果も一致した）場合は，

・署名は署名生成鍵X（送信者Aの秘密鍵）によって生成された
（⇒送信者A本人によるものである）

・文書ファイルは送信時のものから改ざんされていない

ことが確認できる。

《解答》イ

問7 ☑☐☐☐　SSHの説明はどれか。　（H24問25）

ア　MIMEを拡張した電子メールの暗号化とディジタル署名に関する標準

イ　オンラインショッピングで安全にクレジット決済を行うための仕様

ウ　対称暗号技術と非対称暗号技術を併用した電子メールの暗号化，復号の機能をもつ電子メールソフト

エ　リモートログインやリモートファイルコピーのセキュリティを強化したツール及びプロトコル

問7 解答解説

SSH（Secure SHell）は，暗号化された経路を利用して，リモートコンピュータと安全に通信するためのプロトコルである。telnetの代わりに用いられることが多く，パスワードなどの認証部分を含む全てのデータを暗号化する。

ア S/MIME（Secure Multipurpose Internet Mail Extensions）の説明である。
イ SET（Secure Electronic Transaction）の説明である。
ウ PGP（Prety Good Privacy）の説明である。　《解答》エ

第2部 関連知識

問8 ✔□□□ スパムメール対策として，サブミッションポート（ポート番号587）を導入する目的はどれか。（R3問20，H29問25）

ア DNSサーバにSPFレコードを問い合わせる。
イ DNSサーバに登録されている公開鍵を使用して，ディジタル署名を検証する。
ウ POP before SMTPを使用して，メール送信者を認証する。
エ SMTP-AUTHを使用して，メール送信者を認証する。

問8 解答解説

インターネットサービスプロバイダー（ISP）では，スパムメールへの対策としてOP25B（Outbound Port 25 Blocking）を導入することが多い。これは，自ドメインから外部の（プロバイダー内のメールサーバではない）SMTPサーバの25番ポートへ宛てた通信を遮断する仕組みである。

OP25Bを導入すると，正規のユーザーが外部サーバ経由でメール送信したいような場合も通信がブロックされてしまう。そこで，そのような場合の代替策としてサブミッションポート（ポート番号587）を用意し，SMTP-AUTHで認証を受けた送信者のみに通信を許可する。

ア，イ サブミッションポートはSMTP通信のために設けるポートであり，DNSサーバとのやりとりと直接の関係はない。
ウ POP before SMTPはネットワーク内のユーザー情報を用いたPOP認証に基づいて，送信しようとするエンティティを一時的に認証する技術である。サブミッションポートは外部との通信を主目的として設けるものなので，POP before SMTP認証では設定しても意味がない。　《解答》エ

問9 ☑☐☐☐ Webアプリケーションにおけるセキュリティ上の脅威とその対策に関する記述のうち，適切なものはどれか。 (H30問25)

ア OSコマンドインジェクションを防ぐために，Webアプリケーションが発行するセッションIDに推測困難な乱数を使用する。

イ SQLインジェクションを防ぐために，Webアプリケーション内でデータベースへの問合せを作成する際にプレースホルダを使用する。

ウ クロスサイトスクリプティングを防ぐために，Webサーバ内のファイルを外部から直接参照できないようにする。

エ セッションハイジャックを防ぐために，Webアプリケーションからシェルを起動できないようにする。

問9 解答解説

SQLインジェクションは，アプリケーションが想定しないSQL文を実行させてデータベースを不正に操作する攻撃の手口である。対策としてプレースホルダの使用が挙げられる。プレースホルダは，変数や式などの可変パラメタの場所に埋め込んだ「?」のことで，外部から不正なSQL文を注入できないようにする。

ア OSコマンドインジェクションとは，コンピュータのOSを操作するための命令を外部から実行する攻撃の手口である。対策としては，シェルを起動できる言語機能を利用しないようにすることが挙げられる。

ウ クロスサイトスクリプティングとは，Web サイトの脆弱性を利用し，その脆弱サイトを利用したWeb ブラウザで攻撃者が作成したスクリプトを実行させる攻撃の手口のことを指している。対策としては，HTMLで特殊な意味を持つ文字をエスケープ処理してスクリプトが埋め込まれないようにする方法や不正な文字列の入力を制限する方法などがある。

エ セッションハイジャックとは，ログイン中の利用者のセッションIDを不正に取得し，その利用者になりすましてシステムにアクセスする手口のことである。対策としては推測困難なセッションIDを使用することが挙げられる。 《解答》イ

問10 ☑☐☐☐ マルチベクトル型DDoS攻撃に該当するものはどれか。 (R4問17)

ア 攻撃対象のWebサーバ1台に対して，多数のPCから一斉にリクエストを送ってサーバのリソースを枯渇させる攻撃と，大量のDNS通信によってネットワークの帯域を消費する攻撃を同時に行う。

イ　攻撃対象のWebサイトのログインパスワードを解読するために，ブルートフォースによるログイン試行を，多数のスマートフォン，IoT機器などから成るボットネットを踏み台にして一斉に行う。
ウ　攻撃対象のサーバに大量のレスポンスが同時に送り付けられるようにするために，多数のオープンリゾルバに対して，送信元IPアドレスを攻撃対象のサーバのIPアドレスに偽装した名前解決のリクエストを一斉に送信する。
エ　攻撃対象の組織内の多数の端末をマルウェアに感染させ，当該マルウェアを遠隔操作することによってデータの改ざんやファイルの消去を一斉に行う。

問10 解答解説

マルチベクトル型DDoSとは，アプリケーション層やネットワークの帯域幅など，異なるベクトルに同時に仕掛ける連携型のDDoS攻撃のことをいう。１台のサーバのリソースを枯渇させるというアプリケーション層へのDDoS攻撃と，そのサーバが接続されているネットワーク帯域を枯渇させるDDoS攻撃を同時に行う攻撃手法は，マルチベクトル型DDoS攻撃に該当する。

イ　ログインのパスワードを解読するためのブルートフォースによるログイン試行は，DDoS攻撃ではなく，パスワードクラッキング手法に該当する。
ウ　DNSリフレクタ攻撃を利用したDDoS攻撃であり，DRDoS攻撃（Distributed Reflective Denial of Service attack：分散反射型DoS攻撃）などと呼ばれる単一ベクトル型DDoSに該当する。
エ　多数の端末に感染させたマルウェアを遠隔操作し，データの改ざんやファイルの消去を一斉に行う攻撃手法は，DDoS攻撃ではなく，破壊をもたらすサイバー攻撃に該当する。

《解答》ア

問11 ☑□□□　脆弱性検査手法の一つであるファジングはどれか。（H26問25）

ア　既知の脆弱性に対するシステムの対応状況に注目し，システムに導入されているソフトウェアのバージョン及びパッチの適用状況の検査を行う。
イ　ソフトウェアのデータの入出力に注目し，問題を引き起こしそうなデータを大量に多様なパターンで入力して挙動を観察し，脆弱性を見つける。
ウ　ソフトウェアの内部構造に注目し，ソースコードの構文を機械的にチェックするホワイトボックス検査を行うことによって脆弱性を見つける。
エ　ベンダや情報セキュリティ関連機関が提供するセキュリティアドバイザリなどの

最新のセキュリティ情報に注目し，ソフトウェアの脆弱性の検査を行う。

問11 解答解説

ファジングとは，検査対象のソフトウェアに対して，機械的に生成した，問題を引き起こしそうな入力データを与え，その応答や挙動を観察することで，脆弱性を見つける検査手法である。問題を引き起こしそうな入力データのことをファズと呼ぶ。また，専用のソフトウェアを使えば，検査対象のソフトウェアの開発者でなくても，比較的簡単にファジングを実施することができるので，費用対効果の高い検査手法といえる。

ア　既知の脆弱性に対応しているかを確認する作業である。
ウ　デバッガの検査手法である。
エ　一般的な脆弱性の検査手法である。　　《解答》イ

問12 ☑☐ ☐☐

セキュアOSを利用することによって期待できるセキュリティ上の効果はどれか。　(R元問25)

ア　1回の利用者認証で複数のシステムを利用できるので，強固なパスワードを一つだけ管理すればよくなり，脆弱なパスワードを設定しにくくなる。
イ　Webサイトへの通信路上に配置して通信を解析し，攻撃をブロックすることによって，Webアプリケーションソフトウェアの脆弱性を突く攻撃からWebサイトを保護できる。
ウ　強制アクセス制御の設定によって，ファイルの更新が禁止されていれば，システムに侵入されてもファイルの改ざんを防止できる。
エ　システムへのログイン時には，パスワードのほかに専用トークンを用いた認証が行われるので，パスワードが漏えいしても，システムへの侵入を防止できる。

問12 解答解説

アクセス制御には，システムの権限で行う強制アクセス制御と，ファイル又はディレクトリの所有者が行う任意アクセス制御がある。セキュアOSでは，強制アクセス制御の設定によって，ファイルの更新を禁止することができ，ファイルの改ざんを防止できる。

ア　シングルサインオンで期待できる効果である。
イ　WAF（Web Application Firewall）で期待できる効果である。
エ　二要素認証で期待できる効果である。　　《解答》ウ

問13 ✔□ □□ インターネットとの接続において，ファイアウォールのNAPT機能によるセキュリティ上の効果はどれか。 (R4問20)

ア　DMZ上にある公開Webサーバの脆弱(ぜい)性を悪用する攻撃を防御できる。

イ　インターネットから内部ネットワークへの侵入を検知し，検知後の通信を遮断できる。

ウ　インターネット上の特定のWebサービスを利用するHTTP通信を検知し，遮断できる。

エ　内部ネットワークからインターネットにアクセスする利用者PCについて，インターネットからの不正アクセスを困難にすることができる。

問13 解答解説

NAPT（IPマスカレード）は，プライベートIPアドレスとグローバルIPアドレスを相互変換する仕組みの一つである。IPアドレスとポート番号の組を単位にして変換することで，一つのグローバルIPアドレスを使って，同時に複数の端末がインターネット接続を利用することができる。NAPTを用いることで，社内のPCに割り当てているプライベートIPアドレスの情報は，外部に伝わることはない。この隠ぺい効果によって，外部から内部のPCに対する不正アクセスを抑制することが期待できる。よって解答は“エ”となる。

他の選択肢の内容は，ファイアウォールやIDSの導入によって実現できる不正アクセスの検知や遮断に関するものであり，NAPTの効果とは関係がない。 《解答》エ

問14 ✔□ □□ 2019年２月から総務省，情報通信研究機構（NICT）及びインターネットサービスプロバイダが連携して開始した“NOTICE”という取組はどれか。 (R3問19)

ア　NICTが依頼のあった企業のイントラネット内のWebサービスに対して脆弱性診断を行い，脆弱性が見つかったWebサービスの管理者に対して注意喚起する。

イ　NICTがインターネット上のIoT機器を調査することによって，容易に推測されるパスワードなどを使っているIoT機器を特定し，インターネットサービスプロバイダを通じて利用者に注意喚起する。

ウ　スマートフォンにアイコンやメッセージダイアログを表示するなどし，緊急情報を通知する仕組みを利用して，スマートフォンのマルウェアに関してスマートフォン利用者に注意喚起する。

エ　量子暗号技術を使い，インターネットサービスプロバイダが緊急地震速報，津波警報などの緊急情報を安全かつ自動的に住民のスマートフォンに送信して注意喚起

する。

問14 解答解説

NOTICE（National Operation Towards IoT Clean Environment）は，総務省と国立研究開発法人情報通信研究機構（NICT）がインターネットサービスプロバイダと連携して，サイバー攻撃に悪用されるおそれのあるIoT機器の調査及び当該機器の利用者への注意喚起を行う取組である。IoT機器を狙ったサイバー攻撃が急増していることを受け，2019年２月から実施されている。具体的には，IoT機器に推測の容易なパスワードを入力するなどによって調査し，その利用者を特定して注意喚起を行う。

ア　NOTICEでは，NICTは依頼に基づき調査するのではなく，グローバルIPアドレスを持つIoT機器を対象に調査を行い，脆弱性がある場合に当該機器の情報をインターネットサービスプロバイダに通知する。企業のイントラネット内のWebサービスの脆弱性を見つけて対処することは，企業が専門業者に依頼するなどして，企業の責任で行うものであり，NICTとは関係ない。

ウ　NICTのNICTERプロジェクトによってマルウェアに感染していることが検知されたIoT機器に対して，インターネットサービスプロバイダから利用者への注意喚起を行う取組に関する記述である。

エ　携帯通信事業者が提供するサービスに関する記述である。　《解答》イ

午後Ⅰ試験対策

午後Ⅰ試験の概要と解き方

1.1 午後Ⅰ試験の概要

1 午後Ⅰ試験の目的

■ ITプロフェッショナルエンジニアの養成

情報技術のすさまじい進歩に伴い，システム開発は巨大化・複雑化してきている。このような状況下では，専門スキルを持ったITプロフェッショナルエンジニアの存在が不可欠である。ITプロフェッショナルエンジニアのうち，システムアーキテクトに求められる専門スキルは，**要件定義とシステム設計**である。

■ 専門スキルレベルと問題解決能力の判定

ITプロフェッショナルエンジニアには，実務において，専門スキルを適用して問題を解決する能力が求められる。専門スキルの知識レベルを判定するだけであれば，午前試験の４択形式の問題で十分である。午後Ⅰ試験の記述式試験では，システム開発の事例を提示し，**その事例の中で受験者に専門スキルを適用させること**で，専門スキルの活用レベルを判定すると同時に，**実務における問題解決能力**を判定している。

2 記述式試験を突破するための前提知識

記述式試験は次に説明する特徴を持っている。これらの特徴は，正解するためのヒントや条件につながる。

■ 正解を一つに絞るための制約・根拠

ここでいう専門スキルとは，体系化された専門知識とそれを適用できる専門技能を指している。ただ，受験者の持つ専門スキルは微妙に異なっているので，一つの問題に対して様々な解答がなされることになる。そこで，問題文や設問文には，受験者の答案を一つの解答＝正解に収斂させるために，**正解を一つにするための制約や根拠**が挿入されている。

また，問題文には，文章だけでなく，システムの構成や概要を表した図，スケジュール，性能や容量などを示した表を用いて，システム開発の事例が説明されている。

図表が提示されている場合，その図表が解答の導出にかかわってくることがある。

■ 設問の種類

設問には，空欄に入る字句や数値を答える設問と，制限字数内で理由・原因・対策・リスクなどを答える設問がある。設問にも，正解を一意にするための条件や制限が付されていることが多い。

記述式試験を突破するには，このような記述式試験の特性を認識し，自分の実務経験に固執せずに解答を作成する必要がある。

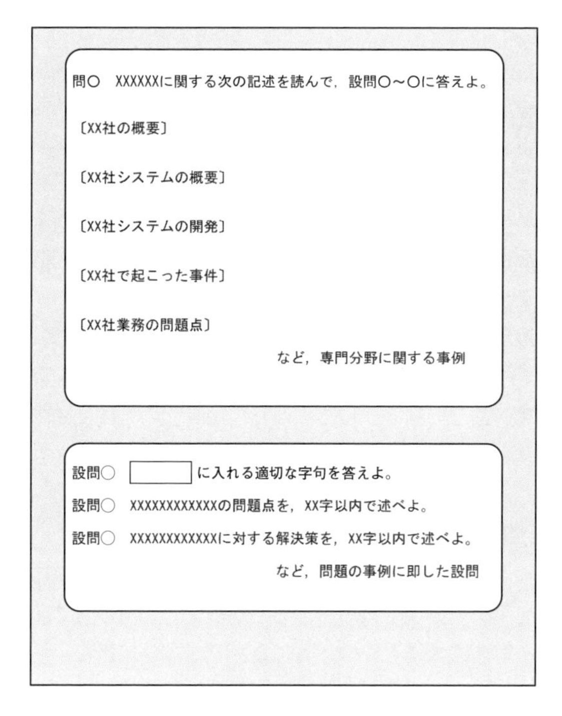

▶記述試験問題の形式

3 記述式試験を突破するためのアドバイス

■「正解は一つ」であること

記述式試験の解答は，ある程度の幅を持った内容で正解できそうに思えるが，先に述べたように，記述式試験の問題は，問題文や設問文に記述されている制約や根拠で，正解が一つになるように作られている。したがって，解答欄に自由な内容を記述してよいのではなく，**「正解は一つ」と思って解答を導く姿勢**が必要である。

■「正解は明快な日本語表現」のアドバイス

解答を作成する際には，必要な内容を明快な日本語で表現する姿勢が重要である。その理由は，採点者は短時間で大量の答案を採点するので，**あいまいな日本語表現の解答は誤解して理解**されてしまうからである。

また，美しい文章を書く必要もなく，制限字数いっぱいに着飾って表現しても，無駄な日本語の中に必要な内容が埋もれてしまっては低い評価になってしまう。

4 記述式試験における専門用語の重要性

■ 問題文の読解

記述式問題でとり上げるシステム開発の事例は，**システムアーキテクトが実際に活動している現場を表現**したものである。問題文では，**必要な内容を少ない文章で正確に受験者に提示するため**，専門用語を多用している。

例えば，受注処理について，与信限度のチェック，与信限度額，売掛金残高などの専門用語が用いて説明されている場合，これらの意味が分からなければ，受注処理の内容は理解できないことになる。したがって，短時間で正確に問題文の内容を把握するには，その業務事例の領域における専門用語の知識が不可欠となってくる。

■ 解答の根拠の発見

また，問題文に埋め込まれている**解答の根拠は，客観的で誤解のないものにするために**，専門用語を用いて表現されていることが多い。したがって，習得している専門用語が少ないと，解答の根拠を見つけることができない。逆に，多くの専門用語を習得していれば，解答の根拠を短時間で正確に発見することができることになる。

■ 解答の記述

専門用語は，問題文を読むときに限らず，解答を作成する際にも必要となる。解答の根拠を発見して解答すべき内容が分かっても，適切な専門用語が分からなければ**制限字数内に収まらなくなってしまう**からである。

また，**解答を客観的で説得力のあるもの**にするためにも，専門用語は有用である。例えば，「システム開発において，成果物に誤りがないかどうか確認する作業」を説明するとき，「レビュー」という専門用語を使うと端的に伝わる。

このように自由に使いこなせる専門用語を数多く習得しておくと合格への道も近い。

1.2 記述式問題の解き方

1 記述式試験突破のポイント

記述式試験を突破するポイントは，

❶ 問題文を“読解”する
❷“解き方”に従って解く

の二つに集約される。この二つのどちらが欠けても本試験突破はおぼつかない。

問題文に目を通した程度では内容は頭に入らない。その状態でいくら“解き方”を駆使しようとしても，時間がかかるだけである。また，問題文を的確に“読解”できたとしても，**“解き方”が誤っている**と正解をずばり記述できないことがある。

だが，問題文を読むことも，解き方に従うことも，次のトレーニング方法で簡単に身に付けることができる。

- **問題文の読解法…「二段階読解法」**
- **解き方…「三段跳び法」**

二つのトレーニングのねらい，方法，そして最終目標をよく理解した上で，実践してほしい。

問題文の読解トレーニング─二段階読解法

問題文は，概要を理解しつつもしっかりと細部まで読み込む必要がある。

そのためのトレーニング法が「概要読解」と「詳細読解」の二段階に分けて読み込んでいく二段階読解法である。トレーニングを繰り返していくと，全体像を意識しつつ詳細に読み込むことができるようになる。

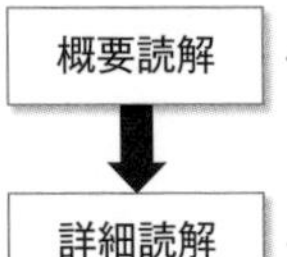

概要読解 …… 問題文の概要を把握する
タイトルにチェックを入れ，全体像を意識しながら読む

詳細読解 …… 解答に関係のありそうな情報を発見する
問題文の重要部分に線を引きながら，細部にも留意して読む

▶二段階読解法

2.1 全体像を意識しながら問題文を読む─概要読解

長文読解のコツは「何について書かれているか」を常に意識しながら読むことにある。長文を苦手とする受験者は，全体像を理解できていないことが多い。

問題文を理解する最大の手がかりは〔タイトル〕にある。記述式試験の問題文は複数のモジュールから構成され，モジュールには必ず〔タイトル〕が付けられている。〔タイトル〕は軽視されがちだが，これを意識して読み取ることで，長文に対する苦手意識はずいぶん改善される。

H23問2より抜粋

〔購買管理システムの位置付け〕

現在B社は，全社統合生産システム構築の一環として購買管理システムの開発を行っている。全社統合生産システムは，購買管理システムの他に，生産管理システム，在庫管理システムで構成されている。

購買品目検収後の買掛金計上から支払までの管理は，既存の会計システムで行う。

〔B社の購買方式〕

B社の購買方式は，次の三つである。

(1)計画購買方式

生産管理システムの資材所要量計画から出された，資材の購買要求（以下，計画購買オーダという）に応じて購買を行う。計画購買オーダには，購買品目の品番，所要量，所要時期の情報が含まれる。

B社の中で，購買管理システムがどのような位置付けであるかを述べている

購買管理システムが支援する購買方式について述べている

購買方式の一つである計画購買方式について述べている

章，節タイトルも重要な手掛かりになる

▶タイトルをマークした概要読解

2.2 アンダーラインを引きながら問題文を読む―詳細読解

次に，問題文に埋め込まれている解答を導くための情報を探しながら，詳細に読み込むためのトレーニングである。このトレーニングは，問題文を読みながら，その中に次のような情報を見いだして，アンダーラインを引いていく方法である。

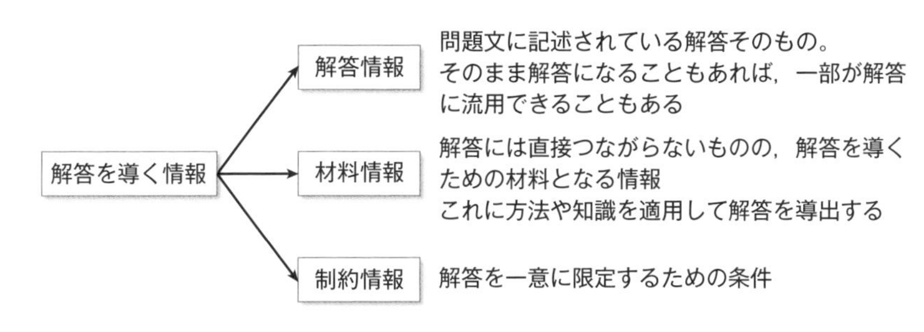

▶解答を導く情報

■アンダーラインを引く

「アンダーラインを引く」という行為は，問題文をじっくり読むことにつながる。ただし，慣れないうちは問題文が線だらけになってしまい，かえって見づらくなるので，次のことを目安に線を引くとよい。

▶アンダーラインを引くべき情報

目安となる観点	着目度	説明
良いこと	★	「顧客の意見を十分反映した」など，ポジティブに記述されている部分。解答に直接つながるというより，解答を限定する情報になることが多い。
悪いこと	★★★	「チェックは特に行っていない」など，ネガティブに記述されている部分。技術的な欠点や要員の問題行動を表していることが多く，解答に直接つながりやすい。
目立った現象・行動・決定	★★★	悪いことと同様，技術的な欠点や要員の問題行動を表していることが多い。解答に直接つながりやすい。
数字や例	★★	例を用いて説明している部分は，問題のポイントになることが多い。 「例に倣って計算する」など，材料情報になることもある。
唐突な事実	★★★	「最終退室時刻と終了時刻は必ずしも一致しない」など，唐突に現れる事実。わざわざ説明するからには何かがある！
キーワード	★★	問題文で定義される用語や分野特有のキーワード。 解答で使用することが多い。

タイトルもチェック！

H24問2より抜粋

〔汎用化システムへの要望や制約〕

Cマネージャは，各ショップへのヒアリングなどを通じ，汎用化システムの要望や制約を次のようにまとめた。

(1) ショップの特色を出したいので，独自の商品を開発して販売するなどの工夫を行えるようにしたい。

(2) システムやサイト全体の運営，管理は，B社が行ってほしい。

(3) ショップの運営について，B社からアドバイスや情報提供を行ってほしい。

(4) 顧客ごとの完了した取引回数などに応じた優遇をB社で行ってほしい。

(5) システムの開発・改造や Web ページの作成を独自に実施できないショップがある。

(6) どのショップでも，ブラウザと電子メール（以下，メールという）は利用できる。

(7) ショップでは，ブラウザを用いて大きなサイズのデータを受け取ることはできるが，メールで受信できるデータのサイズには制限がある。

(8) ショップでは，メールの受信を数分内に知ることはできるが，Web ページを毎日確実に確認することは難しい。

目立った決定

悪いこと

目立った現象

悪いこと

悪いこと

▶詳細読解―アンダーラインの例

2.3 トレーニングとしての二段階読解法

二段階読解法は，読解力を訓練するためのトレーニング法である。目指すのは，本試験において，問題文を二段階に分けて別々の目的を持って読み解くことではなく，**少ない回数で解答に必要な情報を集める**こと，あるいは解答することである。

時間配分としては，1問の持ち時間の$\frac{1}{3}$の時間内に読み込めるよう，トレーニングしよう。

設問の解き方—正解発見の三段跳び法

記述式試験の正解の条件は，次の二点である。

❶ 設問の要求事項に正しく答えている
❷ 解答の根拠が問題文にある

❶の要求事項は設問が受験者に答えさせたい内容で，これを満たしていない解答は正解になり得ない。

❷は見落とされやすい。経験や技術のある受験者ほど，設問に対して「自分の経験や業界の知識」から答えてしまいがちだからだ。しかし，記述式試験が求めているのはあくまでも問題文の条件や制約に沿った解答であり，個人的な経験や勝手な解釈ではない。経験や業界知識は重要だが，それらはあくまでも問題文を踏まえた上で適用しなければならない。

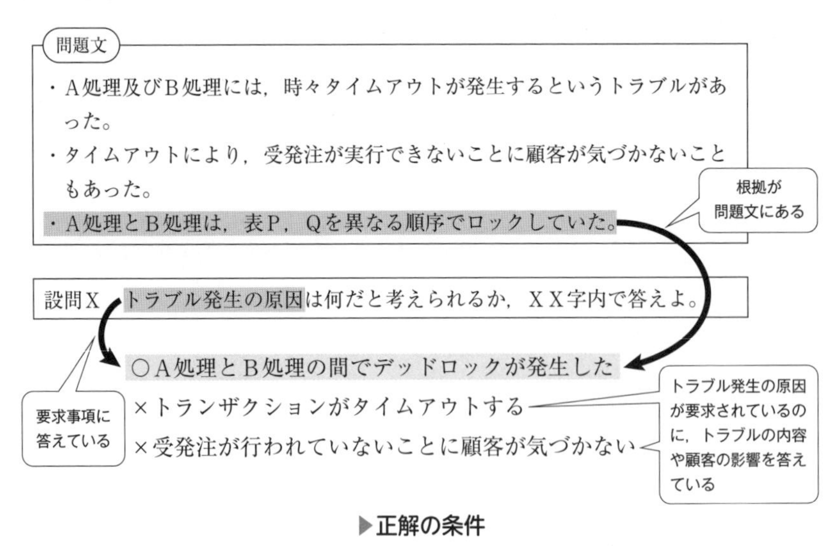

▶正解の条件

3.1 三段跳び法

正解の条件を満たす答案を導くためのテクニック，あるいはトレーニング法が，三

段跳び法である。これは，

❶ 設問のキーワードから問題文へ「ホップ」する
❷ 問題文のキーワードから，解答を導く情報へ「ステップ」する
❸ ❷で発見した情報をもとに，正解に向けて「ジャンプ」する

という，三段跳びで解答を作成していく方法である。

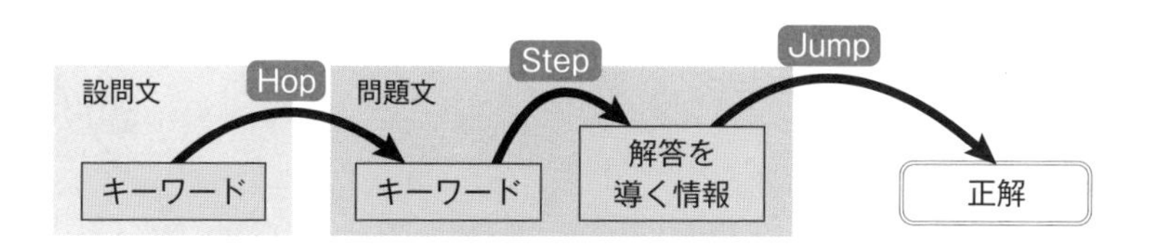

▶三段跳び法の手順

■ ホップ（Hop）

設問を特徴づけるキーワードやキーフレーズを見つける。キーワードやキーフレーズは，問題文にそのまま現れたり，同等の内容が記述されていたりするので，それらを探す。

■ ステップ（Step）

ホップで見つけた場所の近く，又は意味的つながりのある部分に，解答を導くための情報が記述されている。設問の要求事項に注意して，その情報を探す。

■ ジャンプ（Jump）

ステップで見つけた情報をもとに，制限字数に注意して解答を作成する。その際，設問の要求事項に適合しているかどうかを必ず確かめるようにする。設問にもよるが，ステップで見つけた情報の流用が可能であれば，一部でもよいので流用する。

3.2 ステップの繰り返しが必要な場合

ステップの作業を何度か繰り返さなければ解答情報にたどり着けない場合もある。一度のステップで解答情報にたどり着かなくてもあきらめずに，さらにステップしてほしい。その例を，次に挙げる。

例　　(H23問2より抜粋)

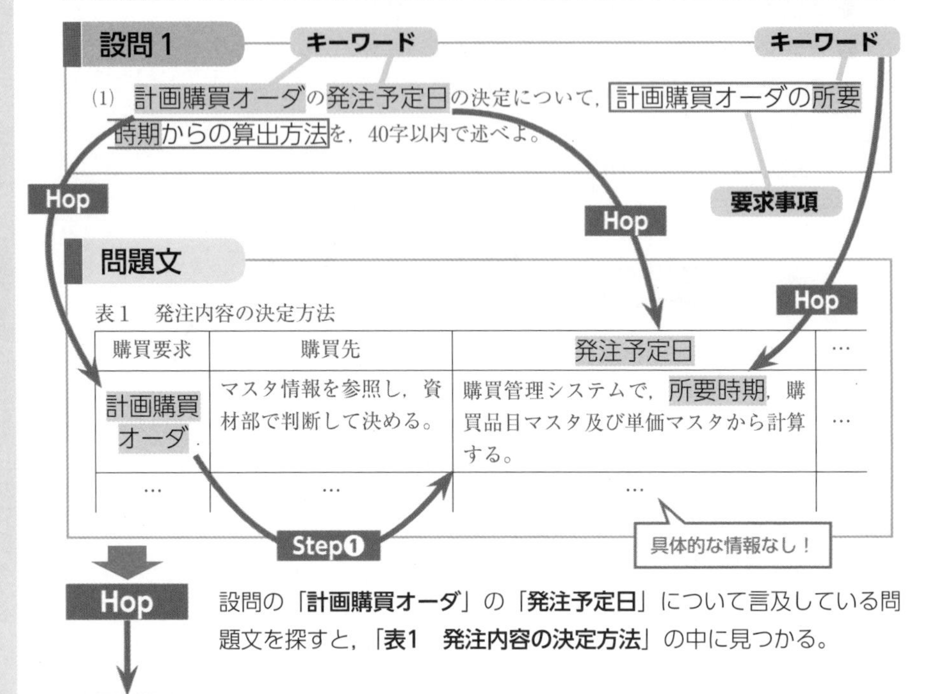

設問1

(1) 計画購買オーダの発注予定日の決定について，計画購買オーダの所要時期からの算出方法を，40字以内で述べよ。

問題文

表1　発注内容の決定方法

購買要求	購買先	発注予定日	…
計画購買オーダ	マスタ情報を参照し，資材部で判断して決める。	購買管理システムで，所要時期，購買品目マスタ及び単価マスタから計算する。	…
…	…	…	

Hop　設問の「**計画購買オーダ**」の「**発注予定日**」について言及している問題文を探すと，「**表1　発注内容の決定方法**」の中に見つかる。

Step❶　2つのキーワードからステップした先には「**購買品目マスタ及び単価マスタから計算する**」と書かれているだけで，その具体的な算出方法には触れていない。

Tips ホップ・ステップの失敗を恐れない

ホップに用いるキーワードとして一般的な用語を選んでしまうと，問題文のいたるところにたどり着いてしまい，どれが正しい情報であるか分からなくなってしまう。そのような場合は，別の用語を選んで絞り込むとよい。ただし，絞り込みすぎると，今度はホップ・ステップする場所が見当たらなくなってしまうこともある。

キーワードの絞り込みの加減は，トレーニングを繰り返すと徐々に分かってくる。最初のうちは，ホップ・ステップに失敗することが多いかもしれないが，だんだんうまくできるようになる。それを信じてトレーニングに取り組んで欲しい。

問題文

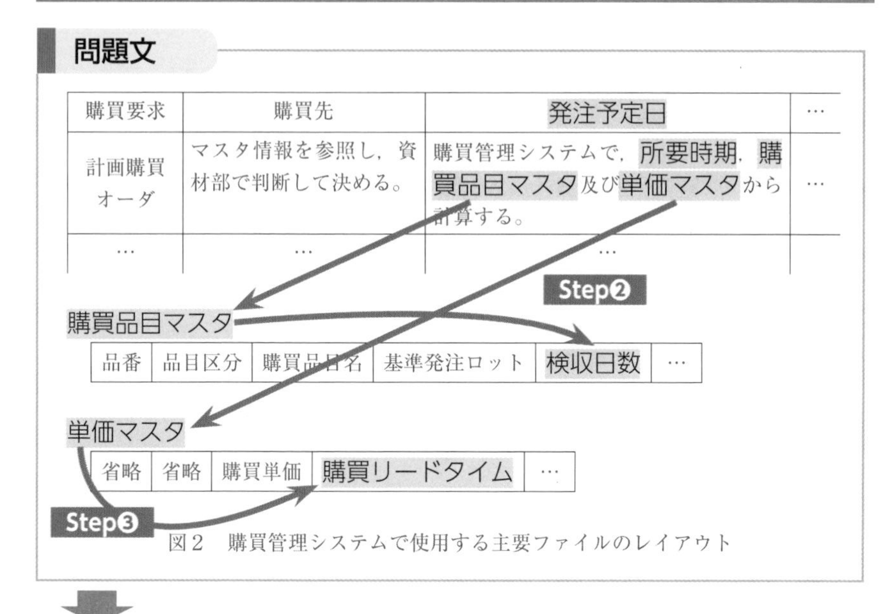

購買要求	購買先	発注予定日	…
計画購買オーダ	マスタ情報を参照し，資材部で判断して決める。	購買管理システムで，所要時期，購買品目マスタ及び単価マスタから計算する。	…
…	…	…	

購買品目マスタ

品番	品目区分	購買品目名	基準発注ロット	検収日数	…

単価マスタ

省略	省略	購買単価	購買リードタイム	…

図2　購買管理システムで使用する主要ファイルのレイアウト

Step❷

そこで，「**購買品目マスタ**」と「**単価マスタ**」をキーワードとして，さらにステップする。

Step❸

すると「**図2　購買管理システムで使用する主要ファウルのレイアウト**」中に見つかる。さらに「**発注予定日の算出方法**」を探るため，それぞれのファイルの日付や期間に関する項目へステップする。

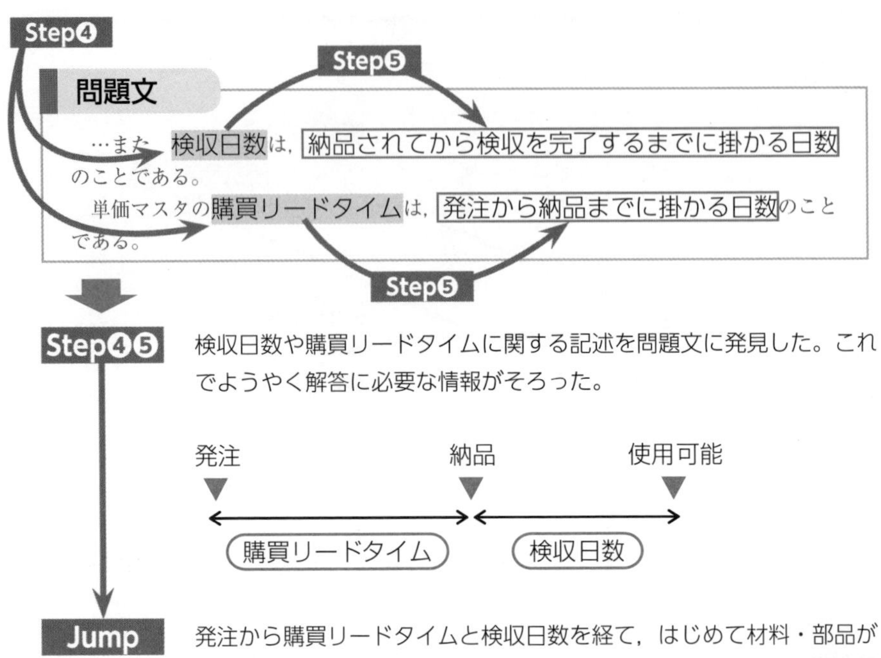

発注から購買リードタイムと検収日数を経て，はじめて材料・部品が使用できるようになる。所要時期から発注予定日を逆算した，**所要時期から購買リードタイムと検収日数だけ前の日を，発注予定日とする**が解答となる。

3.3 テクニックが目指す先

三段跳び法は，記述式試験を突破するための重要なテクニックである。

矛盾するようだが，二段階読解法と同様，三段跳び法の最終目標は「三段跳び法を使わずに問題を解く」ことである。

- **手がかりを見落とさないように問題文をしっかり読む**
- **設問と問題文を関連させ，解答情報を探す**

これらが適切にできれば，二段階読解法や三段跳び法などの手順を省略して，正解を導くことができる。テクニックは，そこに至るための練習方法だと認識して，トレーニングを繰り返そう。

4 記述式問題の解き方の例

第１作業は問題文の読解作業である。まず概要読解で全体像を把握し，次に詳細読解でアンダーラインを引きながら読むとよい。第２作業は，三段跳び法で正解を探す作業である。ホップ，ステップ，ジャンプでチャレンジしてみよう。

具体例 食品製造業の基幹システムの改善—H25問３

問３ 食品製造業の基幹システムの改善に関する次の記述を読んで，設問1～4に答えよ。

食品の製造を行っているＦ社では，売上拡大への対応，顧客満足度の向上並びに業務の効率化及び省力化を目指し，基幹システムの改善に取り組んでいる。

〔改善対象となった現行の業務及び関連する基幹システムの概要〕

改善対象となった現行の業務及び関連する基幹システムの概要は，次のとおりである。

(1) 受注処理

(a) 得意先からの注文は，翌日出荷分から数週間先の出荷分までまとめて送られてくるが，翌日出荷分の注文だけをシステムに受注登録している。翌々日以降の出荷分の注文（以下，先日付の受注という）は人手で台帳管理している。先日付の受注は，生産計画に反映させるために，受注部門から生産管理部門に集計表が渡されている ➡ 唐突な事実 。

(b) 受注登録時にシステムで与信限度のチェックを行う。与信限度のチェックは，得意先ごとに次の計算式で行っている。

①今回受注登録額≦与信限度額－前月末売掛金残高－当月売上高＋当月入金額
➡ 具体的な公式

(c) 受注登録後，受注受付順にシステムで製品在庫を引き当てる。製品の欠品時は，受注を一旦取り消し，得意先との間で受注数量変更，納期変更などの調整を行った後，再度受注登録している。

(2) 出荷処理

(a) 製品在庫引当処理後，在庫が引き当てられた注文の出荷伝票を発行している。

(b) 得意先へは，工場内に1か所ある製品倉庫から，製品在庫として先に入庫されたものから先に出荷している ➡ 目立った現象 。出荷に当たっては，前回出荷した製品の賞味期限は考慮していない ➡ 悪いこと 。

(3) 製品在庫管理

(a) 製造された製品は，製品倉庫に入庫される。工場部門での製品製造実績登録によって，実在庫及び引当可能在庫の入庫計上をシステムで行う。

(b)　製品在庫引当処理時に引き当てた分について，引当可能在庫の出庫計上をシステムで行う。また，出荷実績登録によって実在庫の出庫計上をシステムで行う。

(c)　製品の賞味期限は，人手で台帳管理している➡ 悪いこと 。

(d)　工場での製品の1回の製造単位を，製品ロットという。製品ロットには，一意な製品ロット番号が付与され，システム上で管理されている➡ キーワード 。

(4)　原材料在庫管理

(a)　原材料は，購買先からの納品・検品の後，工場内に1か所ある原材料倉庫に入庫され，製造現場からの払出し要求によって出庫される。

(b)　原材料の在庫は，原材料倉庫での入出庫実績を登録することによってシステムで管理している。製造現場に未使用分の原材料が残ることがあり，それは人手で台帳管理している➡ 悪いこと 。

(c)　購買先からの1回の納品単位を，原材料ロットという。原材料ロットには，一意な原材料ロット番号が付与され，人手で台帳管理している➡ キーワード 。

(d)　原材料の賞味期限は，人手で台帳管理している。

〔現行システムに対する改善要件〕

業務の改善を検討した結果，現行システムに対して次のような改善を行うことにした。

(1)　受注処理

(a)　先日付の受注もシステムに登録し，未出荷分の受注に対して受注残高管理を行う。受注残高は，得意先ごとに，前回までに入力された受注のうち未出荷分の受注金額合計として算出する➡ 目立った決定 。

(b)　今回受注した，先日付の受注も含む金額を，今回受注登録額として，前回までに入力された先日付の受注も加味した与信限度のチェックを行う➡ 目立った決定 。

(c)　受注登録されたデータは，基幹システムを構成する既存の生産管理システムに渡す➡ 目立った決定 。

(d)　受注に対する製品の引き当ては，翌日出荷分について製品ロット別に行う➡ 目立った決定 。

(2)　出荷処理

(a)　賞味期限が逆転するような出荷を防止するために，得意先ごとに，前回出荷した製品よりも賞味期限の日付が新しい製品を出荷する➡ 良いこと 。

(b)　受注数量に満たなくても，在庫がある分だけでも出荷できるような出荷指示を行う➡ 目立った決定 。

(3)　製品在庫管理

(a)　製品ロット別の入出庫処理及び在庫管理を行う。

(b)　製品の賞味期限は，システムで管理する。賞味期限切れの製品は処分され，システムの管理対象から除外される➡ 目立った決定 。

(4)　原材料在庫管理

(a)　購買先からの入荷検品時に，原材料ロット単位での入庫実績を登録すると同時に，現物と原材料ロット情報を照合できるように，入荷ラベルを発行する。

(b)　原材料倉庫から製造現場への払出し時に，原材料倉庫からの出庫実績を登録する。

(c) 製造現場では，原材料の使用実績と未使用残実績を登録する。
(d) 原材料在庫は，在庫場所ごとに原材料ロット別にシステムで管理する。賞味期限もシステムで管理する。賞味期限切れの原材料は処分され，システムの管理対象から除外される ➡ 目立った決定 。

〔改善対象システムの主要なファイル一覧〕
現在設計中の主要なファイルの一覧を表1に示す。

表1　主要なファイルの一覧（設計中）

ファイル名	主な属性（下線は主キーを表す）
受注	受注番号，得意先コード，受注日，製品コード，受注数量，単価，納期，納入場所，出荷予定日，未引当受注数量，出荷ステータス
与信限度	得意先コード，与信限度額，前月末売掛金残高，当月入金額，当月売上額，受注残高
出荷指示	出荷指示番号，得意先コード，製品コード，製品ロット番号，出荷指示数量，賞味期限，出荷予定日，受注番号
出荷実績	出荷指示番号，得意先コード，製品コード，製品ロット番号，出荷数量，賞味期限，出荷実績日，受注番号
発注	（省略）
入荷予定	（省略）
原材料受入実績	発注番号，購買先コード，原材料コード，原材料ロット番号，原材料賞味期限，入荷実績数量，入荷実績日
原材料払出指示	（省略）
製造実績	（省略）
原材料使用実績	製品ロット番号，原材料ロット番号，製造現場，原材料使用実績数量
製品ロット別在庫マスタ	製品コード，製品ロット番号，実在庫数量，引当可能在庫数量，賞味期限
原材料ロット別在庫マスタ	原材料コード，原材料ロット番号，実在庫数量，引当可能在庫数量，原材料賞味期限

➡ キーワード

〔製品ロット別在庫引当処理〕
製品ロット別の在庫引当について，図1の製品ロット別在庫引当処理フローに示すような処理を検討している。

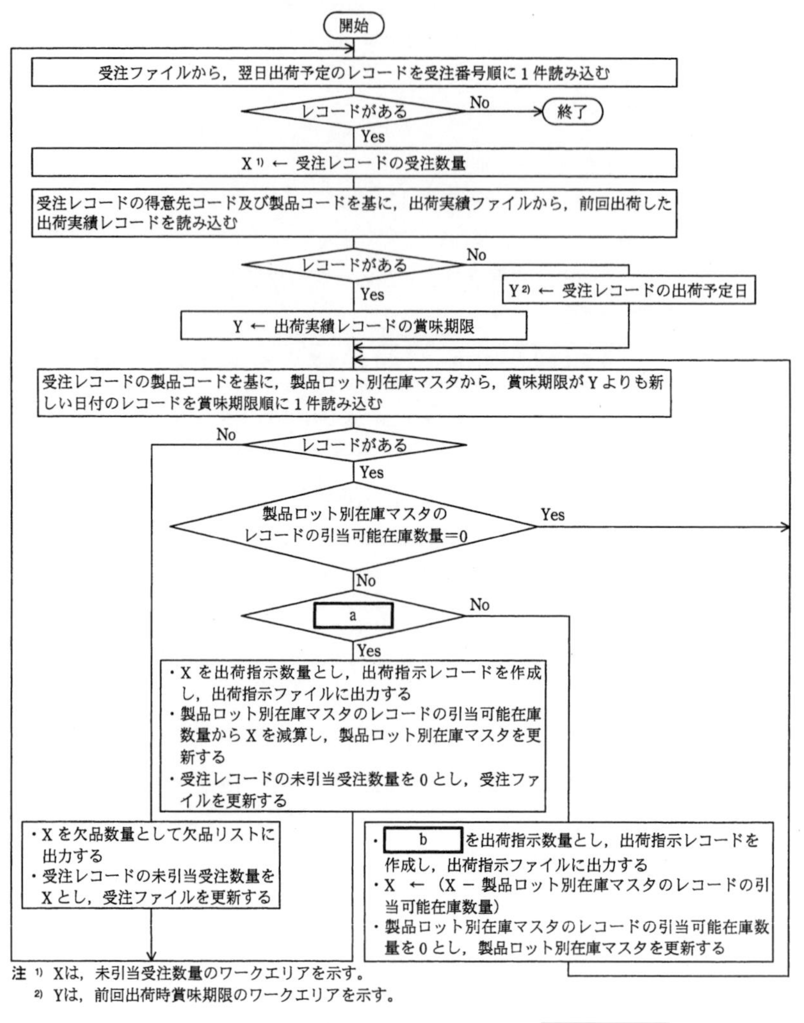

図1　製品ロット別在庫引当処理フロー ➡ 必要な情報

〔ロット追跡〕

ロット追跡に関して，次の点を検討している。

(1) 出荷実績から，ある製品ロットについて，その製品に使用した原材料ロットの全ての購買先を抽出する手順

手順1：出荷実績から，該当する製品ロット番号のレコードを抽出

手順2：原材料使用実績から，手順1で抽出した製品ロット番号に使用した原材料ロッ

ト番号のレコードを抽出
手順3：[c] ➡ 必要な情報

(2) ある原材料ロット番号について，その原材料を使用した製品を出荷した全ての得意先を抽出する手順
手順1：原材料使用実績から，その原材料ロット番号を使用した製品ロット番号のレコードを抽出
手順2：[d]
➡ 必要な情報

設問1 受注処理の改善について，(1)，(2) に答えよ。
(1) 先日付の受注を登録するのは，与信管理強化の目的以外に，生産管理システムと連携させ，ある目的を達成するためである。その目的を，15字以内で述べよ。
(2) 先日付の受注を取り込むことによって，本文中の下線①に示す与信限度チェックの計算式を変更する必要がある。計算式の右辺にどのような計算を追加すべきか。15字以内で述べよ。

設問2 原材料在庫管理の改善について，(1)，(2) に答えよ。
(1) 改善後のシステムにおいて，管理対象として，ある場所の在庫が追加になる。どの場所のどのような在庫が追加になるか。20字以内で述べよ。
(2) 管理対象となる在庫の追加によって，現在設計中の原材料ロット別在庫マスタに追加すべきキーとなる属性が一つある。その属性を答えよ。

設問3 〔製品ロット別在庫引当処理〕について，図1中の[a]，[b]に入れる適切な処理内容をそれぞれ30字以内で述べよ。

設問4 〔ロット追跡〕について，本文中の[c]，[d]に入れる適切な手順内容を，表1のファイル名，属性を用いてそれぞれ45字以内で述べよ。

解答例

設問1	(1)	生産計画へ反映させること
	(2)	受注残高分を減算する。
設問2	(1)	製造現場に未使用で残った原材料在庫
	(2)	在庫場所コード
設問3	a	X ≦ 製品ロット別在庫マスタのレコードの引当可能在庫数量
	b	製品ロット別在庫マスタのレコードの引当可能在庫数量
設問4	c	原材料受入実績から，手順2で抽出した原材料ロット番号に対応する購買先コードを抽出
	d	出荷実績から，手順1で抽出した製品ロット番号に対応する得意先コードを抽出

※IPA発表

●三段跳び法●

設問1（1）

受注処理の改善について，
(1) 先日付の受注を登録するのは，与信管理強化の目的以外に，生産管理システムと連携させ，ある目的を達成するためである。その目的を，15字以内で述べよ。

Hop❶

問題文

Hop❶
設問のキーワードを
問題文に探す

〔現行システムに対す……
……
(1) 受注処理
(a) 先日付の受注もシステムに登録し，未出荷分の受注に対して受注残高管理を行う。受注残高は，得意先ごとに，前回までに入力された受注のうち未出荷分の受注金額合計として算出する。
……
(c) 受注登録されたデータは，基幹システムを構成する既存の生産管理システムに渡す。

これ以上手がかりなし！

Hop❷

問題文

〔改善対象となった現行の業務及び関連する基幹システムの概要〕

Hop❷
さらにキーワード
を探す

……処理
……先からの注文は……数週間先の出荷分までまとめて送られてくるが，翌日出荷分……テムに受注登録している。翌々日以降の出荷分の注文（以下，先日付の受注という）は人手で台帳管理している。
先日付の受注は，生産計画に反映させるために，受注部門から生産管理部門に集計表が渡されている。

Step
現行の管理方法が
分かる

Step
先日付の受注を生産管理
部門に渡す理由が分かる

（右頁：解説）

Hop❶ **「先日付の受注」「生産管理システム」**をキーワードに本文へ

設問は受注管理の改善なので，まず〔現行システムに対する改善要件〕モジュールを探す。
すると，「**先日付の受注も……生産管理システムに渡す**」にたどり着く。
だが，これ以上の手がかりは見つからない。

Hop❷ さらに，キーワードを本文に探してみる

Hop❶の〔現行システムに対する改善要件〕モジュールからさかのぼって〔改善対象となった現行の業務及び関連する基幹システムの概要〕モジュールを探すと，「**先日付の受注は……受注部門から生産管理部門に集計表が渡されている**」ことにたどり着く。
キーワードの「**生産管理システム**」ではなく，「**生産管理"部門"**」となっているが，細かな違いは気にせずにHopしよう。

Step 現行の業務では，先日付の受注は「**人手で台帳管理**」されていることが分かる。さらにこれを生産管理部門に渡す理由は，「**生産計画に反映させるため**」であることも分かる。

Jump ここまでで明らかになった事実をまとめる。

(現行業務)
・先日付の受注はシステムに登録されず，人手で管理されている
・先日付の受注の集計結果を生産管理部門に渡す理由は，生産計画に反映するためである
(改善要求)
・先日付の受注もシステムに登録する
・受注登録されたデータは生産管理システムに渡す

これらのことから，先日付の受注を登録して生産管理システムに連携させる目的は，**生産計画に反映させること**であることが分かる。

設問1（2）

受注処理の改善について，

(2)　先日付の受注を取り込むことによって，本文中の下線①に示す与信限度チェックの計算式を変更する必要がある。計算式の右辺にどのような計算を追加すべきか。15字以内で述べよ。

問題文

①今回受注登録額≦与信限度額－前月末売掛金残高－当月売上額＋当月入金額

これ以上手がかりなし！

Hop　設問で指示された下線①にホップする。

Step　ステップすべきヒントはない。

Jump　問題文には，下線①に示された「与信限度チェックの計算式」以外のヒントは見つからない。そこで，一般的な知識をもとに正解を考える。与信限度は，取引先に設定された与信取引の上限である。取引先は，与信限度を超えない限り，代金後払いで商品を購入できる。

（与信限度の構成）

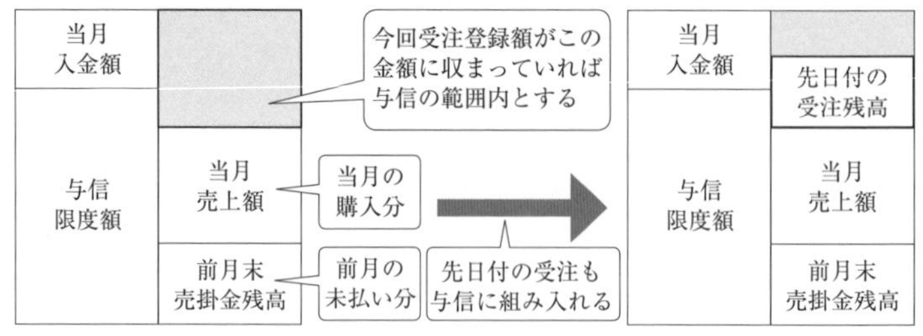

ある顧客の与信限度額が100万円で，当月に40万円を売り上げた場合，その顧客の与信限度の残額は100万－40万＝60万円である。また，顧客に前月までの未払い金（前月末売掛金残高）が20万円あれば，与信限度の残額はさらにさし引かれて60万－20万＝40万円となる。

ただし，当月に顧客から10万円の入金があった場合，これは残額に加えられ，与信限度の残額は40万＋10万＝50万円となる。顧客から受けた受注登録額（今回受注登録額）が，この与信限度の残額を超えない限り，与信取引を行うことができる。以上が，下線①の式

今回受注登録額 ≦ 与信限度額－前月末売掛金残高－当月売上額＋当月入金額

が示す意味である（構成図左）。

なお，現行では今回受注登録額（翌日出荷分の注文）のみチェックを行っているが，本来であれば先日付の受注（翌々日以降の出荷分の注文）も加えて与信限度をチェックしなければならないため，

今回受注登録額＋先日付の受注残高
≦ 与信限度額－前月末売掛金残高－当月売上額＋当月入金額

となる。これは，

今回受注登録額 ≦ 与信限度額－前月末売掛金残高
－当月売上額＋当月入金額－先日付の受注残高

と変形できる（構成図右）。

以上より，先日付の受注を取り込むことによって，与信限度チェックの計算式の右辺から，**受注残高分を減算する**という変更が必要になる。

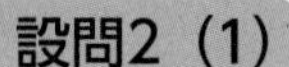

設問2（1）

2　原材料在庫管理の改善について，

(1)　改善後のシステムにおいて，管理対象として，ある場所の在庫が追加になる。どの場所のどのような在庫が追加になるか。20字以内で述べよ。

Hop

問題文

〔現行システムに対する改善要件〕

業務の改善を検討した結果，現行システムに対して次のような改善を行うことにした。

……

(4)　原材料在庫管理

……

(d)　原材料在庫は，在庫場所ごとに原材料ロット別にシステムで管理する。賞味期限もシステムで管理する。賞味期限切れの原材料は処分され，システムの管理対象から除外される。

Step
改善後の管理方法が分かる

Hop

Hop

問題文

〔改善対象となった現行の業務及び関連する基幹システムの概要〕

……

(4)　原材料在庫管理

……

(b)　原材料の在庫は，原材料倉庫での入出庫実績を登録することによってシステムで管理している。製造現場に未使用分の原材料が残ることがあり，それは人手で台帳管理している。

Step
現状はどうなっているかが分かる

システムで管理されていない原材料倉庫がある！

Hop

（右頁：解説）

Hop **原材料在庫**

「**ある場所の在庫**」をキーワードに問題文へ。〔現行システムに対する改善要件〕モジュールには,「**原材料在庫**」と「**在庫場所**」が,さらにさかのぼった〔改善対象となった現行の業務及び関連する基幹システムの概要〕モジュールには,「**原材料在庫**」と場所を表す「**製造現場**」という言葉が現われる。

Step

〔現行システムに対する改善要件〕モジュールからは,原材料在庫の管理方法を,在庫場所ごとに原材料ロット別にシステムで管理することが分かる。
また〔改善対象となった現行の業務及び関連する基幹システムの概要〕のブロックからは,製造現場に未使用分の原材料が残ることがあり,人手で管理されているという現状であることが分かる。

Jump

ここまでで明らかになった事実をまとめる。

(現行業務)
・製造現場に未使用分の原材料が残ることがある
・その原材料はシステムでは管理されない
(改善要求)
・原材料在庫は在庫場所ごとに原材料ロット別にシステムで管理する

これらのことから,改善後のシステムでは,管理対象に,**製造現場に未使用で残った原材料在庫**を追加しなければならないことが分かる。

設問2（2）

2　原材料在庫管理の改善について，
(2)　管理対象となる在庫の追加によって，現在設計中の原材料ロット別在庫マスタに追加すべきキーとなる属性が一つある。その属性を答えよ。

設問2（1）で明らかになっていること

原材料在庫は，在庫場所ごとに原材料ロット別にシステムで管理する。

Hop

問題文

表1　主要なファイルの一覧（設計中）

……	……
原材料ロット別在庫マスタ	原材料コード，原材料ロット番号，実在庫数量，引当可能在庫数量，原材料賞味期限

Step
キー項目は

Hop	設問の指示どおり，表1に示された「**原材料ロット別在庫マスタ**」にホップする。

Step 設問は「**追加すべきキーとなる属性**」を求めているので，ファイル様式のキー項目にステップする。

Jump キー項目は（原材料コード，原材料ロット番号）であり，場所を表す項目がない。ところが，設問2（1）で見たとおり，原材料在庫は「**在庫場所ごとに原材料ロット別に**」システムで管理する。よって，在庫場所を表す項目，例えば，**在庫場所コード**をキーとなる属性として追加しなければならないことが分かる。

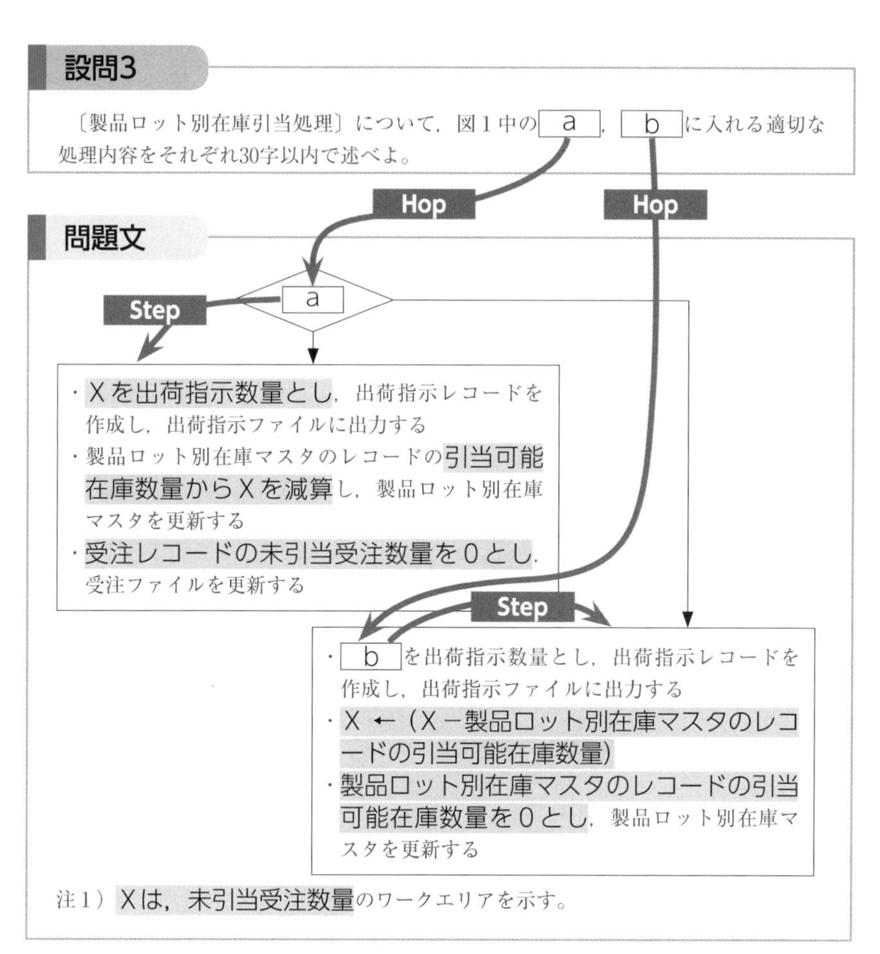
設問3
〔製品ロット別在庫引当処理〕について，図1中の a ， b に入れる適切な処理内容をそれぞれ30字以内で述べよ。
Hop
Hop
問題文
a
Step
・Xを出荷指示数量とし，出荷指示レコードを作成し，出荷指示ファイルに出力する
・製品ロット別在庫マスタのレコードの引当可能在庫数量からXを減算し，製品ロット別在庫マスタを更新する
・受注レコードの未引当受注数量を0とし，受注ファイルを更新する
Step
・ b を出荷指示数量とし，出荷指示レコードを作成し，出荷指示ファイルに出力する
・X ←（X－製品ロット別在庫マスタのレコードの引当可能在庫数量）
・製品ロット別在庫マスタのレコードの引当可能在庫数量を0とし，製品ロット別在庫マスタを更新する
注1）Xは，未引当受注数量のワークエリアを示す。

（次頁：解説）

Hop 図1の［ a ］及び［ b ］へホップする。

Step 空欄［ a ］については，条件が成立する場合の処理が明らかになれば，条件も判明する。そこで，空欄［ a ］が“Yes”の処理にステップする。空欄［ b ］については，これを含む処理にステップする。

Jump ステップした処理は，空欄［ a ］が成立するかどうかによって排他的に実行される。以下に，その違いを整理する。なお，Xは未引当受注数量に，製品ロット別在庫マスタのレコードの引当可能在庫数量は引当可能在庫数量にそれぞれ読み替える。

(Yes：aが成立)
・未引当受注数量を出荷指示数量とする（未引当受注数量の全量を出荷する）
・引当可能在庫数量から未引当受注数量を減じる
・未引当受注数量を0とする（全て引き当てることができた）
(No：aが不成立)
・bを出荷指示数量とする
・未引当受注数量から引当可能在庫数量を減じる
・引当可能在庫数量を0とする（引当可能な在庫がなくなった）

ここでは，受注に対する在庫の引当処理が行われている。在庫の引当は，受注数量（未引当受注数量）に対して在庫（引当可能在庫数量）が足りている場合と不足している場合に分けて処理を行わなければならない。

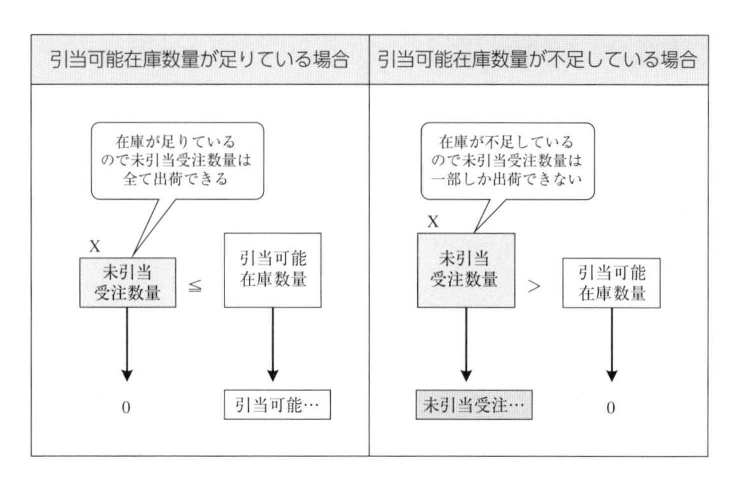

上図のように，在庫が足りている場合，未引当受注数量分を全て引き当てることができるため，未引当受注数量がそのまま出荷指示数量となり，未引当受注数量は0となる。これは，空欄aが成立した場合の処理である。よって，空欄aは「在庫が足りている」こと，すなわち，**X ≦ 製品ロット別在庫マスタのレコードの引当可能在庫数量**となる。

空欄bは，在庫が不足している場合に実行される。このとき，未引当受注数量を全て出荷することはできず，「引き当てられる分」のみを出荷することになる。つまり，**製品ロット別在庫マスタのレコードの引当可能在庫数量**を出荷指示数量とする。

設問4－cについて

〔ロット追跡〕について，本文中の［ c ］，［ d ］に入れる適切な手順内容を，表1のファイル名，属性を用いてそれぞれ45字以内で述べよ。

Hop

問題文

〔ロット追跡〕

ロット追跡に関して，次の点を検討している。

(1) 出荷実績から，ある製品ロットについて，その製品に使用した原材料ロットの全ての購買先を抽出する手順

手順1：出荷実績から，該当する製品ロット番号のレコードを抽出

手順2：原材料使用実績から，手順1で抽出した製品ロット番号に使用した原材料ロット番号のレコードを抽出

手順3：［ c ］

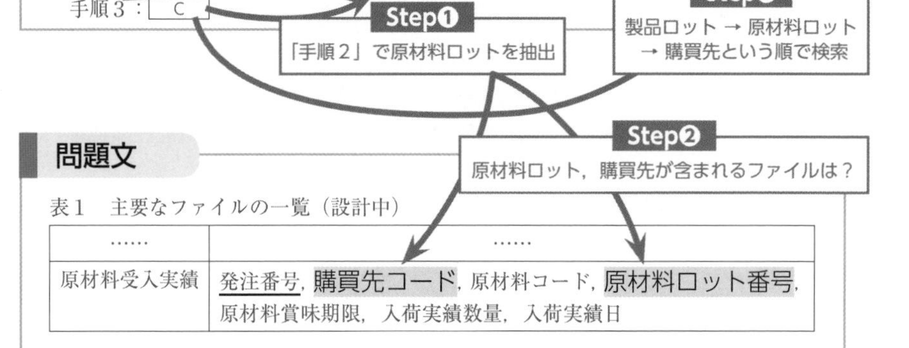

問題文

表1　主要なファイルの一覧（設計中）

……	……
原材料受入実績	発注番号，購買先コード，原材料コード，原材料ロット番号，原材料賞味期限，入荷実績数量，入荷実績日

（右頁：解説）

Hop 図1の[C]へホップする。

Step❶

まず，**手順1～3**は何を実行する手順なのかを明らかにする。それは〔ロット追跡〕モジュールの（1）に，「**出荷実績から，ある製品ロットについて，その製品に使用した原材料ロットの全ての購買先を抽出する手順**」と記述されている。このことから，**手順1～3**は「**製品ロットから原材料ロットを抽出**」し，さらに「**原材料ロットから購買先を抽出**」する手順であることがわかる。
なお，空欄[C]直前の手順2では，「**原材料使用実績から，手順1で抽出した製品ロット番号に使用した原材料ロット番号のレコードを抽出**」しているので，すでに原材料ロット番号までは抽出できていることも分かる。

Step❷

手順2で原材料ロットが抽出できているため，これをもとに購買先を抽出すればよい。そこで，「**原材料ロット**」とこれに対応する「**購買先**」をキーワードとして，これが含まれているファイルへホップする。その結果，原材料受入実績にたどり着く。

Jump

ここまでで明らかになった事実をまとめる。

- 目的は，「製品ロット→原材料ロット→購買先」という順で抽出すること
- 空欄[C]直前で，原材料ロットが抽出されている
- 原材料ロット番号と購買先コードは，原材料受入実績に記録されている

これらのことから，空欄[C]で行う作業手順の内容は，**原材料受入実績から，手順2で抽出した原材料ロット番号に対応する購買先コードを抽出する**であることが分かる。

設問4－dについて

〔ロット追跡〕について，本文中の［ c ］，［ d ］に入れる適切な手順内容を，表1のファイル名，属性を用いてそれぞれ45字以内で述べよ。

Hop

問題文

〔ロット追跡〕

ロット追跡に関して，次の点を検討している。

……

原材料ロット → 製品 → 得意先という順で検索

(2) ある原材料ロット番号について，その原材料を使用した製品を出荷した全ての得意先を抽出する手順

手順1：原材料使用実績から，その原材料ロット番号を使用した製品ロット番号のレコードを抽出

手順2：［ d ］

Step❶

Step❶ 手順1で製品ロットを抽出

Step❷ 製品ロット，得意先が含まれるファイルは？

問題文

表1　主要なファイルの一覧（設計中）

……	……
出荷指示	出荷指示番号，得意先コード，製品コード，製品ロット番号，出荷指示数量，賞味期限，出荷予定日，受注番号
出荷実績	出荷指示番号，得意先コード，製品コード，製品ロット番号，出荷数量，賞味期限，出荷実績日，受注番号

どちらのファイルを使えばよいか？

（右頁：解説）

Hop 図1の[d]へホップする。

Step❶

空欄[c]と同様の道筋でホップする。

手順1，2の目的は，〔ロット追跡〕の（2）に，「**ある原材料ロット番号について，その原材料を使用した製品を出荷した全ての得意先を抽出する**」と記述されている。このことから，**手順1，2**は「**原材料ロットから製品を抽出**」し，さらに「**製品から得意先を抽出**」する手順であることが分かる。

なお，空欄d直前の手順1では，「**原材料使用実績から，その原材料ロット番号を使用した製品ロット番号のレコードを抽出**」しているので，すでに製品ロット番号までは抽出できていることも分かる。

Step❷

空欄[d]の前に製品ロット番号が抽出できているため，これをもとに得意先を抽出すればよい。そこで，「**製品ロット番号**」とこれに対応する「**得意先**」をキーワードとして，これが含まれているファイルへホップする。その結果，出荷指示と出荷実績にたどり着く。

Jump

ここまでで明らかになった事実をまとめる。

- 目的は，「原材料ロット→製品→得意先」という順で抽出すること
- 空欄[d]直前で，製品ロット番号が抽出されている
- 製品ロット番号と得意先コードは，出荷指示及び出荷実績に記録されている

まず，使用するファイルを確定させるため，再度手順の目的を確認する。手順の目的には，「……**その原材料を使用した製品を出荷した全ての得意先を抽出する**」と記述されている。記述中の「**出荷した**」という言葉から，「**当該製品の出荷がすでに終わっている**」ことが読み取れる。したがって，この抽出で使用するファイルは出荷実績であることが明らかになる。なぜならば，出荷指示は「**指示は終わっているが出荷自体はまだ**」だからである。

以上より，空欄[d]で行う作業手順の内容は，**出荷実績から，手順1で抽出した製品ロット番号に対応する得意先コードを抽出する**であることが分かる。

記述式問題の演習

最近の記述式問題は，設計対象となるシステムの規模が小さくなってきている。さらに，システム開発における作業を特定の作業に絞り込まず，要件定義からシステム設計までの広い範囲を対象にしている。また，機能要件と非機能要件のいずれかに焦点を当てるのではなく，両方をとり上げたシステムアーキテクチャの設計をテーマにしている。

問題は，事例を説明する問題文と解答を問う設問から構成されている。問題を解くということは，設問の要求に合った解答のヒントを問題文から探し，解答を作成するということである。解答は，事例の内容と無関係な一般的なものではなく，事例の内容に完全に依存したものとなることを忘れてはいけない。

本書では，設計作業のアプローチの違いによって，「新規システムの構築」と「既存システムの改善」の二つに問題を分類しており，問２から問６が「新規システムの構築」，問７から問11が「既存システムの改善」，問１は最新の試験問題で「既存システムの改善」に分類できる。

最新問題

問1 会員向けサービスに関わるシステム改善 (出題年度：R6問２)

会員向けサービスに関わるシステム改善に関する次の記述を読んで，設問に答えよ。

Ｅ社は，カードローン事業を全国に展開する大手消費者金融会社である。Ｅ社は，カードローンの契約を締結した顧客（以下，会員という）に各種サービス（以下，会員サービスという）を提供している。現在，会員の利便性向上と業務の効率化を目的として会員サービスに関わる業務及びシステムの改善を進めている。

〔Ｅ社のカードローンの概要〕

Ｅ社は，カードローンの申込みを受け付けると，審査を行い，契約を締結してカードを発行している。会員は，発行されたカードを利用して，契約した貸出枠（以下，限度額という）の範囲でATMを通じて資金を借りることができる。Ｅ社では，ATM

での貸付け以外に，インターネット経由で貸付けの申込みを受け付け，会員の預金口座へ振り込むサービスも提供している。

契約時の限度額は，本人確認書類，収入証明書，E社での借入額及び他社での借入額などの情報を基に決定される。限度額は，契約中に見直されることがある。具体的には，転職，転籍又は退職の理由で勤務先の変更があった場合や収入に大きな変動があった場合に，見直しが行われる。

E社では，貸付けのリスクと会員の情報を正確に評価するために，会員から提出された収入証明書に有効期限を設け，その有効期限が到来する3か月前に再提出を依頼している。

会員は，借入残高が0円となる（以下，完済という）まで，毎月の返済日（以下，約定返済日という）に口座振替で返済する。実際に口座から引き落としする日（以下，実約定日という）は，約定返済日から金融機関の営業日を基に決定する。口座から正常に引き落とすことができたかどうかを金融機関がE社に連携するまでには数営業日掛かる（以下，この期間を口振結果営業日という）。また1年に2回まで，事前に決めた月（以下，ボーナス月という）に毎月の返済額に上乗せして返済することができる。会員は，口座情報，約定返済日，毎月の返済額，2回のボーナス月及びボーナス月の上乗せ金額（以下，約定条件という）を決め，契約する。

E社は，会員の返済計画をサポートするために，約定条件を柔軟に調整するサービスも提供している。ただし，毎月の返済額が利息より少なくならないように，またボーナス月の変更の際にはボーナス月が1年に3回以上とならないように調整している。

〔現在の会員サービスと関連システムの概要〕

E社の関連システムは，フロントシステム，審査システム及び基幹システムである。フロントシステムは，基幹システムと連携しており，基幹システムで管理している会員情報と契約情報を利用して会員サービスを提供している。審査システムは，限度額変更などの審査に利用する。

会員情報は，漢字氏名，カナ氏名，生年月日，電話番号，電話番号ステータス，メールアドレス，収入証明書有効期限，自宅住所及び勤務先情報である。電話番号ステータスの初期値は，“正常”としており，電話で会員に連絡した際に電話番号が無効であった場合に，“無効”に変更している。契約情報には，約定条件，契約商品，限度額，利率，契約ステータスなどが含まれる。契約ステータスは，“正常”と“解約”

の二つの値があり，契約ステータスが“解約”の場合は，フロントシステムを利用できないようにしている。

基幹システムでは，金融機関に口座振替を依頼し，金融機関から口座振替の結果を受領した日に借入残高を更新している。口振結果営業日数は金融機関によって異なるので，基幹システムの金融機関マスターで管理している。

現在の会員サービスの概要は，次のとおりである。

(1) お知らせサービス

会員は，フロントシステムにログインすることで会員個々人のトップページ（以下，マイページという）を表示することができる。マイページには，会員個々人向けのメッセージ及び各種サービスを利用するためのメニューを表示している。

(2) 各種変更サービス

会員は，フロントシステムを利用して，電話番号，メールアドレス，自宅住所，勤務先情報及び約定条件を変更することができる。各種変更画面に入力された内容をフロントシステムから基幹システムに連携し，基幹システムは，入力された内容を精査して会員情報と契約情報を変更する。

勤務先情報には，勤務先名，勤務先住所，勤務先電話番号，入社年月などが含まれており，勤務先情報を変更する際には，変更する理由（以下，勤務先変更理由という）を確認している。勤務先変更理由には，転職，転籍，退職，転勤，会社の住所変更又は社名変更がある。E社では，勤務先情報の変更で再度審査して限度額を再設定する場合があるので，フロントシステムから基幹システムに連携された勤務先変更理由を事務部門で確認し，勤務先変更理由によっては審査システムに審査を依頼する。

約定条件の変更でボーナス月を変更する場合には，事務部門で変更内容を確認し，ボーナス月の反映日を調整している。

(3) 借入サービス

会員は，フロントシステムを利用して，金額を指定することで，口座振替先として登録している口座（以下，振替先口座という）に指定した金額を借り入れることができる。借入画面に入力された金額をフロントシステムから基幹システムに連携し，基幹システムは，入力された金額と契約情報を精査した上で振替先口座に送金する。

(4) 限度額の変更サービス

会員は，フロントシステムを利用して，限度額の変更を申し込むことができる。

限度額の変更申込画面で，希望する限度額，年収及び他社借入額を入力し申し込む。申込みを受け付けた事務部門は，必要に応じて審査する。収入証明書が必要な場合は，会員に収入証明書を郵送で提出するように依頼している。収入証明書がＥ社に到着した後，事務部門が内容を確認し，審査システムに審査を依頼する。また，Ｅ社では，審査が完了した後に限度額変更に関する書類を会員へ郵送する。そこで，書類が確実に届くようにするために，事務部門が会員の現在の住所が変更されていないかどうかを電話で確認している。

(5) 各種情報照会サービス

会員は，フロントシステムを利用して，会員情報，契約情報，取引明細，返済予定表，借入残高及び契約変更履歴を確認することができる。フロントシステムは，基幹システムで管理している情報を取得し，各種情報照会画面にそれらの情報を表示する。各種情報照会画面には，実約定日も表示しており，会員は，次回の口座振替日を確認できる。

(6) 解約サービス

会員は，フロントシステムを利用して，カードローンの契約を解約することができる。解約画面に入力された内容をフロントシステムから基幹システムに連携し，基幹システムは，契約情報を精査した上で契約ステータスを“解約”に変更する。借入残高がある場合は解約を受け付けない。

(7) 問合せサービス

会員は，フロントシステムを利用して，問合せをすることができる。事務部門は，問合せの内容を確認し，会員情報のメールアドレスに電子メールで回答している。

(8) キャンペーンサービス

キャンペーンの対象となる会員に事務部門から電話で連絡し，キャンペーンの内容を説明している。カードローンを申し込んだ後に会員が電話番号を変更して連絡が取れないこともある。

〔会員サービスに関わるシステム改善要望〕

関連部署から会員サービスに関わる，次のようなシステム改善要望が出された。

・業務の効率化を目的として，事務部門が実施している作業をシステムで実施してほしい。
・各種変更サービスで会員の姓の変更（以下，氏名変更という）を実施できるようにしてほしい。

・フロントシステムで会員が収入証明書を提出できるようにしてほしい。
・限度額の変更申込時に収入証明書を同時にアップロードできるようにしてほしい。
・収入証明書の再提出が必要となる会員のマイページにメッセージを表示し，収入証明書の提出画面に誘導してほしい。
・すぐに解約できない場合でも，解約サービスで解約を受け付けられるようにしてほしい。解約を受け付けた会員に対しては，キャンペーンは実施しないこととする。解約を受け付けた後，フロントシステムで解約の取消は受け付けないこととし，会員情報，契約情報の変更及び新規の貸付けもフロントシステムではできないようにしてほしい。
・各種情報照会サービスで，口座振替に伴う次回の借入残高の更新日を計算して表示してほしい。
・事務部門からの電話連絡を効率化するために，対応が必要な会員のマイページにメッセージを表示し，各種変更画面へ誘導してほしい。

〔システム改善の方針〕

Ｅ社情報システム部のＦ課長は，システム改善の方針を次のように検討した。
・各種変更サービスと限度額の変更サービスで事務部門が実施している作業をシステム化する。
・契約ステータスに“解約予約”の値を追加する。
・契約ステータスの値の追加に伴い，会員サービスに関わる精査を基幹システムに追加する。
・契約ステータスの値が“解約予約”の場合，①フロントシステムの一部の会員サービスだけ利用可能とする。
・氏名変更は，フロントシステムから変更内容を基幹システムに直接連携せず，フロントシステムで氏名変更を受け付け，本人確認書類を事務部門で確認した後，基幹システムに登録する。

〔各システムの改善点〕

システム改善要望とシステム改善の方針を踏まえ，Ｆ課長は，フロントシステムと基幹システムの改善点を，次のように検討した。

(1)　フロントシステムの改善点

・各種変更画面で約定条件を変更する場合，②ボーナス月に関する変更内容をチェックし，あることを考慮してフロントシステムで反映日を導出し，基幹システムに連携する。

- 収入証明書をアップロードする機能を追加する。
- 限度額の変更申込画面に，ある内容を確認するための項目を追加する。また，限度額の変更申込時に収入証明書を同時にアップロードする機能を追加する。
- 各種情報照会サービスに口座振替に伴う次回の借入残高の更新日を導出して表示する。
- ③ある条件に該当する会員のマイページにメッセージを表示し，それぞれ対象の画面へ誘導する。

(2) 基幹システムの改善点

- 勤務先情報の変更時，④ある条件の場合には審査システムと連携する。
- 解約を受け付けた場合，契約ステータスを“解約予約”に変更する。
- 毎日の夜間のバッチ処理で⑤ある条件の会員の契約ステータスを“解約”に変更する。

設問1 〔会員サービスに関わるシステム改善要望〕について，口座振替に伴う会員の次回の借入残高の更新日を導出する方法を40字以内で答えよ。

設問2 〔システム改善の方針〕について，本文中の下線①で，利用可能とした会員サービスを全て答えよ。

設問3 〔各システムの改善点〕のフロントシステムの改善点について答えよ。

(1) 本文中の下線②について，どのようなことを考慮して反映日を導出するのか。40字以内で答えよ。

(2) 限度額の変更申込画面に項目を追加したのは，何を確認するためか。10字以内で答えよ。

(3) 本文中の下線③について，マイページにメッセージを表示する条件が二つある。その条件を会員情報の属性を用いて，それぞれ25字以内で答えよ。

設問4 〔各システムの改善点〕の基幹システムの改善点について答えよ。

(1) 本文中の下線④について，どのような条件の場合に審査システムと連携するか。その条件を25字以内で答えよ。

(2) 本文中の下線⑤について，ある条件とはどのような条件か。30字以内で答えよ。

問1 解説 

[設問1]

〔現在の会員サービスと関連システムの概要〕で，関連システムの仕様を確認する。「基幹システムでは，金融機関に口座振替を依頼し，金融機関から口座振替の結果を受領した日に借入残高を更新している」「口振結果営業日数は金融機関によって異なるので，基幹システムの金融機関マスターで管理している」とある。これらから，金融機関から口座振替の結果を受領した日が，借入残高の更新日であることが分かる。続いて，口振結果営業日数について確認する。すると，〔E社のカードローンの概要〕に「実際に口座から引き落としする日（以下，実約定日という）」「口座から正常に引き落とすことができたかどうかを金融機関がE社に連携するまでには数営業日掛かる（以下，この期間を口振結果営業日数という）」が見つかる。これらから，振替先口座がある金融機関において実約定日に口座振替が行われ，口振結果営業日数を経過した後に，金融機関からE社は口座振替の結果を受領することが分かる。

以上から，口座振替は実約定日に行われるが，その結果をE社がシステムに反映するのは，金融機関ごとに異なる口振結果営業日数を経過した後であることが分かる。よって，導出方法は，**次回の実約定日に振替先口座がある金融機関の口振結果営業日数を足す**となる。

[設問2]

〔システム改善の方針〕に「契約ステータスに“解約予約”の値を追加する」「契約ステータスの値が“解約予約”の場合，①フロントシステムの一部の会員サービスだけを利用可能とする」とある。

〔現在の会員サービスと関連システムの概要〕を見ると，「契約ステータスは，“正常”と“解約”の二つの値があり，契約ステータスが“解約”の場合は，フロントシステムを利用できない」とある。契約ステータスは“正常”と“解約”だけで，契約ステータスが“解約”であるとフロントシステムが利用できない。一方，〔会員サービスに関わるシステム改善要望〕に「すぐに解約できない場合でも，解約サービスで解約を受け付けられるようにしてほしい」とある。この改善要望を実現するために，解約を受け付けると同時に一切の会員サービスが利用できなくなるのではなく，“解約”になるまでは一部の会員サービスを利用できるようにするために“解約予約”を追加しているのである。

〔現在の会員サービスと関連システムの概要〕を見ると，会員サービスには(1)～(8)の８種類のサービスがある。この中から“解約予約”で利用できるサービスを探すのであるが，留意しなければならないのが，〔会員サービスに関わるシステム改善要望〕の「解約を受け付けた会員に対しては，キャンペーンは実施しない」「解約を受け付けた後，……会員情報，契約情報の変更及び新規の貸付けも……できないようにしてほしい」である。これらから，(2)各種変更サービス，(3)借入サービス，(4)限度額の変更サービス，(8)キャンペーンサービスは対象外となる。また，解約を受け付けた後なので(6)解約サービスも対象外となる。よって，利用可能とした会員サービスは，(1)(5)(7)の，**お知らせサービス，各種情報照会サービス，問合せサービス**となる。

[設問3] (1)

〔各システムの改善点〕(1)フロントシステムの改善点に「各種変更画面で約定条件を変更する場合，②ボーナス月に関する変更内容をチェックし，あることを考慮してフロントシステムで反映日を導出し，基幹システムに連携する」とある。

ボーナス月の反映日に関しては〔現在の会員サービスと関連システムの概要〕(2)各種変更サービスに，「約定条件の変更でボーナス月を変更する場合には，事務部門で変更内容を確認し，ボーナス月の反映日を調整している」とあり，〔E社のカードローンの概要〕に「ボーナス月の変更の際にはボーナス月が１年に３回以上とならないように調整している」とある。よって，考慮する内容は，**ボーナス月の変更によってボーナス月が１年に３回以上とならないようにすること**となる。

[設問3] (2)

限度額の変更申込画面に関しては，〔システム改善の方針〕に「限度額の変更サービスで事務部門が実施している作業をシステム化する」とあり，これが限度額の変更申込画面に項目を追加した理由であることが分かる。

限度額の変更に関しては，〔現在の会員サービスと関連システムの概要〕(4)限度額の変更サービスに，「審査が完了した後に限度額変更に関する書類を会員へ郵送する」「書類が確実に届くようにするために，事務部門が会員の現在の住所が変更されていないかどうかを電話で確認している」とある。限度額の変更サービスで事務部門が実施している作業は住所変更の有無の電話確認であり，その作業を限度額の変更申込画面に項目を追加してシステム化したのである。よって，**住所変更の有無**を確認するためとなる。

[設問3](3)

〔各システムの改善点〕(1)フロントシステムの改善点に「③ある条件に該当する会員のマイページにメッセージを表示し，それぞれ対象の画面に誘導する」とある。

マイページへのメッセージの表示に関する記述を探すと，〔会員サービスに関わるシステム改善要望〕に「事務部門からの電話連絡を効率化するために，対応が必要な会員のマイページにメッセージを表示し，各種変更画面へ誘導してほしい」「収入証明書の再提出が必要となる会員のマイページにメッセージを表示し，収入証明書の提出画面に誘導してほしい」が見つかる。

事務部門での電話連絡に関する記述を探すと，〔現在の会員サービスと関連システムの概要〕(8)キャンペーンサービスに，「事務部門から電話で連絡し，…会員が電話番号を変更して連絡が取れないこともある」が見つかる。電話連絡が取れない会員を変更画面に誘導できれば，効率化できることが分かる。電話番号に関しては，〔現在の会員サービスと関連システムの概要〕に「電話番号ステータスの初期値は，“正常”としており，電話で会員に連絡した際に電話番号が無効であった場合に，“無効”に変更している」とあり，電話番号ステータスで電話が無効な会員を判断できることが分かる。よって，一つ目の条件は，**電話番号ステータスが“無効”であること**となる。

収入証明書の再提出が必要となる条件を確認すると，〔E社のカードローンの概要〕に，「貸付けのリスクと会員の情報を正確に評価するために，会員から提出された収入証明書に有効期限を設け，その有効期限が到来する3か月前に再提出を依頼している」とあり，収入証明書有効期限で再提出が必要な会員を判断できることが分かる。よって，二つ目の条件は，**収入証明書有効期限が3か月以内に到来すること**となる。

[設問4](1)

〔各システムの改善点〕(2)基幹システムの改善点に「勤務先情報の変更時，④ある条件の場合には審査システムと連携する」とある。

勤務先情報の変更時に審査システムとの連携が必要となる場合を確認すると，〔現在の会員サービスと関連システムの概要〕(2)各種変更サービスに，「勤務先情報の変更で再度審査して限度額を再設定する場合があるので，……勤務先変更理由によっては審査システムに審査を依頼する」とあり，勤務先情報の変更の際には限度額の再設定のために審査システムと連携することがあることが分かる。〔E社のカードローンの概要〕に，「限度額は，契約中に見直されることがある。具体的には，転職，転籍又は退職の理由で勤務先の変更があった場合」とあり，これが限度額の再設定の条件である。よって，審査システムと連携する条件は，**勤務先変更理由が転職，転籍又は退職の場合**となる。

［設問4］(2)

〔各システムの改善点〕(2)基幹システムの改善点に「毎日の夜間のバッチ処理で⑤ある条件の会員の契約ステータスを“解約”に変更する」とある。

〔現在の会員サービスと関連システムの概要〕に「契約ステータスは，“正常”と“解約”の二つの値」，〔システム改善の方針〕に「契約ステータスに“解約予約”の値を追加」とあり，契約ステータスの値は三つである。また，〔各システムの改善点〕(2)基幹システムの改善点に，「解約を受け付けた場合，契約ステータスを“解約予約”に変更する」とあり，契約ステータスの値は，“正常”→“解約予約”→“解約”と遷移し，“解約”の変更対象となる会員は，“解約予約”の会員である。また，〔現在の会員サービスと関連システムの概要〕(6)解約サービスに，「契約情報を精査した上で……借入残高がある場合は解約を受け付けない」とあり，変更の際には借入残高の有無を判断する必要がある。よって，契約ステータスを“解約”に変更する条件は，**契約ステータスが“解約予約”で借入残高が0円であること**となる。

問1 解答

設問			解答例・解答の要点
設問1			次回の実約定日に振替先口座がある金融機関の口座結果営業日数を足す。
設問2			お知らせサービス，各種情報照会サービス，問合せサービス
設問3	(1)		ボーナス月の変更によってボーナス月が1年に3回以上とならないようにすること
	(2)		住所変更の有無
	(3)	条件①	電話番号ステータスが“無効”であること
		条件②	収入証明書有効期限が3か月以内に到来すること
設問4	(1)		勤務先変更理由が，転職，転籍又は退職の場合
	(2)		契約ステータスが“解約予約”で借入残高が0円であること

※IPA発表

新規システムの構築

問2 新たなコンタクトセンタシステムの構築 (出題年度：R4問1)

新たなコンタクトセンタシステムの構築に関する次の記述を読んで，設問１，２に答えよ。

A社は，化粧品，健康食品などの個人向け商品の製造及び販売を行っている。商品は，薬局，コンビニエンスストアなどの実店舗及び主要なECサイトのほか，A社直営のオンラインストアでも販売を行っている。近年は，オンラインストア経由での販売を伸ばすために，オンラインストアの会員へのポイント付与，各種キャンペーンの実施などに力を入れている。

〔カスタマサービスの現状〕

A社では現在，顧客向けのカスタマサービスとして，電話及びWebフォームからの問合せを受け付けている。

電話での問合せについては，顧客が問合せ窓口のフリーダイヤルに電話すると，自動音声応答（以下，IVRという）で問合せ内容を識別し，内容に応じて，国内３拠点にあるA社のコンタクトセンタに振り分けられる。各コンタクトセンタでは，数十名のオペレータが対応しており，IVR経由で着信した電話は，コンタクトセンタ内にある構内交換機（以下，PBXという）でオペレータの座席に設置されている電話機に分配され，つながる仕組みになっている。

また，Webフォームから受け付けた問合せについても，Webフォーム上で問合せ内容の分類を選択してもらうことで，電話での問合せと同様に内容に応じて，各コンタクトセンタに振り分けられる。Webフォームからの問合せについては，各コンタクトセンタに電話対応とは別の対応チームを設置しており，管理者がオペレータの中から担当者を割り当て，その担当者が回答テンプレートを参考に返信メールを作成し，顧客に回答している。

電話及びWebフォームからの問合せ及び回答内容については，顧客管理システム上に登録して管理している。

また，A社では，四半期に一度，問合せ内容の統計をとり，分析して，よくある問合せ内容について，A社のWebサイト上に，FAQとして掲載し，情報発信している。電話及びWebフォームからの問合せ内容は，顧客の行動に応じて様々である。よくある問合せ内容及び特徴を表1に示す。

表1　顧客の行動ごとのよくある問合せ内容及び特徴

顧客の行動	よくある問合せ	問合せ内容の特徴
商品購入前の検討	・含まれる成分 ・商品の違い ・顧客状況に応じたお勧め商品	体質など顧客ごとに気になる点が異なり，多岐にわたる傾向がある。
購入方法の情報収集	・商品を購入できる店舗情報 ・店舗での新商品の取扱状況	店舗情報を参照し，明確に回答できるものが多い。
オンラインストアでの購入	・配送料 ・配送方法の変更 ・注文のキャンセル ・返品	配送業者との調整など，オンラインストア上で処理できないものが多い。
購入した商品の使用	・使用順序，タイミング ・使用期限 ・保管方法	商品ごとに定められた回答ができるものが多い。
会員情報の確認	・パスワード忘れ ・ポイント照会	本人確認を行うことで，手続，回答できるものが多い。

〔カスタマサービスの課題〕

A社では，コンタクトセンタで勤務するオペレータ及び管理者並びに商品事業部の社員に対してカスタマサービスの現状についてヒアリング調査を行い，表2に示す課題を抽出した。

表２　カスタマサービスの課題

対象者	ヒアリングで抽出した課題
コンタクトセンタのオペレータ	(a)　新商品の発売が毎月数回あり，発売時にテレビなどのメディアで取り上げられると，商品購入前の検討，購入方法及びオンラインストアでの購入手続に関する問合せが急増し，対応が大変になる。 (b)　オンラインストアの会員限定のセール・キャンペーンが始まると，会員情報に関する問合せが急増し，1 件ごとの対応は簡単であるが，1 日中電話が鳴りやまない。 (c)　問合せが急増すると，オペレータに電話がつながるまでに長時間待たせることになり，顧客からのクレームにつながっている。 (d)　お勧め商品に関する問合せは，顧客の体質，希望などをよく聞き取りをしてから顧客に適した商品を紹介しているので，対応時間が長くなる。
コンタクトセンタの管理者	(e)　近年は各地域内でコンタクトセンタの設置が増えており，オペレータの人材確保が困難になっている。一方で，育児，介護などで，フルタイムで出社して働くことが難しいオペレータもおり，在宅かつ柔軟な勤務時間で働きたいというニーズが高まっている。 (f)　オペレータの出勤のシフト計画は前月に作成していること，また人員の余裕がないことから，問合せ件数の増減に対してオペレータの出勤人数を柔軟に調整できていない。 (g)　新商品の発売時は，当該商品の FAQ が掲載されていないので，電話及び Web フォームからの問合せが急増する。FAQ を見れば分かるような簡単な問合せも多いので，FAQ を早く掲載したい。 (h)　大規模災害時，感染症の拡大時などには，特定のコンタクトセンタを一時的に閉鎖せざるを得ないケースが想定され，その際にカスタマサービスの継続が危ぶまれる。
商品事業部の社員	(i)　顧客からの問合せの情報は，コンタクトセンタ内で解決できない内容がエスカレーションされることはあるが，それ以外は特に共有されていない。商品の改善のために，他の情報も有効に活用したい。 (j)　直営のオンラインストアは 24 時間利用できるが，電話の問合せは日中にしか対応していない。オンラインストアで商品購入時に不明点があったり，会員情報にアクセスできなかったりして，注文途中の離脱が多く，販売機会の損失につながっている。

〔新たなコンタクトセンタシステムの構築〕

カスタマサービスの課題を踏まえて，A社では，表３に示すサービス機能を有する新たなコンタクトセンタシステムを構築することにした。

なお，これらの機能はコンタクトセンタのオペレータ及び管理者向けの機能であるが，ナレッジベース及びキーワード分析の機能は，商品事業部の社員も利用できることにした。

表3 新たなコンタクトセンタシステムのサービス機能

サービス機能		機能概要
クラウド型 PBX		オペレータが利用する電話機を PC 上で電話対応できるソフトフォンに変更し，PC からインターネットを経由して電話の発着信，通話などができるようにする。
コンタクトセンタ間の着信自動分配		国内 3 拠点のコンタクトセンタの運用状況及びオペレータの稼働状況を総合的に管理し，問合せ内容だけでなく，運用状況及び稼働状況を見ながら適切に電話の振分けを行えるようにする。
オムニチャネル		現在の電話，Web フォームからの問合せチャネルに加えて，次に示す複数のチャネルからの問合せを可能とする。有人対応ではないサービスは 24 時間対応可能とする。
	AI チャットボット	A 社の Web サイトからチャットを起動し，顧客からの質問に対して AI が FAQ を参考に自動回答したり，定型的な手続を実行したりする。AI チャットボットで対応困難な場合，顧客は有人チャットを起動できる。ただし，オペレータが繁忙の場合は“お待ちください”と表示する。また，ある条件のときは，有人チャットを起動できない設定にする。
	有人チャット	オペレータが，顧客からのチャットでの問合せに対して回答する。一人のオペレータが複数のチャットを起動し，同時に複数の顧客との対応ができるようにする。
	ボイスボット	IVR 上で，顧客が電話で話しかけた内容に対して，AI チャットボットと同様に，AI が音声で自動回答したり，手続を実行したりする。
	ビデオ通話	ビデオ機能で顔を見たり，商品を映したりしながらの通話を可能とする。
ナレッジベース		FAQ を容易に作成，公開でき，FAQ に対する評価結果などから作成・更新が必要な FAQ を把握できるようにする。
コールバック		電話がつながるまでそのまま待つか，オペレータからの電話の折返しを要求するかを IVR 上で顧客が選択できるようにする。
自動録音		IVR 上で通話内容を録音することを案内し，通話内容を自動で録音し，顧客管理システム上の対応履歴にひも付けて管理する。
通話内容の自動テキスト化		自動録音した内容を，AI の音声認識技術を使ってテキスト化し，顧客管理システム上の対応履歴にひも付けて管理する。
キーワード分析		テキスト化した通話内容からキーワード分析を行い，商品ごとにどのような問合せ，クレームなどが多いのかを自動で統計をとり，分析できるようにする。

〔コンタクトセンタシステム構築後の運用〕

新たなコンタクトセンタシステムでは，問合せのチャネルが増加するので，次のとおり運用することにした。

・オペレータの勤務時間帯は，従来どおりの日中だけとする。

・ビデオ通話と電話は，通話だけか，映像も交えた対応かという違いだけで，対応処理がほぼ同じであるので，同じ体制で対応する。

・有人チャットは，会話型のコミュニケーションができる良さがあるものの，突然会話が途切れて反応がなくなるなどの特殊なコミュニケーション手段になる。①効率的に顧客対応を行うために，オペレータをビデオ通話及び電話とは分けて，有人チャット専任の体制とする。
・Webフォームからの問合せ対応は，従来どおりの体制で対応する。
・AIチャットボット及びボイスボットは，将来的に広範囲の問合せに対応できることを目指すが，有効性を評価しながら段階的に対象を増やすことにする。稼働当初は，オペレータの業務を補完する目的で，急増しやすい問合せ，かつそれぞれの機能の特徴で対応できる見込みが高い問合せを対象にする。一方で，新商品購入者の声を直接聞きたい狙いもあり，顧客が使用中の商品に関する問合せは，稼働当初は対象にしない。
・問合せ内容に応じて，国内３拠点のコンタクトセンタに振り分けるのはこれまでと同じ対応とするが，②状況によっては，問合せを柔軟に振り分けられるようにする。そのための，オペレータに対するトレーニングを行う。
・コンタクトセンタの管理者及び商品事業部の社員がナレッジベースの機能を使い，随時FAQの作成・更新を行い，公開する。また，FAQの情報が足りなかったり，古かったりする場合は，オペレータがFAQの作成・更新の依頼を行うこともできるようにする。

設問１　〔新たなコンタクトセンタシステムの構築〕について，(1)〜(5)に答えよ。

(1)　クラウド型PBXを導入した，オペレータの勤務形態の改善に関する目的を25字以内で述べよ。

(2)　AIチャットボット及びボイスボットでは，稼働当初はどのような問合せに対応することを想定しているか。問合せ時の顧客の行動を表１中から全て答えよ。

(3)　ある条件のときは，AIチャットボットから有人チャットを起動できない設定にしているが，それはどのような条件のときか。コンタクトセンタの運用を踏まえて，20字以内で述べよ。

(4)　電話のコールバックの仕組みを導入して解決を図る直接的な課題を表２中の(a)〜(j)の記号で一つ答えよ。

(5)　キーワード分析の機能を商品事業部の社員が利用できることにした理由を35字以内で述べよ。

設問2 〔コンタクトセンタシステム構築後の運用〕について，(1)～(3)に答よ。

(1) 本文中の下線①で想定する効率的な顧客対応とは具体的にどのようなものか。25字以内で述べよ。

(2) 本文中の下線②の状況として，カスタマサービスの課題から二つ想定している。一つは，特定のコンタクトセンタへの問合せが急増して，対応しきれなくなりそうな状況である。もう一つ想定している状況を30字以内で述べよ。

(3) 随時FAQの作成・更新を行い，公開できるようにした目的を，カスタマサービスの課題を踏まえて30字以内で述べよ。

問2 解説

[設問1](1)

〔新たなコンタクトセンタシステムの構築〕に「カスタマサービスの課題を踏まえて，A社では，……新たなコンタクトセンタシステムを構築することにした」とあり，「表3 新たなコンタクトセンタシステムのサービス機能」が示されている。表3にクラウド型PBXの機能概要として「オペレータが利用する電話機をPC上で電話対応できるソフトフォンに変更し，PCからインターネットを経由して電話の発着信，通話などができるようにする」とある。そこで，このサービス機能がオペレータの勤務形態の改善にどのように寄与するのかを検討する。

〔カスタマサービスの現状〕に「電話での問合せについては，……A社のコンタクトセンタに振り分けられる。各コンタクトセンタでは，数十名のオペレータが対応しており，……構内交換機（以下，PBXという）でオペレータの座席に設置されている電話機に分配され，つながる仕組みになっている」とある。また，「表2 カスタマサービスの課題」にコンタクトセンタの管理者のヒアリングで抽出した課題として(e)に「育児，介護などで，フルタイムで出社して働くことが難しいオペレータもおり，在宅かつ柔軟な勤務時間で働きたいというニーズが高まっている」とある。

従来のPBXは着信電話をコンタクトセンタ内の電話機に分配するので，オペレータはコンタクトセンタにいなければならない。しかし，クラウド型PBXではインターネットを介して自宅のPC上で電話対応できるため在宅勤務が可能になる。よって，オペレータの勤務形態の改善に関するクラウド型PBXの導入目的は，**オペレータが在宅でも働けるようにするため**となる。

[設問1](2)

〔コンタクトセンタシステム構築後の運用〕に「AIチャットボット及びボイスボットは，……稼働当初は，オペレータの業務を補完する目的で，急増しやすい問合せ，かつそれぞれの機能の特徴で対応できる見込みが高い問合せを対象にする」とある。両者の機能を表3で確認すると，AIチャットボットの機能概要に「A社のWebサイトからチャットを起動し，顧客からの質問に対してAIがFAQを参考に自動回答したり，定型的な手続を実行したりする」，ボイスボットの機能概要に「IVR上で，顧客が電話で話しかけた内容に対して，AIチャットボットと同様に，AIが音声で自動回答したり，手続を実行したりする」とある。これらから，稼働当初，AIチャットボット及びボイスボットには，定型的な問合せへの対応や手続を行わせることが分かる。

そこで，「表1　顧客の行動ごとのよくある問合せ内容及び特徴」から定型的な問合せに該当する顧客の行動を抽出する。問合せ内容の特徴を見てみると，「商品購入前の検討」は「多岐にわたる傾向がある」，「オンラインストアでの購入」は「オンラインストア上では処理できないものが多い」とあり，定型的な問合せではないことが分かる。一方,「購入方法の情報収集」「購入した商品の使用」「会員情報の確認」は「……回答できるものが多い」とあり定型的な問合せであることが分かる。ここで注意しなければならないのが「新商品購入者の声を直接聞きたい狙いもあり，顧客が使用中の商品に関する問合せは，稼働当初は対象にしない」である。使用中の商品に関する問合せは「購入した商品の使用」に該当するので，「購入した商品の使用」は除外しなければならない。よって，稼働当初のAIチャットボット及びボイスボットで想定した顧客の行動は，**購入方法の情報収集，会員情報の確認**となる。

[設問1](3)

表3のAIチャットボットの機能概要に「AIチャットボットで対応困難な場合，顧客は有人チャットを起動できる」「ある条件のときは，有人チャットを起動できない設定にする」，有人チャットの機能概要に「オペレータが，顧客からのチャットでの問合せに対して回答する」とある。一方，〔コンタクトセンタシステム構築後の運用〕には「オペレータの勤務時間帯は，従来どおりの日中だけとする」とあり，オペレータの勤務時間帯以外の時間帯は有人チャットでの対応ができないことが分かる。よって，有人チャットを起動できない設定にする条件は，**オペレータの勤務時間帯以外のとき**となる。

[設問1](4)

表3のコールバックの機能概要に「電話がつながるまでそのまま待つか，オペレータからの電話の折返しを要求するかをIVR上で顧客が選択できるようにする」とある。この機能が有効になる課題を表2から探す。すると，コンタクトセンタのオペレータのヒアリングで抽出した課題として（c）に「問合せが急増すると，オペレータに電話がつながるまでに長時間待たせることになり，顧客からのクレームにつながっている」が見つかる。

コールバックの仕組みを導入すれば，顧客は電話がつながるまで待つ必要がないので，この課題の解決を図ることができる。よって，解決を図る直接的な課題は，**(c)** となる。

[設問1](5)

表3のキーワード分析の機能概要に「テキスト化した通話内容からキーワード分析を行い，商品ごとにどのような問合せ，クレームなどが多いのかを自動で統計をとり，分析できるようにする」とある。一方，表2の商品事業部の社員のヒアリングで抽出した課題として「顧客からの問合せの情報は，コンタクトセンタ内で解決できない内容がエスカレーションされることはあるが，それ以外は特に共有されていない。商品の改善のために，他の情報も有効に活用したい」とある。

キーワード分析の機能を商品事業部の社員が利用できれば，商品ごとの問合せやクレームの内容を商品事業部で分析し，その結果を商品の改善に役立てることができる。よって，キーワード分析の機能を商品事業部の社員が利用できるようにした理由は，**商品の問合せ，クレーム内容などを商品の改善につなげたいから**となる。

[設問2](1)

〔コンタクトセンタシステム構築後の運用〕に「①効率的に顧客対応を行うために，オペレータをビデオ通話及び電話とは分けて，有人チャット専任の体制とする」とある。表3を見ると有人チャットの機能概要は「オペレータが，顧客からのチャットでの問合せに対して回答する。一人のオペレータが複数のチャットを起動し，同時に複数の顧客との対応ができるようにする」とある。

有人チャットの機能として，一人のオペレータが同時に複数の顧客との対応ができることに注目する。オペレータは，有人チャットだけならば同時に複数の顧客に対応できるが，ビデオ通話や電話で顧客の対応をしながら有人チャットでも顧客の対応をすることは難しい。有人チャットの機能を有効活用して効率的に顧客に対応するには，有人チャット専任のオペレータを設けるべきである。よって，有人チャット専任の体制によって想定する効率的な顧客対応とは，**一人のオペレータが同時に複数の顧客と対応する**となる。

[設問2](2)

〔コンタクトセンタシステム構築後の運用〕に「問合せ内容に応じて，国内3拠点のコンタクトセンタに振り分けるのはこれまでと同じ対応とするが，②状況によっては，問合せを柔軟に振り分けられるようにする」とある。

問合せを柔軟に振り分けなければならない状況を検討する。一つ目の状況として，設問に「特定のコンタクトセンタへの問合せが急増して，対応しきれなくなりそうな状況」が挙げられている。この状況をヒントにして問合せの振分けに関係する課題を表2から探す。すると，コンタクトセンタの管理者のヒアリングで抽出した課題として（h）に「大規模災害時，感染症の拡大時などには，特定のコンタクトセンタを一時的に閉鎖せざるを得ないケースが想定され，その際にカスタマサービスの継続が危ぶまれる」が見つかる。国内3拠点のコンタクトセンタのうち特定のコンタクトセンタでカスタマサービスの継続ができなくなったときには，カスタマサービスを継続するために，他のコンタクトセンタに問合せを振り分ける必要がある。よって，想定している状況は，**特定のコンタクトセンタを一時的に閉鎖せざるを得ない状況**となる。

[設問2](3)

〔コンタクトセンタシステム構築後の運用〕に「コンタクトセンタの管理者及び商品事業部の社員がナレッジベースの機能を使い，随時FAQの作成・更新を行い，公開する」とある。コンタクトセンタの管理者及び商品事業部の社員のFAQの作成・更新に関係するヒアリングで抽出した課題を表2から探す。すると，（g）に「新商品の発売時は，当該商品のFAQが掲載されていないので，電話及びWebフォームからの問合せが急増する。FAQを見れば分かるような簡単な問合せも多いので，FAQを早く掲載したい」が見つかる。新商品のFAQを早く掲載できれば，簡単な問合せが減り，（a）の「新商品の発売が毎月数回あり，発売時にテレビなどのメディアで取り上げられると，商品購入前の検討，……に関する問合せが急増し，対応が大変になる」というオペレータのヒアリングで抽出した課題の解決策となり，オペレータの負担を軽減できる。よって，随時FAQの作成・更新を行って公開できるようにした目的は，**新商品発売時に，簡単な問合せが急増しないようにするため**となる。

問2 解答

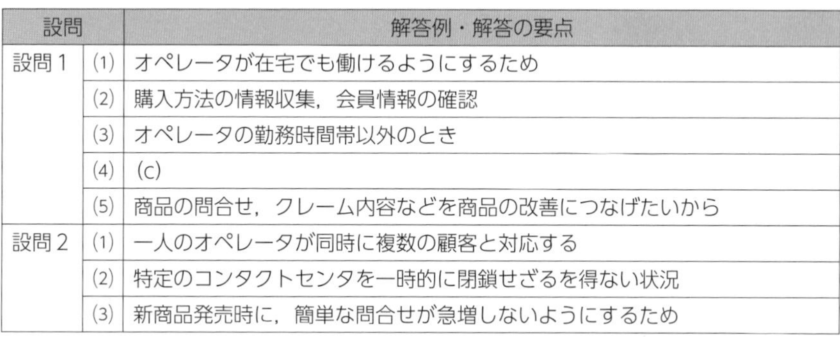

設問		解答例・解答の要点
設問1	(1)	オペレータが在宅でも働けるようにするため
	(2)	購入方法の情報収集，会員情報の確認
	(3)	オペレータの勤務時間帯以外のとき
	(4)	(c)
	(5)	商品の問合せ，クレーム内容などを商品の改善につなげたいから
設問2	(1)	一人のオペレータが同時に複数の顧客と対応する
	(2)	特定のコンタクトセンタを一時的に閉鎖せざるを得ない状況
	(3)	新商品発売時に，簡単な問合せが急増しないようにするため

※IPA発表

問3 融資りん議ワークフローシステムの構築

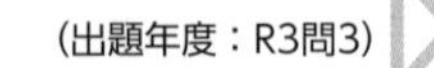

融資りん議ワークフローシステムの構築に関する次の記述を読んで，設問１～３に答えよ。

X銀行は，メインフレーム上で顧客情報，預金情報及び融資情報を管理するシステム（以下，基幹システムという）を利用してきた。

このたび，紙の帳票を回付していた融資りん議をペーパレス化するための融資りん議ワークフローシステム（以下，WFシステムという）を，基幹システムとは別に新規に構築することにした。

〔現状の融資りん議の業務〕

X銀行での融資りん議の業務の流れは次のとおりである。

(1) 融資申込受付業務：顧客は，営業店の窓口に融資案件（以下，案件という）の申込書を提出する。申込書を受け付けた営業店（以下，担当営業店という）の担当者（以下，案件担当者という）は，基幹システムで案件番号を発番し，基幹システムの顧客番号とともに申込書に記載する。取引実績のない新規顧客の場合には，基幹システムで顧客番号を発番してから記載する。

(2) りん議書作成業務：案件担当者は，案件番号を発番した日を作成基準日としてりん議書を作成する。りん議書には，融資対象の顧客の担保不動産の評価データ（以下，担保明細という）を記載した不動産担保評価帳票を，不動産担保評価システム（以下，担保評価システムという）から出力して必ず添付する。資金使途及び返済財源を確認し，基幹システムにある信用格付，財務分析結果及び過去のりん議結果を調査し，必要な検討をした上で，案件情報をりん議書に記載する。りん議書には基幹システムと担保評価システム以外の情報も必要であり，りん議書を作成するために複数のシステムを操作する。

(3) りん議書回付業務：案件担当者は，業務規程に従い回付経路を記載した回付書を添付して，りん議書を承認者へ回付する。承認者はりん議書に対して意見を付し，承認又は差戻しの判断をする。承認されたりん議書は決裁者へ回付される。決裁者は案件担当者，承認者の意見を踏まえ，融資の決裁，却下，又は差戻しの判断をする。決裁者が決裁又は却下の判断をすると，りん議が完了する。承認者及び決裁者は，可能な限り最新の情報を基に判断をする。りん議書の修正が必要な場合，承認者又は決裁者は修正せずに案件担当者に差し戻した後，案件担当者がりん議書を修正して再度回付する。申込書を受け付けてからりん議書の回付の開始までの標準的な所要日数及び回付されてから承認及び決裁の判断までの標準的な所要日数を踏まえ，回付の開始，承認及び決裁の期限（以下，目標期日という）を定めている。

担保明細は必要に応じて評価替えしている。承認者及び決裁者は，判断の際に融資対象の顧客の担保明細が更新されていないか，担保評価システムの評価日を確認する。りん議書には最新の不動産担保評価帳票を添付する必要があるので，担保明細が更新されている場合は案件担当者に差し戻す。

融資希望金額が担当営業店の決裁可能金額を超える案件の場合，回付経路には担当営業店に加え本部が含まれる。担当営業店内での承認の後に本部に回付され，本部で承認・決裁される。

〔現状の問題点〕

情報システム部のＹ課長は，WFシステム構築に当たり融資部にヒアリングをし，次の問題点を抽出した。

・回付経路に本部が含まれる場合，担当営業店で作成したりん議書一式を本部に送付し，本部での決裁完了後に担当営業店に決裁書類一式を返送する流れとなっている。担当営業店と本部ではお互いの処理状況が分からず，本部ではどの顧客のどの案件をいつまでに決裁する必要があるかが本部に回付されるまで分からないので，担当営業店内での回付状況を踏まえて承認・決裁の体制を整えておくことができていない。
・目標期日の到来に気付かず期限を超過することがある。
・りん議書が案件ごとの管理となっているので，同一顧客の別案件の調査で確認した延滞発生などによる顧客の信用格付の変化に，案件担当者が即座に気付けない。

〔WFシステムの概要〕

Ｙ課長はヒアリング結果を基にして，WFシステムを次のように設計した。

りん議書作成に必要な主なデータは複数の既存システムにある。これらのデータは，引き続き既存システムで管理する。<u>①WFシステムは，既存システムの機能をサービスとして利用し，りん議書作成に必要なデータを一括で取得できる方式にした。</u>

WFシステムの主な機能は次のとおりである。

(1) 融資申込の受付機能

顧客から受領した申込書を案件担当者がWFシステムに取り込むと，WFシステムは基幹システムから案件番号と顧客番号を取得し，案件データを作成して受付を完了する。この時点で案件ステータスは“受付”になる。WFシステムは案件の進行状況をりん議の完了まで管理する。

⑵ りん議書の作成機能

案件一覧画面で案件担当者が案件番号を選択すると，りん議書入力画面に遷移し，案件ステータスは“作成中”になる。りん議書入力画面の起動時に，WFシステムは必要なデータを複数の既存システムから一括で取得し，WFシステムに保存した後，りん議書入力画面に案件データとともに表示する。案件担当者は，必要に応じて不足している情報を入力し，りん議書をWFシステムに保存する。

⑶ りん議書の回付機能

案件担当者は，りん議書に回付経路を設定する。回付経路にはりん議書を処理する担当者（以下，回付先担当者という）の順番を定義する。回付経路の最初の回付先担当者には，案件担当者が自動的に設定される。最後の回付先担当者が決裁者，途中の回付先担当者は承認者になる。②ある条件を満たすりん議書の回付経路に本部の回付先担当者が含まれていない場合，WFシステムは案件担当者に修正を要求する。

りん議書に対し，処理が求められている案件担当者又は回付先担当者を処理者という。

案件担当者が回付の開始の操作をすると案件ステータスは“回付中”となり，りん議書を修正できなくなる。回付経路に本部の回付先担当者が含まれている場合，WFシステムは，顧客情報と融資期日を本部の回付先担当者に電子メールで通知する。

WFシステムは，回付経路に沿ってりん議書を順次回付し，回付したことを次の処理者に電子メールで通知する。

承認者は，りん議書審査画面でWFシステムに保存されたりん議書を閲覧し，承認又は差戻しの操作をする。承認者が承認の操作をするとWFシステムはりん議書を次の回付先担当者に回付する。差戻しの操作をするとWFシステムは案件担当者にりん議書を差し戻し，案件ステータスは“作成中”に戻り，案件担当者がりん議書を修正することができるようになる。

決裁者は，りん議書審査画面でWFシステムに保存されたりん議書を閲覧し，決裁，却下又は差戻しの操作をする。決裁者が決裁の操作をすると案件ステータスは“決裁”になる。却下の操作をすると案件ステータスは“謝絶”になる。決裁者が差戻しの操作をした場合，WFシステムは承認者が差戻しの操作をした時と同じ処理をする。

りん議書審査画面起動時にはWFシステムが担保評価システムに担保明細の最新情報を問い合わせる。担保評価システムの情報が，③ある条件に該当する場合，WFシステムは承認者が差戻しの操作をした時と同じ処理をする。

(4) アラーム通知機能

WFシステムは，顧客の信用格付の更新があったことや目標期日までの残り日数が3営業日以下になっていることを，処理者に通知する。

顧客の信用格付の更新があったことは，りん議書入力画面及びりん議書審査画面起動時に画面上で通知する。そのために，アラーム通知機能は，[a]にある最新の信用格付を問い合わせ，WFシステムに保存した案件ファイルの信用格付と比較する。

目標期日までの残り日数が3営業日以下になっていることは，りん議書入力画面及びりん議書審査画面起動時に画面上で通知するだけでなく，日次で処理者に電子メールで通知する。

WFシステムの主要なファイルを表1に示す。

表1　WFシステムの主要なファイル

ファイル	主な属性（下線は主キーを示す）
案件	案件番号，顧客番号，店番，融資希望金額，融資期日，融資期間，資金使途，返済財源，金利，貸出方法，返済方法，信用格付，財務分析番号，案件ステータス
回付経路	案件番号，回付通番，回付先店番，回付先担当者，目標期日
案件状況管理	案件番号，処理通番，処理者，処理開始日時，処理開始時案件ステータス，処理完了日時，処理完了時案件ステータス，処理者判断，処理者意見
店	店番，店名，郵便番号，住所，決裁可能金額
財務分析	財務分析番号，決算年度，財務分析結果
担保評価	案件番号，担保明細番号，担保評価額，担保物件，評価日

〔追加要望への対応〕

Y課長が，WFシステムの設計内容のレビューを融資部に依頼したところ，大規模な顧客では複数の案件のりん議が並行することがあり，その場合はりん議の優先順位を協議するので，同一顧客で進行中の他の案件の内容を参照しやすくしてほしいという追加要望が提示された。

Y課長は追加要望を実現するために，④案件ファイルの当該案件番号を持つレコード以外の該当レコードを抽出する条件を検討した。その上で，該当レコードの案件番号をりん議書入力画面とりん議書審査画面に追加し，案件番号を選択することで必要な案件情報を参照できるようにした。

設問1　本文中の下線①によって，ある業務の一部の作業が不要になる。不要になる作業を30字以内で述べよ。

設問2　〔WFシステムの概要〕について，(1)～(4)に答えよ。

(1)　本文中の下線②の条件を表1中のファイル名と属性を用いて40字以内で述べよ。

(2)　本文中の下線③の条件を表1中のファイル名と属性を用いて40字以内で述べよ。

(3)　アラーム通知機能によって解決される現状の問題点は二つある。一つは，同一顧客の別案件の調査で確認した延滞発生などによる顧客の信用格付の変化に，案件担当者が即座に気付けないことである。もう一つの問題点を25字以内で述べよ。

(4)　[a]に入れる字句を10字以内で答えよ。

設問3　〔追加要望への対応〕について，本文中の下線④の条件は三つある。一つは“案件番号が当該案件の案件番号と異なること”である。他の二つの条件を，表1中の案件ファイルの属性を用いてそれぞれ35字以内で述べよ。

問3 解説

［設問1］

〔WFシステムの概要〕に「①WFシステムは，既存システムの機能をサービスとして利用し，りん議書作成に必要なデータを一括で取得できる方式にした」とある。そこで，りん議書作成に必要なデータを一括して取得できると不要になる作業を，〔現状の融資りん議の業務〕から探す。

(1)融資申込受付業務にはそれらしき作業はない。(2)りん議書作成業務に「りん議書には基幹システムと担保評価システム以外の情報も必要であり，りん議書を作成するために複数のシステムを操作する」とある。りん議書を作成するために，基幹システムと担保評価システム以外の複数のシステムを操作して情報を得る作業は，WFシステムでそれらのデータを一括取得できるようになると不要になる。よって，不要になる作業は，**りん議書を作成するために複数のシステムを操作する作業**となる。

[設問2](1)

〔WFシステムの概要〕(3)りん議書の回付機能に「②ある条件を満たすりん議書の回付経路に本部の回付先担当者が含まれていない場合，WFシステムは案件担当者に修正を要求する」とある。そこで，本部の回付担当者にりん議書を回付しなければならない条件を探す。

〔現状の融資りん議の業務〕(3)りん議書回付業務に「融資希望金額が担当営業店の決裁可能金額を超える案件の場合，回付経路には担当営業店に加え本部が含まれる」とある。「融資希望金額が担当営業店の決裁可能金額を超える」という条件を，表1のファイル名と属性を用いて表すと，融資希望金額は案件ファイルの融資希望金額に，担当営業店の決裁可能金額は店ファイルの決裁可能金額に該当する。よって，下線②の条件を表1のファイル名と属性を用いて表すと，**案件ファイルの融資希望金額が店ファイルの決裁可能金額を超えている場合**となる。

[設問2](2)

〔WFシステムの概要〕(3)りん議書の回付機能に「りん議書審査画面起動時にはWFシステムが担保評価システムに担保明細の最新情報を問い合わせる。担保評価システムの情報が③ある条件に該当する場合，WFシステムは承認者が差戻しの操作をした時と同じ処理をする」とある。そこで，「承認者が差戻しの操作をした時と同じ処理」がどのような場合に行われるのかを，〔現状の融資りん議の業務〕から探す。

〔現状の融資りん議の業務〕(3)りん議書回付業務に「担保明細は必要に応じて評価替えしている。承認者及び決裁者は，判断の際に融資対象の顧客の担保明細が更新されていないか，担保評価システムの評価日を確認する。りん議書には最新の不動産担保評価帳票を添付する必要があるので，担保明細が更新されている場合は案件担当者に差し戻す」とある。これは，“りん議書を作成した後に担保明細が更新されている場合には，承認者は案件担当者にりん議書を差し戻す”ということである。つまり，“りん議書を作成した後に担保明細が更新されている場合”がある条件に該当し，この条件をWFシステムの動作に置き換えると，“WFシステムが担保評価システムに問い合わせた結果，りん議書の作成後に担保明細の評価が更新されている場合”となる。この条件を，表１のファイル名と属性を用いて表せばよいので，担保評価システムと表１のファイルの関係を調べる。〔WFシステムの概要〕⑵りん議書の作成機能に「りん議書入力画面の起動時に，WFシステムは必要なデータを複数の既存システムから一括で取得し，WFシステムに保存した後，りん議書入力画面に案件データとともに表示する」とあることから，表１の担保評価ファイルの評価日は，担保評価システムからデータを取得した際の担保評価システムにある評価日と同じであることが分かる。これらから，下線③の条件を表１のファイル名と属性を用いて表すと，**担保評価ファイルの評価日より担保評価システムにある評価日が新しい場合**となる。

[設問２]⑶

〔WFシステムの概要〕⑷アラーム通知機能に「WFシステムは，顧客の信用格付の更新があったことや目標期日までの残り日数が３営業日以下になっていることを，処理者に通知する」とある。これより，

・顧客の信用格付の更新があったこと

・目標期日までの残り日数が３営業日以下になっていること

の二つがアラーム通知機能によって通知され，問題点が解決されるのである。顧客の信用格付の更新があったことを知らせるアラームが解決する問題点は，設問文に挙げられている。したがって，目標期日までの残り日数が３営業日以下になっていることを知らせるアラームがどのような問題点を解決するのかを探す。すると，〔現状の問題点〕に「目標期日の到来に気付かず期限を超過することがある」が見つかる。よって，もう一つの問題点は，**目標期日の到来に気付かず期限を超過すること**となる。

[設問２]⑷

〔WFシステムの概要〕⑷アラーム通知機能に「顧客の信用格付の更新があったことは，りん議書入力画面及びりん議書審査画面起動時に画面上で通知する。そのために，アラーム通知機能は，[　a　]にある最新の信用格付を問い合わせ，WFファイルに保存した案件ファイルの信用格付と比較する」とある。信用格付については〔現状の融資りん議の業務〕⑵りん議書作成業務に「資金使途及び返済財源を確認し，基幹システムにある信用格付，財務分析結果及び過去のりん議結果を調査し」とあり，信用格付は基幹システムにあることが分かる。よって，空欄aには，**基幹システム**が

入る。

[設問3]

〔追加要望への対応〕に「Y課長は追加要望を実現するために，④案件ファイルの当該案件番号を持つレコード以外の該当レコードを抽出する条件を検討した」とあり，追加要望とは「同一顧客で進行中の他の案件の内容を参照しやすくしてほしい」である。これらから，案件ファイルの抽出条件は，

・同一顧客であること
・進行中であること
・他の案件であること

となる。設問文に条件として挙げられている“案件番号が当該案件の案件番号と異なること”は，“他の案件であること”を表１の案件ファイルの属性を用いて表した条件である。“同一顧客であること”を表１の案件ファイルの属性を用いて表すと“顧客番号が当該案件の顧客番号と同一であること”となる。“進行中であること”は，決裁や却下となっておらず，案件として成立している状態であり，表１の案件ファイルの属性を用いて表すと“案件ステータスが“受付”“作成中”“回付中”のいずれかであること”となる。よって，下線④の残りの二つの条件は，**顧客番号が当該案件の顧客番号と同一であること**と**案件ステータスが“受付”，“作成中”又は“回付中”であること**となる。

問3 解答

設問		解答例・解答の要点	
設問１		りん議書を作成するために複数のシステムを操作する作業	
設問２	(1)	案件ファイルの融資希望金額が店ファイルの決裁可能金額を超えている場合	
	(2)	担保評価ファイルの評価日より担保評価システムにある評価日が新しい場合	
	(3)	目標期日の到来に気付かず期限を超過すること	
	(4)	a	基幹システム
設問３		①	顧客番号が当該案件の顧客番号と同一であること
		②	案件ステータスが“受付”，“作成中”又は“回付中”であること

※IPA発表

問4 サービスデザイン思考による開発アプローチ (出題年度：R元問1)

サービスデザイン思考による開発アプローチに関する次の記述を読んで，設問1～4に答えよ。

総合家電メーカのR社は，“健康”をテーマとした製品として，体組成計，活動量計，ランニングウォッチなどの健康機器を製造，販売している。

〔新製品に係る取組〕

R社は，人々が重視する価値が“モノ”から“コト”へとシフトしている近年の状況を踏まえて，自社の製品を通じた人々の生活のディジタル化の取組を推進しており，スマートフォン用のアプリケーションソフトウエア（以下，スマホアプリという）を開発している。スマホアプリの利用者は，体組成計で測定した体重，体脂肪率，筋肉量などのデータをスマートフォンに転送して，測定結果の履歴を閲覧することができる。スマホアプリは，体組成計の購入者のうち，個人情報，趣味・嗜好，健康に関するアンケートに回答した者に対して，無料で提供している。

R社は，体組成計の新製品を半年後に発売することを決定した。併せて，現在提供しているスマホアプリを刷新して，日々の健康に関わる活動データ（以下，健康活動ログという）を登録できる新たなスマホアプリ（以下，健康管理アプリという）にすることにした。健康活動ログには，体組成計から取得するデータに加えて，活動量計で計測する歩数，脈拍，睡眠時間などの活動量，食事内容，運動記録などが含まれる。また，健康管理アプリは，これまでの個人に限定した利用に加えて，利用者同士のコミュニティ活動にも利用できる方針にした。具体的には，健康管理アプリの利用者が記録した健康活動ログをインターネット上のコミュニティ（以下，オンラインコミュニティという）で共有し，お互いの記録にコメントを付けたり，オンラインコミュニティ内で順位を競い合ったり，専門家が有料で指導したりといった，多様な方法でコミュニティ活動ができることを目指すことにした。

R社は，健康管理アプリとオンラインコミュニティを融合したサービス（以下，新サービスという）を活用してビジネスを拡大するために，自社でオンラインコミュニティを運営し，次に示す関連部署で新サービスの開発，運営を行うことにした。

(1) 健康増進事業部

従来から行っていた体組成計，活動量計を含む健康機器の商品企画，開発に加えて，新たにオンラインコミュニティを企画，運営し，利用者が継続的にコミュニティ活動を行うことを支援する。

(2) ディジタル戦略部

R社が提供するスマホアプリ，Webサイトなどの開発を行い，その一環として健康管理アプリ及びオンラインコミュニティサイトの開発，サービス開始後の追加開発などを行う。

(3) 営業推進部

従来から行っていた健康機器の販売促進に加えて，新たにオンラインコミュニティを利用し，R社の商品，有料サービスなどの販売促進活動を行う。

(4) マーケティング部

従来から行っていた健康機器の購入者情報，アンケート情報，市場調査結果などの管理，分析に加えて，新たにオンラインコミュニティで得られる新サービスの利用者情報，健康活動ログなどのうち，利用許諾を得たデータを分析し，マーケティング施策を検討する。

R社は，健康増進事業部とディジタル戦略部から担当者を集めたプロジェクトチーム（以下，PTという）を立ち上げ，新サービスの企画，開発を行うことにした。

〔新サービスの開発方針〕

現在提供しているスマホアプリは，利用者のスマートフォン内でデータを管理，閲覧するだけのものであったので，体組成計との無線通信の方式，機能の実用性など，提供する“モノ”としての品質を重視した開発を行っていた。一方で，新サービスの開発では，従来のスマホアプリの機能の提供にとどまらず，利用者の体験価値に着目し，新サービスを通じて利用者の健康意識を高め，生活習慣の改善などの健康づくりにつながることを重視することにした。また，新サービスとして提供する機能を一度に全て開発するのではなく，実際の利用者からのフィードバック内容を分析し，改善と軌道修正を繰り返すことで，段階的に新サービスの機能を拡充させ，利用者が継続的にコミュニティ活動を行えることを目指すことにした。

これらの方針に基づき，利用者の視点を中心にサービス及び業務を設計する“サービスデザイン思考”のアプローチによる開発を行うことにした。

〔新サービスを利用するペルソナの作成〕

新サービスは，R社の従来の商品企画，開発とは異なるので，新サービスで提供する機能は，ふだんから健康機器の開発などに関わっている提供者側の視点だけでなく，想定される利用者の人物像を念頭において，利用者側の視点から具体的に考え出す必要があった。

そこでPTは，まず，想定される基本機能を列挙した。さらに，PT内だけでは想定できない利用者の潜在的ニーズを抽出するために，R社の体組成計の主な購入者層である“健康意識の高い20代女性”と，体組成計の購入者数に占める割合は低いものの新たなターゲット層としたい“健康に問題意識を持つ40代男性”を，仮想的な利用者であるペルソナとして分析することにした。

ペルソナは，実際に体組成計を購入，利用している代表的な人物像に近づけるために，PTのメンバの想像だけで作成するのではなく，[a]に協力を依頼し，より具体的な人物像を設定した。新サービスを利用するペルソナを表1に示す。

表1　新サービスを利用するペルソナ

人物設定	ペルソナA	ペルソナB
性別，年齢	女性，27歳	男性，41歳
職業	製造業の広報担当	ソフトウェア開発会社の課長
家族構成	独身，独り暮らし	妻，長女（12歳）の3人家族
趣味	ランニング，スイーツ店巡り	ゴルフ，酒（特に日本酒）
食生活	昼食は外食がほとんどで，金曜日以外の平日の夕食は自炊することが多い。	昼食は社内の食堂，夕食は顧客や部下との飲み会が多い。
健康状態と意識	健康診断結果は全て“異常なし”。体重の増減に敏感になっており，その都度食事量をコントロールしている。	健康診断でメタボリックシンドロームと判定され，生活習慣の改善を勧められている。改善したい意識はあるものの，なかなか継続しない。

〔カスタマジャーニマップの作成〕

①PTのメンバに加えて，社内のペルソナに近い人物を集めて議論し，それぞれのペルソナがどのように体組成計及び新サービスを利用し，その際，どのような思考・感情を持つかなどを時系列で整理したカスタマジャーニマップを作成した。カスタマジャーニマップで挙がった主な内容を表2に示す。

表2　カスタマジャーニマップで挙がった主な内容

フェーズ	計測	記録	閲覧・分析	コミュニティ活動
接点	・体組成計（A，B） ・ランニングウォッチ（A） ・活動量計（B）	・健康管理アプリ（A，B） ・ランニングウォッチ専用のスマホアプリ（A）	・健康管理アプリ（A，B）	・オンラインコミュニティ（A，B） ・SNS（A）
利用者の行動	・毎朝，体組成計で計測する（A，B）。 ・ランニングウォッチでランニングの距離，時間などを計測する（A）。 ・活動量計を装着して，歩数などの活動量を計測する（B）。	・体組成計からデータを転送する（A，B）。 ・活動量計からデータを転送する（B）。 ・ランニングの記録を健康管理アプリに登録する（A）。 ・食事の摂取カロリを健康管理アプリに登録する（A，B）。	・健康管理アプリから各種データの履歴，推移などを確認する（A，B）。	・ランニングの記録にコメントを記載し，SNSにも同じ内容を共有する（A）。 ・同じ目標を持つ仲間同士，オンラインコミュニティ上で競い，励まし合う（B）。
思考・感情	・計測する時間帯によって体重や体脂肪率が異なることが多く，食事や運動による効果が分かりにくい（B）。	・ランニングウォッチから直接健康管理アプリにデータを転送できるようにしたい（A）。 ・摂取カロリを簡単に登録したい（A，B）。	・活動量などから摂取カロリをどの程度にすべきなのかを知りたい（B）。 ・摂取カロリが目安を越えたかどうかを知りたい（A，B）。	・ランニングの記録は共有したいが，体重など一部のデータは共有したくない（A）。 ・生活習慣について専門家の指導が欲しい（B）。

注記　表2の括弧内A，Bは，それぞれペルソナA，ペルソナBのカスタマジャーニマップで挙がった内容であることを示す。

〔新たな機能の抽出〕

PTでは，当初想定していた新サービスの基本機能に加えて，カスタマジャーニマップによる分析結果を基に，機能を新たに抽出した。新たに抽出した機能を表3に示す。また，健康増進事業部と営業推進部からの提案で，ある狙いから健康ポイントに関する機能を提供することにした。健康ポイントは，オンラインコミュニティの利用頻度，目標の達成，順位などに応じて付与する。また，獲得したポイントは，R社の商品，オンラインコミュニティ上の有料サービスなどの購入時に使えることにした。

表３　新たに抽出した機能

対象	機能 ID	機能概要
健康管理アプリ	A-1	活動量計との定期的なデータ連携機能
	A-2	AI 画像認識技術を利用した食事品目の自動認識，及び摂取カロリの入力支援機能。実績のある他社製の技術を活用する。
	A-3	一般的な基礎代謝計算式に基づき，年齢と身長，体組成計の計測データから基礎代謝量を自動計算する機能
	A-4	基礎代謝量及び当日の［　b　］から計算した消費カロリの推計と，体重の増減目標を踏まえた摂取カロリ目安の通知機能
	A-5	計測時間帯（朝，昼，夜）ごとのデータ推移の分析機能
	A-6	R 社製ランニングウォッチとの連携機能
オンラインコミュニティ	B-1	健康ポイントの管理機能
	B-2	主要 SNS への自動投稿機能と健康ポイント付与機能
	B-3	オンラインコミュニティへの投稿による健康ポイント付与機能
	B-4	膨大な健康活動ログと AI 分析技術を利用した無料の生活習慣改善助言機能
	B-5	保健師，栄養士などの専門家による有料の生活習慣改善指導サービス機能
	B-6	健康管理アプリからオンラインコミュニティにアップロードするデータを任意に選択できる機能

〔新サービスの機能のリリース方針〕

新製品の体組成計の発売日に合わせて短期間で新サービスをリリースする必要があるので，PTは，開発機能に優先順位を設定し，初期リリースの機能を絞り込むことにした。

まず，利用者情報及び健康活動ログの管理，情報セキュリティ対策，プライバシー管理など，新サービスを提供する上での必須機能を初期リリースの対象とした。一方で，一定量のデータの蓄積と有効性検証を行わないと誤った情報の提供をしかねない機能については，初期リリースの対象外とした。

その他の機能については，機能が新サービスの開発方針である［　c　］に寄与するかどうかの観点で分析し，優先順位を設定し，優先順位の高い順に，開発量が開発期間及び予算内に収まる機能を初期リリースの対象とした。

その上で，短期間で開発可能で，変更がしやすいシステム構造を採用することにした。

設問1　〔新サービスを利用するペルソナの作成〕について，代表的な人物像に近いペルソナにするために協力を依頼した部署はどこか。本文中の[a]に入れる部署名を答えよ。また，その部署に協力を依頼した理由を35字以内で述べよ。

設問2　〔カスタマジャーニマップの作成〕について，本文中の下線①のような議論を行った狙いを40字以内で述べよ。

設問3　〔新たな機能の抽出〕について，(1)〜(3)に答えよ。

(1)　健康増進事業部と営業推進部が提案した健康ポイントに関する機能には，それぞれ狙いがある。一つは，営業推進部の狙いとして，ポイントを利用してR社の商品，有料サービスなどを多くの利用者に使ってもらうことである。もう一つの健康増進事業部の狙いを30字以内で述べよ。

(2)　表３中のA-4の機能について，計算根拠のデータになる，[b]に入れる字句を答えよ。

(3)　表３中のB-6の機能を新たに抽出した理由を，30字以内で述べよ。

設問4　〔新サービスの機能のリリース方針〕について，(1)〜(3)に答えよ。

(1)　一定量のデータの蓄積と有効性検証を行わないと誤った情報の提供をしかねない機能として初期リリースの対象外とした機能はどれか。表３中の機能IDを用いて答えよ。

(2)　優先順位の設定の観点として，本文中の[c]に入れる観点を15字以内で答えよ。

(3)　短期間で開発可能で，変更がしやすいシステム構造を採用することにした，新サービスの開発方針上の理由は何か。30字以内で述べよ。

問4　解説

［設問1］

〔新サービスを利用するペルソナの作成〕に，「ペルソナは，実際に体組成計を購入，利用している代表的な人物像に近づけるために，PTのメンバの想像だけで作成するのではなく，[a]に協力を依頼し，より具体的な人物像を設定した」とある。

〔新製品に係る取組〕を見ると，新サービスの開発，運営に関わる関連部署として健康増進事業部，ディジタル戦略部，営業推進部，マーケティング部が挙げられている。そして，「R社は，健康増進事業部とディジタル戦略部から担当者を集めたプロジェクトチーム（以下，PTという）を立ち上げ，新サービスの企画，開発を行うことにした」とある。このことからPTは健康増進事業部とディジタル戦略部から成るので，空欄aには，健康増進事業部とディジタル戦略部以外の営業推進部とマーケティング部のいずれかが入ることが分かる。マーケティング部に関しては，〔新製品に係る取組〕（4）マーケティング部に，「従来から行っていた健康機器の購入者情報，アンケート情報，市場調査結果などの管理，分析」とある。これより，マーケティング部の協力を得れば，健康機器の購入者情報，アンケート情報から，体組成計を購入，利用しているより具体的な人物像を設定できると考えられる。よって，空欄aには**マーケティング部**が入り，協力を依頼した理由は，**体組成計の購入者情報及びアンケート情報を管理しているから**となる。

[設問 2]

〔カスタマジャーニマップの作成〕に，「①PTのメンバに加えて，社内のペルソナに近い人物を集めて議論し，それぞれのペルソナがどのように体組成計及び新サービスを利用し，その際，どのような思考・感情を持つかなどを時系列で整理したカスタマジャーニマップを作成した」とある。

〔新サービスを利用するペルソナの作成〕に，「新サービスは，R社の従来の商品企画，開発とは異なるので，新サービスで提供する機能は，ふだんから健康機器の開発などに関わっている提供者側の視点だけでなく，想定される利用者の人物像を念頭において，利用者側の視点から具体的に考え出す必要があった」とある。これは，〔新サービスを利用するペルソナの作成〕段階では想定される利用者の人物像までは定義されたが，新サービスで提供する機能を考え出すには至っていないことを意味している。そのため，社内のペルソナに近い人物を集めて議論してカスタマジャーニマップを作成し，〔新たな機能の抽出〕に「PTでは，当初想定していた新サービスの基本機能に加えて，カスタマジャーニマップによる分析結果を基に，機能を新たに抽出した」とあるように機能の抽出を行っているのである。これらから，社内のペルソナに近い人物を集めた議論により，利用者側の視点で新サービスの機能を具体的に考え出したことが分かる。よって，下線①のような議論を行った狙いは，**利用者側の視点から新サービスで必要とされる具体的な機能を考え出すため**となる。

[設問3](1)

〔新たな機能の抽出〕に「健康増進事業部と営業推進部からの提案で，ある狙いから健康ポイントに関する機能を提供することにした」とあり，健康ポイントの付与条件として，「健康ポイントは，オンラインコミュニティの利用頻度，目標の達成，順位などに応じて付与する」とある。そして，「表2　カスタマジャーニマップで挙がった主な内容」の「利用者の行動」フェーズの「コミュニティ活動」には，「同じ目標を持つ仲間同士，オンラインコミュニティ上で競い，励まし合う（B)」とある。これらより，オンラインコミュニティ上で仲間同士で競い，励まし合う過程で健康ポイントが付与されることが分かる。また，〔新製品に係る取組〕（1）健康増進事業部に「従来から行っていた体組成計，活動量計を含む健康機器の商品企画，開発に加えて，新たにオンラインコミュニティを企画，運営し，利用者が継続的にコミュニティ活動を行うことを支援する」とある。これらより，健康増進事業部が健康ポイントを利用者がコミュニティ活動を継続的に行うことの動機付けに活用しようとしていることが分かる。よって，健康増進事業部の狙いは，**利用者に継続的にコミュニティ活動を行ってもらうこと**となる。

[設問3](2)

「表3　新たに抽出した機能」にA-4の「機能概要」として，「基礎代謝量及び当日の［　b　］から計算した消費カロリの推計と，体重の増減目標を踏まえた摂取カロリ目安の通知機能」とある。

健康に関わる活動データ（健康活動ログ）に関しては,〔新製品に係る取組〕に「健康活動ログには，体組成計から取得するデータに加えて，活動量計で計測する歩数，脈拍，睡眠時間などの活動量，食事内容，運動記録などが含まれる」とある。これらのうち,利用者の消費カロリに結びつく健康活動ログは活動量と考えられる。よって，空欄bには，**活動量**が入る。

[設問3](3)

表3にB-6の機能は，「健康管理アプリからオンラインコミュニティにアップロードするデータを任意に選択できる機能」である。

オンラインコミュニティにアップロードするデータに関しては，表2の「思考・感情」フェーズの「コミュニティ活動」に「ランニングの記録は共有したいが，体重など一部のデータは共有したくない（A)」とある。これは，オンラインコミュニティで共有したいデータと共有したくないデータがあるため，アップロードするデータの選択機能が必要であることを示している。よって，B-6の機能を新たに抽出した理由は，**利用者によっては，一部のデータは共有したくないから**となる。

[設問4](1)

設問文の「一定量のデータの蓄積と有効性検証を行わないと誤った情報の提供をしかねない機能」を表3から探す。すると，B-4の「機能概要」の「膨大な健康活動ログ」が「一定量のデータの蓄積」に似た表現として見つかる。B-4は，「膨大な健康活動ログとAI分析技術を利用した無料の生活習慣改善助言機能」である。「AI分析技術を利用」して有効な情報を得るには「膨大な健康活動ログ」が必要になる。新サービスの機能をリリースした直後には，データの蓄積が十分でないため，AI分析技術を用いるには適当ではなく，導き出された情報の「有効性検証を行わないと誤った情報を提供しかねない」ことになる。よって，初期リリースの対象外とした機能は**B-4**となる。

[設問4](2)

〔新サービスの機能のリリース方針〕に「その他の機能については，機能が新サービスの開発方針である［ c ］に寄与するかどうかの観点で分析し，優先順位を設定し，優先順位の高い順に，開発量が開発期間及び予算内に収まる機能を初期リリースの対象とした」とある。

〔新サービスの開発方針〕を見ると，「新サービスの開発では，従来のスマホアプリの機能の提供にとどまらず，利用者の体験価値に着目し，新サービスを通じて利用者の健康意識を高め，生活習慣の改善などの健康づくりにつながることを重視することにした」とある。これより，機能は利用者の健康づくりに寄与するものでなければならないことが分かる。よって，空欄cには，**利用者の健康づくり**が入る。

[設問4](3)

〔新サービスの機能のリリース方針〕に「短期間で開発可能で，変更がしやすいシステム構造を採用することにした」とある。そして，設問文に「新サービスの開発方針上の理由」とあるので〔新サービスの開発方針〕から「短期間で開発可能で，変更がしやすいシステム構造を採用することにした理由」を探す。

〔新サービスの開発方針〕を見ると，「新サービスとして提供する機能を一度に全て開発するのではなく，実際の利用者からのフィードバック内容を分析し，改善と軌道修正を繰り返すことで，段階的に新サービスの機能を拡充させ，利用者が継続的にコミュニティ活動を行えることを目指すことにした」とある。段階的に新サービスの機能を拡充する開発方法においては，「変更がしやすいシステム構造」であることが重要である。一方，「短期間で開発可能なシステム構造」は，〔新サービスの機能のリリース方針〕の「新製品の体組成計の発売日に合わせて短期間で新サービスをリリースする必要がある」という新サービスの機能のリリース方針を満たすものである。

よって，新サービスの開発方針上の理由は，**段階的に新サービスの機能を拡充させることにしたから**となる。

問4 解答

設問		解答例・解答の要点	
設問1		a	マーケティング部
		理由	体組成計の購入者情報及びアンケート情報を管理しているから
設問2		利用者側の視点から新サービスで必要とされる具体的な機能を考え出すため	
設問3	(1)	利用者に継続的にコミュニティ活動を行ってもらうこと	
	(2)	b	活動量
	(3)	利用者によっては，一部のデータは共有したくないから	
設問4	(1)	B-4	
	(2)	c	利用者の健康づくり
	(3)	段階的に新サービスの機能を拡充させることにしたから	

※IPA発表

問5 容器管理システムの開発 (出題年度：R元問２)

容器管理システムの開発に関する次の記述を読んで，設問１～３に答えよ。

Ｄ社は，化学品を製造・販売するメーカである。製造した化学品を，様々な形状・容量の瓶（以下，容器という）に充填し，製品として顧客へ出荷する。顧客が製品を使用し，空になった容器は，Ｄ社が回収して再利用している。

現在は，生産管理システムから受領する製造計画に基づいて化学品を充填し，販売管理システムで製品の販売管理を行っている。このたび，顧客サービスの向上，容器の管理強化及び作業の効率向上のために，容器管理システムを新規に開発することにした。

〔現行業務の概要〕

原稿業務の概要は，次のとおりである。

(1) 充填

・Ｄ社の化学品は見込生産で，日ごとに生産する総量を，生産管理システムで製造計画として決定している。化学品は，製造の最終工程のラインで，化学品ごとに一意に定められた容器種の容器に充填されて，製品となる。“容器種”とは，どのような形状と容量の容器かを表す。

・充填に必要な容器は，製造計画に従って，容器倉庫から出庫される。同じ容器種が，異なる化学品の充填に用いられることもある。

・製品コード，化学品名，ロット番号，充填日を印刷した製品ラベルを生産管理システムから出力し，製品の容器に貼る。

・製品ラベルが貼られた製品を，製品倉庫に入庫・保管する。入庫時に，販売管理システムに入庫登録を行う。

(2) ピッキング

・製品倉庫では，受注した製品の出荷準備のために，販売管理システムから，ピッキングリストを出力する。

・倉庫作業者は，ピッキングリストの指示に従って，製品ラベルを目視確認しながら出荷すべき製品を集める。

・倉庫作業者は，ピッキングされた製品を，出荷場所に移動する。移動時に，販売管理システムに出庫登録を行う。

⑶　積込・出荷

・出荷場所では，出荷のために手配された配送のトラック便ごとに，販売管理システムから，積込リスト及び出荷伝票を出力する。

・出荷作業者は，積込リストの指示どおり製品がそろっているかどうかのチェックと，配送業者が積込リストの指示どおり積込みを行ったかどうかの検品を行う。検品に合格したトラック便から出発し，顧客に製品を納品する。

・出荷作業者は，出荷実績を計上するために，出荷場所の端末から，出荷した製品の情報を販売管理システムに入力する。

⑷　容器回収

・配送業者は，顧客が空になった容器を保管していた場合，容器返却書を起票して容器を回収し，D社の容器回収場所へ持ち帰る。

・回収作業者は，容器回収場所で，回収された容器と容器返却書の照合を行う。

⑸　容器洗浄・検査

・回収された容器は洗浄され，検査担当者が検査を行う。

・検査に合格した容器は，再利用が可能になり，次の化学品の充填に利用されるまで，容器倉庫に保管される。

〔関連部門からの要望〕

容器管理システムを開発するに当たり，関連部門から次のような要望が出された。

⑴　容器一つ一つが，今どのような状態にあるのかを管理できるようにしてほしい。

⑵　作業者が行っている入力などの作業の負担を軽減してほしい。

⑶　顧客が誤って使用期限を過ぎた製品を使ってしまわないように，顧客の下に使用期限間際の製品があれば，その期限の１週間前を過ぎたら，システムで警告を出せるようにしてほしい。

〔容器管理システムの開発方針〕

⑴　容器管理システムは，購入，容器倉庫での保管，充填，製品倉庫での保管，出荷，回収，検査などの容器利用サイクルの状態を，容器単位に管理する。

⑵　容器一つ一つの管理を行う手段として，無線通信方式のICタグ（以下，RFタグという）を採用する。

⑶　容器倉庫，製造の最終工程のライン及び容器回収場所に，ゲート型のRFタグリーダライタ（以下，ゲートアンテナという）を設置する。

(4) 製品倉庫，出荷場所，容器回収場所及び容器洗浄場所に，ハンディ型のRFタグリーダライタ（以下，HTという）を導入する。HTは，バーコードの読取りもできる機種とする。

(5) 容器管理システムとして，容器購入処理，容器保管処理，充填処理，容器回収処理，容器洗浄・検査処理，及び容器状態検索処理の各機能を新規に開発する。

(6) ピッキング処理，積込･出荷処理，製品在庫管理処理，及び使用期限警告処理は，現行の販売管理システムの改修で対応する。

〔D社で採用したRFタグ及び関連する機器などの説明〕

(1) RFタグの通信距離は数メートルである。

(2) RFタグのデータレイアウトを，図1に示す。

RFタグ番号は，RFタグの製造時に書き込まれるタグ固有の番号であり，書換えはできない。容器情報領域は，RFタグを容器に貼付する際に書き込み，書込みロックを掛ける。書込みロックが掛けられた領域は，ロックを外さない限り値を変更できない。製品情報領域は，書込みが可能で，RFタグ購入時はクリアされている。

(3) ゲートアンテナは，ゲートを通過するRFタグを一括で読み書きできる。RFタグの一括読み書きでは，環境によって数％程度の漏れが発生することを事前検証で確認している。書込みについては，エラーを訂正する機能を備えているので，書込み時の異常は考慮しなくてよい。

(4) HTはRFタグを個別に読み書きでき，バーコードの読取りも可能である。

(5) D社は，容器の誤使用を防ぐために，RFタグへの書込み処理では，対象項目がクリアされていない場合は書き込みできないよう，プログラムでガードする。

RFタグ番号	容器情報領域		製品情報領域				
	容器種コード	容器番号	製品コード	ロット番号	充填日	受注伝票番号	（予備）

図1　RFタグのデータレイアウト

〔容器管理システムの処理概要〕

容器管理システムの処理概要は，次のとおりである。

なお，容器一つ一つが，今どのような状態にあるかの管理を行うために，容器状態管理ファイルを設ける。

(1) 容器購入処理

・容器の購入時に，RFタグに容器種コード，容器番号を書き込み，容器に貼付して，容器倉庫へ運ぶ。RFタグに書き込む際，容器種コード，容器番号をキーにして容器状態管理ファイルに登録し，容器状態区分を“未使用”にする。

(2) 容器保管処理

・化学品の充填が可能になった容器を容器倉庫に入庫する。その際に，ゲートアンテナでRFタグを読み込んで，容器状態管理ファイルによるチェックを行い，充填可能な状態であることを確認する。その後，入庫処理を行い，それぞれの容器について，容器状態管理ファイルの容器状態区分を“容器倉庫入庫”にする。

・容器の出庫は，製造計画で決定した化学品の当日分の生産総量と製品マスタに登録されている情報を用いて，①どの容器が何個必要かを計算し，出庫指示を出す。出庫時に，ゲートアンテナでRFタグを読み込んで，それぞれの容器について，容器状態管理ファイルの容器状態区分を“容器倉庫出庫”にする。

(3) 充填処理

・製造の最終工程で，製品がゲートアンテナを通過する際に，一つ一つのRFタグの製品情報領域へ製品コード，ロット番号，充填日の書込みを行う。この際，容器状態管理ファイルの容器状態区分を“充填済”にする。

・製品は製品倉庫に運ぶ。

(4) 容器回収処理

・容器回収場所のゲートアンテナで，回収した容器のRFタグを一括して読み込む。

・容器返却書に記載された容器返却数をシステムに入力して，RFタグの読込み件数とのチェックをシステムで行い，数が一致したら，それぞれの容器について，容器状態管理ファイルの容器状態区分を“回収”にする。

・数が不一致の場合は，まず，容器返却数のシステムへの入力が正しいことを確認して，その後，HTによる個別の読込みに切り替える。個別読込み時に，容器状態管理ファイルの容器の容器状態区分を“回収”にする。個別読込み件数と容器返却書に記載された容器返却数が不一致の場合は，エラー処理を行う。

(5) 容器洗浄・検査処理

・回収した容器は，容器洗浄場所で洗浄され，検査担当者が再利用の可否についての検査を行った後，RFタグの製品情報領域をクリアする。検査に合格した容器は容器倉庫へ運び，不合格となった容器は廃棄する。検査結果によって，容器状態管理ファイルの容器状態区分を“合格”又は“廃棄”にする。

・廃棄した容器に貼付してあったRFタグは，容器からはがして，再利用できるように，HTを用いて，②ある処理を行う。

(6) 容器状態検索処理

・容器状態管理ファイルの情報を任意の条件で検索する。

容器管理システムで使用する主要なファイルを表1に示す。

表1　容器管理システムで使用する主要なファイル

ファイル名	主な属性（下線は主キーを示す）
製品マスタ	製品コード，化学品名，容器種コード，容器一個当たり標準充填量，製品使用可能日数
容器状態管理ファイル	容器種コード，容器番号，容器状態区分，製品コード，ロット番号，充填日，受注伝票番号，顧客コード

〔販売管理システムの改修〕

容器管理システムの新規開発に伴い，販売管理システムを，次のとおり改修する。

(1) ピッキング処理

・ピッキングリストへバーコードを印字し，HTでピッキング指示データを受ける。

・ピッキング指示データに基づき，HTで，ピッキング対象となる容器のRFタグを読み込む。ピッキング指示データとRFタグ情報をチェックし，製品コードが合っていればRFタグへ受注伝票番号を書き込み，容器状態管理ファイルの容器状態区分を“ピッキング済”にする。合っていなければエラー処理を行う。

(2) 積込・出荷処理

・積込リストへバーコードを印字し，HTで積込指示データを受ける。

・HTで，積込対象となる製品のRFタグを読み込み，積込指示データとRFタグ情報をチェックする。③データ内容及び数が合っていれば，検品を完了して出荷する。この際，容器状態管理ファイルの容器状態区分を“出荷”にする。合っていなければエラー処理を行う。

・HTの検品を完了した実績データを取り込んで，［ a ］。

(3) 製品在庫管理処理

・製品倉庫への入庫時に，HTでRFタグを読み，読み込んだデータで入庫実績を計上できるようにする。この際，容器状態管理ファイルの容器状態区分を“製品倉庫入庫”にする。

・製品倉庫からの出庫時に，HTでRFタグを読み，読み込んだデータで出庫実績を計上できるようにする。この際，容器状態管理ファイルの容器状態区分を“製品倉庫出庫”にする。

(4) 使用期限警告処理

・顧客の下にある，使用期限が過ぎそうな製品及び使用期限が過ぎた製品を，容器管理システムの容器状態検索処理を利用して次の条件で検索し，顧客に警告を発することができるようにする。

条件：容器状態管理ファイルの容器状態区分の値が“［ b ］”で，［ c ］が本日日付の1週間後より前の日付である容器

設問1 容器管理システムの処理について，(1)，(2)に答えよ。

(1) 容器倉庫へ入庫可能な容器の容器状態区分の値を全て答えよ。

(2) 本文中の下線①で用いる，製品マスタに登録されている情報は何か。表1中の属性名を用いて全て答えよ。

設問2 〔容器管理システムの処理概要〕について，(1)，(2)に答えよ。

(1) 容器回収処理において，HTによる個別読込み時に，数が一致するケースと不一致になるケースがある。それらはどのようなときに起きるか，それぞれ30字以内で述べよ。

(2) 本文中の下線②のある処理とは何か。30字以内で述べよ。

設問3 〔販売管理システムの改修〕について，(1)〜(3)に答えよ。

(1) 本文中の下線③のデータ内容を，表1中の属性名を用いて全て答えよ。

(2) 積込・出荷処理について，［ a ］に入れる適切な字句を答えよ。

(3) 使用期限警告処理について，［ b ］，［ c ］に入れる適切な字句を答えよ。ここで，［ b ］は本文中の容器状態区分の値を答えよ。また，［ c ］は表1中の属性名を用いて述べよ。

問5 解説

［設問1］(1)

〔容器管理システムの処理概要〕に容器状態管理ファイルの容器状態区分の値として，“未使用”，“容器倉庫入庫”，“容器倉庫出庫”，“充填済”，“回収”，“合格”，“廃棄”が定義されている。容器管理システムのそれぞれの処理における容器の状態をまとめ

ると次のようになる。

処理	容器の状態
容器購入処理	購入した容器の容器状態区分を“未使用”にして，容器倉庫へ運ぶ。
容器保管処理	化学品の充填が可能な容器を容器倉庫に入庫し，容器状態区分を“容器倉庫入庫”にする。
	化学品を充填する容器を容器倉庫から出庫し，容器状態区分を“容器倉庫出庫”にする。
充填処理	化学品を充填した容器の容器状態区分を“充填済”にして，製品倉庫に運ぶ。
容器回収処理	容器回収場所で回収された容器の容器状態区分を“回収”にする。
容器洗浄・検査処理	容器洗浄場所で洗浄され，検査によって再利用が可能となった容器の容器状態区分を“合格”にして，容器倉庫に運ぶ。
	容器洗浄場所で洗浄され，検査によって再利用が不可となった容器の容器状態区分を“廃棄”にする。

これより，容器状態区分が“未使用”の購入した容器と容器状態区分が“合格”の再利用可能な容器が，化学品の充填が可能な容器として容器倉庫へ運ばれたのち容器保管処理において容器倉庫に入庫されることが分かる。よって，容器倉庫へ入庫可能な容器の容器状態区分は，**未使用，合格**となる。

[設問１](2)

〔容器管理システムの処理概要〕(2)容器保管処理に，「容器の出庫は，製造計画で決定した化学品の当日分の生産総量と製品マスタに登録されている情報を用いて，①どの容器が何個必要かを計算し，出庫指示を出す」とある。そして，「表１　容器管理システムで使用する主要なファイル」を見ると，製品マスタには，製品コードを主キーとして，化学品名，容器種コード，容器一個当たり標準充填量，製品使用可能日数が存在する。

〔現行業務の概要〕(1)充填に，「化学品ごとに一意に定められた容器種の容器に充填されて」とあるので，どの容器が必要かは容器種コードで分かる。そして，何個必要かは（当日分の生産総量÷容器一個当たり標準充填量）で求めることができる。よって，製品マスタに登録されている情報のうち，下線①で用いるのは，**容器種コード，容器一個当たり標準充填量**となる。

なお，製品コードも必要であるかと思われるが，「製造計画で決定した化学品の当日分の生産総量」が与えられていることから，製品マスタから製品コードで検索したレコード(1件)のうちどの項目が必要かという観点で解答すべきである。したがって，製品コードは情報として必要ではない。

［設問2］(1)

〔容器管理システムの処理概要〕(4)容器回収処理に，「容器回収場所のゲートアンテナで，回収した容器のRFタグを一括して読み込む」「容器返却書に記載された容器返却数をシステムに入力して，RFタグの読込み件数とのチェックをシステムで行い，数が一致したら，それぞれの容器について，容器状態管理ファイルの容器状態区分を“回収”にする」「数が不一致の場合は，まず，容器返却数のシステムへの入力が正しいことを確認して，その後，HTによる個別の読込みに切り替える」とある。これらより，HTによる個別の読込みが行われるのは，システムに入力された容器返却数が，容器返却書に記載された容器返却数と一致しているにもかかわらず，RFタグの一括読込み件数と一致しなかった場合であることが分かる。

(数が一致するケースについて)

RFタグの一括読込みについては，〔D社で採用したRFタグ及び関連する機器などの説明〕(3)に「RFタグの一括読み書きでは，環境によって数％程度の漏れが発生することを事前検証で確認している」とある。これより，RFタグの一括読込み時に発生した漏れが原因で数が一致しなかったのであるならば，HTによる個別読込みによって，システムに入力された容器返却数と一致する数を読み込めるはずである。よって，HTによる個別読込み時に数が一致するケースは，**RFタグの一括読込みで読込み漏れが発生したとき**となる。

(数が不一致になるケースについて)

HTによる個別読込みでは漏れがないと考えてよいので，HTによる個別読込み件数とシステムに入力された容器返却数が一致しないということは，システムに入力された容器返却数に誤りがあるということである。システムに入力された容器返却数は容器返却書に記載された容器返却数と一致しているので，容器返却書に記載された容器返却数に誤りがあると考えられる。よって，HTによる個別読込み時に数が不一致になるケースは，**容器返却書の容器返却数と実際の容器の数が違っているとき**となる。

なお，容器返却書については，〔現行業務の概要〕(4)容器回収に，「配送業者は，顧客が空になった容器を保管していた場合，容器返却書を起票して容器を回収し，D社の容器回収場所へ持ち帰る」とある。この作業は，容器管理システムに組み込まれていないため，現行業務のまま手作業で行うことが推察できる。そのため，配送業者が容器返却書を起票する際の容器返却数に記入ミスが発生したことが疑われる。

[設問2](2)

RFタグに関しては，〔D社で採用したRFタグ及び関連する機器などの説明〕(2)に，「RFタグ番号は，RFタグの製造時に書き込まれるタグ固有の番号であり，書換えはできない。容器情報領域は，RFタグを容器に貼付する際に書き込み，書込みロックを掛ける。書込みロックが掛けられた領域は，ロックを外さない限り値を変更できない。製品情報領域は，書込みが可能で，RFタグ購入時にはクリアされている」，〔容器管理システムの処理概要〕(1)容器購入処理に，「容器の購入時に，RFタグに容器種コード，容器番号を書き込み，容器に貼付して」，(3)充填処理に，「製造の最終工程で，……RFタグの製品情報領域へ製品コード，ロット番号，充填日の書込みを行う」，(5)容器洗浄・検査処理に「廃棄した容器に貼付してあったRFタグは，容器からはがして，再利用できるようにHTを用いて，②ある処理を行う」とある。これらと「図1　RFタグのデータレイアウト」から，次のことが分かる。

- RFタグ番号…製造時にRFタグに書き込む。書換え不可。
- 容器情報領域…RFタグに容器情報を書き込み，書込みロックをかけて容器に貼付する。
- 製品情報領域…書込み可能。充填時に容器に貼付されているRFタグに製品情報を書き込む。

RFタグを再利用するということは新たな容器に貼付することを意味している。そのために，書込みロックを外して，容器情報領域をクリアしておく必要がある。製品情報領域に関しては，化学品を容器に充填するたびに書込みが可能であるのでクリアする必要がない。よって，下線②の処理は，**書込みロックを外して，容器情報領域をクリアする処理**となる。

[設問3](1)

〔現行業務の概要〕の(2)ピッキング及び(3)積込・出荷で行われていた作業内容と〔販売管理システムの改修〕の(1)ピッキング処理及び(2)積込・出荷処理の処理内容を比べることによって，下線③のデータ内容が何であるかを考える。

現行業務では，ピッキングリスト，積込リスト，出荷伝票を販売管理システムから出力し，それらを見ながらピッキングや積込・出荷作業をしている。これらのリストは，販売管理システムの改修において，ピッキング指示データ，積込指示データ，実績データに置き換わっている。そして，現行業務で倉庫作業者が行っていた「ピッキングリストの指示に従って，製品ラベルを目視確認しながら出荷すべき製品を集める」という作業は，販売管理システムの改修では「ピッキング指示データに基づき，HTで，ピッキング対象となる容器のRFタグを読み込む。ピッキング指示データとRFタグ情報をチェックし，製品コードが合っていればRFタグへ受注伝票番号を書き込み，容器状態管理ファイルの状態区分を“ピッキング済”にする」という処理に置き換わっている。これより，ピッキング指示データの製品コードとRFタグの製品コードが一致する容器をピッキングし，RFタグに受注伝票番号を書き込んで，積込対象の製品としていることが分かる。積込指示データの項目は明らかになっていないが，RFタグの受注伝票情報と製品コードと積込指示データが一致することをチェックすれば，検品処理が完了すると考えられる。よって，下線③のデータ内容は，**受注伝票番号，製品コード**となる。

［設問3］(2)

〔販売管理システムの改修〕(2)積込・出荷処理に，「HTの検品を完了した実績データを取り込んで，[a]」とある。この処理に対応する〔現行業務の概要〕(3)積込・出荷で行われていた作業は，「出荷作業者は，出荷実績を計上するために，出荷場所の端末から，出荷した製品の情報を販売管理システムに入力する」である。よって，空欄aには，**出荷実績を計上する**が入る。

［設問3］(3)

〔販売管理システムの改修〕(4)使用期限警告処理の「容器状態管理ファイルの容器状態区分の値が“[b]”で，[c]が本日日付の１週間後より前の日付」とは，「顧客の下にある，使用期限が過ぎそうな製品及び使用期限が過ぎた製品を，……顧客に警告を発することができるようにする」ために，容器状態管理ファイルから該当する容器（製品）を検索するための条件である。

「顧客に警告を発する」に関連する記述を探すと，〔関連部門からの要望〕(3)に「顧客が誤って使用期限を過ぎた製品を使ってしまわないように，顧客の下に使用期限間際の製品があれば，その期限の１週間前を過ぎたら，システムで警告を出せるようにしてほしい」が見つかる。「顧客の下」にあるということは，出荷済みなので容器状態区分の値は“出荷”である。また，「使用期限の１週間前を過ぎたら」ということは，使用期限が本日日付の１週間後よりも前の日付ということになる。しかし，使用期限という項目は容器状態管理ファイルにはない。そこで，使用期限を導出できる項目を探す。すると，容器状態管理ファイルの充填日と製品マスタの製品使用可能日数が見つかる。この二つの項目を使用すると，使用期限は，充填日から製品使用可能日数後の日付と表すことができる。

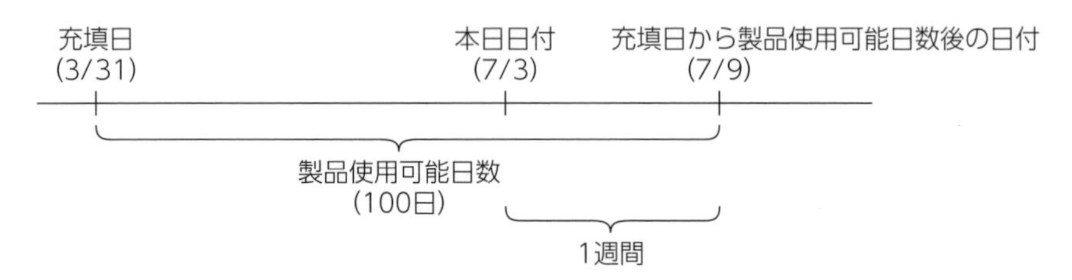

図　使用期限の１週間前の日付と本日日付の関係

よって，空欄bには**出荷**，空欄cには**充填日から製品使用可能日数後の日付**が入る。

問5 解答

設問		解答例・解答の要点	
設問１	(1)	未使用，合格	
	(2)	容器種コード，容器一個当たり標準充填量	
設問２	(1)	一致するケース	RFタグの一括読込みで読込み漏れが発生したとき
		不一致になるケース	容器返却書の容器返却数と実際の容器の数が違っているとき
	(2)	書込みロックを外して，容器情報領域をクリアする処理	
設問３	(1)	受注伝票番号，製品コード	
	(2)	a	出荷実績を計上する
	(3)	b	出荷
		c	充填日から製品使用可能日数後の日付

※IPA発表

問6 情報開示システムの構築 （出題年度：H30問２）

情報開示システムの構築に関する次の記述を読んで，設問１～４に答えよ。

Ｆ法人は，関東に所在する公的業務を行う団体である。このたび，個人，事業者などからの要望を踏まえて，インターネットからＦ法人が保有する文書を情報提供する情報開示システム（以下，新システムという）を構築することにした。

〔現行業務の概要〕

Ｆ法人は，保有する文書について，個人，事業者などからの開示請求に基づき情報開示を行っている。現在の開示請求から情報開示までの流れは，次のとおりである。

(1) 開示請求を行う文書の特定

開示請求を行う個人，事業者など（以下，開示請求者という）は，Ｆ法人の情報公開窓口（以下，窓口という）を訪れ，Ｆ法人が保有する文書の件名，分類などが記録された文書管理簿を閲覧し，開示請求を行う文書を特定する。文書管理簿については，インターネットから文書検索システムを利用して，文書件名のキーワード，文書作成年度などの条件を指定し，検索することもできる。

(2) 開示請求

開示請求者は，開示請求を行う文書を特定した後，開示請求書に(1)で特定した文書件名のほか，個人の場合は氏名，自宅の住所，電話番号及び携帯電話番号を，事業者の場合は事業者の名称，担当者の氏名，事業所の住所及び電話番号を必要事項として記入し，窓口に提出する。提出の際，開示請求に必要な手数料を納付する。

(3) 開示，不開示の決定

開示請求書を受け付けた窓口は，文書を所管する部署（以下，文書所管部署という）に請求内容を通知する。文書所管部署では，個別に文書の内容を確認し，開示，不開示又は一部開示を決定する。決定内容について，開示決定通知書を作成し，開示請求者に対して郵送で通知する。

(4) 開示実施申出書の提出

開示請求者は，開示決定通知書を受領した後，文書の閲覧，文書の写しの交付，電子データの交付などの開示方法を開示実施申出書に記載し，郵送で窓口に提出する。

(5) 開示実施

開示請求者は，開示実施申出書で指定した方法によって，文書の閲覧，文書の写しの受領，電子媒体による電子データの受領などを行う。文書の写し，電子媒体による受領の場合，それぞれ指定の手数料を窓口に納付する。開示は来訪だけに対応しており，郵送などによる開示は行っていない。

なお，F法人では開示請求者に対して，開示後に必要に応じて電話で連絡することがある。

〔新システム構築の背景，目的及び整備方針〕

F法人では，開示請求の件数が毎年増加傾向にあり，窓口及び請求件数が多い文書所管部署では業務処理量の増加に伴う開示請求対応の事務が負担になっている。特に年度初めの4月，5月に年間の開示請求件数の約半数が集中しているので，通常業務が忙しい中，開示請求対応が重なり，開示までに多くの日数を要することがある。

開示請求は，特定種類の文書に対するものが全体の請求件数の約6割を占めている。F法人では，この特定種類の文書を現在約2,000件保有している。主に市場調査や営業目的で利用する事業者からの開示請求がほとんどであり，文書1件当たりの枚数が多いことから，開示の際は電子媒体で交付することが多くなっている。

開示請求者からは，開示請求手続の煩雑さ，訪問が必要なこと，各種手数料の負担，開示までに時間を要することへの不満が挙がっている。

そこでF法人では，現在の開示請求手続に加えて，開示請求なしでインターネットを利用して，手数料が不要で，場所や時間の制限がなく，初めての利用でも手続が簡単で即時に文書を取得できる新システムを構築することにした。

なお，新システムでは，まず，開示請求が多く開示可能な文書だけを対象に情報提供を行い，利用状況を見ながら順次取り扱う文書を増やしていく方針にした。

〔新システムに対する要望〕

多くの開示請求に対応している文書所管部署に確認したところ，新システムを用いた情報提供に関して，次の要望が挙げられた。

・開示請求の多い特定種類の文書は，他団体から提供を受けた情報を基にF法人が独自に加工，編集している文書である。情報提供元の団体と協議した結果，不特定多数の個人，事業者などに対して情報提供するのではなく，あらかじめ利用者登録した上で，特定された個人，事業者などに対して情報提供を行うようにしたい。
・従来の開示請求手続とは異なり，請求のたびに開示する文書の内容を確認しないので，<u>①開示する情報に不備がないかどうかを，複数人で確認した上で，新システム</u>

に登録し，情報提供するようにしたい。
・現在の開示請求手続と同様に，必要に応じて情報提供先に電話で連絡することができるよう，連絡先に間違いがないことを確認したい。
・F法人の職員の所属，役職に応じた権限の管理ができるよう，所属，役職などの情報については，社内システムと同じ情報を取り扱えるようにしてほしい。人事異動などが発生した場合は，翌営業日中には新システムに情報を反映させてほしい。

〔新システムの方式検討〕

F法人では，現在運用している各情報システムのサーバ機器などを，F法人が契約するデータセンタ内に導入して運用している。新システムにおいても同様の形態にすることを検討したが，業務上の特性から業務処理量の変動が大きいことが予想されることと，将来の拡張に柔軟に対応できることから，クラウドサービスを利用することにした。

F法人の職員が新システムを利用する際は，費用対効果を考慮し，既設のインターネット回線を経由して，クラウドサービス上に構築する新システムにログインして利用することにした。また，F法人の職員向けの機能は，F法人が契約するデータセンタ内のプロキシサーバからのアクセスだけを許可する仕組みにした。新システム構築後の全体概要を図1に示す。

なお，F法人では近年，情報セキュリティ対策を強化しており，社内システムとインターネット上のシステムとの間を直接オンラインで連携することを禁止している。そこで，新システムと社内システムとの連携は，できる限り頻度を少なくした上で，新システムのシステム管理担当者が運用作業で実施することにした。

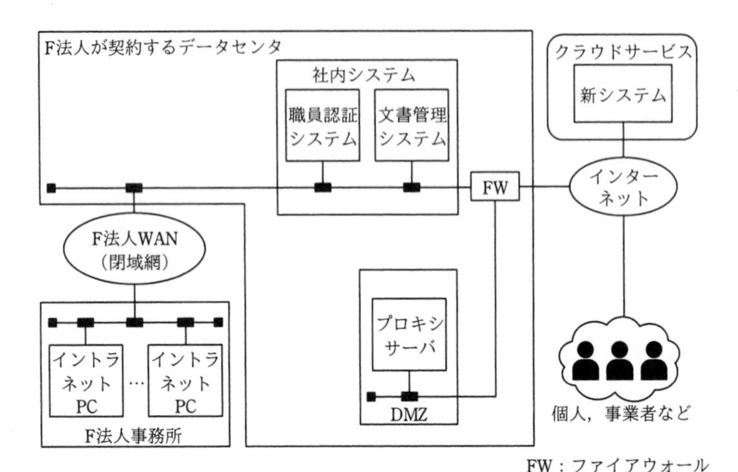

図1　新システム構築後の全体概要

〔新システムで提供する機能の概要〕

新システムに対する要望などを踏まえて，次に示す機能を提供することにした。

・個人，事業者などが新システムを利用するために，IDの発行及びパスワードを設定する利用者登録機能を用意する。

・現行の文書検索システムと同様に，インターネットから文書管理簿の検索を行えるようにする。検索の結果，新システムに登録されている文書については，直接新システムから電子ファイルをダウンロードできるようにする。現行の文書検索システムの機能は，新システムの機能の一部として統合する。

・検索に必要な文書管理簿の情報については，F法人の社内システムである文書管理システムから文書管理簿データをダウンロードし，新システムに運用作業で取り込む登録機能を用意する。更新頻度は，1週間に1回とする。

・新システムで情報提供する文書については，F法人の職員が，文書に対応する文書管理簿の情報を選択し，文書に付随するそのほかの情報を新システムの登録画面で入力し，登録する。登録された文書は，文書登録者の上司が内容を新システム上で確認し，承認すると，個人，事業者などに向けて公開される。

・情報提供の機能とは別に，ある理由から，電子フォームを用いて開示請求ができる機能を提供する。その際，開示請求に掛かる手数料は別納とする。

・職員の所属，役職などの情報については，F法人の社内システムである職員認証システムからデータをダウンロードし，新システムに運用作業で取り込む登録機能を用意する。職員認証システムでは，職員の所属，役職などの職員基本情報の更新は月1回程度である。一方で，②職員認証システムのパスワードは職員が随時変更できるので，パスワード情報は新システムに取り込まず，職員基本情報だけを反映し，新システムのパスワードについては職員が新システムで新たに設定し，管理することにする。

・個人，事業者など，新システムの利用者の情報については，新規登録時に，現在の開示請求書で記入を求めている項目に加えて，電子メールアドレスを登録する。

〔利用者の新規登録手順及び連絡先の確認方式の検討〕

新システムの利用者を新規登録する際の連絡先の確認方式について，検討を行った。検討した，利用者の新規登録手順及び連絡先の確認方式案を表1に示す。

表1　利用者の新規登録手順及び連絡先の確認方式案

案	方式
案1	新システムは，利用者が新規登録時に入力した電子メールアドレス宛てに，本登録用の URL を記載した電子メールを送信する。利用者が，受信した電子メールに記載された URL から本登録用画面を開くと，新システムの利用者として本登録される。
案2	新システムは，利用者が新規登録時に入力した携帯電話番号宛てに，携帯電話会社が提供するショートメッセージサービスを利用して，本登録用の認証コードを記載したメッセージを送信する。利用者が，受信したメッセージに記載された認証コードを利用者登録画面上から正しく入力すると，新システムの利用者として本登録される。
案3	利用者が新規登録時に入力した住所宛てに，本登録用の認証コードを封書で送付する。利用者が，封書内の書類に記載された認証コードを新システムに所定の方法で正しく入力すると，新システムの利用者として本登録される。

各案を比較した結果，案1の方式については，簡易に利用者の新規登録ができるが，③文書所管部署の要望を満たすことができないという評価になった。一方，案3の方式については，より厳格な連絡先の確認ができる点はよいが，利便性に欠け，新システムの目的にも合致しないという評価になった。

そこで，案2の方式を採用することにした。ただし，新システムの利用者特性を踏まえると，このままでは問題が生じる場合があるので，ショートメッセージで本登録用の認証コードを通知する方式に加えて，利用者が新規登録時に入力した電話番号宛てに新システムが電話をかけて自動音声で本登録用の認証コードを読み上げる方式も選択できることにした。

設問1　本文中の下線①の要望に基づき，新システムで提供することにした機能は何か。25字以内で述べよ。

設問2　新システムでクラウドサービスを利用することを判断した理由の一つに，業務処理量の変動が大きいと予想したことが挙げられる。業務処理量の変動が大きいと予想した業務上の特性とは何か。30字以内で述べよ。

設問3　〔新システムで提供する機能の概要〕について，(1)，(2)に答えよ。

(1)　情報提供の機能とは別に，電子フォームを用いて開示請求ができる機能を提供することにした理由を40字以内で述べよ。

(2)　新システムにおけるパスワードについて，本文中の下線②のようにした運用上の理由を，25字以内で述べよ。

設問4　〔利用者の新規登録手順及び連絡先の確認方式の検討〕について，(1)～(3)に答えよ。

(1)　本文中の下線③の文書所管部署の要望とは何か。30字以内で述べよ。

(2)　案3の方式を採用しないと評価した際に考慮した新システムの目的とは何か。35字以内で述べよ。

(3)　自動音声で本登録用の認証コードを読み上げる方式も選択できることにした理由を，新システムの利用者の特性を含めて35字以内で述べよ。

問6 解説

[設問1]

〔新システムで提供する機能の概要〕から，「開示する情報に不備がないかどうかを，複数人で確認」する機能を探すと，「登録された文書は，文書登録者の上司が内容を新システム上で確認し，承認すると，個人，事業者などに向けて公開される」とある。開示する情報，つまり開示する文書は上司が確認し，承認すると公開されることになる。したがって，「開示する情報に不備がないかどうかを，複数人で確認」する要望に基づき，新システムで提供することにした機能は，**登録された文書を上司が確認し，承認する機能**である。

[設問2]

業務処理量の変動が大きいと予想した業務上の特性を探すと，〔新システム構築の背景，目的及び整備方針〕に「年度初めの４月，５月に年間の開示請求件数の約半数が集中している」とある。したがって，業務処理量の変動が大きいと予想した業務上の特性は，**年度初めに年間の開示請求件数の約半数が集中すること**である。

[設問3]（1）

〔新システムで提供する機能の概要〕に「情報提供の機能とは別に，ある理由から，電子フォームを用いて開示請求ができる機能を提供する。その際，開示請求に掛かる手数料は別納とする」とあり，この「ある理由」が問われている。

開示請求に関する記述を探すと，〔新システム構築の背景，目的及び整備方針〕に「F法人では，現在の開示請求手続きに加えて，開示請求なしでインターネットを利用して，手数料が不要で，場所や時間に制限がなく，初めての利用でも手続が簡単で即時に文書を取得できる新システムを構築することにした」とある。ここで，注意しなくてはならないのは，新システムは，「現在の開示請求手続き」に同等な機能と，「開示請求なしでインターネットを利用して，手数料が不要で，場所や時間の制限がなく，初めての利用でも手続が簡単で即時に文書を取得できる」機能を持つということである。後者の機能が情報提供の機能である。前者の機能については，開示請求に掛かる手数料を別納で徴収するのである。では，なぜ，「開示請求」機能が必要であるのかといえば，〔新システム構築の背景，目的及び整備方針〕にあるように「新システムでは，まず，開示請求が多く開示可能な文書だけを対象に情報提供を行い，利用状況を見ながら順次取り扱う文書を増やしていく」からである。仮に，全ての文書が情報提供できるのであれば，有料な「開示請求」機能を提供する意味はない。しかし，情報提供できるのは，開示請求が多く開示可能な文書だけであるため，それ以外の文書に対しての「開示請求」機能を提供しなければならないのである。したがって，電子フォームを用いて開示請求ができる機能を提供することにした理由は，**新システムでは，まず，開示請求が多く開示可能な文書だけを対象にするから**である。

[設問3]（2）

〔新システムの方式検討〕に「F法人では近年，情報セキュリティ対策を強化しており，社内システムとインターネット上のシステムとの間を直接オンラインで連携することを禁止している」とあるが，様々な個人情報を保有している法人の社内システムと，インターネットを利用したシステムとの間に，ファイアウォールを設け，オンライン連携を避けることは近年当然のことであろう。F法人も，「そこで，新システムと社内システムとの連携は，できる限り頻度を少なくした上で，新システムのシステム管理担当者が運用作業で実施することにした」とある。

〔新システムで提供する機能の概要〕に「職員の所属，役職などの情報については，F法人の社内システムである職員認証システムからデータをダウンロードし，新システムに運用作業で取り込む登録機能を用意する。職員認証システムでは，職員の所属，役職などの職員基本情報の更新は月１回程度である。一方，②職員認証システムのパスワードは職員が随時変更できるので，パスワード情報は新システムに取り込まず，職員基本情報だけを反映し，新システムのパスワードについては職員が新システムで新たに設定し，管理することにする」とある。

仮に，職員認証システムのパスワードを変更するたびに，その情報を新システムに取り込むとすると，運用作業でそのつど取り込む必要が出てきて，運用作業による連携の頻度が増すことが想定される。したがって，下線②のようにした運用上の理由は，**運用作業による連携頻度を少なくしたいから**である。

[設問４]（1）

〔利用者の新規登録手順及び連絡先の確認方式の検討〕に「各案を比較した結果，案１の方式については，簡易に利用者の新規登録ができるが，③文書所管部署の要望を満たすことができないという評価になった。……そこで，案２を採用することになった」とある。表１の案１から案３までの内容を見ると，案２が他の案と異なるのは，新規登録時に携帯電話番号を入力してもらい，携帯電話を連絡手段に使うことである。

この携帯電話番号の入力に注目して，文書所管部署の要望を探すと，〔新システムに対する要望〕に「現在の開示請求手続と同様，必要に応じて情報提供先に電話で連絡することができるよう，連絡先に間違いがないことを確認したい」とある。したがって，文書所管部署の要望とは，**情報提供先に電話で連絡することができるようにすること**である。

[設問４]（2）

表１の案３は「利用者が新規登録時に入力した住所宛てに，本登録用の認証コードを封書で送付する。利用者が，封書内の書類に記載された認証コードを新システムに所定の方法で正しく入力すると，新システムの利用者として本登録される」とあり，

本登録用の認証コードが封書で送付されてくるのを待たなければならないことになる。そこで,〔新システム構築の背景,目的及び整備方針〕を見ると,「F法人では,現在の開示請求手続に加えて,開示請求なしでインターネットを利用して,手数料が不要で,場所や時間の制限がなく,初めての利用でも手続が簡単で即時に文書を取得できる新システムを構築することにした」とある。したがって,案3の方式を採用しないと評価した際に考慮した新システムの目的は,**初めての利用でも手続が簡単で即時に文書を取得できること**である。

[設問4](3)

〔新システム構築の背景,目的及び整備方針〕に「主に市場調査や営業目的で利用する事業者からの開示要求がほとんどであり」とあることから,利用者の特性としては,事業者が多いことが分かる。また,〔現行業務の概要〕の(2)開示請求に「個人の場合は氏名,自宅の住所,電話番号及び携帯電話番号を,事業者の場合は事業者の名称,担当者の氏名,事業所の住所及び電話番号を必要事項として記入し,窓口に提出する」とあるが,事業者の場合は,代表の電話番号は基本的に,携帯電話番号ではなく固定の電話番号が一般的であろう。また,個人の場合でも,携帯電話を全ての人が所有しているわけではないと考えられる。携帯電話ではない場合は,ショートメッセージサービスが使えないので,自動音声で本登録用の認証コードを読み上げる方式が必要になる。したがって,認証コードを読み上げる方式を選択できることにした理由は,**利用者には事業者が多く,携帯電話番号を入力できない場合があるから**となる。

問6 解答

設問		解答例・解答の要点
設問1		登録された文書を上司が確認し,承認する機能
設問2		年度初めに年間の開示請求件数の約半数が集中すること
設問3	(1)	新システムでは,まず,開示請求が多く開示可能な文書だけを対象にするから
	(2)	運用作業による連携頻度を少なくしたいから
設問4	(1)	情報提供先に電話で連絡することができるようにすること
	(2)	初めての利用でも手続きが簡単で即時に文書を取得できること
	(3)	利用者には事業者が多く,携帯電話番号を入力できない場合があるから

※IPA発表

既存システムの改善

問7 システム再構築における移行計画 (出題年度：R5問1)

システム再構築における移行計画に関する次の記述を読んで，設問に答えよ。

A社は，医療用品の製造及び販売を行うメーカーである。A社とその関連会社の3社（以下，Aグループという）は，基幹システムとしてX社のERPパッケージ製品（以下，ERPという）と，情報系システムとしてERPのオプション製品である分析ツールを使用している。

しかし，現在使用しているERPと分析ツールのサポート期限が2年後に迫っているので，これらをバージョンアップし，新しいシステムとして再構築するための移行計画を立案することになった。A社情報システム部のB課長がプロジェクトチームのリーダーに任命された。

〔現行のシステムと業務の概要〕

Aグループは現行の基幹システム（以下，現行基幹システムという）として，ERPのうち財務会計，管理会計，販売管理，生産管理，購買管理の五つのサブシステムを利用している。現行基幹システムは各社で独立した構成となっており，ERPに対する定義やマスターデータを独自に設定している。また，各社の業務に応じて個別に開発されたアドオンプログラム（以下，アドオンという）が存在している。

現行の情報系システム（以下，現行情報系システムという）では，前月や前年度といった過去の売上や製造原価などの経営状況を翌月以降に必要に応じて分析するための帳票を，各社の要望に応じて個別に定義している。新たな切り口によるデータの集計が必要な帳票を定義する場合は，あらかじめ，基となるデータを現行基幹システムから抽出し，必要な集計を行ったデータを現行情報系システム内に保存している。

運用スケジュールは，8時から24時までがオンライン運用時間，それ以外はアドオンとして開発された夜間バッチ処理やシステムメンテナンスの時間となっている。毎月上旬の数日間に分割して実行される夜間バッチ処理では，実績データに対する各種の締め処理が行われる。

Aグループが得意先からの受注や出荷を行う営業日は，年末年始を除き平日と土曜日である。受注にはEDIを用いる。受注データ中の納品日には受注日の翌営業日から7日先までの営業日を設定可能であり，受注日の翌営業日が設定されることが多い。

〔物流システムの概要〕

Aグループは各社共通の物流システムを使用している。現行基幹システムでオンライン運用時間内に受信した受注データを基に，夜間に出荷指示データ送信処理が出荷指示データを作成し，物流システムに送信する。

Aグループは出荷当日に得意先に納品可能な体制を整備しており，物流システムは出荷指示データに基づき，受注データで指定された納品日に得意先への出荷を行う。

〔情報システム担当役員から提示された再構築と移行に関する指示〕

A社の情報システム担当役員から再構築と移行に関して次の指示があった。

・ERPと分析ツールのサポート期限までの期間が短いので，新しい基幹システム（以下，新基幹システムという）と新しい情報系システム（以下，新情報系システムという）の構築では，業務プロセスの見直しは行わない。
・ERPと分析ツールのバージョンアップを作業の中心とし，重要な経営方針である，業務の効率化と高付加価値型業務へのシフトに直接関連する改善案件の実施だけをプロジェクトの対象とする。
・過去の経営状況を新たな切り口でも分析できるようにする。
・移行作業によるシステムの停止に伴う，受注や出荷などの業務への影響は最低限に抑える。特に受注や出荷において，得意先からの受注データが移行期間中に滞留して出荷が遅れることは避ける。

〔情報システム部長から提示された再構築と移行に関する方針〕

A社の情報システム部長からは再構築と移行に関する次の方針が提示された。

・マスターデータの勘定科目コードや各種のコードが，A社と関連会社との間で統一されていない。新しいシステムとして再構築する時に関連会社のコードをA社のコードに統一し，4社を一斉に移行する。コードの統一が必要な理由は，予算管理や連結決算の際に，関連会社の経理担当者が表計算ソフトでA社のコードに合わせた集計を別々に実施しており，各社から，これらに必要な経理担当者の事務処理の負担が大きいとの意見が以前から寄せられているからである。
・業務への影響が少ないいずれかの土日を移行期間とし，新基幹システムの本稼働日を月曜日とする移行計画としたい。この場合，移行期間中の土曜日の受注を停止するために，本稼働日の月曜日に品物を受け取りたい得意先に対して，①移行期間前の適切なタイミングに協力を依頼する。
・各社の既存のアドオンは，新基幹システムでも継続利用する。
・現行情報系システムの帳票の定義は，新情報系システムでも継続利用する。
・現行基幹システムの実績データは前月分と当月分だけ更新できる。このことを利用して移行作業によるシステムの停止期間を短縮したい。
・移行期間前後のマスターデータの登録や情報系システムの使用に対する運用制限が必要な場合は，各社に協力を仰ぐ。

〔X社から提供されたERPと分析ツールのバージョンアップに関する情報〕
X社からは，バージョンアップに関する次の情報提供を受けた。
・新基幹システムを新規に構築する場合は，サーバに新バージョンのERPをインストールした上で，各種の定義の設定やアドオン追加などによる構築を行う。
・現行基幹システムを基にして新基幹システムを構築する場合は，サーバに新バージョンのERPをインストールした上で，ERP移行ツールを用いてERPの標準機能と各種の定義を新基幹システムに移行する。
・ERPの現行バージョンと新バージョンとではデータ構造が異なる。そのため，現行バージョンのデータ構造から新バージョンのデータ構造に変更した上でデータを移行する必要がある。データ移行の要件に基づき，ERP移行ツールを使用したデータ移行とするか，個別のデータ移行プログラムを使用したデータ移行とするかを選択する必要がある。ERP移行ツールを使用する場合，データ構造の変更はERP移行ツールの中で行われるが，コード変換のようにデータの値を加工することはできない。なお，現行基幹システムでコード変換などのデータの値の加工を行ってからERP移行ツールを使用する方法は，作業手順が複雑になるので推奨していない。
・既存のアドオンは，X社が提供する手順書を用いて移行する。
・現行基幹システムを停止した後に新基幹システムに移行するデータ量が多ければ多いほど，システムの停止期間が長くなる。
・分析ツールは，新バージョンを導入しても既存の帳票の定義がそのまま使用できる。
X社から提示されたERPの新バージョンへの移行パターンを表1に示す。

表1　X社から提示されたERPの新バージョンへの移行パターン

移行パターン	各パターンの作業概要，特徴など
パターン1： 新規構築	(1)　初期状態のERPに対し，業務要件に合わせた必要な定義を行う。 (2)　業務要件などによるアドオンが必要な場合は新規に開発する。 (3)　移行要件に基づき，現行基幹システムからデータを移行する。
パターン2： ERP移行ツールを使用したデータ移行	(1)　X社が提供する手順書を用い，アドオンを移行する。 (2)　現行基幹システムの停止後，ERP移行ツールによって，現行基幹システムから新基幹システムに対して，各種の定義を配置する。さらに，ERP移行ツールによって，現行基幹システムから新基幹システムに移行するデータを抽出し，格納されているデータの値は加工せずに新基幹システムに登録する。
パターン3： 個別のデータ移行プログラムを使用したデータ移行	(1)　X社が提供する手順書を用い，アドオンを移行する。 (2)　現行基幹システムの稼働中に，ERP移行ツールによって，現行基幹システムから新基幹システムに対して，各種の定義を配置する。 (3)　移行要件に合わせた，次の(ア)～(ウ)を実施する複数のデータ移行プログラムを事前に開発し，実行する。 (ア)　現行基幹システムから新基幹システムに移行するデータを抽出し，それらのデータを［　a　］する。 (イ)　コード変換を行う場合，あらかじめ作成したコード変換表に従い，変換対象のコードを格納する全てのテーブルに対するコード変換を行う。 (ウ)　(ア)，(イ)の処理を行ったデータを新基幹システムに登録する。

〔立案した移行計画〕

B課長は，再構築と移行に関する指示と方針に合致する移行パターンを検討した。その過程で，パターン1は再構築と移行に関する指示と方針に合致しないと判断した。また，パターン2はデータ移行時に制約事項があり，再構築後も現在発生している業務上の問題を解決できないことから，再構築と移行に関する指示と方針に合致しないと判断し，パターン3を選択した。

新情報系システムへのデータ移行においては，②A社のデータは現行情報系システムから新情報系システムにそのまま移行するが，関連会社のデータは，新基幹システムに移行したデータに基づいて集計を行ったデータを新情報系システムに登録することにした。

これらを踏まえ，B課長は再構築と移行に関する指示と方針に基づいた移行計画を立案した。立案した移行計画の概要を表2に示す。

表2　立案した移行計画の概要

分類	概要
基本施策	・業務への影響が少ない，月の中旬の土日を移行期間とし，関連会社のコードをA社のコードに統一した上で4社を一斉に移行する。 ・パターン3の移行パターンを選択し，現行基幹システムの稼働中に，新基幹システムに各種の定義やアドオンを配置する。 ・③現行のシステムの全ての過去データを，新しいシステムへの移行対象とする。
得意先への出荷に関する対応	・金曜日までの受注データに基づき，土曜日の出荷は通常どおり実施する。 ・土曜日の受注を停止するために，得意先に対して必要な協力を依頼する。
データ移行手順	・現行基幹システム停止直前の1週間を事前移行期間とし，この期間はマスターデータの更新運用を停止する。 ・金曜日のオンライン運用終了後の出荷指示データ送信処理が完了した後に現行基幹システムを停止し，移行作業を開始する。 ・システムの停止期間を短縮するために，現行基幹システムのデータを2回に分けて移行する。 （ア）　事前移行期間にマスターデータと④ある範囲の実績データを移行する。 （イ）　現行基幹システム停止後に，残りの実績データを移行する。 ・情報系システムのデータの移行作業は新基幹システムの稼働後に行う。新情報系システムを用いる業務には移行作業完了まで運用制限を行う。
物流システムへの対応	（省略）
インフラ	
移行リハーサル	
本番移行	

設問1　〔情報システム部長から提示された再構築と移行に関する方針〕について，本文中の下線①で，得意先に依頼すべき内容を30字以内で答えよ。

設問2　〔X社から提供されたERPと分析ツールのバージョンアップに関する情報〕について，表1中の［　a　］に入れる適切な字句を35字以内で答えよ。

設問3　〔立案した移行計画〕について答えよ。

(1)　パターン2を選択した場合に再構築後も解決できない業務上の問題とは何か。25字以内で答えよ。

(2)　本文中の下線②において，関連会社のデータ移行に当たりA社のデータと同じ移行方法を採らず，新基幹システムに移行したデータに基づいて集計を行ったデータを新情報系システムに登録することにした理由を35字以内で答えよ。

(3) 表2中の下線③は，再構築と移行に関するどのような指示又は方針に基づいた施策か。35字以内で答えよ。

(4) 表2中の下線④で示す実績データの範囲を10字以内で答えよ。また，その範囲の実績データを事前移行期間に移行できる理由を25字以内で答えよ。ここで，移行するデータ量については問題がないことを確認できているものとする。

問7 解説

［設問1］

〔情報システム部長から提示された再構築と移行に関する方針〕に「移行期間中の土曜日の受注を停止するために，…得意先に対して，①移行期間前の適切なタイミングに協力を依頼する」とある。これより，受注を停止することで得意先の通常の業務に不都合が発生すると考えられる。得意先の通常の業務を確認すると，〔現行のシステムと業務の概要〕に，「Aグループが得意先からの受注や出荷を行う営業日は，年末年始を除き平日と土曜日である」とあり，納品日については，「受注日の翌営業日から7日先までの営業日を設定可能であり，受注日の翌営業日が設定されることが多い」とある。これは，月曜日に品物を受け取りたい得意先は前週の土曜日に注文すればよいことを意味している。しかし，「移行期間中の土曜日の受注を停止する」のであるから，月曜日に商品を受け取りたい場合には，前週の金曜日までに注文しなければならないことになる。よって，得意先に依頼すべき内容は，**金曜日までに，月曜日が納品日の品物を発注すること**となる。

［設問2］

「表1　X社から提示されたERPの新バージョンへの移行パターン」に示されている三つの移行パターンがどのようなものなのかを〔X社から提供されたERPと分析ツールのバージョンアップに関する情報〕に確認する。

「新基幹システムを新規に構築する場合…」が「パターン1：新規構築」に該当するのは明らかである。続く，「現行基幹システムを基にして新基幹システムを構築する場合…」には「ERPの現行バージョンと新バージョンとではデータ構造が異なる」ために，「新バージョンのデータ構造に変更」する対応が必要としている。そして，対応方法として,「ERP移行ツールを使用したデータ移行」と「個別のデータ移行プログラムを使用したデータ移行」の二つが示されている。この前者が「パターン２：ERP移行ツールを使用したデータ移行」に,後者が「パターン３：個別のデータ移行プログラムを使用したデータ移行」に該当する。

「ERP移行ツールを使用する場合,データ構造の変更はERP移行ツールの中で行われるが,コード変換のようにデータの値を加工することはできない」とあることから,パターン２ではデータ構造の変更のみ行うことが分かる。一方,パターン３では「個別のデータ移行プログラム」を使用してデータ構造の変更とコード変換を行うものと考えられる。表１のパターン３の「各パターンの作業概要,特徴など」の（３）（イ）にコード変換作業が記述されていることから,（ア）にはデータ構造の変更作業が記述されていると考えられる。データ構造の変更作業に関しては,「現行バージョンのデータ構造から新バージョンのデータ構造に変更した上でデータを移行する」とある。よって,空欄ａには,**現行バージョンのデータ構造から新バージョンのデータ構造に変更**が入る。

[設問３]（１）

〔立案した移行計画〕に「パターン２はデータ移行時に制約事項があり,再構築後も現在発生している業務上の問題を解決できないことから,再構築と移行に関する指示と方針に合致しない」とある。指示と方針の内容を探すと,〔情報システム担当役員から提示された再構築と移行に関する指示〕に,「業務の効率化と高付加価値型業務へのシフトに直接関連する改善案件の実施」が見つかる。〔情報システム部長から提示された再構築と移行に関する方針〕に,効率化や改善に該当するものとして,「マスターデータの勘定科目コードや各種のコードが,Ａ社と関連会社との間で統一されていない」ために,「予算管理や連結決算の際に,関連会社の経理担当者が表計算ソフトでＡ社のコードに合わせた集計を別々に実施しており,各社から,これらに必要な経理担当者の事務処理の負担が大きい」という意見がある。ここで,表１のパターン２の「各パターンの作業概要,特徴」を確認する。設問２の解説でも述べたが,パターン２ではコード変換を行わない。つまり,コードの統一はしないため,関連会社の経理担当者の事務処理の負担は減らすことには寄与しない。よって解決できない業務上の問題は,**経理担当者の事務処理の負担が大きいこと**となる。

[設問3](2)

〔立案した移行計画〕に「新情報系システムへのデータ移行においては，②A社のデータは現行情報系システムから新情報系システムにそのまま移行するが，関連会社のデータは，新基幹システムに移行したデータに基づいて集計を行ったデータを新情報系システムに登録する」とある。

〔情報システム部長から提示された再構築と移行に関する方針〕に，「マスターデータの勘定科目コードや各種のコードが，A社と関連会社との間で統一されていない」という現状に対し，「新しいシステムとして再構築する時に関連会社のコードをA社のコードに統一し，4社を一斉に移行する」とある。A社のコードに統一することから，A社のデータはそのまま現行情報系システムから新情報系システムに移行することに問題はない。しかし，関連会社の新基幹システムではコードをA社のコードに統一し，コードが統一された新基幹システムから集計されたデータを新情報系システムに登録する必要がある。つまり，A社と同じ移行方法では，A社のコードに統一したデータを新情報系システムに反映させることができない。よって下線②で示された移行方式にした理由は，**関連会社の新基幹システムのデータはコード変換が行われるから**となる。

[設問3](3)

「表2　立案した移行計画の概要」の基本施策の「概要」に「③現行のシステムの全ての過去データを，新しいシステムへの移行対象とする」とある。

再構築と移行に関する指示又は方針に基づく施策として，〔情報システム担当役員から提示された再構築と移行に関する指示〕で示された指示と〔情報システム部長から提示された再構築と移行に関する方針〕に示されている方針から，下線③に関連する記述を探す。すると，〔情報システム担当役員から提示された再構築と移行に関する指示〕に「過去の経営状況を新たな切り口でも分析できるようにする」が見つかる。過去の経営状況を分析するには過去のデータが必要となる。よって，施策のもととなった指示又は方針は，**過去の経営状況を新たな切り口でも分析できるようにすること**となる。

[設問3](4)

表2のデータ移行手順の「概要」の（ア）に「事前移行期間にマスターデータと④ある範囲の実績データを移行する」とあり，「システムの停止期間を短縮するために，

現行基幹システムのデータを２回に分けて移行する」とある。

システム停止期間の短縮については，〔情報システム部長から提示された再構築と移行に関する方針〕に「現行基幹システムの実績データは前月分と当月分だけ更新できる。このことを利用して移行作業によるシステム停止期間を短縮したい」とある。これらから，現行基幹システムの更新処理の対象となっている前月分と当月分の実績データは現行基幹システムの停止中にしか移行できないが，更新処理の対象となっていない前々月以前の実績データは事前移行期間に移行しても問題がないことが分かる。よって，事前移行期間に移行できるデータの範囲は**前々月以前**，理由は**前々月以前の実績データは更新されないから**となる。

問7 解答

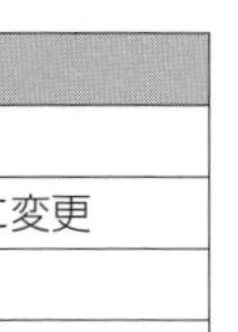

設問		解答例・解答の要点	
設問１		金曜日までに，月曜日が納品日の品物を発注すること	
設問２		a	現行バージョンのデータ構造から新バージョンのデータ構造に変更
設問３	(1)	経理担当者の事務処理の負担が大きいこと	
	(2)	関連会社の新基幹システムのデータはコード変換が行われるから	
	(3)	過去の経営状況を新たな切り口でも分析できるようにすること	
	(4)	範囲	前々月以前
		理由	前々月以前の実績データは更新されないから

※IPA発表

問8 企業及び利用者に関する情報の管理運用の見直し (出題年度：R3問1)

企業及び利用者に関する情報の管理運用の見直しに関する次の記述を読んで，設問1～3に答えよ。

A研究所は，地域の中小企業などの産業支援を目的にする，地方公共団体が設立した試験研究機関である。

〔A研究所の事業概要〕

A研究所は，産業支援事業の一環として，特別な試験機器，設備などが必要になる試験について，企業から委託を受けてA研究所が試験を行う依頼試験事業（以下，依頼試験という）を行っている。それとは別に，試験機器，設備などを時間単位で貸し出し，企業自らが試験を行う機器・設備利用事業（以下，機器・設備利用という）を行っている。A研究所は，これら二つの事業を主要な産業支援事業（以下，主要事業という）にしており，その他に技術相談，技術セミナーの開催，独自の研究などを行っている。

主要事業は，A研究所が所在する地域の中小企業の利用が中心であるが，その他の地域の企業，大企業，法人登記していない個人事業者などによる利用も可能である。

主要事業は有料で提供しており，利用料金には，一般料金と，中小企業及び個人事業者向けの優遇料金がある。一般料金と優遇料金のどちらを適用するかについては，株式会社・社団法人などの法人種別，業種，資本金及び従業員数でA研究所が判断している。過去の料金体系では，A研究所を所管する地方公共団体の区域内に本店，支店などの事業所が所在する場合，料金を安くする制度があったが，別の助成制度の提供に伴い，現在は廃止されている。

〔現行業務の概要〕

現在の主要事業の基本的な業務の流れは，次のとおりである。

(1) 問合せ，相談

A研究所が提供する事業全般に関する問合せ，試験内容などに関する相談などを受け付ける。A研究所では，総合窓口を用意しており，初めてA研究所を利用する場合などは，まず総合窓口の職員が概要を確認し，適切な専門部署につないでいる。問合せ，相談内容は，主要事業を管理する情報システム（以下，事業管理システムという）に登録している。

第3部 午後I試験対策

(2) 企業情報及び事業所情報の登録（新規利用の企業などの場合）

利用者がA研究所を初めて利用する場合，総合窓口で名刺を提示してもらい，事業管理システムの企業マスタに利用者が所属する企業が既に登録されているかどうかを企業の商号又は名称（以下，企業名という）などで検索し，確認する。未登録の企業だった場合は，利用者に企業登録用紙への記入を依頼し，企業名，所在地，法人種別，業種，資本金，従業員数などの情報（以下，企業情報という）を確認の上，企業マスタに登録する。利用者が所属企業の資本金，従業員数などが分からない場合，総合窓口の職員が代わりに公表情報を調べて登録するケースがある。

企業情報を新規に登録すると，事業管理システムで企業を一意に識別する企業コードが付与される。また，企業情報が登録済でも，利用者が所属する事業所が未登録の場合は，同じ企業コードで枝番だけを変更し，事業所名，所在地，代表電話番号などの情報（以下，事業所情報という）を入力して企業マスタに登録する。その際，企業名などの既に企業マスタに登録済の属性情報は入力不要にしている。個人事業者の場合も，企業情報として登録し，法人種別には“個人”を設定する。

なお，企業情報を新規に登録する際に，入力された内容を基に，適用料金区分として，中小企業及び個人事業者向けの料金を適用する“優遇”か，それ以外の“一般”かを，事業管理システムが自動判断して登録する。

(3) 利用者情報の登録及び利用者カードの発行（新規利用者の場合）

企業マスタに事業所情報が登録済で，利用者がA研究所を初めて利用する場合は，利用者に利用者登録用紙の記入を依頼し，名刺及び本人確認できる身分証を提示してもらい，総合窓口の職員が利用者の氏名，連絡先などの情報（以下，利用者情報という）を，登録済の事業所情報に関連づけて利用者マスタに登録する。その際，事業管理システムで利用者を一意に識別する利用者コードが付与される。

利用者情報の登録が完了すると，主要事業の受付時などに使用するバーコード付きのプラスチックの利用者カードを発行する。大企業などでは様々な部署がA研究所を利用するケースがあり，誰が利用したのかを識別して管理したいことから，企業単位ではなく，利用者個人ごとに利用者カードを発行している。そのため，同じ企業に所属する者であっても，他の利用者の利用者カードを借りて利用することは禁止している。一方で，利用者カードが本人のものであるかどうかを，受付時に厳密には確認していない。

(4) 試験内容などの決定

専門部署の職員は，利用者からより詳しい内容を聞き取り，試験内容などの詳細を決定する。専門部署での受付時に利用者カードを提示してもらい，決定した試験内容などを事業管理システムに登録する。

なお，利用者カードの持参を忘れた場合は，総合窓口に案内し，名刺及び本人確認できる身分証を提示してもらい，利用者カードを再発行している。再発行すると，古い利用者カードを無効にし，使用できないようにする。

(5) 見積書及び申込書の作成

省略。

(6) 申込手続

省略。

(7) 試験実施

省略。

(8) 報告書の納品（依頼試験の場合）

依頼試験の場合，依頼内容に応じた試験結果を報告書にまとめ，利用者に対して納品する。報告書の宛名は企業名にしている。納品は，来所してもらい手渡しするか，報告書を郵送で提出する。郵送の場合の送付先は，利用者が所属する事業所の所在地にしている。

〔現行の事業管理システムにおける企業及び利用者に関する情報の管理運用〕

現行の事業管理システムでは，企業及び利用者に関する情報をマスタで管理している。現行の事業管理システムで使用している主なマスタを表１に示す。企業情報を利用者に確認したり，職員が公表情報を調べたりする作業負荷を軽減するため，企業マスタで管理する属性の一部は，信用調査会社から年に１回，企業データベース（以下，企業DBという）を購入し，登録している。購入したデータは，A研究所を過去に利用したことがない企業も含めて企業マスタに登録・更新している。ただし，費用面の都合から，購入する企業DBは，A研究所が所在する区域内に本店が所在する企業だけとしており，本店以外の事業所情報及び個人事業者の情報は購入していない。

表１　現行の事業管理システムで使用している主なマスタ

マスタ名	主な属性（下線は主キーを示す）
企業マスタ	企業コード，企業コード枝番，本支店区分，業種[1]，法人種別[1]，企業名（漢字）[1]，企業名（カナ）[1]，代表者氏名[1]，資本金[1]，従業員数[1]，適用料金区分，事業所名，郵便番号[1]，所在地[1]，代表電話番号[1]
利用者マスタ	利用者コード，企業コード，企業コード枝番，氏名，電話番号，ファックス番号，電子メールアドレス
利用者カードマスタ	利用者カード番号，利用者コード，状態区分

注[1]　企業DBに存在する項目

〔企業及び利用者に関する情報の管理運用に対する改善要望〕

現行の企業及び利用者に関する情報の管理運用に対して，利用者及びA研究所職員から次に示す改善要望が挙がっている。

(1)　利用者からの改善要望

- A研究所を頻繁に利用しないので，利用者カードを忘れてくることが多い。その都度，利用者カードの再発行が必要になり，手続が面倒である。

(2)　総合窓口の職員からの改善要望

- A研究所が所在する区域外に本店がある企業など，企業DBに含まれない企業の利用が多く，企業情報の登録作業が負荷になっている。
- 現在，事業所単位で企業マスタに登録しているので，本店の情報は登録されているが，支店などの事業所情報を新規に登録しなければならないケースが多い。事業所別で情報を管理しているのは，過去の料金体系時の経緯であり，現在の料金体系では企業マスタとして事業所別の情報を管理する必要性がない。
- 利用者カードの発行，再発行に手数料を取っていないので，利用者カードの媒体や発行手続に係る費用が負担になっている。プラスチックの利用者カードは順次廃止し，電子化したいが，電子化後も利用者カードの発行の考え方，使用ルールは現在の運用を踏襲したい。

(3)　専門部署の職員からの改善要望

- 企業名が変更になったり，屋号などの正式な企業名ではない情報で登録されていたりすることから，同一企業であるにもかかわらず別企業として企業マスタに登録されているデータが散見され，検索，集計などの際に問題がある。

〔企業に関する情報の管理運用の見直し〕

現行の事業管理システムの老朽化に伴い，マスタで管理する情報の変更を含めて事業管理システムを刷新することにした。刷新に当たっては，前述の改善要望を踏まえて，企業に関する情報の管理運用を次のとおり見直すことにした。

・国税庁法人番号公表サイトで提供されている企業名，本店又は主たる事務所の所在地，及び1法人に一つ指定される法人番号から構成される基本3情報（以下，法人情報という）の提供サービスを利用し，全国の法人情報の全件データ及び日次で取得した法人情報の差分データを用いて，企業マスタに登録・更新する。

  なお，提供される法人情報は，法人登記し，法人番号が指定された法人全てが対象である。また，法人番号が指定されない個人事業者などは対象外である。法人情報以外の電話番号，代表者氏名，支店の情報などは提供されない。

・企業マスタは法人情報の利用に伴い，事業所単位ではなく企業単位で情報を管理することにし，登録済の企業情報は，システム刷新時にできる限り法人情報に名寄せする。一方で，事業所情報は，利用者マスタで管理する。

・上記によって，企業情報の登録作業はある程度軽減され，誤った企業名での登録や重複登録は減る見込みである。また，①特定の属性情報を利用するに当たり，企業情報を確認したり，調べたりする作業負荷が増えないよう，企業DBを引き続き購入する。

・②企業に関する情報が企業マスタに登録されていないケースを想定して，企業情報の新規登録機能は引き続き残すことにする。

〔利用者に関する情報の管理運用の見直し〕

企業に関する情報の管理運用の見直しと同時に，利用者に関する情報の管理運用も次のとおり見直すことにした。

・総合窓口における利用者情報の新規登録手続を簡便化するため，利用者がA研究所のホームページからオンラインで利用者情報を事前登録できる機能を提供する。その際，法人に所属する利用者の場合は，企業情報の入力をできる限り簡略化し，かつ所属企業との関連づけができるよう，［ a ］の入力を求める。

・オンラインでの登録の場合，なりすましによる不正登録を防止するため，仮登録の状態にする。利用者は，依頼試験又は機器・設備利用の際には一度は来所が必要になるので，初回の来所時に身元を確認してから本登録にする。

・プラスチックの利用者カードを廃止して，利用者コードから生成するQRコードを利用した利用者カードに変更し，スマートフォンなどでいつでも表示可能にする。本登録の際に，利用者の電子メールアドレスに利用者マスタの情報から生成したURLを送付し，そのURLにアクセスするとQRコードが表示される。このとき，③電子化前の利用者カードの使用ルールを踏襲し，URLにアクセスする都度，利用者の電子メールアドレス又は携帯電話のショートメッセージサービスにワンタイムのPINを送付し，PINを入力しないとQRコードが表示できない仕組みにする。

設問1　〔現行業務の概要〕について，利用者カードに印字されているバーコードに必ず含まれる情報を表1中の属性名を用いて答えよ。また，その属性をバーコードに含めている利用者カードに対する業務の管理運用上の理由を35字以内で述べよ。

設問2　〔企業に関する情報の管理運用の見直し〕について，(1)～(3)に答えよ。

(1)　企業マスタは事業所単位ではなく企業単位で情報を管理することにした一方で，利用者マスタ上で事業所情報を引き続き管理することにしたのは，主要事業の業務の流れ上どのような用途で利用することを想定したからか。20字以内で述べよ。

(2)　法人情報を利用することにしたが，本文中の下線①のように，作業負荷が増えないよう，企業DBを引き続き購入することにした理由を，表1中の属性名を用いて35字以内で述べよ。

(3)　本文中の下線②のケースとして二つのケースが考えられる。一つは，法人登記した直後で法人情報がまだ提供されていない企業が利用するケースである。もう一つのケースを15字以内で述べよ。

設問3　〔利用者に関する情報の管理運用の見直し〕について，(1)～(3)に答えよ。

(1)　システム刷新後の利用者マスタで新たに必要になる情報が二つある。一つは，これまで企業マスタで管理していた事業所情報である。もう一つの情報を25字以内で述べよ。

(2)　オンラインでの利用者情報の登録について，［ a ］に入れる字句を答えよ。

(3)　本文中の下線③の使用ルールとは何か。30字以内で述べよ。

問8 解 説

[設問1]

「表1　現行の事業管理システムで使用している主なマスタ」を見ると，利用者カードマスタの属性は，利用者カードごとの利用者カード番号，利用者の情報を管理する利用者マスタにアクセスするための利用者コード，状態区分の三つである。

利用者カードの発行方法については，〔現行業務の概要〕(3)利用者情報の登録及び利用者カードの発行に，「総合窓口において利用者ごとに利用者コードを付与し，主要事業の受付時などに使用するバーコード付きのプラスチックの利用者カードを利用者個人ごとに発行する」という旨の記述がある。そして，利用者カードの使用方法として(4) 試験内容などの決定に，「専門部署での受付時に利用者カードを提示してもらい，決定した試験内容などを事業管理システムに登録する」とある。また，「利用者カードの持参を忘れた場合は，総合窓口に案内し，……，利用者カードを再発行している。再発行すると，古い利用者カードを無効にし，使用できないようにする」とある。そこで，利用者カードのバーコードに，利用者カード番号，利用者コード，状態区分のどの属性があればこの二つの要件を実現できるかを考える。

バーコードに利用者カード番号があれば，利用者カードマスタの主キーであるため対応する利用者コードが一意に定まり，「決定した試験内容などを事業管理システムに登録する」ことができる。利用者カード番号は利用者カードごとなので，「再発行すると，古い利用者カードを無効にし，使用できないように」できる。一方，バーコードに利用者コードがある場合には，「決定した試験内容などを事業管理システムに登録」できるが，再発行時には利用者コード1件に対して複数の利用者カードが対応することになり，「再発行すると，古い利用者カードを無効にし，使用できないようにする」に対応できない。なお，状態区分は，利用者カードの有効無効を示す情報と推測できるため，印字するバーコードには不適であり，二つの要件も満たせない。

よって，利用者カードに印字されているバーコードに必ず含まれる情報は**利用者カード番号**，理由は**再発行の際，古い利用者カードを使用できないようにしたいから**となる。

[設問2](1)

〔企業に関する情報の管理運用の見直し〕に「企業マスタは法人情報の利用に伴い，事業所単位ではなく企業単位で情報を管理することにし，登録済の企業情報は，システム刷新時にできる限り法人情報に名寄せする。一方で，事業所情報は，利用者マスタで管理する」とある。設問文に「主要事業の業務の流れ上どのような用途で利用することを想定したからか」とあるので，〔現行業務の概要〕から，主要事業の業務の流れにおける事業所情報に関する記述を探す。すると，(2)企業情報及び事業所情報の登録に「企業情報が登録済みでも，利用者が所属する事業所が未登録の場合は，同じ企業コードで枝番だけを変更し，事業所名，所在地，代表者電話番号などの情報（以下，事業所情報という）を入力して企業マスタに登録する」，(3)利用者情報の登録及び利用者カードの発行に「企業マスタに事業所情報が登録済で，利用者がA研究所を初めて利用する場合は，利用者に利用者登録用紙の記入を依頼し，名刺及び本人確認できる身分証を提示してもらい，総合窓口の職員が利用者の氏名，連絡先などの情報（以下，利用者情報という）を，登録済の事業所情報に関連付けて利用者マスタに登録する」，(8)報告書の納品に「郵送の場合の送付先は，利用者が所属する事業所の所在地にしている」が見つかる。これらのうち，(2)は管理運用の見直し後に不要となり，(3)は登録時にのみ使用する。一方，(8)は報告書の送付先として事業所の所在地を利用している。よって，事業所情報の用途は，**報告書の送付先として利用すること**となる。

[設問 2] (2)

〔企業に関する情報の管理運用の見直し〕に「①特定の属性情報を利用するに当たり，企業情報を確認したり，調べたりする作業負荷が増えないよう，企業DBを引き続き購入する」とある。表１を見ると，注１）として「企業DBに存在する項目」とあり，企業マスタの業種，法人種別，企業名（漢字），企業名（カナ），代表者氏名，資本金，従業員数，郵便番号，所在地，代表電話番号の属性が企業DBに存在する項目であることが分かる。企業マスタの属性情報については，〔現行業務の概要〕(2)企業情報及び事業所情報の登録に「企業情報を新規に登録する際に，入力された内容を基に，適用料金区分として，中小企業及び個人事業者向けの料金を適用する“優遇”か，それ以外の“一般”かを，事業管理システムが自動判断して登録する」とある。適用料金区分の自動判断については，〔A研究所の事業概要〕の「一般料金と優遇料金のどちらを適用するかについては，株式会社・社団法人などの法人種別，業種，資本金及び従業員数でA研究所が判断している」とあることから，企業DBに存在する，業種，法人種別，資本金，従業員数が，適用料金区分を判断するために利用されていることが分かる。

他方，新たに企業マスタに登録される法人情報については，〔企業に関する情報の管理運用の見直し〕に「国税庁法人番号公表サイトで提供されている企業名，本店又は主たる事務所の所在地，及び１法人に一つ指定される法人番号から構成される基本３情報（以下，法人情報という）の提供サービスを利用し，全国の法人情報の全件データ及び日次で取得した法人情報の差分データを用いて，企業マスタに登録・更新する」「法人情報以外の電話番号，代表者氏名，支店の情報などは提供されない」とある。これより，法人情報には，業種，法人種別，資本金，従業員数などは含まれないことが分かる。よって，企業DBを引き続き購入することにした理由は，**適用料金区分を判断するための情報は，法人情報には含まれないから**となる。

[設問２]（3）

〔企業に関する情報の管理運用の見直し〕に「②企業に関する情報が企業マスタに登録されていないケースを想定して，企業情報の新規登録機能は引き続き残すことにする」とある。(2)で述べたとおり，法人情報の提供サービスを利用することで，法人情報が企業マスタに登録・更新される。しかし，サービスによって提供される法人情報については，「提供される法人情報は，法人登記し，法人番号が指定された法人全てが対象である。また，法人番号が指定されない個人事業者などは対象外である」とあり，個人事業者の情報は法人情報の提供サービスでは企業マスタに登録・更新されないことが分かる。よって，下線②のもう一つのケースは，**個人事業者が利用するケース**となる。

[設問３]（1）

システム刷新後の利用者マスタで新たな情報を必要とする情報として，〔利用者に関する情報の管理運用の見直し〕に「オンラインでの登録の場合，なりすましによる不正登録を防止するため，仮登録の状態にする。利用者は，依頼試験又は機器・設備利用の際には一度は来所が必要になるので，初回の来所時に身元を確認してから本登録にする」とある。これより，利用者登録が仮登録か本登録かを管理する情報が必要となる。よって，もう一つの情報は，**利用者が，仮登録か本登録かを識別する情報**となる。

[設問３]（2）

〔利用者に関する情報の管理運用の見直し〕に「法人に所属する利用者の場合は，企業情報の入力をできる限り簡略化し，かつ所属企業との関連付けができるよう，

[a]の入力を求める」とある。

刷新後の事業管理システムに関しては,〔企業に関する情報の管理運用の見直し〕に「国税庁法人番号公表サイトで提供されている企業名,本店又は主たる事務所の所在地,及び1法人に一つ指定される法人番号から構成される基本3情報(以下,法人情報という)の提供サービスを利用し,全国の法人情報の全件データ及び日次で取得した法人情報の差分データを用いて,企業マスタに登録・更新する」「提供される法人情報は,法人登記し,法人番号が指定された法人全てが対象である」とある。つまり,法人に所属する利用者がオンラインで利用者情報を事前登録する際にも,この提供サービスを利用して法人番号で法人情報を得ることができ,企業情報の入力の簡略化と所属企業との関連づけが可能になる。よって,空欄aには,**法人番号**が入る。

[設問3](3)

〔利用者に関する情報の管理運用の見直し〕に「③電子化前の利用者カードの使用ルールを踏襲し,URLにアクセスする都度,利用者の電子メールアドレス又は携帯電話のショートメッセージサービスにワンタイムのPINを送付し,PINを入力しないとQRコードが表示できない仕組みにする」とある。この仕組みは,利用者の本人確認を行うものである。送付されたワンタイムのPINによって表示された利用者カードであるQRコードを利用して本人確認を行い,本人しか利用できないようにしている。これは,〔現行業務の概要〕(3)利用者情報の登録及び利用者カードの発行に「同じ企業に所属する者であっても,他の利用者の利用者カードを借りて利用することは禁止している」という電子化前の利用者カードの使用ルールを踏襲している。よって,下線③の使用ルールは,**他の利用者の利用者カードを借りて利用することの禁止**となる。

問8 解答

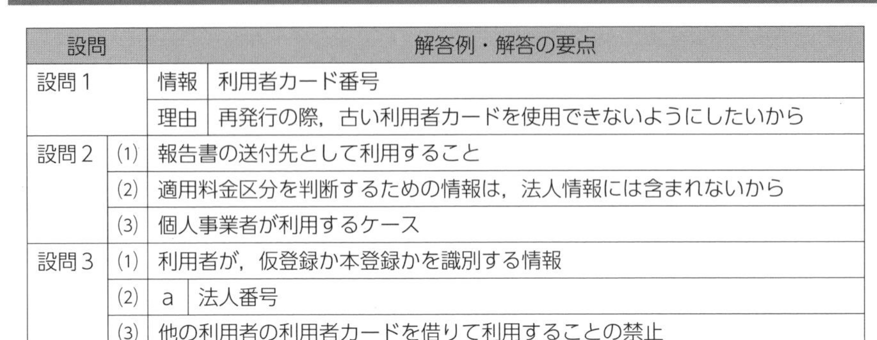

設問		解答例・解答の要点	
設問1		情報	利用者カード番号
		理由	再発行の際，古い利用者カードを使用できないようにしたいから
設問2	(1)	報告書の送付先として利用すること	
	(2)	適用料金区分を判断するための情報は，法人情報には含まれないから	
	(3)	個人事業者が利用するケース	
設問3	(1)	利用者が，仮登録か本登録かを識別する情報	
	(2)	a	法人番号
	(3)	他の利用者の利用者カードを借りて利用することの禁止	

※IPA発表

問9 システムの改善 (出題年度：H30問１)

システムの改善に関する次の記述を読んで，設問１～３に答えよ。

Ａ社は，従業員2,000名を抱えるシステムインテグレータである。このたび，新中期計画において，情報技術の進展と競争激化に対応するために，人材開発の高度化が打ち出された。Ａ社の人材開発部と情報システム部は，この新中期計画を受けて，現在稼働中の目標管理システム，受講管理システム及び資格管理システム（以下，現行システムという）の機能の改善と連携の強化を行うことにした。

〔現行システムの概要〕

現行システムの概要は次のとおりである。また，現行システムで管理している主な情報を表１に示す。

(1) 目標管理システム

Ａ社では，目標管理システムを使って，半年ごとの社員の業績及び能力開発の目標と実績を管理している。社員が設定した目標は，上司と協議して決定され，半年ごとにその達成状況の評価が行われている。能力開発の目標設定では，その期に受講予定の講座や取得を目指す資格について合意し，社員の能力開発に役立てる。

目標設定は，４月中旬及び10月中旬に行う。社員が目標を目標管理システムに入力し，その後，上司と画面を見ながら協議し，合意した内容で目標を決定する。達成状況の評価は，９月下旬及び３月下旬に行う。社員が実績を目標管理システムに入力し，その後，上司と画面を見ながら協議し，合意した内容で達成状況の評価を決定する。

なお，Ａ社の組織変更は４月１日と10月１日に行われる。人事異動は，毎月１日に発令され，昇進は年に１回，４月１日に発令される。

(2) 受講管理システム

Ａ社では，年間約100講座の研修を開催している。各講座は，それぞれ年に数回開催され，社員は年間10日の受講を目標にしている。

- 講座の情報として，講座基本情報と，開催スケジュール情報をもつ。開催スケジュール情報は，その講座の開催回ごとに，開催日，開催場所などの属性をもつ。
- 社員が講座を申し込むと，受講履歴情報が作成される。受講履歴情報は，申込状況，受講状況及び受講結果に関する情報をもつ。
- 社員が講座を修了すると，修了履歴情報が作成される。

・講座の開催に当たり，受講者に講座実施案内の電子メール（以下，案内メールという）を送付し，受講者名簿，名札，座席表などの出力を行う。
・社員の社員番号，漢字氏名，かな氏名，生年月日，所属及び役職の情報（以下，社員基本情報という）は，人事部が，別途稼働している人事システムで管理している。人事異動で社員基本情報が変更される場合は，本人に内示された後，発令日の３営業日前の業務開始前に人事システムから変更情報が連携され，直ちに更新している。
・年度末に，受講管理システムから，社員個人別に過去３年間の年間受講日数一覧表を出力し，年間目標の達成状況を確認している。

(3)　資格管理システム

Ａ社では，資格の取得を上位役職への昇進の必要条件としている。このため，社員は資格を取得すると，資格管理システムで登録申請を行い，合格証書の写しを人事部に送付する。人事部では，合格証書の写しを確認し，登録申請を承認する。

１年間に登録される件数は約700件であり，そのうち約６割が会社で団体申込みを行っている情報技術関連の資格である。

表１　現行システムで管理している主な情報

システム	情報名	主な属性（下線は主キーを示す）
目標管理	（省略）	
受講管理	講座基本	<u>講座番号</u>，講座名，開講目的，講座概要，講座日数
	開催スケジュール	<u>講座番号</u>，<u>開催回</u>，開催日，開催場所，講師名
	受講履歴	<u>講座番号</u>，<u>開催回</u>，<u>社員番号</u>，進捗ステータス，申込日，受講結果
	修了履歴	<u>社員番号</u>，<u>講座番号</u>，<u>開催回</u>，成績
	社員基本	<u>社員番号</u>，漢字氏名，かな氏名，生年月日，所属，役職
資格管理	取得資格	<u>社員番号</u>，<u>資格名</u>，取得日

〔実施している研修の概要〕

Ａ社では新入社員を対象にした新入社員研修のほか，昇進した際に受講する昇進時研修，特定分野のスキル向上を目的としたスキル研修を実施している。

新入社員研修は，４月１日から５月末日まで実施される。昇進時研修は，４月上旬に実施される。昇進者は，３月中旬の役員会で決定され，３月20日までに昇進者本人に昇進が内示されて，その全員が昇進時研修の受講対象者となる。

新入社員研修及び昇進時研修は，受講対象者による申込みを行わず，人事部から情報を入手し次第，人材開発部で受講者を登録する。

スキル研修は，４月中旬から受講申込みを募集し，６月から翌年２月までの間に開催する。募集の受付は，各講座の定員に達したとき，又は各講座の開催５週間前に一旦締め切るが，定員に満たないときは，開催１週間前まで受け付ける。スキル研修は，毎年，数講座を入れ替えている。それ以外の講座については，プログラムや教材の部分的な改訂を行っているが，講座日数などの大きな変更は行っていない。

〔現在の講座の運用〕

講座の開催に当たっては，受講管理システムを用いて次のような運用を行っている。

- 業務の調整及び講座の受講準備を促すために，開催５週間前に，受講者に案内メールを送付する。ただし，新入社員研修では，受講者である新入社員に入社式で詳細を説明するので，案内メールは送付しない。
- 開催５週間前を過ぎて申込みがあった場合は，翌営業日に案内メールを送付する。
- 開催３営業日前に，開催準備作業として，受講者名簿，名札及び座席表を出力する。
- 講座を受講し，その講師が修了と判定した場合は，修了履歴に登録される。
- 開催１週間前を過ぎてからの申込みは受け付けないが，部長から特別に要請があれば，例外的に受講者の追加や変更を認めている。この場合，開催準備作業後であれば，追加や変更が行われた時点で受講者名簿及び名札を再出力するが，①再出力する受講者名簿や名札に，開催日時点の正しい所属が表示されないことがあり，手作業で修正している。
- 昇進時研修においては，上記の内容では対応できない運用があるので，特別な措置として，運用タイミングの変更を行っている。

〔システム改善の要望〕

情報システム部のＢ課長が，経営層及び人材開発部にヒアリングを行ったところ，次のような要望が提示された。

- 情報技術の進展に備え，社員を特定分野の専門家として育成するために，社員ごとに主たる専門分野とそのレベルを設定し，社員基本情報に追加したい。
- 各講座の講座基本情報にも，受講対象とする社員の専門分野とそのレベルを設定し，社員の専門分野とそのレベルに合致した講座を推奨講座として，受講を推奨できるようにしたい。一つの講座が複数の専門分野を対象とすることもある。
・半年に1回実施している目標設定面談において，上司が部下に受講を促すことができるように，目標確認画面から，当該社員の受講履歴一覧，修了履歴一覧，当期推奨講座一覧及び取得資格一覧を参照できるようにしたい。
・取得資格の登録業務の効率向上を図るために，団体申込みを行っている情報技術関連の資格については，資格試験を実施する主催者（以下，試験主催者という）から送付される出願及び合否の電子データを取り込むことができるようにしたい。
・現行システムにおける手作業は，できるだけ削減したい。

〔機能改善と連携の強化についての要件〕

B課長は機能改善と連携の強化についての要件を，次のように整理した。この際に，現行システムの問題点の解決を図ることに加えて，②システムの利用シーンを想定して，システム改善の要望にはなかった新たな要件の追加を行っている。
・社員基本情報に，専門分野とレベルの二つの属性を追加する。
・新たに，講座番号，専門分野を主キーとし，その他の属性としてレベルをもつ，講座レベル情報を設ける。
・現在，開催1週間前を過ぎてから申込みを受け付けた際に行っている手作業を，受講管理システムで行う。そのために，人事システムから連携される社員基本情報に適用開始日を加えて，1人の社員について複数件の情報を保持できるようにする。
・資格管理システムで，試験主催者から送付される電子データを取り込んで，合格者の情報を登録できるようにする。ここで，試験主催者から送付される情報は，受験番号が主キーであり，属性として漢字氏名，生年月日，試験の合否区分をもっている。
・受講管理システムから受講履歴情報及び修了履歴情報を，資格管理システムから取得資格情報を，目標管理システムへ連携して，目標管理システムの画面でそれらの情報を一覧で参照できるようにする。
・目標管理システムで，推奨講座の中で当該社員が修了していない講座の一覧を，当期推奨講座一覧として，表2に示す手順で表示する。半年ごとの目標設定時に，当期推奨講座一覧を見ながら上司と当期に受講する講座について協議し，その場で合意した場合は，当期推奨講座一覧の当該講座を選択することによって，受講管理システムに連携し，申込手続を行うことができるようにする。

表2　当期推奨講座一覧の表示手順

項番	手順
1	社員基本情報から，当該社員の［　a　］，［　b　］を取得する。
2	講座レベル情報から，項番 1 で取得した［　a　］，［　b　］をもつ全ての講座を取得する。
3	［　c　］情報から，当該社員の［　d　］を取得し，それらの講座を項番 2 で取得した講座から除いて，該当する講座基本情報の属性を一覧に表示する。

〔要望の追加〕

B課長が整理した要件について，関係者に確認を行ったところ，“情報技術の急速な進展に対応するために，今後は，年度ごとに，講座の改廃，講座内容・講座日数の変更が行われることを前提に，新設講座や変更があった講座を識別できるようにしてほしい”という追加要望が提示された。

これを受けて，B課長は追加する要件を次のように整理した。

・講座基本情報に，登録日，適用開始日及び廃止日の属性を追加する。
・③適用開始日を講座基本情報の主キーに加える。
・講座情報を表示する画面で，新設講座は赤色で，変更があった講座は青色で表示して，他の講座と区別できるようにする。

設問1　〔現在の講座の運用〕について，(1)～(3)に答えよ。

(1)　昇進時研修において，対応できない運用とは何か。25字以内で述べよ。

(2)　(1)で対応できない運用のために，特別な措置として行っている運用タイミングの変更の内容を，35字以内で述べよ。

(3)　本文中の下線①で，正しい所属が表示されないのは，どのような受講者が，どのようなタイミングに開催される講座を受講したときか。受講者に関する条件を20字以内で，講座開催のタイミングに関する条件を30字以内で述べよ。

設問2　〔機能改善と連携の強化についての要件〕について，(1)～(3)に答えよ。

(1)　本文中の下線②で，システムの利用シーンを想定して追加した新たな要件とは何か。30字以内で述べよ。

(2)　表2中の［　a　］～［　d　］に入れる適切な字句を答えよ。

(3)　資格管理システムにおいて，試験主催者から送付される情報を取り込む際に留意しなければならないシステム上の課題は何か。30字以内で述べよ。

設問3 〔要望の追加〕の下線③について，適用開始日を講座基本情報の主キーに加えない場合，現行システムのどの機能にどのような不具合が発生するか。機能を25字以内で，不具合の内容を40字以内で述べよ。

問9 解説

[設問1](1)

〔現在の講座の運用〕には，受講管理システムを用いた6項目の運用の内容が記述されている。6項目めが「昇進時研修においては，上記の内容では対応できない運用があるので，特別な措置として，運用タイミングの変更を行っている」であることから，上記に書かれた5項目の中に，昇進時研修で運用できない内容があることが分かる。5項目の内容は，時系列に沿って，①開催案内メールの送付が開催5週間前であること，②①以降の申込みに対する開催案内メールの送付が翌営業日であること，③開催準備作業が講座開催3営業日前であること，④講師が修了と判定した講座を修了履歴に登録すること，⑤開催1週間前を過ぎた申込みには部長要請が必要であること，開催準備作業が済んだ後であれば再度準備を行うこと，である。一方，〔実施している研修の概要〕を見ると，「昇進時研修は，4月上旬に実施される。昇進者は，3月中旬の役員会で決定され，3月20日までに昇進者本人に昇進が内示されて，その全員が昇進時研修の受講対象者となる」とある。昇進時研修の対象者となる昇進者が決まってから研修開催までは，2～3週間ほどであり，講座の開催5週間前には，昇進者は決定していないのである。よって，昇進時研修において対応できない運用は，**開催5週間前に案内メールを送付する運用**である。

[設問1](2)

開催5週間前に案内メールを送付できないのであるから，3月中旬の役員会で決定された昇進者に対して速やかに案内メールを送付する必要がある。〔実施している研修の概要〕に「新入社員研修は，4月1から5月末日まで実施される。昇進時研修は，……，その全員が昇進時研修の受講対象者となる」に続けて，「新入社員研修及び昇進時研修は，受講対象者による申込みを行わず，人事部から情報を入手し次第，人材開発部で受講者を登録する」とある。人材開発部で受講者を登録できれば，案内メールを送付することが可能である。よって，特別措置として行っている運用タイミングの変更内容は，**人事部から情報を入手し次第，受講者に案内メールを送付する**である。

[設問1](3)

開催日時点の正しい所属が表示されないということなので，所属及び所属の変更に関連する記述を探す。すると，〔現行システムの概要〕の(2)受講管理システムに「社員の社員番号，漢字氏名，かな氏名，生年月日，所属及び役職の情報（以下，社員基本情報という）は，人事部が，別途稼働している人事システムで管理している。人事異動で社員基本情報が変更される場合は，本人に内示された後，発令日の３営業日前の業務開始前に人事システムから変更情報が連携され，直ちに更新している」が見つかる。すでに更新された新しい所属を受講者名簿や名札に表示してしまうのは，異動発令日の３営業日前以降に開催される場合である。講座開催日が発令日と一致した場合は，新しい所属が正しい所属となり，その所属が表示されることになる。したがって，正しい所属が表示されないのは，まだ実際には旧の所属なのに新しい所属が表示される**人事異動の発令を受けた社員**で，講座開催のタイミングの条件は，**異動発令日の３営業日前から前日までに開催される講座**となる。

[設問2](1)

下線②には，「システム改善の要望にはなかった新たな要件の追加」とあるので，〔システム改善の要望〕の要望内容と，〔機能改善と連携の強化についての要件〕の要件内容を比べて，要件に対応する要望をチェックしていき，要望のない要件を見つければよい。要望と要件に，それぞれ最初から項番をつけ対応させると，次のようになる。

要件	要望
①　専門分野とレベルを社員基本情報に追加	①　専門分野とレベルを社員基本情報に追加
②　講座レベル情報を設ける	②　レベルに合致した推奨講座出力
③　手作業をシステムで行う	⑤　手作業の削減
④　試験主催者からの電子データ取込み	④　試験主催者からの電子データ取込み
⑤　システム間連携し，画面で一覧表示	③　画面から当期推奨講座と取得資格の一覧参照
⑥　当期推奨講座一覧表示 上司との協議と講座の申込手続	③　画面から当期推奨講座と取得資格の一覧参照 ？

⑥の前半の要件は③の要望に対応するが，後半の要件に対応する要望は見つからな

い。したがって，追加した新たな要件は，「当期推奨講座一覧を見ながら上司と当期に受講する講座について協議し，その場で合意した場合は，当期推奨講座一覧の当該講座を選択することによって，受講管理システムに連携し，申込手続を行うことができるようにする」である。制限文字数でまとめると，**当期推奨講座一覧から受講管理システムに連携すること**となる。

[設問2](2)

(a，bについて)

「表2　当期推奨講座一覧の表示手順」の項番1に，「社員基本情報から，当該社員の[a]，[b]を取得する」，項番2に「講座レベル情報から，項番1で取得した[a]，[b]をもつ全ての講座を取得する」とある。一方，〔システム改善の要望〕には，「各講座の講座基本情報にも，受講対象とする社員の専門分野とそのレベルを設定し，社員の専門分野とそのレベルに合致した講座を推奨講座として，受講を推奨できるようにしたい」とある。この要望に対応して，〔機能改善と連携の強化についての要件〕には，「社員基本情報に，専門分野とレベルの二つの属性を追加する」「新たに，講座番号，専門分野をキーとし，その他の属性としてレベルをもつ，講座レベル情報を設ける」とある。これらより，まず，社員基本情報から，当該社員の専門分野とレベルを取得し，次に，講座レベル情報から，取得した専門分野とレベルをもつ全ての講座を取得したものが，推奨講座となる。よって，空欄aは**専門分野**が入り，空欄bには**レベル**が入る（順不同）。

(c，dについて)

表2の項番3に，「[c]情報から，当該社員の[d]を取得し，それらの講座を項番2で取得した講座から除いて，該当する講座基本情報の属性を一覧に表示する」とある。一方，〔機能改善と連携の強化についての要件〕には，「目標管理システムで，推奨講座の中で当該社員が修了していない講座の一覧を，当期推奨講座一覧として，表2に示す手順で表示する」とある。当期推奨講座一覧は，推奨講座の中で当該社員が修了していない講座の一覧であるから，項番2で取得した推奨講座の中から，修了した講座を除く必要がある。修了した講座は修了履歴情報にある。これらより，修了履歴情報から，当該社員の修了した講座を取得し，それらの講座を項番2で取得した講座から除けば，当期推奨講座となる。よって，空欄cには**修了履歴**が入り，空欄dには**修了した講座**が入る。

［設問２］(3)

〔機能改善と連携の強化についての要件〕に「資格管理システムで，試験主催者から送付される電子データを取り込んで，合格者の情報を登録できるようにする。ここで，試験主催者から送付される情報は，受験番号が主キーであり，属性として漢字氏名，生年月日，試験の合否区分をもっている」とある。また，「表１　現行システムで管理している主な情報」の資格管理システムの取得資格情報を見ると，主キーは，社員番号と資格名であり，社員の漢字氏名，生年月日は，受講管理システムの社員基本情報で保持している。受験番号が主キーである合格情報と，社員番号と資格名が主キーである取得資格情報とは，単純には対応づけを行うことができない。対応づけを行うためには，社員の漢字氏名と生年月日，資格名等を正しく照合する必要がある。よって，留意しなければならないシステム上の課題は，**主キーが異なる二つの情報を，どう照合するかという課題**である。

［設問３］

下線③は，「適用開始日を講座基本情報の主キーに加える」であり，適用開始日とは，講座基本情報に新たに加えられた属性である。この適用開始日を講座基本情報の主キーに加えない場合に，現行システムのどの機能にどのような不具合が発生するかを考える。

〔要望の追加〕で追加された要望は，「今後は，年度ごとに，講座の改廃，講座内容・講座日数の変更が行われることを前提に，新設講座や変更があった講座を識別できるようにしてほしい」というものである。このような場合，変更があった講座について，変更後の情報だけを管理すればよいか，変更後の情報に加えて変更前の情報も管理する必要があるかをきちんと判断する必要がある。〔現行システムの概要〕において関係がありそうな記述を探す。すると，⑵受講管理システムに「社員は年間10日の受講を目標にしている」「年度末に，受講管理システムから，社員個人別に過去３年間の年間受講日数一覧表を出力し，年間目標の達成状況を確認している」が見つかる。ある講座の講座日数が，３年前には５日間であったのに，２年前からは７日間に変更された場合を考えてみる。主キーに適用開始日が含まれていれば，同一の講座番号であっても，変更前と変更後の講座は別の講座として認識され，３年前に受講した社員の３年前の年間受講日数には，実際の受講日数の５日が合算される。しかし，適用開始日を主キーに加えない場合には，変更後の講座日数の７日をカウントされ，正しい年間受講日数とならない。よって，不具合が発生する機能は，**過去３年間の年間受講**

日数一覧表を出力する機能である。また，不具合の内容は，**講座日数の変更が行われたときに年間受講日数が正しく計算できない不具合**である。なお，過去の年間受講日数に不具合が出るのであるから，単に，年間受講日数一覧表を出力する機能では，答えとして不十分である。

問9 解答

設問		解答例・解答の要点		
設問1	(1)	開催5週間前に案内メールを送付する運用		
	(2)	人事部から情報を入手し次第，受講者に案内メールを送付する。		
	(3)	受講者	人事異動の発令を受けた社員	
		タイミング	異動発令日の3営業日前から前日までに開催される講座	
設問2	(1)	当期推奨講座一覧から受講管理システムに連携すること		
	(2)	a	専門分野	順不同
		b	レベル	
		c	修了履歴	
		d	修了した講座	
	(3)	主キーが異なる二つの情報を，どう照合するかという課題		
設問3		機能	過去3年間の年間受講日数一覧表を出力する機能	
		不具合の内容	講座日数の変更が行われたときに年間受講日数が正しく計算できない不具合	

※IPA発表

第3部 午後I試験対策

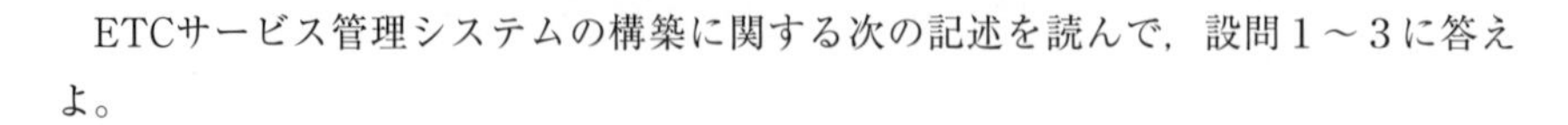

ETCサービス管理システムの構築に関する次の記述を読んで，設問1～3に答えよ。

K社は，法人向けの自動車リース会社である。K社は，自動車リースを契約している法人を対象に，有料道路の通行料金の支払に利用するETCカードのサービス（以下，ETCサービスという）を提供している。昨今のETCカード（以下，カードという）の利用者増加に伴い，業務及びシステムを改善することにした。

〔現在の業務の概要〕

K社では，法人顧客（以下，顧客という）がETCサービスの契約を締結すると，リース車両1台につきカードを1枚発行する。カード利用者は，有料道路の通行料金の支払手段として，カードを利用することができる。有料道路の事業者（以下，道路事業者という）は，K社のカードを利用した通行料金をK社に請求する。K社は，道路事業者から送られてくる通行記録を基に通行料金を顧客に請求する。現在のETCサービスの契約締結から請求までの業務の概要は，次のとおりである。これらの業務に関連するシステムは，ETCサービス契約システム，リース契約管理システム及びETCサービス請求システムである。

(1) ETCサービス契約締結業務

K社は，顧客からETCサービスの申込書を受領し，契約締結の手続をする。申込書に記載する情報は，リース契約番号，顧客名，顧客アルファベット名，住所，電話番号，代表者名及び口座振替に利用する顧客の預金口座情報である。ETCサービス契約システムに，申込書の情報を入力して登録する。リース契約管理システムを利用して，リース契約番号，顧客名，開始日及び満了日などのリース契約の情報とETCサービスの申込内容を照合し，契約を締結する。

(2) カード発行業務

K社は，顧客からカード発行依頼書を受領し，カード発行の手続をする。カード発行依頼書に記載された自動車登録番号から，リース契約管理システムを利用してリース契約とリース車両の情報を確認する。リース車両に対して利用中のカードがないことを台帳で確認し，カードの発行に必要な情報（以下，カード発行情報という）を書面で印刷会社に送付する。カード発行情報は，顧客アルファベット名，自動車登録番号，カードの色やデザインなどのカード種類，カード番号及びカード有効期限年月である。K社では，カードの有効期限を顧客のリース契約満了日の属する月の月末としている。カード発行業務で発行したカードについては，カード発行費の請求対象としている。

⑶ カード更新業務

K社は，カードの有効期限の2か月前までに有効期限更新の案内書を顧客に送付する。リース車両を継続利用してカードの有効期限の更新を希望する場合，顧客は，指定する期日までに更新依頼書をK社に送付する。指定する期日までにカードの更新を希望する旨の通知がなく，有効期限を迎えた場合は，カードを解約扱いとする。K社は，更新の希望があったカードについて，カード発行情報を書面で印刷会社に送付する。カード更新業務で発行したカードについては，カード発行費の請求対象としている。

⑷ カード再発行業務

K社は，顧客からカード再発行依頼書を受領し，カードの再発行の手続をする。顧客は，カードの再発行を依頼する際，再発行の理由を“紛失”，“カード種類変更”，“磁気不良”及び“破損”の四つから一つ選択しカード再発行依頼書に記載する必要がある。K社は，カード再発行依頼書の確認後，それまで利用していたカードを無効にし，カード発行情報を書面で印刷会社に送付する。再発行の理由が“磁気不良”又は“破損”である場合，カード発行費の請求対象外としている。

⑸ 請求業務

K社は，毎月，道路事業者から送付される通行記録に基づき，道路事業者に対して通行料金を立替払する。立替払した通行料金，カード発行費及びカード年会費をETCサービス請求システムに登録する。毎月月末にETCサービス請求システムを利用して請求書を発行し，顧客に請求する。カード発行費は，カード1枚につき500円とし，請求の対象となる月に発行したカードの代金を請求する。カード年会費は，現在有効であるカードを対象として，カード発行依頼書に基づいて初回にカードを発行した月に年会費を請求し，その後，1年ごとに請求する。請求書は，請求金額の合計を記載した請求書サマリとカード番号ごとの利用明細を記載した請求書明細から構成される。利用明細には，有料道路のインターチェンジ（以下，ICという）に入った日を利用日として，出入口のIC名，自動車登録番号，出口を通過した時刻（以下，出口時刻という）と通行料金を表示する。請求書サマリの請求金額欄の例を図1に，請求書明細の請求金額欄の例を図2に示す。

内訳	金額	消費税	請求金額	備考
通行料金	100,000円	税込み	100,000円	
カード発行費	5,000円	400円	5,400円	
カード年会費	10,000円	800円	10,800円	
		合計請求金額	116,200円	

図１　請求書サマリの請求金額欄の例

カード番号	12-123456-1234-1234-123		請求金額		2,200円
利用日	入口IC名	出口IC名	自動車登録番号	出口時刻	通行料金
2018/11/1	新木場IC	花輪IC	品川-100-あ-10-00	15:20	1,100円
2018/11/2	新木場IC	花輪IC	品川-100-あ-10-00	15:50	1,100円

図２　請求書明細の請求金額欄の例

〔システムの改善要望〕

業務部とシステム部から，現在の業務に関わる次のような改善要望が出された。

・リース契約管理システムを利用してリース契約とリース車両の情報を照合する作業を，システムで対応してほしい。
・カード発行業務で，顧客から発行依頼されたリース車両に対して利用中のカードがないことを確認する作業をシステムで対応してほしい。
・カード発行情報をシステムで印刷会社に連携してほしい。
・カード利用者は，いつでもカードを利用することができるが，顧客の営業日以外に有料道路のICに入ったことが分かる帳票（以下，利用日確認帳票という）を顧客向けのサービスとして提供したい。
・カード利用者は，どんな車両でもカードを利用することができるが，発行依頼されたリース車両以外の車両でカードを利用したことが確認できる帳票（以下，利用車両確認帳票という）を顧客向けのサービスとして提供したい。

〔改善後のシステムの内容〕

Ｋ社では，システム改善要望を踏まえETCサービス契約システムとETCサービス請求システムを統合したETCサービス管理システム（以下，新システムという）の機能とデータを次のように検討している。新システムの主要なデータを表１に示す。

表1　新システムの主要なデータ

データ名	主要な属性（下線は主キーを表す）
ETCサービス契約データ	ETCサービス契約番号，顧客名，顧客アルファベット名，住所，電話番号，代表者名，金融機関番号，支店番号，預金種目，口座番号，リース契約番号
カードデータ	カード番号，カード有効期限年月，ETCサービス契約番号，カード状態，自動車登録番号，カード種類，初回カード発行日，カード発行日，発行理由

(1) 契約管理機能

顧客から受領したETCサービスの申込書の情報を新システムに入力する。新システムは，リース契約管理システムと連携して，入力した情報からリース契約情報を参照する。申込内容に問題がなければ，ETCサービス契約データにレコードを登録する。

(2) カード発行機能

顧客から受領したカード発行依頼書の情報を新システムに入力する。新システムは，リース契約管理システムと連携して，入力した情報からリース契約情報とリース車両情報を取得する。また，①カードデータのレコードのうちカード状態が“利用中”であるレコードを対象に，発行依頼されたリース車両に関するチェックを行う。チェック結果に問題がなければ，カードデータにレコードを登録する。その際，カード状態に“利用中”，初回カード発行日及びカード発行日に処理日，発行理由に“新規発行”を設定する。その後，カード発行情報をEDIで印刷会社に連携する。

(3) カード更新機能

新システムで有効期限更新の案内書を発行する。顧客から有効期限の更新を希望された場合，新システムに入力することによって，カード有効期限年月を算出してカードデータにレコードを登録する。その際，カード状態に“利用中”，初回カード発行日にそれまで利用していたカードに係るカードデータのレコードの初回カード発行日の値，カード発行日に処理日，発行理由に“更新発行”を設定する。また，それまで利用していたカードに係るカードデータのレコードのカード状態を“利用中”から“更新済み”に変更する。その後，カード発行情報をEDIで印刷会社に連携する。また，月末に，カードデータのレコードのうち，カード有効期限年月が当月であり，カード状態が“利用中”であるレコードのカード状態を“解約”に一括で変更する。

⑷　カード再発行機能

顧客からのカード再発行依頼書の情報を新システムに入力する。新システムは，カード番号を新たに採番してカードデータにレコードを登録する。その際，カード状態に“利用中”，初回カード発行日にそれまで利用していたカードに係るカードデータのレコードの初回カード発行日の値，カード発行日に処理日，発行理由に再発行の理由を設定する。また，それまで利用していたカードに係るカードデータのレコードのカード状態を“利用中”から“無効”に変更する。その後，カード発行情報をEDIで印刷会社に連携する。

⑸　請求機能

毎月，道路事業者からEDIで連携される通行記録を新システムに一括で登録し，顧客ごとに通行料金を計算する。また，カード発行費及びカード年会費の請求の対象となるカードデータのレコードを抽出し，それぞれの請求金額を計算する。通行料金，カード発行費及びカード年会費の合計を合計請求金額として請求書を発行する。請求書のフォーマットは，現行業務と同じとする。EDIで連携される通行記録の主要な項目を図3に示す。

カード 番号	カード 有効期限	通行料金	利用日	入口 IC名	出口 IC名	自動車 登録番号	出口 時刻

図3　通行記録の主要な項目

⑹　ETC利用情報レポート機能

通行記録から利用日確認帳票と利用車両確認帳票に必要なデータを抽出し，帳票を作成して顧客に送付する。利用日確認帳票を顧客に提供するために，ETCサービス契約申込時に，顧客からある情報を提供してもらい，新システムで保有する。

設問1　カード発行機能について，⑴，⑵に答えよ。

⑴　本文中の下線①のチェック内容を，表1の属性を用いて40字以内で述べよ。また，そのチェックを行う業務上の理由を25字以内で述べよ。

⑵　EDIで印刷会社に連携するカード発行情報を作成するために，リース契約管理システムから取得が必要なリース契約の情報を挙げよ。また，その情報の利用目的を20字以内で述べよ。

設問２　請求機能について，⑴，⑵に答えよ。

⑴　請求対象の月にカード年会費の徴収が必要なカードデータのレコードを抽出し，請求金額を計算する。顧客ごとのカードデータから，カード年会費の請求対象を抽出する際に用いる属性を表１中から二つ挙げ，その属性が満たすべき抽出条件をそれぞれ20字以内で述べよ。

⑵　カード発行費は，請求の対象となる月に発行したカードの件数から計算するが，請求対象外とするカードがある。どのようなカードか。表１の属性を用いて30字以内で述べよ。

設問３　ETC利用情報レポート機能について，⑴，⑵に答えよ。

⑴　利用日確認帳票を顧客に提供するために，ETCサービス契約申込時に，顧客から提供してもらう情報は何か。その情報を10字以内で述べよ。また，通行記録からどのような条件のデータを抽出するか。30字以内で述べよ。

⑵　利用車両確認帳票について，どのような条件の通行記録のデータを抽出するか。45字以内で述べよ。

問10 解説

[設問１]⑴

〔改善後のシステムの内容〕⑵カード発行機能にある「①カードデータのレコードのうちカード状態が“利用中”であるレコードを対象に，発行依頼されたリース車両に関するチェックを行う」という処理は，〔現在の業務の概要〕⑵カード発行業務の「カード発行依頼書に記載された自動車登録番号から，リース契約管理システムを利用してリース契約とリース車両の情報を確認する。リース車両に対して利用中のカードがないことを台帳で確認」する業務をシステムで行うものである。

そのために，下線①のチェック内容は，まず，「表１　新システムの主要なデータ」のカードデータの中のカード状態が“利用中”のレコードを探して，その自動車登録番号を抽出する。次に，抽出した自動車登録番号を用い，リース契約管理システムを利用して，該当する自動車登録番号がないことを確認する処理となる。したがって，下線①のチェック内容とは，**カード発行依頼書に記載された自動車登録番号と一致するレコードがないこと**を確認している。

また，〔現在の業務の概要〕に「リース車両１台につきカード１枚発行する」とあり，

〔改善後のシステムの内容〕でも変更されていないので，下線①のチェックを行う業務上の理由は，**1車両につきカードを1枚だけ発行するから**となる。

[設問1](2)

〔現在の業務の概要〕(2)カード発行業務に「カード発行情報は，顧客アルファベット名，自動車登録番号，カードの色やデザインなどのカード種類，カード番号及びカード有効期限年月である」とある。また，「カード発行依頼書に記載された自動車登録番号から，リース契約管理システムを利用してリース契約とリース車両の情報を確認する」とあるので，カード発行依頼書に記入されている内容は，自動車登録番号以外は明確ではないが，まず，カード発行依頼書の情報が基本となる。次に，ETCサービス申込書に記載された情報から取り込む。

〔現在の業務の概要〕(1)ETCサービス契約締結業務に「申込書に記載する情報は，リース契約番号，顧客名，顧客アルファベット名，住所，電話番号，代表者名及び口座振替に利用する顧客の預金口座情報である」とある。したがって，カード発行情報に必要な情報のうち，顧客アルファベット名，自動車登録番号，カードの色やデザインなどのカード種類は，カード発行依頼書及びETCサービスの申込書から取得できる。不足している情報は，カード番号とカード有効期限年月である。カード番号はカード発行会社が決めるものである。そうなると，カード有効期限年月を，リース契約管理システムから取得する必要がある。

ここで，〔現在の業務の概要〕(2)カード発行業務に「K社では，カードの有効期限を顧客のリース契約満了日の属する月の月末としている」とあり，(1)ETCサービス契約締結業務には「リース契約管理システムを利用して，リース契約番号，顧客名，開始日及び満了日などのリース契約の情報とETCサービスの申込内容を照合し，契約を締結する」とあるので，リース契約管理システムの中に入っているリース満了日を取得し，カード有効期限年月を算出できることが分かる。

したがって，カード発行情報を作成するために，リース契約管理システムから取得が必要なリース契約の情報は，**リース契約の満了日**である。また，その情報の利用目的は**カード有効期限年月を算出すること**である。

[設問2](1)

〔現在の業務の概要〕(5)請求業務に「カード年会費は，現在有効であるカードを対象として，カード発行依頼書に基づいて初回にカードを発行した月に年会費を請求し，その後，１年ごとに請求する」とある。

そこでまず，「現在有効であるカード」の抽出条件を考える。〔改善後のシステムの内容〕⑵カード発行機能に「カードデータにレコードを登録する。その際，カード状態に，“利用中”，初回カード発行日及びカード発行日に処理日，発行理由に“新規発行”を設定する」とある。また，⑶カード更新機能に「顧客から有効期限の更新を希望された場合，新システムに入力することによって，カード有効期限年月を算出してカードデータにレコードを登録する。その際，カード状態に，“利用中”，初回カード発行日にそれまで利用していたカードに係るカードデータのレコードの初回カード発行日の値，カード発行日に処理日，発行理由に“更新発行”を設定する。また，それまで利用していたカードに係るカードデータのレコードのカード状態を，“利用中”から“更新済み”に変更する」とある。以上から，「現在有効であるカード」は，カード状態が“利用中”であることで，抽出できる。

次に，「初回にカードを発行した月に年会費を請求し，その後，１年ごとに請求する」を満足する抽出条件を考える。表１のカードデータは，初回カード発行日を保有している。カードを更新した場合も，更新発行されたカード状態が“利用中”であるレコードの初回カード発行日には，それまで利用していたカードに係るカードデータのレコードの初回カード発行日の値が設定されている。したがって，何月に請求するかについては，初回カード発行日が請求対象の月と同一の月であることで，抽出できる。

よって，カード年会費の請求対象を抽出する際に必要な属性とその属性が満たすべき条件は，次の二つである。

①属性：**カード状態**　　　抽出条件：**“利用中”であること**
②属性：**初回カード発行日**　抽出条件：**請求対象の月と同一の月であること**

［設問２］(2)

〔現在の業務の概要〕⑷カード再発行業務に「顧客は，カードの再発行を依頼する際，再発行の理由を“紛失”，“カード種類変更”，“磁気不良”及び“破損”の四つから一つを選択しカード再発行依頼書に記載する必要がある。……。再発行の理由が“磁気不良”又は“破損”である場合，カード発行費の請求対象外としている」とある。したがって，請求対象外とするカードは，**発行理由が“磁気不良”又は“破損”であるカード**となる。

第3部 午後I試験対策

[設問3](1)

〔システム改善要望〕に「カード利用者は，いつでもカードを利用することができるが，顧客の営業日以外に有料道路のICに入ったことが分かる帳票（以下，利用日確認帳票という）を顧客向けのサービスとして提供したい」とある。この顧客向けのサービスを実現するためには，顧客ごとの営業日を，新システムで保有する必要がある。したがって，顧客に提供してもらう情報は**顧客の営業日**で，通行記録からのデータ抽出条件は**通行記録の利用日が顧客の営業日以外であるデータ**となる。

[設問3](2)

〔システム改善要望〕に「カード利用者は，どんな車両でもカードを利用することができるが，発行依頼されたリース車両以外の車両でカードを利用したことが確認できる帳票（以下，利用車両確認帳票という）を顧客向けのサービスとして提供したい」とある。

また，〔改善後のシステムの内容〕(5)請求機能に「道路事業者からEDIで連携される通行記録を新システムに一括で登録し，顧客ごとに通行料金を計算する。……EDIで連携される通行記録の主要な項目を図３に示す」とあり，「図３　通行記録の主要な項目」を見ると，カード番号と自動車登録番号が記録されている。また，表１のカードデータには，カード番号と自動車登録番号が登録されている。本来，登録されたカードで登録された車両で利用すれば，通行記録のカード番号と自動車登録番号は，その組合せデータになる。そこで，登録されたカードを利用して，登録していない車両を使用した場合の組合せデータを抽出すれば，利用車両確認帳票を作成することができる。したがって，利用車両確認帳票を作成するために，通行記録のデータを抽出する条件は，**通行記録のカード番号と自動車登録番号の組合せが，カードデータの情報と異なるデータ**となる。

問10 解答

設問		解答例・解答の要点			
設問1	(1)	チェック内容		カード発行依頼書に記載された自動車登録番号と一致するレコードがないこと	
		業務上の理由		1車両につきカードを1枚だけ発行するから	
	(2)	情報		リース契約の満了日	
		利用目的		カード有効期限年月を算出すること	
設問2	(1)	①	属性	カード状態	①，②は順不同
			抽出条件	“利用中”であること	
		②	属性	初回カード発行日	
			抽出条件	請求対象の月と同一の月であること	
	(2)	発行理由が“磁気不良”又は“破損”であるカード			
設問3	(1)	情報		顧客の営業日	
		データ		通行記録の利用日が顧客の営業日以外であるデータ	
	(2)	通行記録のカード番号と自動車登録番号の組合せが，カードデータの情報と異なるデータ			

※IPA発表

問11 生産管理システムの改善 (出題年度：H29問2)

生産管理システムの改善に関する次の記述を読んで，設問1～4に答えよ。

F社は，工作機械や建設機械を構成する部品の製造販売を行う機械部品メーカである。このたび，生産管理部門，製造部門，経理部門から生産管理システムの改善要望を受け，システム改善プロジェクトを立ち上げた。

〔F社の生産形態〕

F社が販売する製品の生産形態には，顧客からの注文に対応する受注生産と，汎用部品や保守用部品を在庫として保持し，販売する見込生産がある。

〔製造工程の概要〕

製品の製造工程は，加工工程と組立工程から成っている。加工工程は，設備機械での切断，切削，ねじ切り，穴開け，検査などの作業工程で成り立っている。加工工程で製造する部品（以下，加工部品という）は，部品によって作業工程が異なる。組立工程では，加工部品や外部から購入した部品（以下，購入部品という）を使用し，製品別の組立ラインで製品を組み立てている。製造工程の概要を図1に示す。

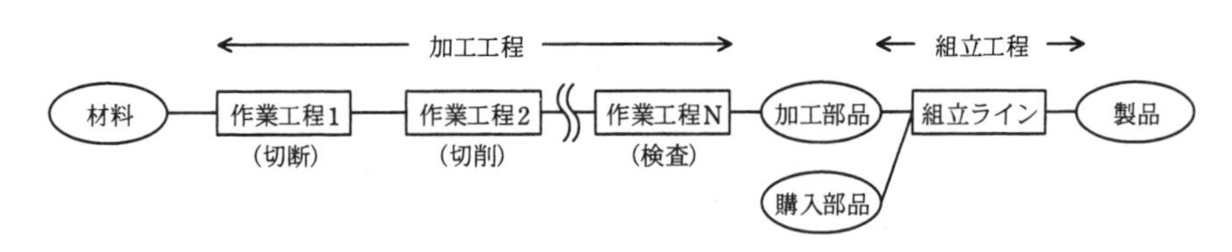

図1 製造工程の概要

〔現在の生産管理の業務内容〕

現在の生産管理に関わる部門の業務内容は，次のとおりである。

なお，現在の業務で利用している生産管理システム（以下，現行システムという）は，生産管理ソフトウェアパッケージ（以下，生産管理パッケージという）を利用している。

(1) 生産管理部門での業務

生産管理部門では，主要な業務として，次の二つの計画業務を行っている。

① 基準生産計画

受注生産の製品については，顧客からの注文情報を営業部門から入手する。また，見込生産の製品については，販売計画及び製品在庫状況の情報を営業部門から入手する。これらの情報を基に，どの製品を，いつ，どれだけ生産するかという基準生産計画を月次で立案する。計画を立案する際には，工場側の状況も考慮している。

基準生産計画の立案結果は，生産管理部門が現行システムに登録している。注文情報，販売計画情報，製品在庫状況情報は，営業部門が主として利用している販売管理システムで管理しているが，現行システムとは連携していない。

② 資材所要量計画

資材所要量計画においては，基準生産計画を基に，現行システムを利用して次の業務を行っている。

・製品の組立オーダの決定と発行
・製品を構成する材料，購入部品及び加工部品（以下，材料，購入部品及び加工部品を資材という）の所要量の計算
・材料と購入部品の購買オーダ及び加工部品の加工オーダの決定と発行

(2) 購買部門での業務

購買部門では，生産管理部門から発行された購買オーダに基づく材料と購入部品の購買，及び購買した材料と購入部品の在庫管理を行っている。現行システムでは，発注，検収，材料と購入部品の在庫管理及び買掛金管理を行っている。

(3) 生産技術部門での業務

生産技術部門では，設計部門で設計された加工部品及び製品の製造方法として，加工工程と組立工程の中で，どのような作業工程を経て製造するかの工程手順を設定している。また，製造対象品の個々の作業工程の中での，作業標準，単位当たりの標準作業時間，使用する設備機械とその能力基準などの製造基準の設定を行い，それぞれ設計技術システムで管理している。また，製造現場の作業実態及び作業実績データを収集・分析し，製造基準の見直しや製造方法の改善を行っている。

(4) 製造部門での業務

製造部門では，生産管理部門から発行された組立オーダ及び加工オーダに対して，製造実施計画の立案，作業指示，製造作業，作業実績収集，作業進捗管理及び加工部品の在庫管理を行っている。

製造実施計画は週次で作成する。組立工程については，組立オーダごとに，1週

間分の組立ライン別作業順序計画を日単位で立案している。加工工程については，加工オーダごとに，１週間分の各作業工程への加工オーダ割付けを日単位で行っている。製造実施計画に必要な製造基準の情報は，生産技術部門から入手し，製造部門のPCで管理している。

現行システムでは，製造実施計画の立案結果の登録，作業指示票の発行，作業実績の製造現場での入力，作業進捗管理及び加工部品の在庫管理を行っている。

作業者及び設備機械の作業実績データを，作業進捗管理に利用するとともに，生産技術部門及び経理部門に提出している。

〔現行システムへの改善要望〕

各部門からの改善要望として，次の要望が挙げられた。

(1) 生産管理部門からの要望

・基準生産計画立案の効率向上のために，現行の販売管理システムの注文情報，販売計画情報，製品在庫状況情報をシステム間で連携してほしい。

・基準生産計画の立案に当たっては，工場全体の稼働率の視点から，工場の設備機械，作業者などの生産能力とのバランスを調整する必要があるので，立案時にその調整をシステムで支援してほしい。

(2) 製造部門からの要望

・製造実施計画の立案に，大きな工数が掛かっている。設備機械や作業者などの資源の最適稼働を図るためにも，システムで支援してほしい。

・作業実績データは，生産技術部門及び経理部門にも提出しているが，提出用データの集計に手間が掛かっている。システム間で情報を連携してほしい。

(3) 経理部門からの要望

・現行の会計システムの原価計算処理で，加工費計算に作業実績データの中の作業時間実績が必要となる。これが会計システムに反映されるようにしてほしい。

〔改善後の生産管理システム〕

改善要望を踏まえ，プロジェクトチームで，改善後の生産管理システム（以下，新システムという）の機能を整理し，機能の詳細について検討を行った。また，新システムでは，現行システムで利用している生産管理パッケージの中でまだ使用していない機能を，できるだけ活用することにした。

加工工程はＦ社の生産に占める比率が高く，改善効果も大きいことから，新システムでの最も大きな変更である製造実施計画立案のシステム化は，加工工程を対象とした。組立工程については，人手で計画した作業日程の登録と変更の機能を設けた。

新システムの機能概要と現行システムからの改善内容を表1に，新システムの機能構造を図2に示す。

表1　新システムの機能概要と現行システムからの改善内容

システム機能	機能概要	現行システムからの改善内容
基準生産計画	・販売管理システムとの情報連携 ・計画案設定 ・計画調整	・販売管理システムからの注文，販売計画，製品在庫状況の情報連携機能の追加 ・計画案設定機能の追加 ・計画案に対する人の介在による調整機能の追加
資材所要量計画	・基準生産計画の受付 ・組立オーダの決定と発行 ・資材所要量計算 ・加工オーダ，購買オーダの決定と発行	なし（現行システムを継続利用）
製造実施計画	・組立オーダ，加工オーダの受付 ・組立オーダ作業日程の登録，変更 ・加工オーダの作業日程計算 ・加工オーダの作業負荷の山積み，作業負荷調整 ・加工オーダ作業日程の確定，変更	・生産管理パッケージの製造実施計画機能の新規利用
工程管理	・作業日程の受付 ・作業指示票発行 ・作業実績収集と関連システムへの情報連携 ・作業進捗管理	・会計システム，設計技術システムへの情報連携機能の追加
基準情報管理	・部品表マスタのメンテナンス ・工程手順表マスタのメンテナンス ・設備機械マスタのメンテナンス	・生産管理パッケージの工程手順表マスタ及び設備機械マスタのメンテナンス機能の新規利用 ・設計技術システムとの情報連携機能の追加
購買管理	・購買先管理　・購買オーダ受付 ・発注　・検収　・買掛金管理	なし（現行システムを継続利用）
資材在庫管理	・資材入出庫　・棚卸し	なし（現行システムを継続利用）

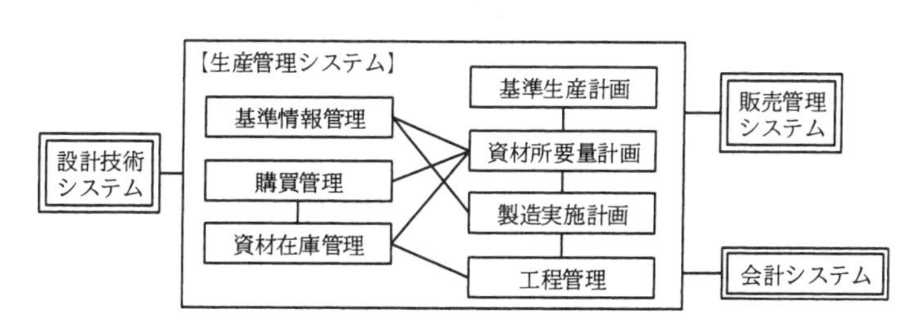

図2　新システムの機能構造

〔製造実施計画のシステム要件検討〕

新システムで新規に利用する，製造実施計画機能の加工オーダの処理に関するシステム要件について，プロジェクトチームで検討を行った。

(1) 作業日程計算

作業日程計算に必要な製造基準は，工程手順表マスタに定義されている。

加工オーダの作業工程について，工程手順を参照する。次に，加工対象品の単位当たりの標準作業時間を基に，各作業工程の作業時間を見積もり，加工オーダの作業工程ごとの着手予定日，完了予定日を計算する。

(2) 作業負荷の山積み，作業負荷調整

全ての加工オーダの作業日程計算後，設備機械ごとに，その設備機械で加工対象となる各加工オーダの作業時間を日単位に累積していく。これを作業負荷の山積みという。

設備機械がもつ生産能力に対し，作業負荷がオーバした場合は，製造部門管理者の判断で，加工オーダの代替設備機械への振替，作業者のシフト調整などの負荷調整を行う。

設問1 基準生産計画について，(1)，(2)に答えよ。

(1) 現在の基準生産計画の立案において，計画の対象時期や生産リードタイムなどの時間的要素及び営業部門からの情報の他に考慮していることは何か。20字以内で述べよ。

(2) 新システムで追加する情報連携機能において，見込生産の製品の基準生産計画立案のために，販売管理システムから受け取るべき情報を，二つ答えよ。

設問2 新システムで利用する製造基準について，(1)，(2)に答えよ。

(1) 加工オーダの製造実施計画立案時の作業日程計算で参照される製造基準は，作業日程上の何を求めるために使用されるか。30字以内で述べよ。

(2) 一つの作業工程において，加工オーダの作業負荷の山積み，負荷調整を行うときに，工程手順表マスタと設備機械マスタを関連付けるために，工程手順表マスタの作業工程に定義しておくべき情報は何か。15字以内で述べよ。

設問3 製造実施計画における作業日程計算の過程で，加工工程の中の，一つの作業工程の所要作業時間を計算するために必要な情報を，二つ答えよ。

設問4 新システムでは，作業実績データは，設計技術システムと会計システムに連携され，生産技術部門及び経理部門で活用される。二つの部門で何に活用されるか。それぞれ20字以内で述べよ。

問11 解説

[設問1](1)

〔現在の生産管理の業務内容〕(1)生産管理部門での業務に生産管理部門の主要な業務として基準生産計画と資材所要量計画の二つの計画業務が挙げられている。

現在の基準生産計画の立案に関しては，①基準生産計画に「顧客からの注文情報を営業部門から入手する」「販売計画及び製品在庫状況の情報を営業部門から入手する」とある。そして，「これらの情報を基に，どの製品を，いつ，どれだけ生産するかという基準生産計画を月次で立案する」とあることから，これらの情報が設問文の「計画の対象時期や生産リードタイムなどの時間的要素及び営業部門からの情報」に該当すると考えられる。

さらに，①基準生産計画には，「計画を立案する際には，工場側の状況も考慮している」とある。工場側の状況だけでは漠然としている。そこで，工場側のどのような状況を考慮しているのかを探す。すると，〔現行システムへの改善要望〕(1)生産管理部門からの要望に「基準生産計画の立案に当たっては，工場全体の稼働率の視点から，工場の設備機械，作業者などの生産能力とのバランスを調整する必要がある」が見つかる。これは，工場の設備機械，作業者などの生産能力とのバランスを調整して基準生産計画を立案していることを意味する。よって，考慮していることは，**設備機械，作業者などの生産能力の状況**となる。

[設問1](2)

「表1　新システムの機能概要と現行システムからの改善内容」を見ると，基準生産計画の現行システムからの改善内容に「販売管理システムからの注文，販売計画，製品在庫状況の情報連携機能の追加」とある。これより，販売管理システムから受け取る情報は，注文情報，販売計画情報，製品在庫状況情報の三つであることが分かる。一方，〔現在の生産管理の業務内容〕(1)生産管理部門での業務の①基準生産計画には「見込生産の製品については，販売計画及び製品在庫状況の情報を営業部門から入手する」とあり，見込生産の製品の基準生産計画立案に必要な情報が販売計画情報と製品在庫状況情報の二つであることが分かる。よって，見込生産の製品の基準生産計画立案のために販売管理システムから受け取るべき情報は，**販売計画情報**と**製品在庫状況情報**となる。

[設問2](1)

製造基準については，〔現行の生産管理の業務内容〕(3)生産技術部門での業務に「製造対象品の個々の作業工程の中での，作業標準，単位当たりの標準作業時間，使用する設備機械とその能力基準などの製造基準の設定を行い」とある。また，〔製造実施計画のシステム要件検討〕(1)作業日程計算に「作業日程計算に必要な製造基準は，工程手順表マスタに定義されている」「加工オーダの作業工程について，工程手順を参照する」「加工対象品の単位当たりの標準作業時間を基に，各作業工程の作業時間を見積もり，加工オーダの作業工程ごとの着手予定日，完了予定日を計算する」とある。これらから，製造基準の中の単位当たりの標準作業時間を用いて作業日程計算を行い，各作業工程の作業時間を見積もって加工オーダの作業工程ごとの着手予定日，完了予定日を求めることが分かる。よって，製造基準は，**加工オーダの作業工程ごとの着手予定日，完了予定日**を求めるために使用される。

[設問2](2)

〔製造実施計画のシステム要件検討〕(2)作業負荷の山積み，作業負荷調整に「設備機械ごとに，その設備機械で加工対象となる加工オーダの作業時間を日単位に累積していく。これを作業負荷の山積みという」「設備機械がもつ生産能力に対し，作業負荷がオーバした場合は，……，加工オーダの代替設備機械への振替，作業者のシフト調整などの負荷調整を行う」とある。これらから，作業工程で使用する設備機械が分からなければ，設備機械の作業負荷の山積みも，設備機械の作業負荷調整もできないことが分かる。

設問文には，「工程手順表マスタと設備機械マスタを関連付けるために，工程手順表マスタの作業工程に定義しておくべき情報は何か」とある。そこで，工程手順表マスタや設備機械マスタに関連する記述を探すと，〔現在の生産管理の業務内容〕(3)生産技術部門での業務に「加工工程と組立工程の中で，どのような作業工程を経て製造するのかの工程手順を設定している」「製造対象品の個々の作業工程の中での，作業標準，単位当たりの標準作業時間，使用する設備機械とその能力基準などの製造基準の設定を行い」が見つかる。さらに，表1の基準情報管理の現行システムからの改善内容に「生産管理パッケージの工程手順表マスタ及び設計機械マスタのメンテナンス機能の新規利用」が見つかる。これらから，設備機械マスタに個々の設備機械の詳細を定義しておき，工程手順表マスタに加工工程や組立工程の作業工程と個々の作業工程で使用される設備機械などを定義しておくことが推測できる。よって，工程手順表マスタと設備機械マスタを関連付けるために工程手順表マスタの作業工程に定義しておくべき情報は，**作業工程で使用する設備機械**となる。

［設問3］

〔製造実施計画のシステム要件検討〕(1)作業日程計算に「加工オーダの作業工程について，工程手順を参照する」「加工対象品の単位当たりの標準作業時間を基に，各作業工程の作業時間を見積もり」とある。これより，加工対象品の単位当たりの標準作業時間が必要な情報であることは明らかである。また，「加工対象品の単位当たりの標準作業時間」とは，加工対象品1個の作業工程で必要な標準時間作業であるので，所要作業時間の計算には，加工対象品の個数が必要である。よって，必要な情報は，**加工対象の数量**と**単位当たりの標準作業時間**となる。

［設問4］

設問文に「新システムでは，作業実績データは，設計技術システムと会計システムに連携され，生産技術部門及び経理部門で活用される」とある。そこで，生産技術部門と経理部門における作業実績データの現状を確認する。

すると，〔現在の生産管理の業務内容〕(3)生産技術部門での業務に「製造現場の作業実態及び作業実績データを収集・分析し，製造基準の見直しや製造方法の改善を行っている」が見つかる。これから，新システムでは，設計技術システムに情報連携された作業実績データは**製造基準の見直しや製造方法の改善**に活用されることが分かる。

また，〔現行システムへの改善要望〕(3)経理部門からの要望に「現行の会計システムの原価計算処理で，加工費計算に作業実績データの中の作業時間実績が必要となる」が見つかる。これから，新システムでは，会計システムに情報連携された作業実績データが**原価計算処理の加工費計算**に活用されることが分かる。

問11 解答

設問		解答例・解答の要点	
設問1	(1)	設備機械，作業者などの生産能力の状況	
	(2)	①	・販売計画情報
		②	・製品在庫状況情報
設問2	(1)	加工オーダの作業工程ごとの着手予定日，完了予定日	
	(2)	作業工程で使用する設備機械	
設問3		①	加工対象の数量
		②	単位当たりの標準作業時間
設問4		生産技術部門	製造基準の見直しや製造方法の改善
		経理部門	原価計算処理の加工費計算

※IPA発表

午後Ⅱ試験対策

午後Ⅱ試験の概要と解き方

1.1 午後Ⅱ試験の概要

1 合格論文へのアプローチ

「論文を書くのは難しい」とよくいわれる。「800字以上1,600字以内とかいわれたって，いきなり書けるわけないよ」というのが理由である。確かに，「800字以上」をいきなり書けといわれても，すらすらと書ける人は，書くことを仕事にしている人くらいだろう。「クラウド技術に関して30分間話してくれ」といわれても，いきなり話せるのは，技術解説のプロだけなのと同じである。しかし，ここで紹介する「ユニット法」と「ステップ法」を使えば，合格論文を書くことは決して難しくない。

「800字以上」の文章を書くのは難しくても,「300字」の文書ならばどうだろうか。「30分間のプレゼンテーション」は難しくても，「３分間のスピーチ」なら，何とかなりそうな気がしないだろうか。「ユニット法」と「ステップ法」は，この考え方に基づいている。

800字以上を書く大変さに比べれば，300字を書くことははるかに楽である。300字の文章を一つの単位として，ユニットと呼ぶ。ユニットを三つ並べれば，もう900字の立派な文章になる。そこにタイトルを加えれば，さらに字数は増える。このように小さなユニットをいくつか積み上げて論文に仕上げる方法を，ここでは「**ユニット法**」と呼ぶ。

また，いきなり書くことは難しくても，小さな作業を積み上げていけば，その難易度はぐんと下がる。本書では,論文を五つのステップを踏んで仕上げる「**ステップ法**」を提案している。各ステップは，いずれも単純で平凡な作業で構成されている。ステップを踏むことで，文章を書くための特別な経験や技量がなくても，誰でも合格論文を書くことができるようになる。

- **全体を小さなユニットに分ける**
- **作業を単純なステップに分ける**

これらはプログラミングと同じと考えればよい。プログラムは，全体を小さなユニット（モジュール）に分けて，単純な作業を積み重ねることで作成する。本書で提案する「ユニット法」「ステップ法」は，プログラミングと同じことを論文作成でもやろうということなのである。

2 設問文の要求と問題文の誘導

問題文と設問文を正しく理解すれば，合格論文が見えてくる。その理由は，答案に何を書かなければならないか，何を書いたらよいかが，問題文と設問文に示されているからである。

問題文と設問文は，論文の仕様書に相当する。仕様を満たさなければパスできないことは，論文もプログラムも同じである。逆にいえば，仕様を満たせばパスすることができる。そこで，まず平成21年SA午後Ⅱ問１を事例に，問題文と設問文から「仕様」を理解し，目指すべき「合格論文」の姿を明らかにしてみよう。

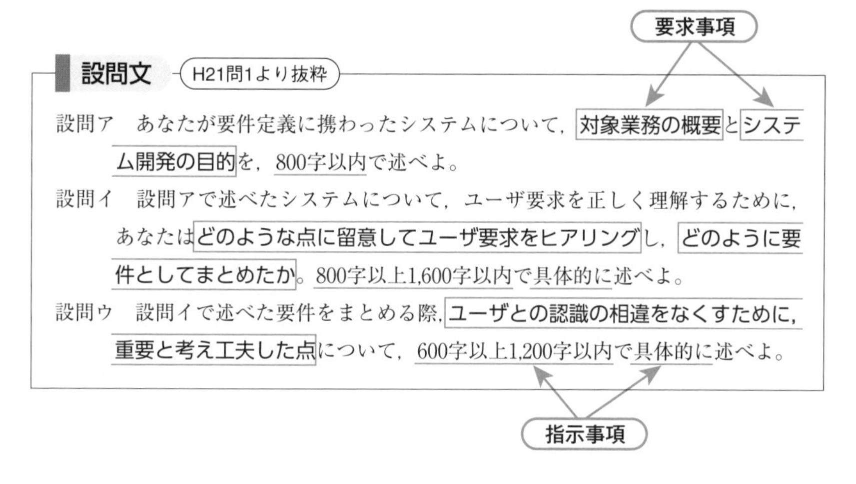

▶設問文の要求事項と指示事項

設問アは，要件定義に携わったシステムについて，「対象業務の概要」と「システム開発」を「800字以内」で述べることを求めている。□で囲んだ「対象業務の概要」と「システム開発」が要求事項で，下線を引いた「800字以内」が指示事項である。

設問イも次のように読解できる。「具体的に」という指示が含まれていることに注目することが大切だ。

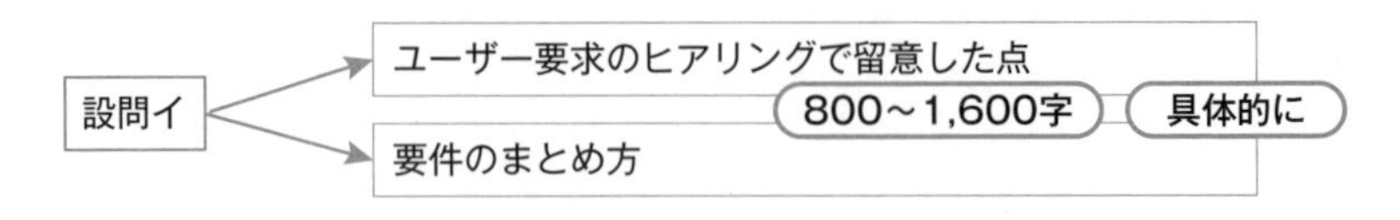

▶設問文の指示事項

問題文では，論述内容を出題者の望む方向へ誘導するために，設問文の要求事項を詳細化していることが多い。論述してほしい観点を例示している場合もある。例えば，設問イは「どのような点に留意してユーザー要求をヒアリングしたのか」の論述を求めている。しかし，これでは範囲が広すぎて観点が定まらず，答案が発散するおそれがある。そこで，問題文で次のように誘導して，発散を防いでいる。

問題文 （H21問1より抜粋）

……したがって，システムアーキテクトは，次のような点に留意して，ユーザ要求をヒアリングし，その要求を正しく理解することが大切である。

・ユーザから提示された個々の要求に矛盾がないか。

・ユーザ要求として提示されるべき業務手順や法的な制約などが，ユーザ部門内では自明のこととして，省略されていないか。

この問題文の誘導に従って「設問要求に矛盾しない」かつ「設問要求に漏れがない」ことを大前提に論述すればよい。

3 合格論文／不合格論文の条件

大学の定期試験でも，各種の国家試験でも，合格点は決して100点ではない。必要最低限の条件を満たしていれば合格できる。午後Ⅱ試験も同様に，合格のための最低限の条件を満たしていればよいのである。合格論文の条件は，高度な戦略や技術について述べることでも，数学モデルに基づいた複雑な理論を展開することでもない。採点者を感心させたり，非の打ちどころのない100点満点を狙ったものでもない。次に挙げるような，午後Ⅱ試験に合格できる答案であればよいのである。

■ 合格論文の条件

合格論文の条件は，

設問で要求された事項を，指示を守って，問題文の誘導に従って論述していることである。

合格論文の条件

❶ 設問で指示された要求事項について論述している
　→　要求されていないことは書かない
❷ 問題文の誘導に従って論述している
❸ 具体的なシステムや業務，実施した方策に言及している
❹ 指定された文字数の範囲を守っている

❶は，合格論文が満たす最も基本的な条件である。この当たり前の約束が守られていない答案が意外に多い。論述している間に次第に論点がずれてしまい，最後には全く別のことを主張してしまっているものや，マネジメントが問われる設問において技術的な側面を述べることに終始しているものなど，約束を守れていない答案が多分に見受けられる。このような答案は，書かれている内容がどんなに高度であっても，「設問で問われたことに解答していない」的外れな答案とみなされ，不合格である。

❷も大切な条件である。試験実施後の「採点講評」で，「一般論や問題文の引用に終始するものも目立った」と，しばしば警告されることがある。この警告を誤解して，「問題文を論述に使ってはいけないのだ」と思ってしまう受験者がいる。ここで重要なのは，採点講評は，「引用に終始する」ことを否定しているのであって，「問題文を使う」ことを否定しているのではないことである。「出題趣旨」を正しくとらえて，論述するよう求めているのだ。

例えば，問題文に，

問題文　TAC作成例

モデルを分かりやすく表記するためにUMLを用いたり，言葉の定義を統一するために用語辞書を作成したりする。

という例示があれば，「UMLでモデル化した」「用語辞書を作成した」をネタとして論述してもかまわないということだ。これは，問題文の引用ではなく，**出題趣旨を正しくとらえて，具体的に論述していること**になる。

もちろん，問題文を無理に引用する必要はない。問題文を引用しなくても，論述内容が問題文の趣旨に沿っていれば合格できる。

❸は，設問文における「具体的に述べよ」という指示に沿うための条件である。具

体性に欠ける論述は評価が低くなるので，システム，業務，手順などに関する具体的な内容を十分に論述する。「UMLでモデル化」と書くだけでは，切り口だけで具体性に欠ける。実際のITの新技術や業務に基づいた，具体的な言及が不可欠である。例えば，次のように展開できる。

論述例

・ATM端末における状態（カード読取中，暗証番号入力中など）の変化を，UMLのステートチャート図を用いてモデル化した。
・受注業務における業務手順を，UMLのアクティビティ図を用いてモデル化した。

もちろん，この記述はあくまで概略であって，この内容を膨らませてさらに詳細な内容を展開する必要がある。

❹は絶対条件である。制限字数の下限を満たしていなかったり，制限字数の上限を超えたりしている論文が，高い評価を得ることはまずない。

■ 字数は実質文字数でクリアする

本試験の答案用紙（原稿用紙）には，200字，400字などの字数が記されている。これはあくまでも目安であり，評価は実際に埋めたマス数（実質文字数）でされ，空白マスはカウントされないと考えた方がよい。

改行の頻度やタイトルの付け方にもよるが，一般に，

実質文字数＝目安の字数の0.8～0.9倍

となる。仮に0.8倍と考えると，答案用紙で800字まで論述しても，実質文字数は640字程度になってしまう。「800字以上」という制限である場合，最低でも1,000字まで論述しなければならない。実際には，さらに100～200字の余裕を加えて1,100～1,200字を目標にするとよいだろう。

■ 不合格論文のパターン

最後に不合格論文に見られがちなパターンを挙げておく。

❶ 設問で問われたことではなく，体験の論述に終始している。
❷ 具体例には言及しているが，設問とは全く関係がない。（あるいは，具体例に乏しく，一般論に終始している）
❸ 論述が長くまとまりがない。論述の中で筋道がねじれてしまい，書出しとは異なる事項を論述している。

❶は当然として，❷は具体例に関する条件である。具体例がなく，一般論に終始するだけでは適切でない。しかし，設問の要求事項とは全く異なる具体例を論述しても不合格である。❸は一つのユニットに「高度で複雑な内容を盛りだくさん書こう」とした場合に陥りがちなパターンである。論述は複雑になり，いたる所に不整合が生じ，結果不合格になってしまう。さらに悪いことに，本人がその不整合に気づかず，「あんなにがんばって書いたのに」と考え，「次はもっと高度なことを書くようにしよう」と，悪いスパイラルに陥ってしまうことさえある。

1.2 ユニット法

ユニット法とは比較的短い文章（ユニット）をいくつか積み重ねることによって字数制限をクリアする論述法である。ユニットは論述の最小単位であり，次の性質を満たす。

- **1ユニットは300字程度を目安とする，比較的短い文章である**
- **1ユニットは原則として一つの内容である**

字数の300字はあくまでも目安である。200字程度の簡単なユニットであってもよいし，500字を超える重厚なユニットがあってもよい。

ユニットを積み重ねて字数制限をクリアするということは，設問の要求事項に対して複数のユニットを作成するということである。例えば「業務の改善策について800字以下で述べよ」という設問に対して，一つの改善策を深く掘り下げて一つのユニットにするのではなく，複数の改善策を挙げてそれぞれのユニットを作成するのである。

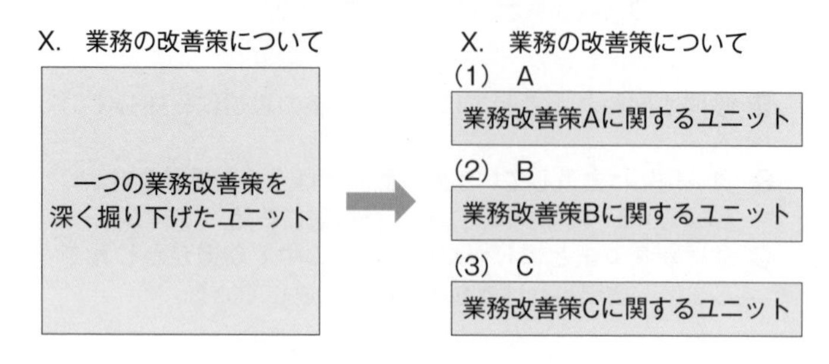

▶**ユニット法**

ユニットの内容においては，次の三点に注意する。

- **設問で指示された要求事項について論述している**
- **問題文の誘導に従って論述している**
- **具体的なシステムや業務，実施した方策に言及している**

これは，論述内容を限定する三つの条件である。まず，設問の要求事項全てについて論述しなければならない。そして，問題文で誘導している内容を論述することが望ましい。さらに，自ら経験した，又は本で読んだ具体例を論述することが望ましい。

さらに付け加えれば，各ユニットは一つの“ネタ”で展開されるべきである。ネタとは，ユニットの内容となる具体的な論述材料のことである。先に挙げた「UMLでモデル化した」や「用語辞書を作成した」はそれぞれ，一つのネタである。1ユニットに複数のネタを含むことは，それらを展開する際に，論点がぼけたり，話の筋がねじれる原因となる。

1.3 ステップ法

本書では，合格論文を書く手順として「ステップ法」を提案している。「ステップ法」は，五つのステップで構成される。

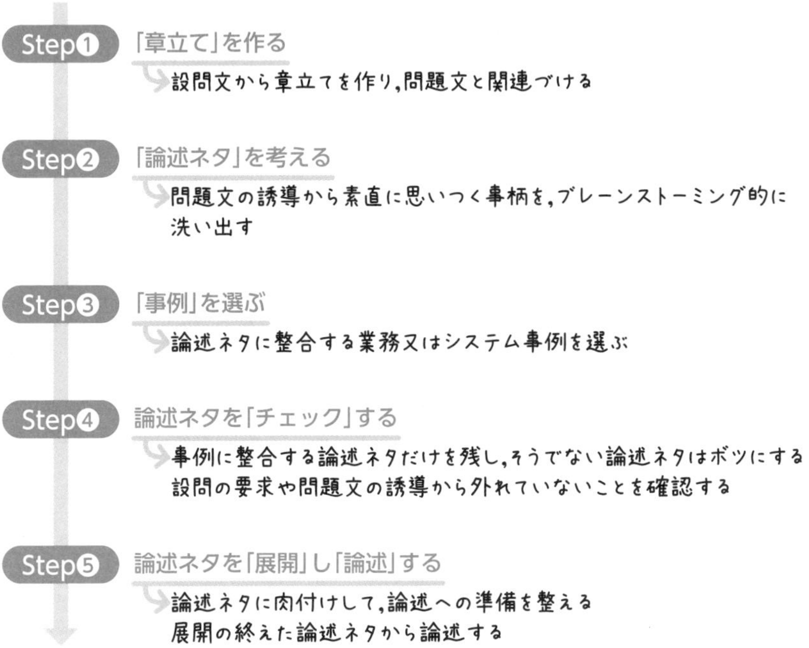

Step❶ 「章立て」を作る
設問文から章立てを作り，問題文と関連づける

Step❷ 「論述ネタ」を考える
問題文の誘導から素直に思いつく事柄を，ブレーンストーミング的に洗い出す

Step❸ 「事例」を選ぶ
論述ネタに整合する業務又はシステム事例を選ぶ

Step❹ 論述ネタを「チェック」する
事例に整合する論述ネタだけを残し，そうでない論述ネタはボツにする
設問の要求や問題文の誘導から外れていないことを確認する

Step❺ 論述ネタを「展開」し「論述」する
論述ネタに肉付けして，論述への準備を整える
展開の終えた論述ネタから論述する

▶ステップ法

ステップ法はユニット法と相性が良い。ステップ法とユニット法を併用した論文の構成は，次のようになる。

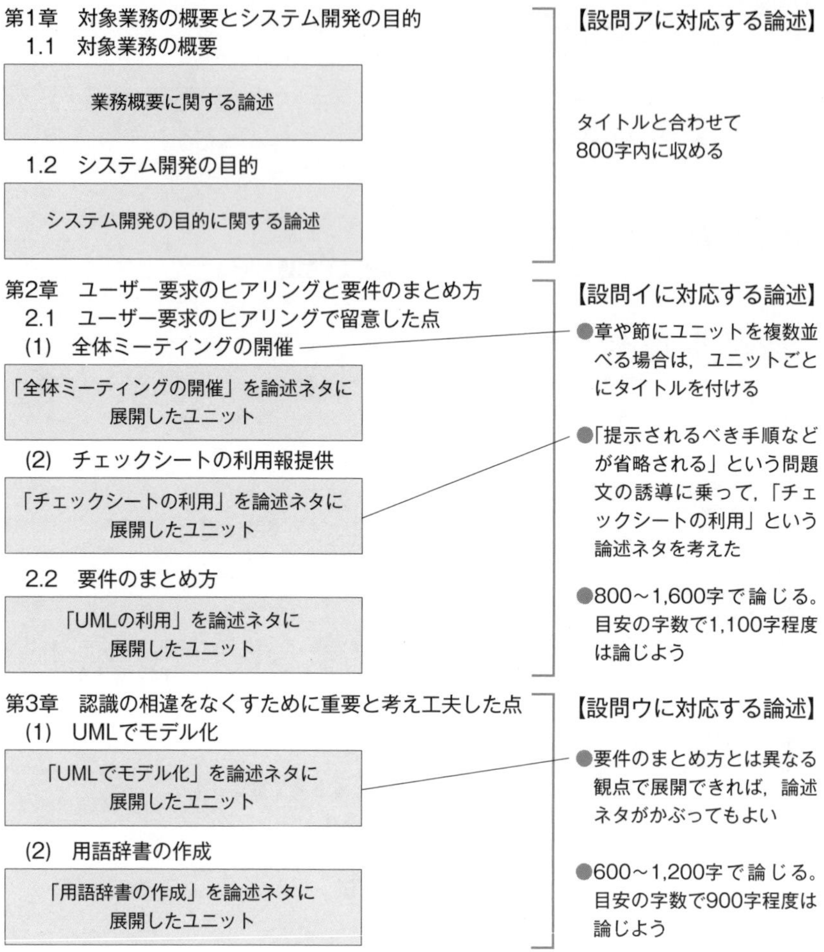

第1章　対象業務の概要とシステム開発の目的
1.1　対象業務の概要

業務概要に関する論述

1.2　システム開発の目的

システム開発の目的に関する論述

【設問アに対応する論述】

タイトルと合わせて
800字内に収める

第2章　ユーザー要求のヒアリングと要件のまとめ方
2.1　ユーザー要求のヒアリングで留意した点
(1)　全体ミーティングの開催

「全体ミーティングの開催」を論述ネタに
展開したユニット

(2)　チェックシートの利用報提供

「チェックシートの利用」を論述ネタに
展開したユニット

2.2　要件のまとめ方

「UMLの利用」を論述ネタに
展開したユニット

【設問イに対応する論述】

●章や節にユニットを複数並べる場合は，ユニットごとにタイトルを付ける

●「提示されるべき手順などが省略される」という問題文の誘導に乗って，「チェックシートの利用」という論述ネタを考えた

●800～1,600字で論じる。目安の字数で1,100字程度は論じよう

第3章　認識の相違をなくすために重要と考え工夫した点
(1)　UMLでモデル化

「UMLでモデル化」を論述ネタに
展開したユニット

(2)　用語辞書の作成

「用語辞書の作成」を論述ネタに
展開したユニット

【設問ウに対応する論述】

●要件のまとめ方とは異なる観点で展開できれば，論述ネタがかぶってもよい

●600～1,200字で論じる。目安の字数で900字程度は論じよう

▶ユニット法とステップ法

図は一つのユニットを300字程度で構成した例であるが，ユニットの字数に制限はない。ユニットの大きさや数は，最終的な字数と試験の残り時間を考えながら調整しよう。なお，第1章は，字数の上限が800字と指定されるが，下限が指定されていない。だからといって，あまりに少ない字数にしてしまうと，業務を十分に採点者に伝えることができない。採点者がイメージできるように伝えるためには，目安の字数で600字程度は論述したい。

Step1 章立てを作る

章立てとは，論文のアウトラインのことで，章・節から構成される。午後Ⅱ試験で求められるのは，**自分の考えや主張ではなく，設問に対する解答**である。そのため，**章立ては設問文及び問題文に沿って作る**。このように章立てを作成することで，採点者に対して「設問で問われていることにしっかり答えていますよ」というアピールができ，的外れで一人よがりな論文になるのを避けることができる。

設問文や問題文には出題者が「論述してほしい」と思っていることが書かれている。これをもとに，章立てを作ることで「論述すべき内容」を整理することができ，論述のための正しい着想を得ることにつながる。逆に，章立てを作る過程でなんの着想も得られなければ，その問題は選択すべき問題ではないといえるだろう。

■章と節に分けてタイトルを付ける

設問ア，設問イ，設問ウの解答それぞれが，第１章，第２章，第３章に該当する。一つの設問に要求事項が複数ある場合は，さらに，章の中を節に分ける。設問アで二つの要求事項がある場合，第１の要求事項の解答を1.1節に，第２の要求事項の解答を1.2節に述べていく。次の問題例で章立てを作ってみる。

「AとB」のように要求事項が二つある場合は
　第1章　AとB
　　1.1　A
　　1.2　B
と章立てすればよい

設問文　H21問1より抜粋

設問ア　あなたが要件定義に携わったシステムについて，対象業務の概要とシステム開発の目的を，800字以内で述べよ。

設問イ　設問アで述べたシステムについて，ユーザ要求を正しく理解するために，あなたはどのような点に留意してユーザ要求をヒアリングし，どのように要件としてまとめたか。800字以上1,600字以内で具体的に述べよ。

設問ウ　設問イで述べた要件をまとめる際，ユーザとの認識の相違をなくすために，重要と考え工夫した点について，600字以上1,200字以内で具体的に述べよ。

「重要と考えた点」と「工夫した点」ではなく，「重要と考えて工夫した点」なので，一つにまとめる

二つに分けても一つにまとめてもよい
微妙な場合は分けたほうが論述しやすい

設問文を章と節に対応させる

章立ての例

第1章　対象業務の概要とシステム開発の目的
　1.1　対象業務の概要
　1.2　システム開発の目的
第2章　ユーザー要求のヒアリングと要件のまとめ方
　2.1　ユーザー要求のヒアリングで留意した点
　2.2　要件のまとめ方
第3章　認識の相違をなくすために重要と考え工夫した点

▶章立てを作る

■章・節のそれぞれに書くべき内容のヒントを問題文から抜き出す

問題文には，出題者が書いてほしいと考えているポイントや方向性が示されている。つまり，論述のヒントが記述されているので，これを確認しておこう。この確認がStep②の「論述ネタを考える」ことへの布石となる。

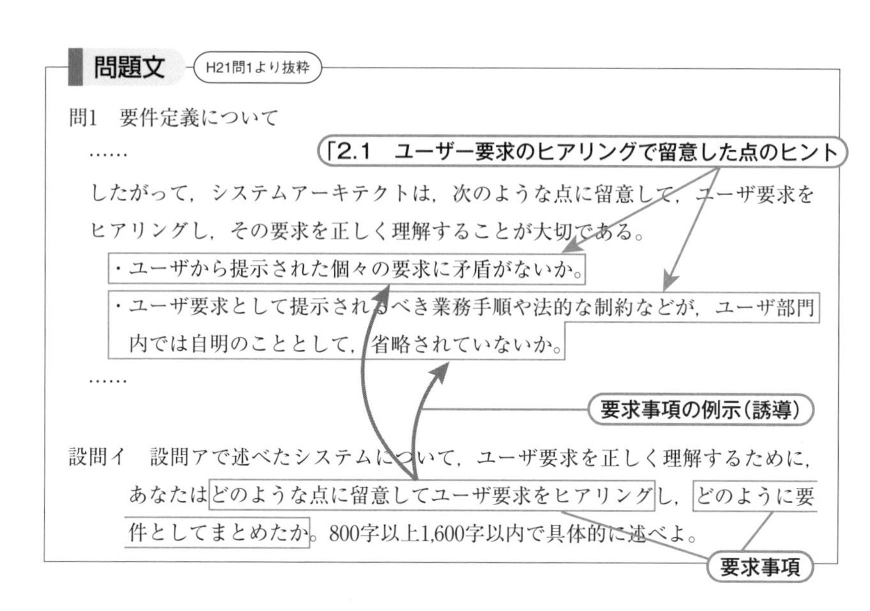

▶ヒントを抜き出す

Step2 論述ネタを考える

章立てができた後，章・節それぞれの内容に整合した，論述するネタを考える。論述ネタとは，**そのユニットで論述する材料**のことである。論述ネタを考える作業は，設問イ（第２章）と設問ウ（第３章）から先に行うほうがよい。設問ア（第１章）で述べる事例を先に決めてしまうと，設問イ（第２章）や設問ウ（第３章）の発想を自ら狭めてしまうことになりやすい。それよりも，まずは**自由に論述ネタを考えてから，それに合った事例を選んだほうが柔軟に対応できる**。

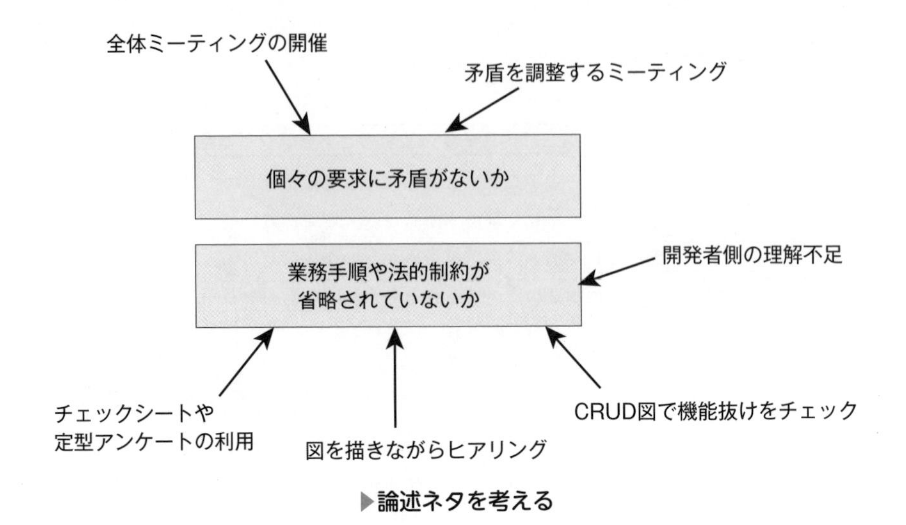

▶**論述ネタを考える**

論述ネタは，「高度なもの」「カッコいいもの」「画期的なアイディア」である必要はない。高度なものやカッコいいものを論述しようとすると，具体的な案が浮かばずに，文章を書く手が動かなくなる。むしろ平凡なこと，業務の中で誰もがやっている当たり前のことをネタにしたほうが，スムーズに論述できることが多い。

思いついた論述ネタは，問題文や「章立て」にメモするとよい。何を書くべきかを頭の中だけで考えていると，構想がループして作業が止まってしまったり，漏れや抜けが発生しやすい。紙に書き出すことで，構想を組み立て，形にすることができる。

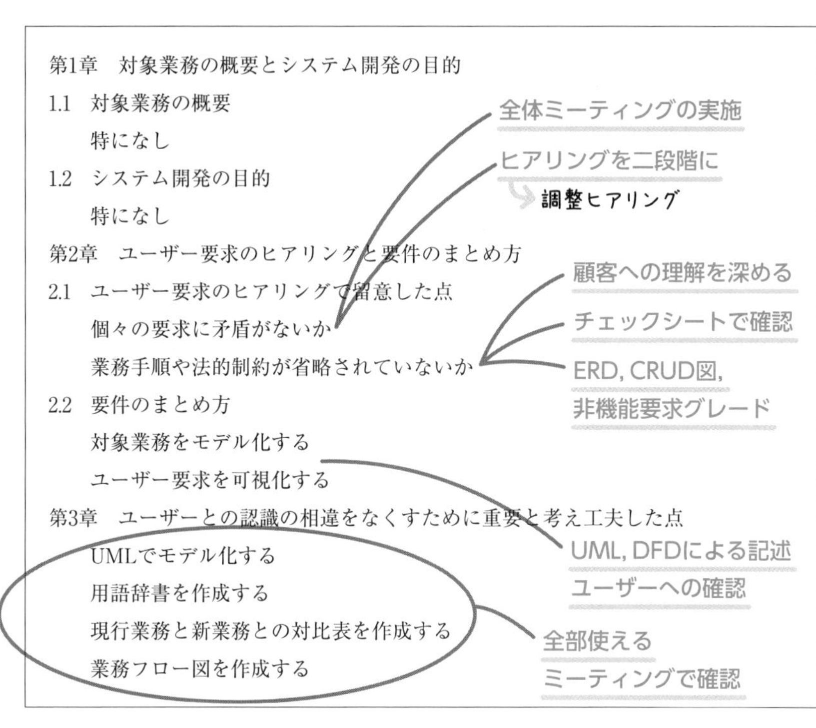

▶論述ネタを組み立てる

Step❸ 事例を選ぶ

Step❷で選んだ論述ネタをもとに，論述ネタに整合する事例を選定する。つまり，論述対象となる業務やシステムを選択する。

事例についての概要は，設問ア（第１章）で論述することになる。

事例はあらかじめいくつか用意しておくと楽である。例えば，次のようなパターンで自分の経験をもとに事例を用意しておこう。経験の少ない受験者は，雑誌記事や書籍から取材して，事例集を作っておくとよい。

事例集を作る

パターン１　**クライアントサーバシステム**

- **トランザクションの入力，サーバの処理**
- **販売管理システム，営業支援システムなど**

パターン2 **Webサービス**

- **不特定多数の利用者を対象としたクライアントサーバシステム**
- **ネットショッピング，予約システムなど**

パターン3 **汎用系システム**

- **基幹業務に多く用いられる伝統的なシステム**
- **分析レポートの出力，バンキングシステムなど**

Step❷までの作業で，すでに論文全体の構想ができあがっている場合には，構想に合う事例を選ぶ。そうでない場合は，自信のあるネタをいくつか選び，それらに矛盾しない事例を選ぶ。

事例を決めた後，事例と整合しない論述ネタをボツにする。例えば，「健康食品のネット販売のためのWebシステム」を事例に選んだときは，

- **分析レポートの出力が遅い**
- **バッチ処理が翌日の業務開始に間に合わない**

などの汎用系システムの論述ネタはボツになる。

Step❹ 論述ネタをチェックする

ネタをチェックする際の重要なポイントは次の三点である。

論文ネタのチェックポイント

✓ **設問の全ての要求事項に答えているか？**

[例] 特徴が求められているにもかかわらず，背景だけに終始している

✓ **章立ての中で，ネタは必要十分か？**

[例] 2.1節のネタだけが残り，2.2節のネタが落ちてしまっている

✓ **事例と矛盾していないか？**

[例] バンキングシステムの事例なのに，在庫管理のネタが残っている

「ステップ法」は，一歩一歩着実に合格論文を作成する方法である。ミスの少ない方法ではあるが，ミスをゼロにできるわけではない。事例に合わないネタをボツにする際に，必要な論述ネタまで切り捨ててしまい，結果的に要求事項に関する論述に漏れが生じてしまうこともある。例えば「検討し，工夫した点」が求められているにも

かかわらず，検討した点ばかりに偏ってしまい，工夫した点が抜けるようなこともあり得る。このようなことがないように，次のステップに移る前に，論述ネタを再度チェックする。チェック自体は簡単な作業であり，時間はかからない。そして，チェックと同時に，論点が同じ論述ネタは一つにまとめる。逆に，いくつかの論点を含むネタがあれば，分割することも検討する。最終的に，字数制限をクリアする分量の論述ネタに絞り込む。

問題点が見つかった場合，原則的には論述ネタを修正して対応する。ただし，次のステップである実際の論述時に対応できることもあるので，そこは臨機応変に行おう。

Step⑤ 論述ネタを展開し論述する

Step⑤では，論述ネタをもとに話を展開し，論述する。Step④で確認した論述ネタを詳細化して，ユニットを作成する。詳細化する際の観点は，例えば次のようなものが考えられる。

詳細化する際の観点

- 論述ネタの内容をより詳しく説明するフレーズ
- 適用したマネジメントや設計技法，改善手法
- 具体的な業務やシステムへの言及
- 対策が必要となった背景
- 対策の具体的な内容や手順
- 例外事項
- 対策による成果

先に挙げた問題例において，「第２章2.1⑴全体ミーティングの開催（332頁図「ユニット法とステップ法」参照）のユニットを詳細化しながら展開してみる。

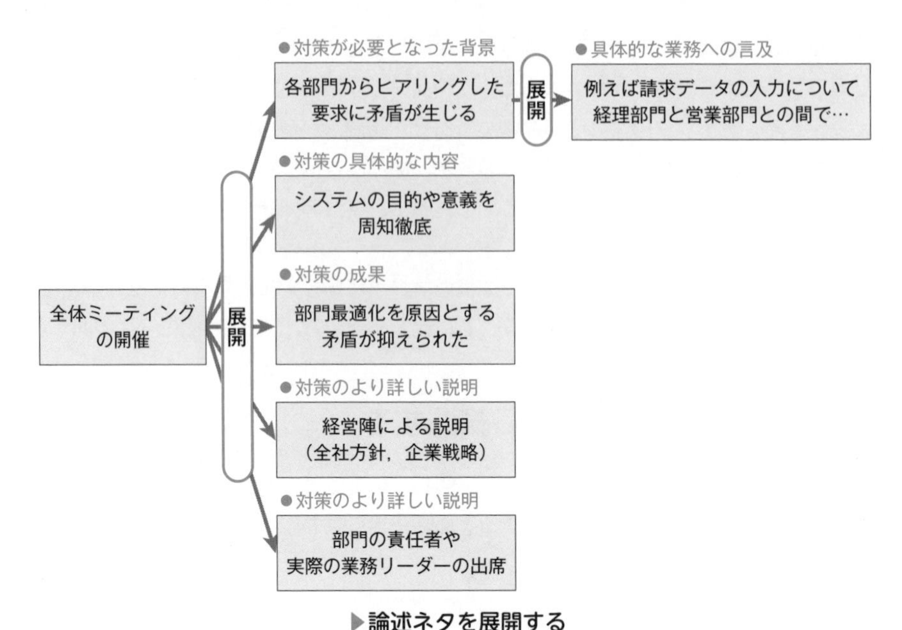

▶論述ネタを展開する

大まかな目安として，60字程度の文を五つ作成できれば，300字のユニットが一つ完成することになる。まずは一つのネタを五つの文で展開することを目標にしよう。

「文章を書くのが苦手！」という受験者は，次に述べる展開法を参考にしてほしい。

1.4 自由展開法

論述ネタを核とし，思いつくことを自由に書いていく展開法である。手軽で論述も膨らみやすい汎用的な展開法である。しかし，発想が発散しすぎると論理が不明確な「筋の通らない論文」になってしまうので注意してほしい。

基本は，５Ｗ１Ｈの観点から展開する。

▶自由展開法の観点―その❶　５Ｗ１Ｈ

観点	重要度	内容と例
What（何を）	★★★	問題に対処するために適用した技法や改善策。核にしたネタそのものがWhatに該当することも多い ［例］（要求の漏れをなくすため）チェックシートを用いてヒアリングを行った ［例］（企画業務を効率化するために）会議の削減と効率化を実施した

Why (なぜ)	★★★	Whatを適用した理由や背景 [例](チェックシートを用いたのは)ユーザー要求の定義でミスが多く,後に仕様変更につながることが多いからである [例](会議の削減と効率化を行ったのは)企画業務の6~7割が会議によって占められていたからである
How (どのように)	★★	Whatを適用した方法や工夫 [例](チェックシートは)過去の要件定義の内容やそこで起きた問題点,教訓などを参考に作成した [例](会議の削減のため)会議のゴールを設定し,結論を持ち越さないようにした
When (いつ)	★	Whatを適用した時期,期限やタイミング [例]個別ミーティングに先立って全体ミーティングを開催した
Who (誰が)	★	Whatにかかわった関係者 [例]全体ミーティングはX社の経営陣が開催する形式をとった [例]利害が対立したため,上位の責任者に折衝を依頼した
Where (どこで)	★	場所に関すること(あまり使わない) [例]顧客のオフィスに赴いてプロトタイプを実演した

5W1Hの中でも,What,Why,Howは論述によく用いる観点である。展開に困った場合は,

- **何をしたのか?**
- **なぜしたのか?**
- **どのようにしたのか?**

と自分に問いかけ,掘り下げていくとよい。

さらに,5W1Hに次の観点を加えると,展開が具体的になり論述に現実味が増す。

▶自由展開法の観点―その❷

観点	重要度	説明
目的	★★	施策や手法を選んだ目的 [例]周知徹底のために,ガイドブックを作成・配布した上で,理解度を把握するために,理解度チェックシートを作成し,自分の使用する標準の種類や範囲などを各自で確認できるようにした
具体的には	★★	手法,施策,対応策,手順などの説明 [例]具体的には,A社の業務に関するドキュメントを入手し,データ関連図や業務フロー図を作成し,要件定義チーム全体でレビューを実施した
例えば	★	実例 [例]例えば「月末」を,月の最後の日と定義している部署もあれば,月の最後の営業日と定義している部署もあった

■ 自由展開法の例

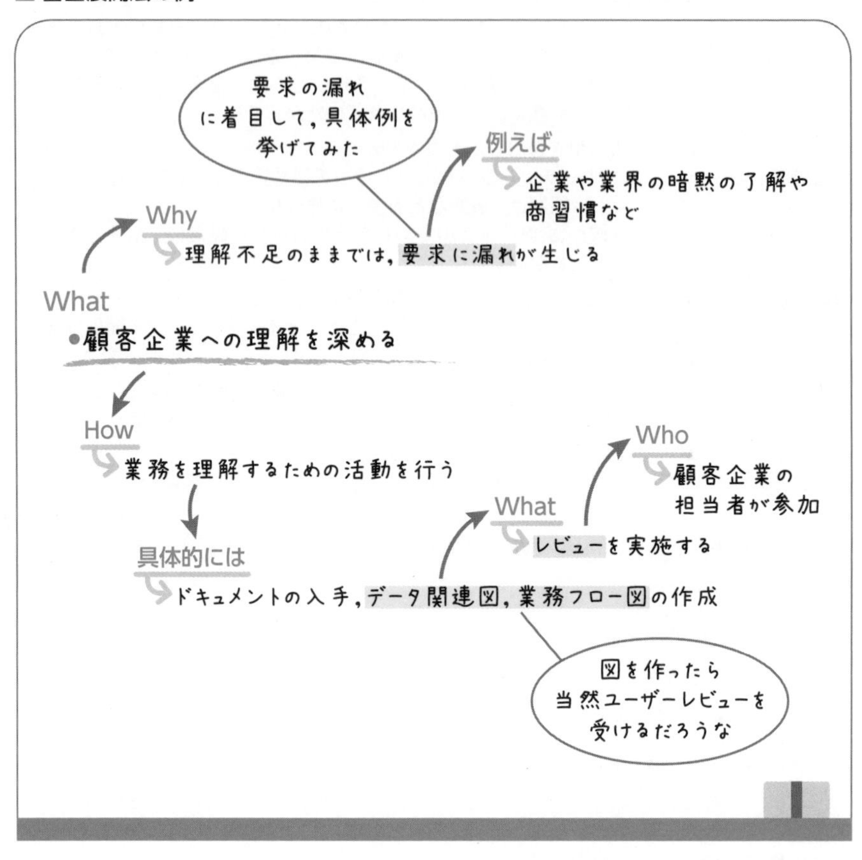

この例では，ヒアリングでユーザー要求の漏れを防ぐために「顧客企業への理解を深める」という論述ネタを，自由展開法で展開している。なぜ顧客企業への理解を深めるかといえば，理解不足のままでは要求に漏れが生じるからである。実際，企業や業界の暗黙の了解や商習慣などが省略され，要求の漏れとなることが知られている。では，どのようにすれば顧客企業への理解を深められるのだろうかと，どんどん発想を広げて展開する。

論述にあたっては，矢印の前後関係を考慮し，適切な接続詞で文をつないで論述する。筋が通らない展開はボツにし，論述しながら思いついた展開は書き加えていけばよい。

論述例

（X）　顧客企業への理解を深める
　要求のヒアリングでは，企業や業界の暗黙の了解や商
習慣などが省略され，要求から漏れてしまうことがある
。特に，顧客企業への理解が不足している場合は，この（100字）
ような漏れにつながりやすい。これを防ぐため，要求の
ヒアリングに先立ってA社の業務を理解するための活動
を実施した。具体的には，A社の業務に関するドキュメ
ントを入手し，データ関連図や業務フロー図を作成し，（200字）
要件定義チーム全体でレビューを実施した。レビューに
はA社の担当者も参加し，暗黙の了解や慣例に漏れがあ
れば指摘してもらった。ここで作成した図表は，個別ヒ
アリングの場面でも参照し，要求の漏れをチェックする（300字）
のに利用した。

1.5 “そこで私は” 展開法

前提となる状況や条件を説明した上で，「そこで私は」と受けて対処や改善策などを述べる展開法である。自由展開法には及ばないものの，汎用的に使うことができる上に，ほかの展開法にも流用できる。

前提から対処に展開するのが基本的な論述である。

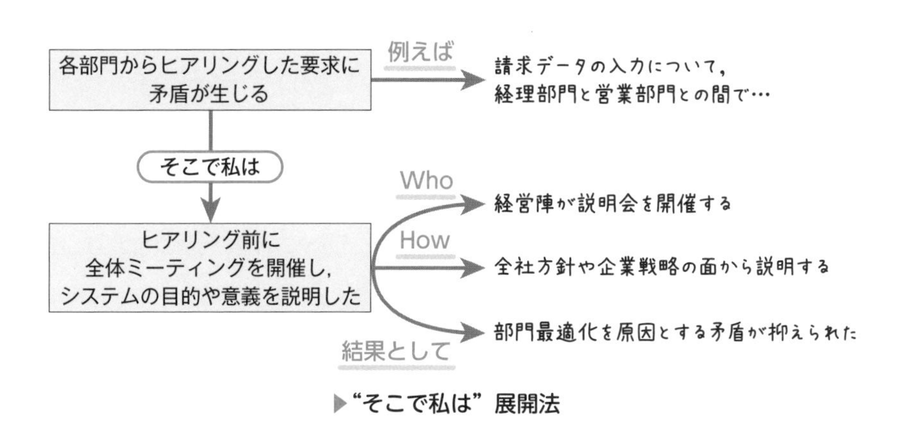

▶“そこで私は” 展開法

この展開法の良いところは，論理の筋が通りやすく，理路整然と論述できることである。論理がしっかりしているので，展開が少々ぶれてもなんとか収めることができる。また，前提と対処の二段階に分けて展開するので，前段と後段の展開の難易度を低くできる。ただ，ユニットを書くのに時間がかかることが難点である。しかし，慣れてしまえばそれほど大変ではない。

論述例

1 2 3 4 5 6 7 8 9 10 11 12 13 14 15 16 17 18 19 20 21 22 23 24 25

（X）　全体ミーティングの開催
　各部門から要求をヒアリングしたところ，要求に矛盾
が生じていることが判明した。例えば請求データについ
て，「経理部門が入力する」「営業部門が入力する」と　100字
要求が矛盾していた。この矛盾は，各部門が自部門の利
益のみを考えていることに原因があった。
　そこで私は，ヒアリングを中断して全体ミーティング
を開催し，システム化の目的や意義を周知徹底すること　200字
にした。ミーティングではA社の経営陣に依頼し，全社
方針や企業戦略の立場から，システムの目的を説明して
もらった。その後，改めて要求のヒアリングを行ったと
ころ，システム化の目的や意義に沿わない要求が大幅に　300字
減少した。

1.6 “最初に，次に”展開法

実務手順を展開するのに，ぴったりの方法である。どのように実施したか（あるいはどのように実施するのか）が求められる要求事項に対して，経験上の手順を，「最初に…」「次に…」と列挙していく展開法である。

この展開法は手順を説明するため，一般的に論述量が多くなり，比較的簡単に字数制限をクリアできるというメリットがある。ネタに乏しく，制限字数に満たないおそれがあるとき，この展開法はとても有効である。

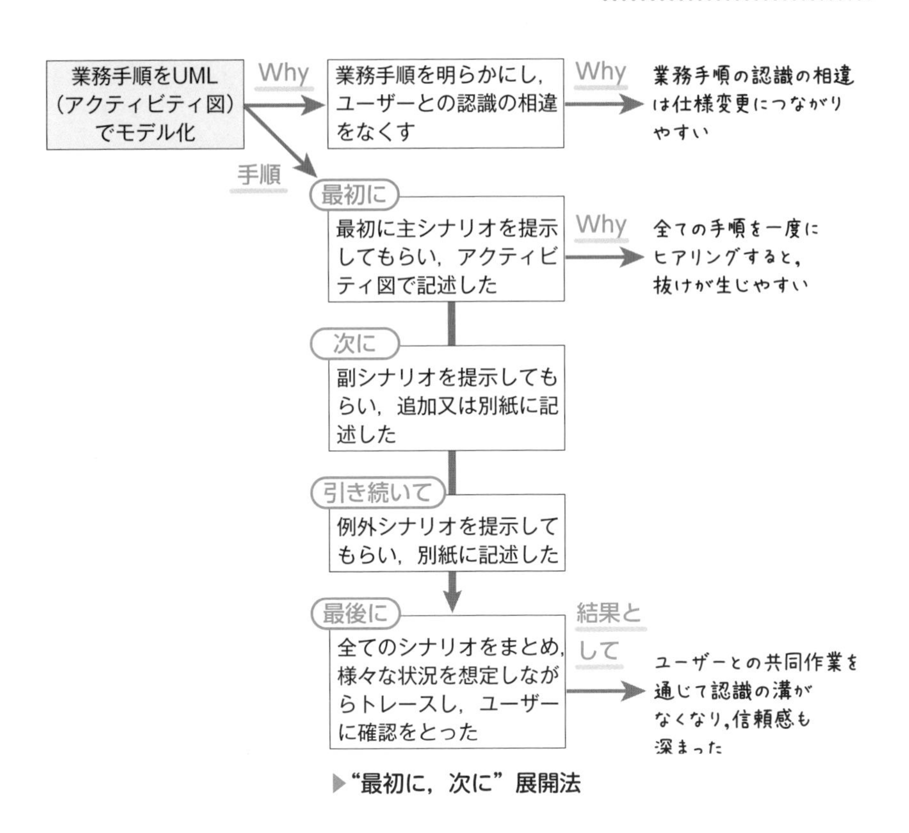

▶“最初に，次に”展開法

次に示す論述例を見れば分かるとおり，対策を行った理由や詳細な説明，“そこで私は”展開法を織り交ぜながら，“最初に，次に”展開法で述べていくことで，500～600字のボリュームを論述することはそれほど難しくはない。

論述例

1 2 3 4 5 6 7 8 9 10 11 12 13 14 15 16 17 18 19 20 21 22 23 24 25

（Ｘ）　業務手順をＵＭＬでモデル化する
　要件のとりまとめにあたっては，業務手順に関するユ
ーザーとの認識の相違をなくすことが重要だと考えた。
なぜならば，業務手順に関する認識の違いは，後に仕様　100字
変更につながりやすいからである。
　そこで私は，業務手順をＵＭＬのアクティビティ図を
用いてモデル化することにした。モデル化にあたっては
，ユーザーが考えやすいよう，シナリオベースで作成し　200字
た。また，全ての手順を一度にヒアリングすると，手順
に抜けが生じやすいと考え，メインとなるシナリオから
順にヒアリングすることにした。
　まず最初に，主となるシナリオをユーザーに提示して　300字
もらい，これをアクティビティ図で記述した。次に，副
シナリオを提示してもらい，主シナリオを記述したＵＭ
Ｌに追加した。引き続いて例外扱いとなるシナリオを提
示してもらい，別紙に記述した。最後に全てのシナリオ　400字
を一つのアクティビティ図にまとめ，様々な状況を想定
しながらアクティビティ図をトレースしてユーザーに確
認をとった。
　アクティビティ図の作成からトレースまで，できる限　500字
りユーザーとの共同作業で実施した。このような共同作
業の結果，ユーザーとの認識の相違をなくすことができ
，追加要求や変更要求の発生を抑えることができた。ま
た，ここで作られたユーザーとの信頼関係は，後の作業　600字
を進めるにあたって大きく役立った。

1.7 テクニックの目指す先

記述式試験対策でも述べたことを繰り返すようだが，ステップ法の極意は「ステップを踏まずに論文を作成する」ことにある。

ステップ法を習熟すれば，自然に不要なステップを省略できるようになる。やがては,問題文にアイディアをメモするだけで,すぐに論述を開始できるようになるだろう。

それを信じてトレーニングに励んでほしい。

合格論文の作成例

ステップ法を使った合格論文の作成例を示す。自分の考えや経験をもとに「自分ならばどんな論述ネタで，どのような論文を仕上げるか」，考えながら読んでみよう。

作成例1 要件定義 (H21問1)

問1 要件定義について

システムアーキテクトは，要件定義において，ユーザ要求をヒアリングし，その要求を正しく理解した上で，システムの要件としてドキュメントにまとめ，ユーザに確認する。

しかし，ユーザから提示された要求に漏れがあったり，ユーザ要求の意味を取り違えたりすると，システムから出力された情報が想定したものと異なったり，必要な情報の提供タイミングが遅くなったりするなど，本来，ユーザが求めているシステムにはならないことがある。したがって，システムアーキテクトは，次のような点に留意して，ユーザ要求をヒアリングし，その要求を正しく理解することが大切である。

・ユーザから提示された個々の要求に矛盾がないか。

・ユーザ要求として提示されるべき業務手順や法的な制約などが，ユーザ部門内では自明のこととして，省略されていないか。

その上で，要件としてまとめるために，対象業務をモデル化したり，ユーザ要求を可視化したりする。その際，ユーザとの認識の相違をなくすために，次のような工夫を行うことが重要である。

・モデルを分かりやすく表記するためにUMLを用いたり，言葉の定義を統一するために用語辞書を作成したりする。

・現行業務とシステム構築後の業務の変更点を明確にするために，両者の対比表を作成する。

・システムによって実現する機能と運用によって行う作業を明確にするために，業務の流れ，処理のタイミングを記述した業務フロー図を作成する。

あなたの経験と考えに基づいて，設問ア～ウに従って論述せよ。

設問ア あなたが要件定義に携わったシステムについて，対象業務の概要とシステム開発の目的を，800字以内で述べよ。

設問イ 設問アで述べたシステムについて，ユーザ要求を正しく理解するために，あなたはどのような点に留意してユーザ要求をヒアリングし，どのように要件としてまとめたか。800字以上1,600字以内で具体的に述べよ。

設問ウ 設問イで述べた要件をまとめる際，ユーザとの認識の相違をなくすために，重要と考え工夫した点について，600字以上1,200字以内で具体的に述べよ。

Step❶ 章立てを作る

設問文から章タイトル（前頁　　　部分）を作り，問題文から該当するヒントを抜き出す（前頁　　　部分）。章タイトルは，設問の要求事項に忠実に作成する。そうすることで，要求事項が抜けることによる不合格を防ぐことができる。

Step❷ 論述ネタを考える

続いて Step❶ で組み立てた章立てより論述ネタを考える。

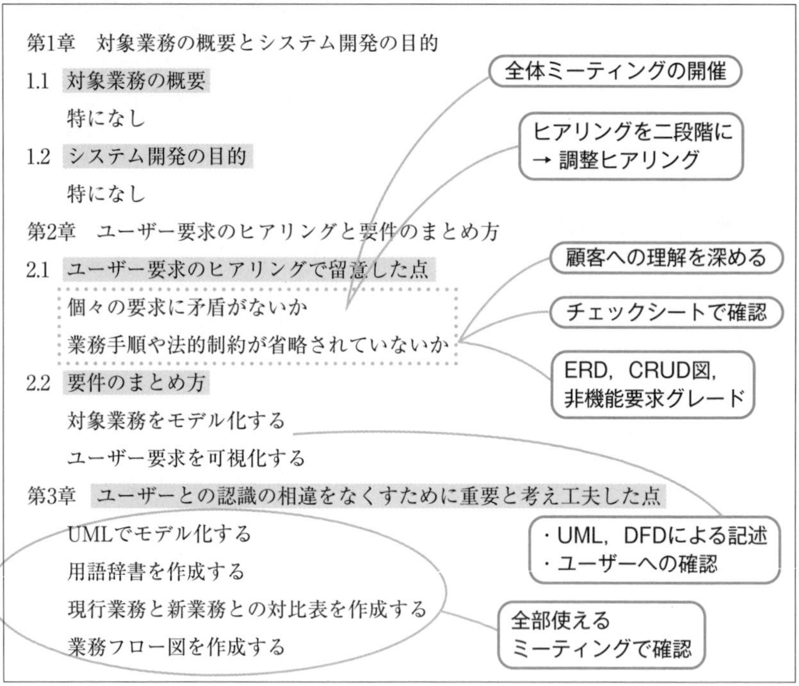

第1章　対象業務の概要とシステム開発の目的
1.1　対象業務の概要
特になし
1.2　システム開発の目的
特になし
第2章　ユーザー要求のヒアリングと要件のまとめ方
2.1　ユーザー要求のヒアリングで留意した点
個々の要求に矛盾がないか
業務手順や法的制約が省略されていないか
2.2　要件のまとめ方
対象業務をモデル化する
ユーザー要求を可視化する
第3章　ユーザーとの認識の相違をなくすために重要と考え工夫した点
UMLでモデル化する
用語辞書を作成する
現行業務と新業務との対比表を作成する
業務フロー図を作成する
全体ミーティングの開催
ヒアリングを二段階に
→ 調整ヒアリング
顧客への理解を深める
チェックシートで確認
ERD，CRUD図，
非機能要求グレード
・UML，DFDによる記述
・ユーザーへの確認
全部使える
ミーティングで確認

■ 第2，3章の論述ネタを考える

タイトルや書くべき内容のヒントをもとに，第2章（設問イ），第3章（設問ウ）で論述するネタを考える。

2.1節の「ユーザー要求のヒアリングで留意した点」では，「個々の要求に矛盾がないか」というヒントに着目する。要求の矛盾は，部門間の利害が対立することで発生することが多い。例えば，業務を標準的なプロセスに改善するような場合，各部門はできるだけ自分に都合のよい業務プロセスに近づけるよう綱引きを行う。このような対立を調整できなければ，要求の矛盾は解消できない。

全体ミーティングの開催は，利害の対立を調整する有効な手段である。ステークホルダーがそろった全体ミーティングで，プロセスの標準化の意義を説明し，理解を得ることを目指す。ベースを統一したうえでヒアリングに臨むのである。**ヒアリングを二段階に分けて実施する**のもよい。個別ヒアリングで各部門の要求をヒアリングし，そこで生じた細かい矛盾を全体ヒアリングで解消する。

ヒアリングでは，企業や業界の暗黙の了解や商習慣などが省略され，要求から漏れてしまうことがある。これが「業務手順や法的制約が省略されていないか」というヒントにつながっている。漏れを防ぐ最も基本的な対策は，**チェックシートの作成**である。過去のプロジェクトの実績や反省点などをもとに，チェックシートを作成してヒアリングに活用する。また，顧客企業を理解することも漏れの防止につながる。顧客企業のことがしっかり理解できていなければ，ヒアリングの際に要求に漏れが生じるのも当たり前だ。

「業務手順や法的制約が省略されていないか」を「要求に漏れがない」ことにつなげれば，さらに発想は広がる。

- E-RダイアグラムやCRUD図，UMLなど用いてデータや機能の漏れを洗い出す。
- 非機能要求を引き出すために非機能要求グレードなどを活用する。

など，考えられる論述ネタは多い。

2.2節の「要件のまとめ方」は漠然としているが，少なくとも**図にまとめて可視化する**ことくらいは分かる。**DFDやアクティビティ図，状態遷移図，クラス図**など，適切な図を用いて要求を記述し，ユーザーに確認をとるようにする。

第3章の「ユーザーとの認識の相違をなくすために重要と考え工夫した点」は，**UML，用語辞書，対比表，業務フロー図**など，問題文には具体的でそのまま論述ネタに用いることのできるヒントが盛りだくさんだ。それらを全て作成し，ミーティングで確認したという流れで論述してもよい。

Step❸ 事例を選ぶ

2.1節で「利害の対立を調整するための全体ミーティング」を論述するなら，これに沿った事例を選ぶ必要がある。利害の対立は業務プロセスの変更によって生じることもある。これを生かすためには，次のような流れにするとよい。

この流れに沿うならば，

・ERPパッケージの導入による業務改革

などは格好の事例となる。そのようなおおげさな事例でなくても，業務改革を伴うような事例であればそれでよい。例えば，

・店舗が大手に買収されて業務プロセスが大きく変わる。

という事例は，比較的身近な事例だ。これを膨らませれば，

❶ 会社の合併に伴い，別会社だった店舗が一つに統合された。

❷ 各店舗で業務プロセスが異なるので，これを統一しなければならない。

❸ そこで，標準プロセスを実装する統合業務システムを開発することになった。

という展開が考えられる。

さて，次のような事例を挙げておく。

事例案

A社は顧客の業種ごとに営業部門が分かれており，それぞれ独自の方法で営業活動を展開している。A社は複数の企業が統合した会社であり，営業活動はもととなった企業の慣習を色濃く残している。そのため慣習的な無駄や効率の悪さが改善されることが少なく，統一的な管理を困難にしている。また，営業情報も管理しているが，全社的な統一は行われていない。

個別に展開されている営業業務プロセスを，標準的な業務プロセスに統一し，業務処理の重複や無駄をなくすため，統合営業管理システムを開発することになった。

試験に備えて，自分の経験を踏まえた事例を3～5個は用意しておきたい。

Step④ 論述ネタをチェックする

事例が定まったら，論述ネタをチェックする。ここでは，次の論述ネタを選ぶものとする。

第2章　ユーザー要求のヒアリングと要件のまとめ方

2.1　ユーザー要求のヒアリングで留意した点

・全体ミーティングの開催，二段階ヒアリングの実施

・顧客企業への理解を深める

2.2　要件のまとめ方

・DFDでモデル化

第3章　ユーザーとの認識の相違をなくすために重要と考え工夫した点

・業務フロー図の作成

・説明会の開催

❶ ☑ 設問の全ての要求事項に答えているか？
❷ ☑ 章立ての中で，論述ネタは必要十分か？
❸ ☑ 事例と矛盾していないか？

DFDによるモデル化や業務フロー図の作成などは業務改善でも実施する

要求事項に合うように章立てを作り，全ての章，節に論述ネタを割り振った

ステップ法に沿って章立てを作成していれば，チェック項目❶，❷については問題ない。チェック項目❸についても，DFDによるモデル化や業務フロー図の作成は，システム開発の事例を選ばない汎用的な論述ネタなので全く問題ない。DFDがちょっと古いと感じたなら，UMLを選ぶのもよい。

Step⑤ 論述ネタを展開し論述する

展開のタイプは，大きく列挙型と掘下げ型に分けることができる。ある論述ネタについて，色々な具体策を思いつくならばそれをどんどん列挙するよう展開すればよい。逆に思いつく具体策が少なければ，それをさらに掘り下げるよう展開する。

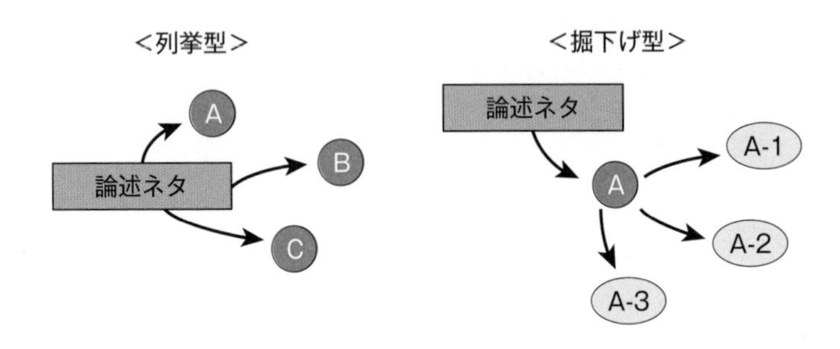

■ 全体ミーティングの開催（2.1節の展開例―その❶）

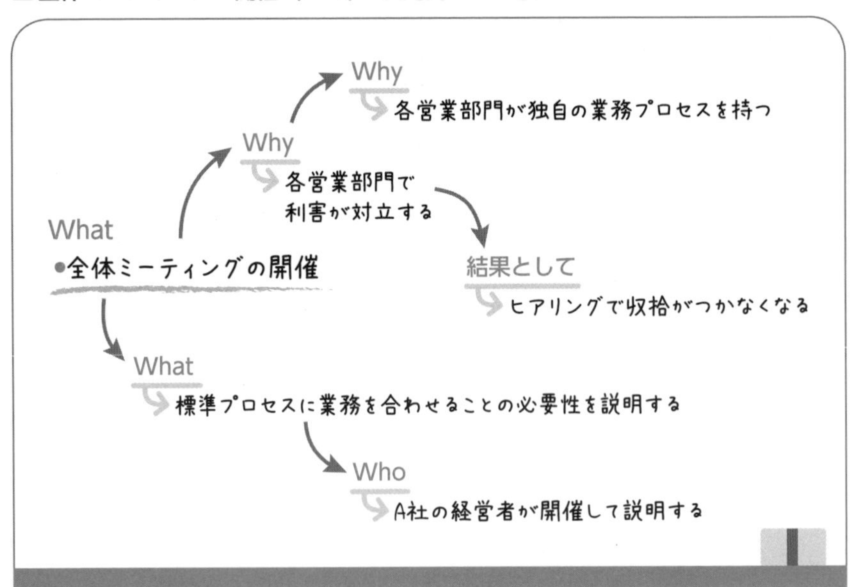

■ 二段階ヒアリングの実施（2.1節の展開例—その❷）

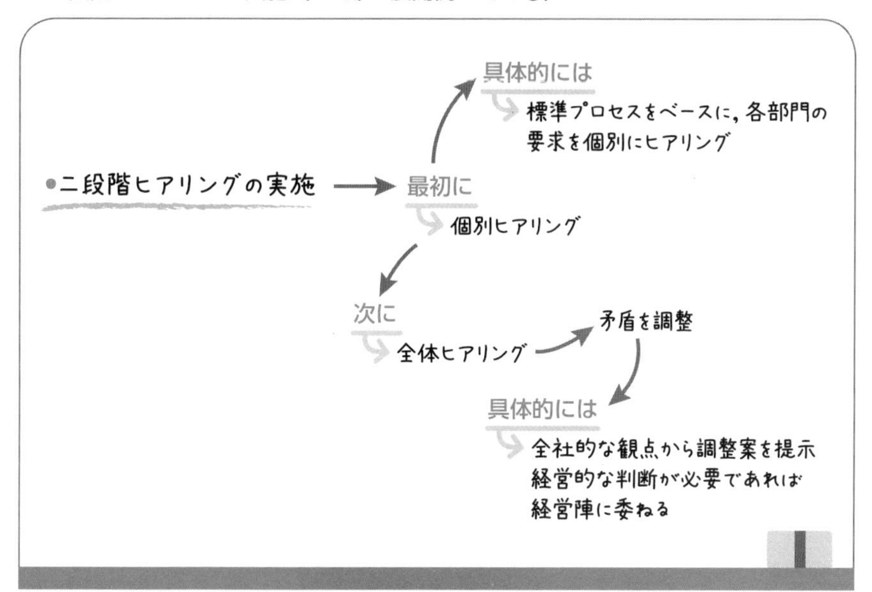

全体ミーティングの開催は，自由展開法で展開した。二段階ヒアリングの実施は，段階を踏むことから“最初に，次に”展開法で展開したが，手順としてはあまり膨らまず，自由展開法に近い形になった。しかし，重要なのは展開法ではなく，どれだけ論述ネタを膨らませることができるかだ。話が膨らむのであれば，展開法は何でもよい。いくつかの展開法を組み合わせてもよい。また，どうしても話が膨らまなければ，一つのユニットの中で論述ネタを二つ展開してもよい。「矛盾を解消する」というユニットの中で，全体ミーティングと二段階ヒアリングの両方を述べてもよい。

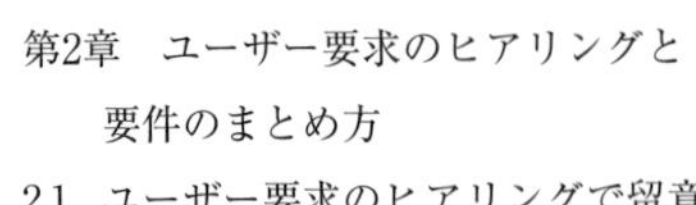

第2章　ユーザー要求のヒアリングと
　　要件のまとめ方
2.1　ユーザー要求のヒアリングで留意
　　した点
(1)　全体ミーティングの開催
　　全体ミーティングに関する展開
(2)　二段階ヒアリングの実施
　　二段階ヒアリングに関する展開

第2章　ユーザー要求のヒアリングと
　　要件のまとめ方
2.1　ユーザー要求のヒアリングで留意
　　した点
(1)　矛盾を調整する
　　全体ミーティングに関する展開
　　二段階ヒアリングに関する展開

ユニットが膨らまなければ　　まとめてもよい

■業務フロー図の作成（第３章の展開例―その❶）

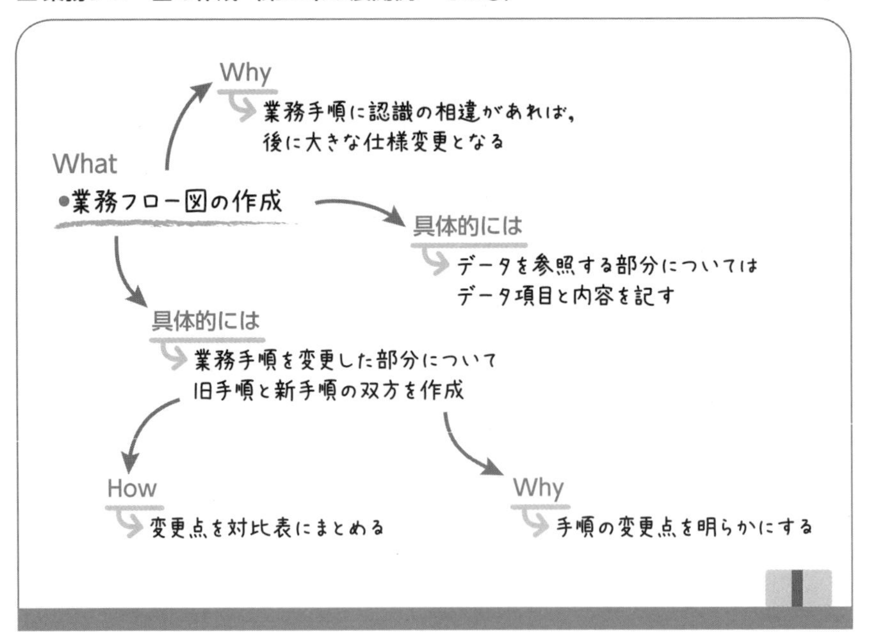

第3章の業務フロー図の作成は，自由展開法で展開した。業務フロー図を作成する目的は，業務手順に関してユーザーとの認識の相違をなくすことである。これは，リスクの大きな仕様変更の芽を摘み取ることにつながる。問題文に「変更点を明らかに

するために対比表を作成する」というヒントが記述されていたので，これを展開に用いることにする。そこで，「業務フロー図について旧手順と新手順の双方を作成し，変更点を対比表にまとめる」と展開する。さらに，新手順と旧手順について具体例が思いつくなら，「例えば」で受けて具体例を記述すればよい。

■ 説明会の開催（第３章の展開例―その❷）

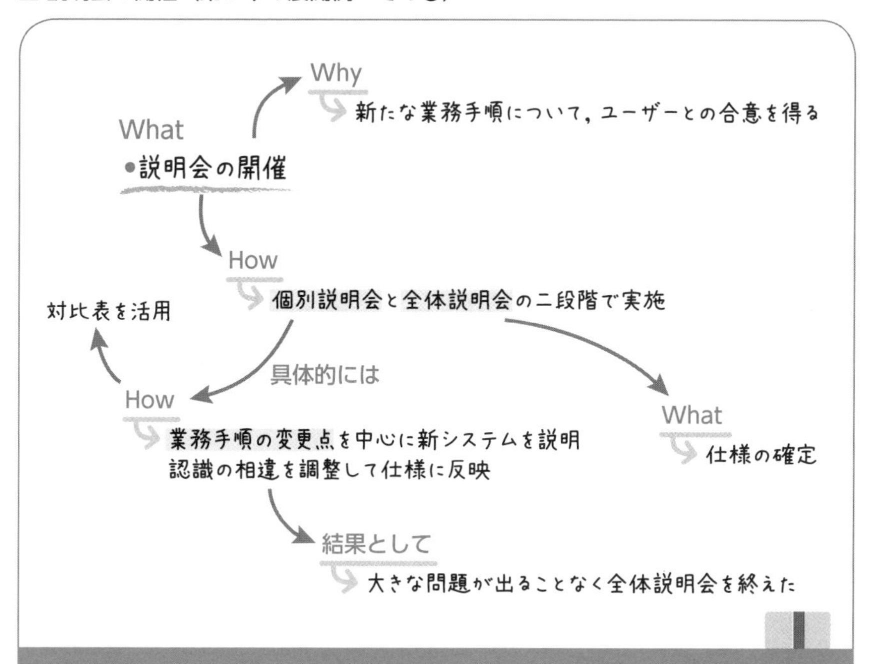

第3章の説明会の開催も，自由展開法で展開した。認識の相違をなくすことに万全を期すのであれば，説明会を二段階に分けるのもよいかもしれない。まず，個別説明会で業務手順の変更を説明し，認識の相違があれば調整する。このとき，業務フロー図の作成時に変更点をまとめた対比表を用いると有効だろう。個別説明会で入念なすりあわせを行っておけば，全体説明会では大きな問題は出ないと思われる。そこで，全体説明会を要求仕様の確定に用いてもよい。いわゆる，仕様確定レビューである。

論述例

第1章　対象業務の概要とシステム開発の目的

1.1　対象業務の概要

　私が要件定義に携わったシステムは，A社の統合営業管理システムである。A社は顧客の業種ごとに営業部門が分かれており，それぞれ独自の方法で営業活動を展開している。もともとA社は複数の企業が統合した会社であり，営業活動はもととなった企業の慣習を色濃く残している。そのため慣習的な無駄や非効率さが改善されることが少なく，統一的な管理を困難にしている。また，営業情報も管理しているが，全社的な統一は行われていない。例えば，ある営業部門は独自に顧客管理システムを導入し，数十もの項目を管理しているのに対し，別の営業部門では表計算ソフトで簡単な情報のみを管理している，といった具合である。また，同じ企業の情報を，複数の営業部門で独自に管理しているなどの無駄も指摘されている。

> 部門によって業務がばらばらであることから標準プロセスが必要であることにつなげている。

> 字数調整のため，部門によって業務がばらばらであることの背景も加えてみた。

1.2　システム開発の目的

　統合営業管理システムの目的は，個別に展開されている営業業務プロセスを，標準的な業務プロセスに統一し，業務処理の重複や無駄をなくすことである。また，各営業部門で独自に蓄積されている営業データを全社で一元的に管理し，共有することで，効率的な営業活動を展開することも目的としている。

> 第2章で述べる標準プロセスにつなげている。

> 第1章は575字。十分なレベル！

第2章　ユーザー要求のヒアリングと要件のまとめ方

2.1　ユーザー要求のヒアリングで留意した点

（1）　矛盾の抑制・調整

　A社の各営業部門は営業情報を独自に管理しており，管理するデータ項目や実施する業務プロセスが異なっていた。そのため，何の準備もなしにヒアリングを実施してしまうと，各営業部門独自の方式に合わせるための要求が対立して収拾がつかなくなることが予想された。

　そこで私は，ヒアリングに先立って標準的な業務プロセスを説明し，これに業務を合わせることの必要性を説明するミーティングを開催した。ミーティングはA社の経営者が開催し，説明する形式をとった。

> 背景や理由を述べて，「そこで私は」とつなげて実施した方策を述べる。論述の王道パターンのひとつ！

　次に私は要求のヒアリングを二段階に分けて実施した。最初のヒアリングでは，標準プロセスをベースに各営業部門の要求を個別にヒアリングした。次に全営業部門の責任者を集めた共通ヒアリングを実施した。共通ヒアリングでは個別ヒアリングで明らかになった矛盾を調整し，全社的な要求にまとめることをテーマとした。ユーザー要求の矛盾や利害の対立に対しては，全体最適化の観点から私自身が調整案を提案した。経営的な判断が必要なものについては，A社の経営陣に調整をゆだねた。

> 複数の事項を述べる場合は「次に私は」で始めるとよい。

> (1)だけで475字に到達。もう少し短くてもよい。

（2）　顧客企業への理解を深める

　要求のヒアリングでは，企業や業界の暗黙の了解や商習慣などが省略され，要求から漏れてしまうことがある。特に，顧客企業への理解が不足している場合は，このような漏れにつながりやすい。そこで私は，要求のヒアリングに先立ってA社の業務を理解するための活動を実施した。具体的には，A社の業務に関するドキュメントを入手し，データ関連図や業務フロー図を作成し，要件定義チーム全体でレビューを実施した。レビューにはA社の担当者も参加し，暗黙の了解や慣例に漏れがあれば指摘してもらった。ここで作成した図式は，個別ヒアリングの場面でも参照し，要求の漏れをチェックした。

2．2　要件のまとめ方

ヒアリングしたユーザー要求，要件をとりまとめるにあたり，対象業務のモデル化や要件の可視化が必要になる。これにあたり，私はDFDを用いて対象業務をモデル化することにした。DFDを作成するにあたって，ユーザーから業務シナリオをヒアリングした。ユーザー要求をいきなりDFDに落とし込むことは，ユーザーにとって負担が大きく，処理機能やデータの抜けにつながることを恐れたからである。最初に，標準的な業務手順をもとに主シナリオを作成し，これをもとにユーザーと一緒にDFDを作成した。次に，例外処理を含む副シナリオを作成して，DFDに追加した。

(2)で300字なので，このくらいのボリュームを目安にするとよい。

DFDについて特に高度なことは述べていないが，問題文に沿った論述を心がけている。

第2章だけで1,125字。十分以上の記述量。もし記述量が不足したなら，データ辞書の作成やタイミングの追加など，テキスト的な知識を述べてもよい。

第３章　ユーザーとの認識の相違をなくすために重要と考え工夫した点

（１）　業務フロー図の作成

ユーザー要求を要件としてとりまとめるにあたり，ユーザーとの認識の相違をなくさなければならない。特に，ユーザーに直接かかわる業務手順について相違があれば，後に大きな仕様変更となるおそれがある。そこで，私は業務手順の流れを表す業務フロー図を作成した。

業務フロー図の作成にあたっては，手順の変更点を明らかにするため，業務手順に変更が生じた部分について「旧手順を表す図」と「新手順を表す図」の双方を作成し，その変更点を対比表にまとめて整理した。また，データを参照する部分については，データ項目と内容を記したデータ定義書を作成した。

（２）　説明会の開催

ここで作成した業務フロー図をもとに，説明会を開催した。新たな業務手順について，ユーザーとの合意を得ることが重要だと考えたからである。説明会は，業務に大きな変更が生じる部署については個別の説明会を実施し，最後に全体説明会を実施することにした。

個別の説明会では，業務手順の変更点を中心に，新システムの概要を説明した。これにあたり，新旧の業務手順の違いを明らかにした対比表を活用した。この対比表はユーザーに好評であり，ユーザーあるいは開発者の思い込みを洗い出すことに大いに役立った。

個別説明会で明らかになった認識の相違は，業務フロ

対比表や用語辞書の観点も問題文から流用した。

字数が足りなければ，業務フロー図をユーザーに提供してどう評価されたかなどを加えてもよい。

少々まずい文章ではあっても気にしない。うまい文章を書こうとすると，手が止まってしまう！

ー図やユーザー要求の仕様に反映した上で，全体説明会
を開催した。この説明会は，後工程で発生しがちな無秩　700字
序な仕様変更を避けるため，ユーザー要求及び要件を確
定させる目的も兼ねていた。個別説明会で入念に認識を
すり合わせていたこともあり，大きな問題が出ることな
く全体説明会を終えることができた。　800字

作成例 2　業務の変化を見込んだソフトウェア構造の設計（H24問1）

問1　業務の変化を見込んだソフトウェア構造の設計について

企業を取り巻く環境の変化に応じて，業務も変化する。情報システムには，業務の変化に対応して容易に機能を変更できるような，ソフトウェア構造の柔軟性が求められる。

このため，システムアーキテクトは，システム要件定義の段階から，業務の変化が起こり得るケースを想定し，変化の方向性やシステムに与える影響を予測する。ソフトウェア構造の設計では，その予測に基づいて，業務が変化してもシステム全体を大きく作り直す必要がないように考慮しなければならない。

例えば，次のようにソフトウェア構造の設計を行う。

・業務フローの制御部分と業務ロジック部分を分離する。
・業務ロジックが互いに疎結合となるように分割する。
・データアクセスコンポーネントを共通化する。

その際，そのような設計を行うことによって引換えに生じた課題に対応するための工夫を行うことが重要である。例えば，処理時間が長くならないように複数のプロセスを並行して処理したり，処理同士の整合性を確保するために排他制御の仕組みを用意したりする。

あなたの経験と考えに基づいて，設問ア～ウに従って論述せよ。

設問ア　あなたがソフトウェア構造の設計に携わったシステムにおける，対象業務の概要及び特徴について，800字以内で述べよ。

設問イ　設問アで述べたシステムについて，どのような業務の変化を想定したか。また，業務が変化してもシステム全体を大きく作り直す必要がないように，どのようなソフトウェア構造を設計したか。800字以上1,600字以内で具体的に述べよ。

設問ウ　設問イで述べたソフトウェア構造の設計において，生じた課題とそれに対応するために重要と考えて工夫した内容，及び設計したソフトウェア構造に対するシステムアーキテクトとしての評価について，600字以上1,200字以内で具体的に述べよ。

Step❶ 章立てを作る

設問文から章タイトル（上記　　　部分）を作り，問題文から該当するヒントを抜き出す（上記　　　部分）。章タイトルは，設問の要求事項に忠実に作成する（次頁）。そうすることで，要求事項が抜けることによる不合格を防ぐことができる。

Step② 論述ネタを考える

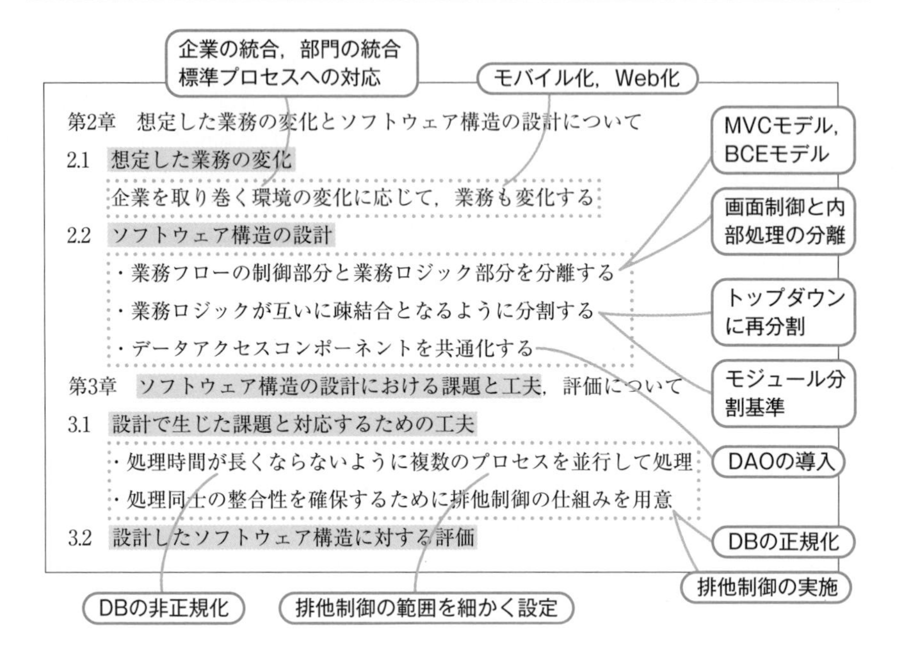

タイトルや書くべき内容のヒントをもとに，第2章（設問イ），3章（設問ウ）の論述ネタを考える。

2.1節のヒントは明確ではないが，あえて挙げれば，「企業を取り巻く環境の変化に応じて，業務も変化する」ということになる。このうち，企業を取り巻く環境の変化に着目すれば**企業の統合**や**部門の統合**などが浮かび上がる。他社や他部門と統合することで，これまでの仕事のやり方が変わったり，標準プロセスが導入されることは十分考えられることである。また，業務の変化に着目すれば，タブレットなどの導入に伴う**モバイル化**やネット販売などに対応するための**Web化**などが思いつく。

2.2節のヒントは具体的なので，論述ネタを素直に導こう。

「業務フローの制御部分と業務ロジック部分を分離する」ことからは，**MVCモデル**や**BCEモデル**などが思い浮かぶ。MVCモデルは，システムを

M（Model）：業務ロジック

V（View）：画面

C（Controller）：制御

に分けるモデルで，Webシステムの開発に向いている。簡単にいえば，Vでは画面を，Cでは画面遷移をプログラムし，必要に応じてMでプログラムされた業務ロジックを呼び出すという形でシステムを記述する。まさにヒントどおりのモデルといえる。

BCEモデルは，MVCモデルとよく似たモデルで，システムを

B（Boundary）：画面
C（Controller）：制御
E（Entity）：実体

に分ける。業務ロジックはEntityに記述する。

MVCやBCEなどの具体的なモデル名が思いつかなくても，画面と画面遷移は別のプログラムに記述することは常識的な方法なので，これについて論述してもよい。

「業務ロジックが互いに疎結合となるように分割する」ことからは**モジュールの分割基準を定めて適用する**ことを思いつく。修正が無秩序に加えられたシステムは，モジュール間の結合度が高くなり機能の修正に莫大なコストが必要になる。機能やデータをもとにモジュール構造を見直し，結合度を低くする（疎結合となるよう分割する）ことは，変化に強いシステムを作る上で非常に大切な観点となる。

「データアクセスコンポーネントを共通化する」ことも効果の高い方法だ。SQLの組み立てなどデータアクセス処理を業務ロジックに含めてしまうと，機能ごとに別個のデータアクセス機能を用意することになり，非常に効率が悪い。これを避けるため，例えば**DAO（Data Access Object）を導入**して，標準的なデータアクセス機能を提供するような構造にする。こうすれば，業務ロジックとデータアクセスを分離でき，互いの影響を排除することができる。

第3章では，設計を行う上で生じた課題を克服するための工夫が要求されている。ヒントとして，「処理時間が長くならないように複数のプロセスを並行して処理」「処理同士の整合性を確保するために排他制御の仕組みを用意」が挙げられているので，論述ネタを素直に導く。

複数のプロセスを並行して処理するためには，並行処理できる部分をできるだけ多くすればよい。このためには**排他制御の範囲を見直す**ことが必要になる。トランザクションを分析し，排他制御の範囲が必要最小限になるよう修正する。ただし，あまり細かく排他制御を行っても，逆に排他制御のコストが高くなってしまうので，トランザクションの性質をよく見極めながら行う。

処理時間を短くする（長くならないようにする）ことに注目すれば，**データベースの非正規化**などが論述ネタとなる。あらかじめ結合した表を用意しておくことで，結合コストを下げるアプローチだ。ただし，過度な非正規化はデータベースの整合性を

損ねるおそれがあるので，バランスをうまく見極めなければならない。

処理同士の整合性を保つため「排他制御の仕組みを用意する」ことはある意味当然のことで，排他制御を実施したことを素直に論述すればよい。

Step③ 事例を選ぶ

環境や業務の変化に強いシステムがテーマなので，環境や業務の変化が予想されるような事例が望ましい。例えば，導入されたばかりの業務プロセスは，今後の業務に合わせて変化することが予測できる。また，スマートフォンやタブレットなどを用いた業務も，スマートデバイスの技術動向によっては大きく変化する可能性がある。それらの業務の変更については，2.1節で論述することになっている。そのため，事例に選択にあたっては，2.1節で選んだネタに整合するよう注意したい。

さて，次のような事例はどうだろうか。

事例案

A社の統合営業管理システムを開発する。統合営業管理システムは，A社の営業プロセスや営業情報を共通化し，統合的な管理を行うことを目標としている。

もともと，A社の営業部門は顧客の種別ごとに部門化され，独自の営業プロセスで営業活動を行っていた。そのため，システムやデータ管理の方法も，部門によりまちまちであった。統合営業管理システムは，標準化された新たな営業プロセスをもとに，営業活動をきめ細かく支援する。

統合営業管理システムは，営業部門内の端末だけではなくスマートフォンやタブレットなどのモバイル端末からも利用できるようにする。このような利用形態に対応するため，システムはWebアプリケーションで作成することになった。

試験に備えて，自分の経験を踏まえた事例を3～5個は用意しておきたい。

Step④ 論述ネタをチェックする

事例が定まったら，

- 設問の全ての要求事項に答えているか？
- 章立ての中で，論述ネタは必要十分か？
- 事例と矛盾していないか？

という観点から，論述ネタを今一度チェックしよう。

Step⑤ 論述ネタを展開し論述する

Step④でチェックした論述ネタをいくつか選び，展開する。ここでとり上げなかったネタについては，各自で展開・論述にチャレンジしてほしい。

■ 想定した業務の変化（2.1節の展開例）

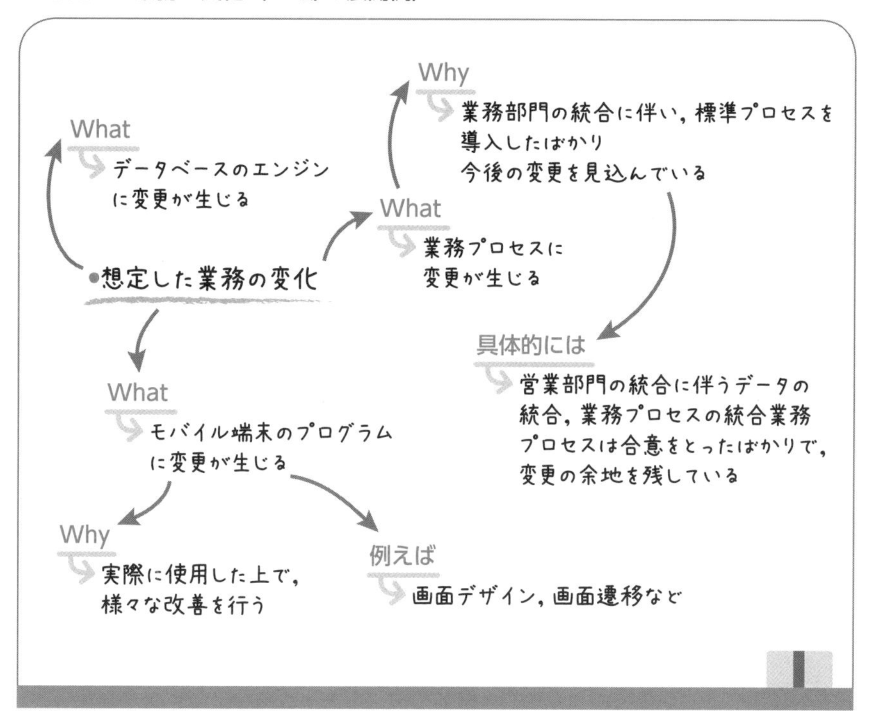

2.1節は「想定した業務の変化」をまとめて述べるブロックなので，列挙型の展開がふさわしい。そこで，

- 業務プロセスの変更
- データベースのエンジンの変更
- モバイル端末の画面デザインや画面遷移の変更

を列挙するよう展開した。それぞれについては，変更の理由や詳細，例などで膨らま

せた。

列挙型で展開に詰まった場合は，掘下げ型に切り替えてみるのもよい。それまで悩んでいたことがウソのように，スムーズに展開できることがある。例えば，

・業務プロセスの変更

に的を絞って，業務プロセスのどこに，どのような変更が生じるのか，その理由は何で，どのような影響があるのか…と問いかけながら展開する。

■ MVCモデルの採用（2.2節の展開例─その❶）

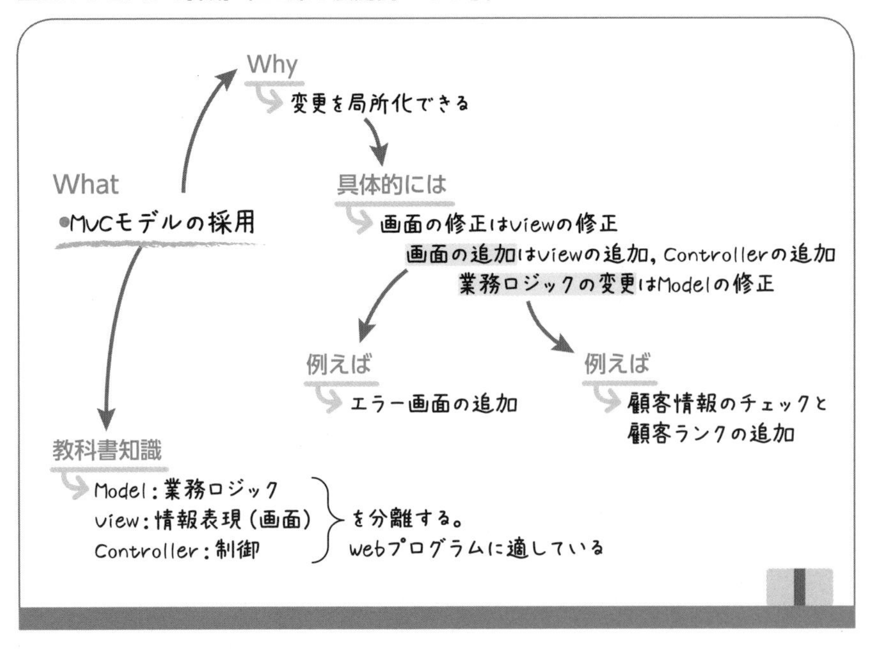

「MVCモデルの採用」をネタ出ししたものの，具体的な展開は思いつかなかった。そこで，教科書的な知識をベースに展開した。

まず，MVCモデルそのものの説明を加えた。次に，MVCモデルを採用した理由を考えた。MVCモデルの要諦は「分離」であり，その目的は変更の局所化にある。そこで，これをMVCモデル採用の理由とした。変更の局所化については，具体的にはどこをどう修正すればよいかについても説明した。

これだけでは，展開があまりに教科書的で具体性に欠ける。そこで，2.1節で述べた変更に絡めるよう，変更について具体例を付け加えた。教科書的な展開を行う場合

でも，実務に少しでも言及することを心がけたい。

■ DAOの導入（2.2節の展開例—その❷）

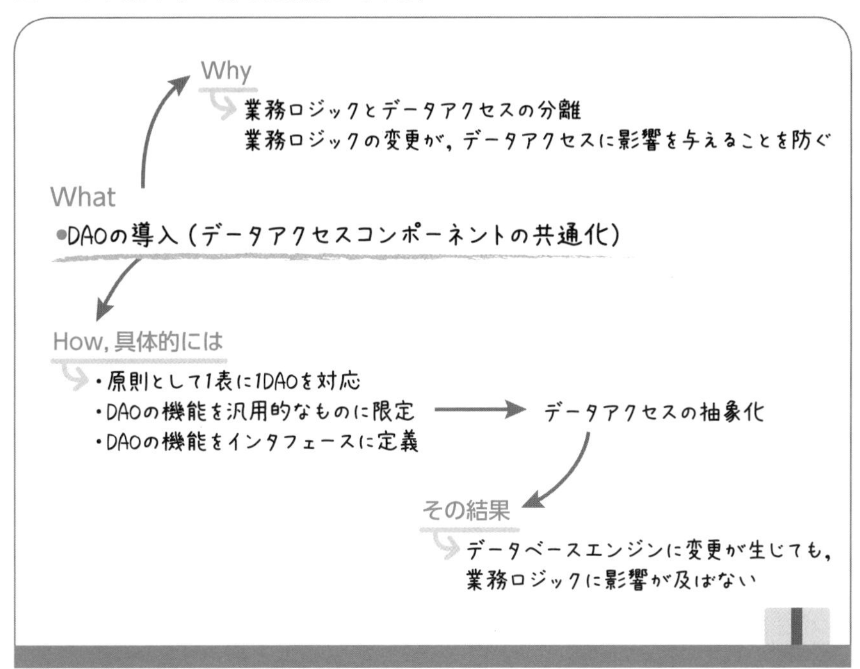

何かの方策を述べる場合は，

・具体的な方策
・方策を導入した理由や背景
・方策を行うことで期待できる効果

を基本的なセットとして展開する。ただし，結果と理由は明確に区別する必要はない。展開次第だが，「…という効果が期待できるため…という方策を導入する」などのように，結果を理由として使うこともできる。

方策の適用にあたって，具体的にどうしたのかを述べると実務や知識をアピールできるので，「How」「具体的には」という切り口は積極的に使いたい。ただ何度も繰り返すようだが，展開が思いつかないなら無理に特定の切り口にこだわることはない。時間と相談しながら展開を進めよう。

■ 処理時間が長くならないようにする（3.1節の展開例）

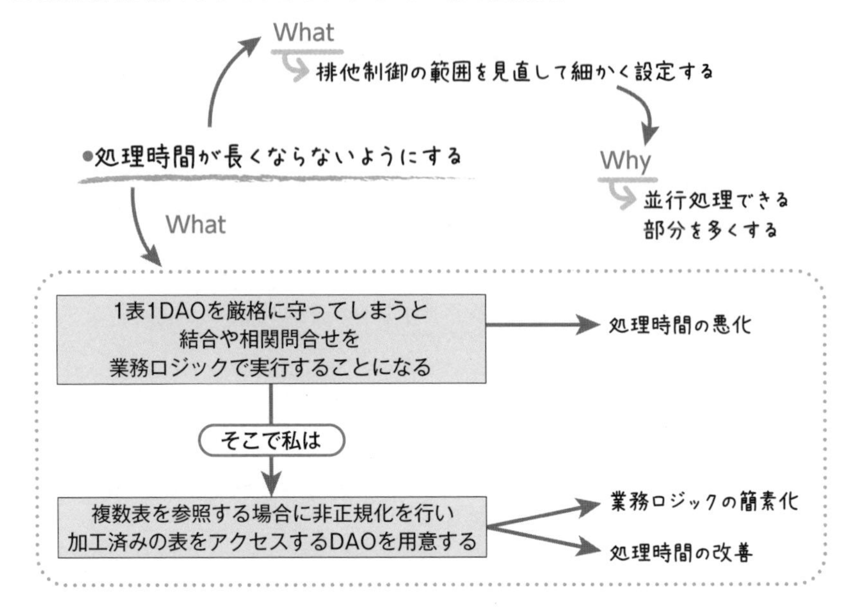

3.1節に対応するブロックを，「処理時間が長くならないようにする」ことを手がかりに展開した。問題文のヒントは「複数プロセスの並行処理」であるが，この展開がうまく思いつかなかったので，関係データベースの非正規化を加えて展開した。

なお，処理時間ではなく「業務ロジックの簡素化」をテーマにした場合，ビューの導入をネタとして展開することもできる。一時期に比べるとビューも改善され，ビューの導入が処理時間に悪影響を与えることも少なくなった。引出しの一つとして準備しておくとよい。

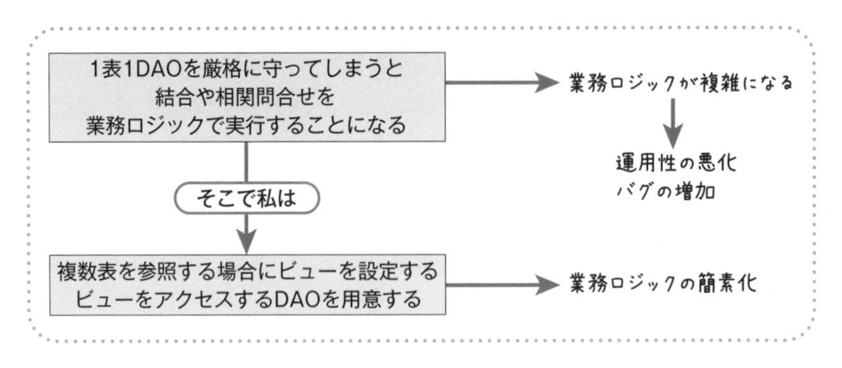

論述例

第１章　対象業務の概要と特徴

　私が携わったシステムは，Ａ社における統合営業管理システムである。これは，Ａ社の営業プロセスや営業情報を共通化し，統合的な管理を行うことを目標とするものである。

　もともと，Ａ社の営業部門は顧客の種別ごとに部門化され，独自の営業プロセスで営業活動を行っていた。そのため，システムやデータ管理の方法も，部門によりまちまちであった。例えば，ある部門は古くから顧客管理のシステム化が行われており，顧客に対して数十もの項目を管理しているのに対し，別の部門は属人的な営業活動に任されており，顧客情報も基本的な項目だけを表計算で管理しているという有様であった。

　統合営業管理システムは，標準化された新たな営業プロセスをもとに，営業活動をきめ細かく支援することを目的とする。例えば，商談の場で顧客の望む条件を入力すれば，それを踏まえた提案を自動生成し，これをベースに商談を進めることができる。ベースとなった条件や修正した提案は全て商談履歴に記録され，任意の時点で参照することができる。これを実現するためには，新システムは，営業部門内の端末だけではなくスマートフォンやタブレットなどのモバイル端末からも利用できるようにする。このような利用形態に対応するため，新システムはＷｅｂアプリケーションで作成することになった。

事例はあらかじめいくつか考えておく。今回は，作成例1でも取り上げた営業業務の統合をベースにした。

Webアプリケーション化を導入する。

ここまでで，原稿用紙換算650字。十分な分量！

第２章　想定した業務の変化とソフトウェア構造の設計について

２．１　想定した業務の変化

　営業業務の統合は，

［１］各営業部門でデータを統合する

［２］営業業務に標準プロセスを導入する

という２段階で行われた。データの統合については，徹底的なすりあわせが終わっていたため，今後大きな変更はないと予想されたが，業務処理については基本的な合意がとれただけで，今後変化する余地が残されていた。

また，個々の画面についても，営業員にモバイル端末を支給し，実際に使用した上で様々な改善が施されることになった。そのため，画面遷移や画面のデザインに変更が生じることが予想された。また，使用するデータベースのエンジンについても，ベンダーの対応状況によっては変更になることが考えられた。

２．２　ソフトウェア構造の設計

（１）ＭＶＣモデルの採用

　新システムでは，画面のデザインや画面遷移，業務ロジックが変更になることが予想される。そのような変化に対応するため，ソフトウェア構造をＭＶＣモデルに従

箇条書きはインデントを付けない。

ソフトウェア構造の設計にMVC，DAOを選んだので，画面の変更や業務ロジックの変更，DBエンジンの変更を予告しておく。

ここまでで400字。いいペース！

MVCの説明を混ぜてみた。

って設計することにした。MVCモデルは，業務ロジック（Model）と情報表現（View），制御（Controller）を分離する構造で，想定している環境であるWebアプリケーションと親和性が高い上に，画面や制御から業務ロジックが独立しているため，画面そのものや画面遷移の修正に必要な労力を抑えることができるからである。例えば，一連の顧客登録処理においてエラー画面が追加されたとしても，対応するViewとController部分を修正するだけで，業務ロジックは修正の必要はない。逆に業務ロジックである顧客情報の検査とランク付けの処理に変更が生じても，画面そのものや画面遷移に影響を与えないため，変更を局所化できる。

（2）データアクセスコンポーネントの共通化

　業務ロジックの変更がデータアクセス部分に影響を及ぼすことを防ぐため，データアクセスを行うDAOを業務ロジックと分離するよう設計した。具体的には，原則として1表に1DAOを対応させ，DAOが実現する機能を単純で汎用的なものに限定した上で，全てインタフェースに定義した。このようにデータアクセスを抽象化することで，業務ロジックに変更が生じた場合であってもDAOに影響を及ぼすことがない。また，データベースエンジンが変更された場合であっても，DAOの実装を修正して対応できるため，業務ロジックに変更は生じない。

> 長くて収まりの悪い文章だが，気にしない！
> 文章を気にしてるとペンが止まってしまう！

> 字数はクリアしているので，このモジュールは適当なところで切り上げてもよい。

第3章　ソフトウェア構造の設計における課題と工夫，評価について

3．1　設計で生じた課題と対応するための工夫

　DAOの粒度を細かくし，1表に対して1DAOを対応させると，本来はデータアクセス側で実行すべき結合や相関問合せの一部を，業務ロジック側で実行することになる。そのため，処理時間に悪い影響を与えることが懸念された。これに対応するため，私は複数表を参照する処理に対し表の非正規化を実施し，これをアクセスするDAOを用意することで，業務ロジックを簡素化した。また，排他制御の範囲をトランザクション単位ではなくDAO単位で細かく設定することで，トランザクションの実行並列度を高めるようにした。また，営業分析におけるバッチ処理の実行スケジュールを見直し，並列実行できる部分を並列化することで，実行時間を改善した。

3．2　設計したソフトウェア構造に対する評価

　Webアプリケーションにとって，画面は常に変化する可能性を含んでいる。特に本システムは，営業員がモバイル端末などでアクセスするため，端末の進化や営業員の要望によって改善しなければならない。従来は画面遷移と業務ロジックが一体化していたため，画面遷移のわずかな変更のつど，業務ロジックを含むプログラムを修正しており，修正ミスにつながっていた。MVCモデ

> 非正規化は更新不整合を招くというデメリットもあり，十分注意して導入する必要がある。そのようなマイナス面も十分に考慮したことにも言及すれば記述量を増やすことができる。

> 書いている間にバッチ処理のスケジュールを思いついたので付け加えてみた。後から考えると，唐突でよくなかったかもしれない。
> でも，気にしない！

> 成功したことを述べるようにしよう。失敗を述べると後が面倒。

1	2	3	4	5	6	7	8	9	10	11	12	13	14	15	16	17	18	19	20	21	22	23	24	25	
ル	を	用	い	る	こ	と	で	，	業	務	ロ	ジ	ッ	ク	が	画	面	の	構	造	や	遷	移	か	600字
ら	分	離	さ	れ	，	変	化	に	強	い	構	造	に	な	っ	た	と	評	価	し	て	い	る	。	
ま	た	，	こ	れ	ら	が	明	確	に	分	離	さ	れ	た	こ	と	で	，	プ	ロ	グ	ラ	ム	の	
見	通	し	も	高	ま	り	，	保	守	コ	ス	ト	の	低	減	に	つ	な	が	っ	た	と	評	価	
し	て	い	る	。																					700字

ここまでで700字。一応字数はクリアしているが，もう少し書いたほうがよい。

作成例3 要求を実現する上での問題を解消するための業務部門への提案（H25問1）

問1 要求を実現する上での問題を解消するための業務部門への提案について

情報システムの開発における要件定義では，業務を担当する部門（以下，業務部門という）からの要求を，どのように情報システムを活用して実現するかを検討する。しかしその過程で，次のような，要求を実現する上での問題が発生する場合がある。

・処理時間が長くなり，求められる時間内に終了しないことが明白である。
・データを必要なタイミングで取得できない。
・コストに見合った効果が得られない。

システムアーキテクトは，このような問題を解消又は軽減するために，コストや納期と，業務上の効果とを総合的に検討した上で，業務部門に，例えば次のような提案をする。

・処理時間が長くなる場合，業務に影響の少ない範囲で月次処理の一部を事前に行うなど，業務処理の単位を見直して，情報システムで対応する。
・経費関連の数値が月次でしか取得できない場合，日次決算では実績から算出したみなしの数値を利用するという業務ルールを提示し，情報システムもこれに対応する。
・コストに見合った効果が得られない場合，一部の業務機能をシステム化の対象から除外し，情報システムによらない対応策を提示する。

また，提案の際，業務部門が提案の採否を判断しやすいように，コストや納期に加えて，業務の特性及びシステム化の目的を踏まえた評価項目などを提示し，業務上の効果について，提案を採用する場合としない場合とを対比することも重要である。

あなたの経験と考えに基づいて，設問ア～ウに従って論述せよ。

設問ア あなたが携わった情報システムの要件定義について，その概要を，開発の背景，対象の業務，業務部門からの要求を含めて，800字以内で述べよ。

設問イ 設問アで述べた要件定義で，要求を実現する上でどのような問題が発生したか。また，その問題を解消又は軽減するために，業務部門にどのような提案をしたか。業務や情報システムでの対応を中心に，800字以上1,600字以内で具体的に述べよ。

設問ウ 設問イで述べた提案の中で，業務部門が提案の採否を判断しやすいように提示した評価項目などと，提案を採用する場合としない場合とを対比して評価した業務上の効果，及びその評価結果について，600字以上1,200字以内で具体的に述べよ。

Step❶ 章立てを作る

設問文から章タイトル（上記　　　部分）を作り，問題文から該当するヒントを抜き出す（上記　　　部分）。章タイトルは，設問の要求事項に忠実に作成する（次頁）。そうすることで，要求事項が抜けることによる不合格を防ぐことができる。

Step2 論述ネタを考える

バッチ処理の突き抜け，業務開始に間に合わない

オンライン処理の応答時間が制限を超える

日次決算の導入，人件費が日次で取得できない

非定型業務がシステム化にそぐわない

第2章　要求実現上の問題と解消策の提案内容について

2.1　要件定義において発生した要求実現上の問題

- 処理時間が長くなり，求められる時間内に終了しない
- データを必要なタイミングで取得できない
- コストに見合った効果が得られない

バッチスケジュールの変更

分析処理の前倒し

2.2　業務部門に提案した問題解消策の提案内容

- 業務に影響の少ない範囲で月次処理の一部を事前に行う
- 経費関連の数値が月次でしか取得できない場合，日次決算では実績から算出したみなしの値を用いる　人件費の平均値を用いる
- コストに見合った効果が得られない場合，一部の業務機能をシステム化の対象から外す　非定型業務の手動化

第3章　提示した評価項目と業務上の効果，評価結果について

- コストや納期に加えて，業務の特性及びシステム化の目的を踏まえた評価項目
- 業務上の効果について提案を採用する場合としない場合とを対比

バッチ処理の時間，突き抜けの頻度，手動化の結果の妥当性など

タイトルや書くべき内容のヒントをもとに，第2章（設問イ），3章（設問ウ）の論述ネタを考える。

2.1節では，要求を実現する上での問題を論述する。最初のヒントである「処理時間が長くなり，求められる時間内に終了しない」からは，**バッチ処理の突き抜け**や**オンライン処理時間が制限を超える**ことが導かれる。バッチ処理の突き抜けとは，バッチ処理が予定の時間内に終了せず翌日の業務開始に影響を与えることである。日次バッチだけであれば問題はないだろうが，これに月次が重なればどうだろうか。バッチ処理と同様に，オンライン処理が合意した制限時間内に終了しないこともある。例えば，想定を超える数のアクセスが発生した場合や，ネットワークに問題が生じた場合など，制限時間を守ることが困難になる。

二番目の「データを必要なタイミングで取得できない」ことは，ヒントとしてやや

抽象的だが，問題文の「経費関連の数値が月次でしか取得できない場合，日次決算では実績から算出したみなしの数値を利用する」と対応させれば明らかになる。日次決算とは，企業の会計決算を1日単位で行うことである。日次決算を行うことで，売上や利益の変化をいち早く察知して迅速に対応することができる。日次決算を行うためには，売上や費用を日々集計しなければならない。ところが，人件費など月次でしか集計できないものもある。つまり「データを必要なタイミングで取得できない」のである。

三番目のヒントである「コストに見合った効果が得られない」とは，システム化することは割が合わないことを意味している。例えば，**調達量がきわめて少ない製品を店舗の要求を踏まえて配分する**ような場合，店舗の要求をシステム的に処理するよりも，店舗間で話し合ってもらったほうがよほど早い。電話対応をシステム化することは一般に業務を効率化するが，電話が日々数件しかないのであればシステム化したほうが高くつく。このように，システム化が適さない例を考えてみればよい。

2.2節では，2.1節で挙げた問題を解決するための提案を論述する。バッチ処理の突き抜けに対しては「バッチスケジュールの変更」や，ヒントにあるとおり「月次バッチの一部を前倒し」することが有効である。例えば，販売分析レポートを月次に作成するような場合，1日程度のずれはレポート内容にそれほど大きな影響は与えない。具体的には，8月1日～8月31日のデータをもとにしたレポートと，7月31日～8月30日のデータをもとにしたものとでは，分析内容には大きな差は生じないと考えられる。そこで，販売分析レポートの作成を月末から1日前倒しすることで，月末に集中するバッチ処理を分散できる。これ以外にも**バッチ処理の一部を業務時間内で実行する**ことや**バックアップ方式をフルバックアップから差分バックアップに変更する**などの対策も考えられる。

日次決算において人件費を月次でしか取得できないという問題に対しては**人件費の見なしの値を用いる**ことで対応できる。具体的には，過去の実績をもとに人件費の1日あたりの平均値を計算し，これを日次決算に用いればよい。

システム化が適さない要求については，これまでどおり**手動で行う**，手動で行うための**ツールを作成して提供する**などで解決できる。

第3章で述べる評価項目と業務上の効果，評価結果については，採用した論述ネタに沿うような項目や効果を考えればよい。例えば，バッチ処理の突き抜け問題については，提案を実施した場合とそうではない場合について，**バッチ処理の時間や突き抜けの頻度**などを比較すればよい。コストが見合わない機能を手動で行うような提案については，**手動での実行結果の妥当性や，要求の満足度**を比較する。

Step3 事例を選ぶ

2.1節で「バッチ処理の突き抜けによる翌日業務の遅延」を論述するなら，事例としては，バッチ処理が主役となる販売管理や製造管理システムが論述しやすい。「オンライン処理が合意した制限時間内に終了しない」を選んだ場合は，受発注システムや予約，検索機能を持つシステムなどがふさわしい。それらを合わせた統合的な業務システムの事例を用意し，論述ネタに応じた機能をとり上げるようにしてもよい。

さて，次のような事例はどうだろうか。

事例案

私が携わった情報システムは，S社の統合販売管理システムである。これは，これまで個々のシステムで行われてきた受発注や店舗管理，販売分析などを共通のデータ項目と業務プロセスを用いて統合するものである。

S社はいくつかの販売会社が統合して生まれた会社である。統合の際に政治的な理由から，受発注業務は旧A社，店舗管理業務は旧B社という具合に，業務機能ごとに旧会社の業務プロセスを引き継ぎ，データの統合も完全には行われていなかった。このような状況を抜本的に改善するため，統合販売管理システムの開発が決定した。私は，S社から受注した同システムの要件定義にシステムアーキテクトとして参加した。

試験に備え，自分の経験を踏まえた事例を3～5個は用意しておきたい。

Step4 論述ネタをチェックする

事例が定まったら，

- 設問の全ての要求事項に答えているか？
- 章立ての中で，論述ネタは必要十分か？
- 事例と矛盾していないか？

という観点から，論述ネタを今一度チェックしよう。

Step⑤ 論述ネタを展開し論述する

Step④でチェックした論述ネタをいくつか選び，展開する。ここでとり上げなかったネタについては，各自で展開・論述にチャレンジしてほしい。

■ バッチ処理の突き抜け（2.1節の展開例―その❶）

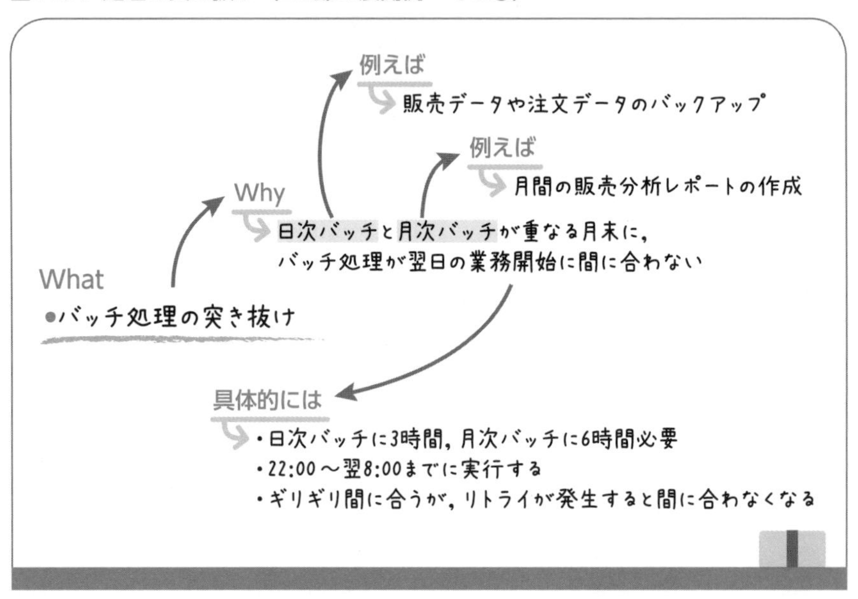

まず，バッチ処理の突き抜けが生じる背景を述べ，これに「例えば」「具体的には」という切り口で具体性を付け加えた。バッチ処理の時間は，非現実な値でなければ多少大げさでもかまわない。突き抜けが発生するような時間を設定しよう。

なお，解決策は2.2節で述べるためここでは展開に加えない。

■ レア製品の配分ロジックの複雑化（2.1節の展開例—その❷）

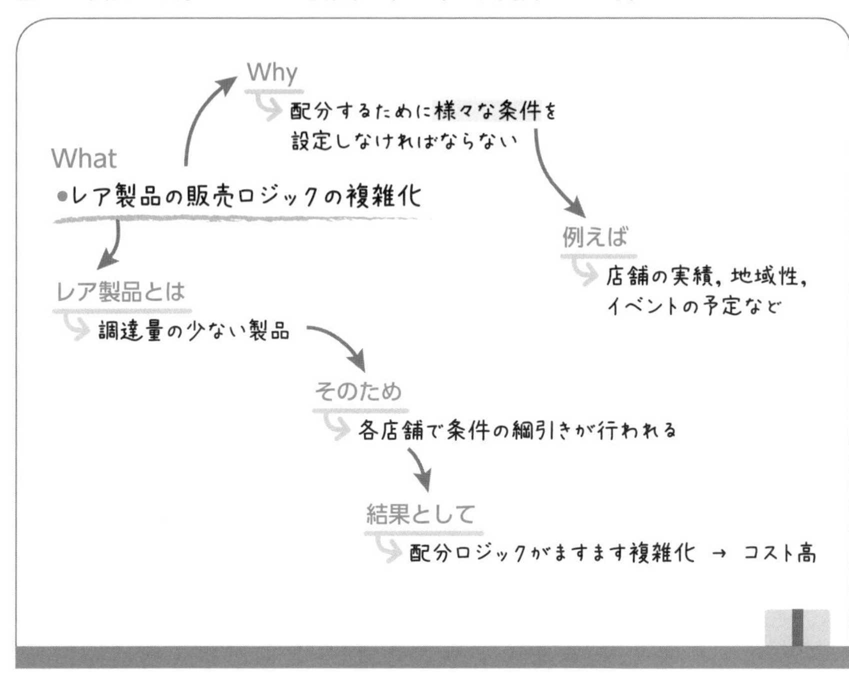

「調達量がきわめて少ない製品（レア製品）を販売店に振り分けるという要求」をとり上げた。「レア製品」という一般的ではない用語を用いる場合は，それを説明する文を展開に加えよう。

展開の方向としては，

・レア製品の配分には様々な条件が必要であり複雑である（コスト高）
・各店舗は自分に有利な条件を設定しようとして，要求は複雑化する一方（ますますコスト高）
・どうにか実装したところで，各店舗が満足するとは限らない

というものを考えた。

■ バッチ処理の圧縮（2.2節の展開例―その❶）

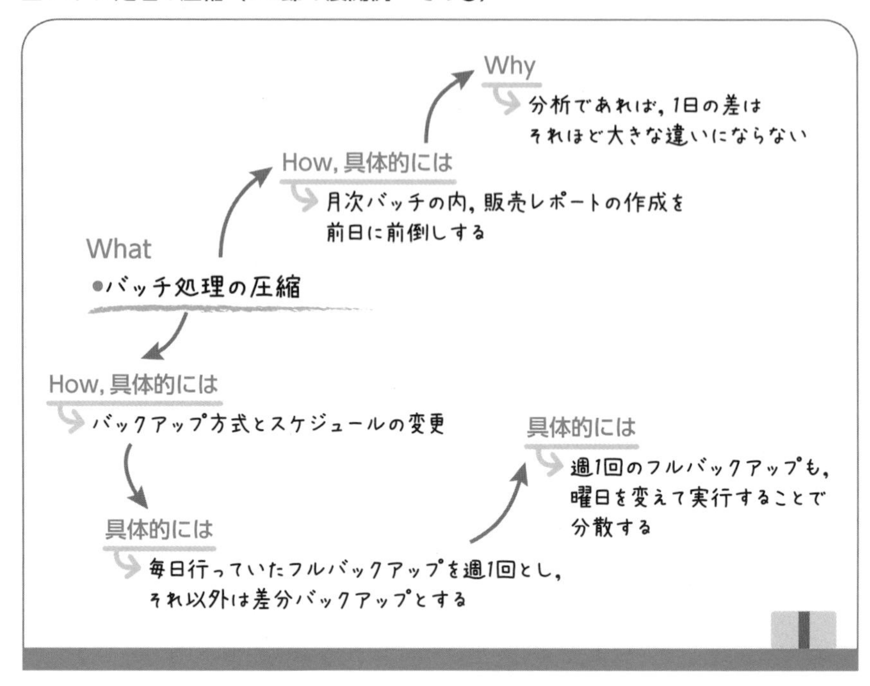

2.2節では，2.1節でとり上げた「バッチ処理の突き抜け」という問題を解決するための提案について述べるため，問題の背景については展開しない。それらは，2.1節で論述済みだからである。問題に対して「どのように対処を行うか（How）」を中心に展開し，適宜「例えば」や「具体的には」という切り口で具体性を付け加えればよい。

バッチ処理を圧縮する提案として，月次バッチの一部を前日に前倒しするほか，バックアップ方式やバックアップスケジュールを変更して，バックアップ処理そのものを圧縮したり，時間の長い処理を分散することも付け加えた。複数ファイルのフルバックアップを同じ曜日に実施するのではなく，月～金に分けて実施することで処理を分散するという提案である。

■ バッチ処理圧縮の評価項目と業務上の効果，評価結果（2.2節の展開例—その❷）

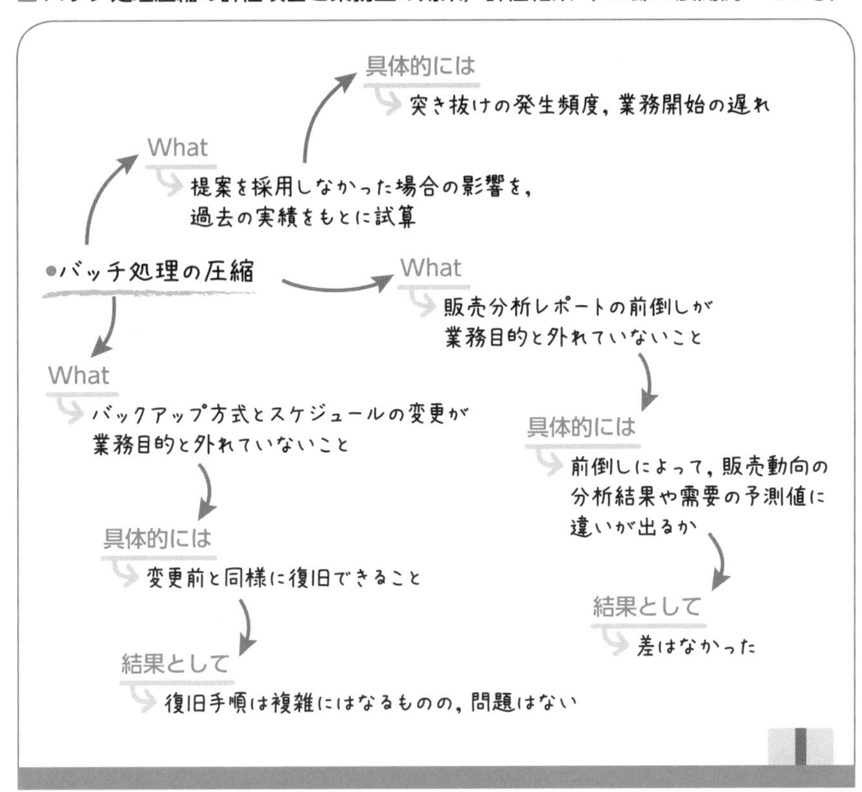

第3章の展開例も見ておこう。ここでは，
（販売分析レポートの前倒し）
　　評価項目：前倒ししない場合と同等の分析結果が得られるか
　　評価結果：同等の分析結果が得られた
（バックアップ方式とスケジュールの変更）
　　評価項目：変更前と同じレベルで復旧できるか
　　評価結果：手順は変わるが問題なく復旧できる
という流れである。これに，バッチ処理を圧縮しない場合の影響を述べ，提案は二つとも了承されたと結べばよい。

論述例

第１章　私が携わった情報システムの要件定義について

１．１　情報システムの開発の背景

　私が携わった情報システムは，Ｓ社の統合販売管理システムである。これは，これまで個々のシステムで行われてきた受発注や店舗管理，販売分析などを共通のデータ項目と業務プロセスを用いて統合するものである。

　Ｓ社はいくつかの販売会社が統合して生まれた会社である。統合の際に政治的な理由から，受発注業務は旧Ａ社，店舗管理業務は旧Ｂ社という具合に，業務機能ごとに旧会社の業務プロセスを引き継ぎ，データの統合も完全には行われていなかった。このような状況を抜本的に改善するため，統合販売管理システムの開発が決定した。私は，Ｓ社から受注した同システムの要件定義にシステムアーキテクトとして参加した。

１．２　対象の業務と業務部門からの要求

　新システムは，受発注管理から店舗管理，各種分析処理など幅広い業務を対象としている。業務部門からは，

・店舗から正確な販売データを収集することで，正確な販売分析や需要予測を行ってほしい

・オンライン処理時間を８：００～２２：００に延長するので，これに問題なく対応してほしい

・障害時には簡単な手順でシステムを復旧できるようにしてほしい

などの要望が挙がっていた。私はそれらの要求を業務部門から聞き取り，モデル化することで要件定義を進めた。

設問の要求事項である背景，対象業務，業務部門からの要求を全て論述しなくてはならない。

私の立場を一言述べると，システムとの関わり合いが明確になるし，字数も稼げる。

行数文字数では625字だが，これくらいの改行が入ると，実質文字数は8割強程度まで減少するので注意する。

第２章　要求実現上の問題と解消策の提案内容について

２．１　要件定義において発生した要求実現上の問題

　（１）バッチ処理の突き抜け

　新システムでは，日々発生する販売データや注文データなどを日次バッチ処理でフルバックアップする。また，生産計画や経営判断に用いるための販売分析リポートなどを，月次バッチ処理で作成する。これらのバッチ処理に要する時間を見積もったところ，日次バッチ処理が３時間，月次バッチ処理が６時間となった。

　バッチ処理は２２：００～翌８：００の間に実施しなければならなかった。ところが，日次バッチと月次バッチが重なる月末は，バッチ処理の時間に余裕がなく，エラーによるリトライが発生すると，バッチ処理が翌日のオンライン開始時刻までに終了しない，いわゆる「バッチ処理の突き抜け」が生じるおそれがあった。

　（２）レア製品の配分ロジックの複雑化

　Ｓ社は通常の商品群のほかにも，調達量の少ない「レア製品」を取り扱っている。これらのレア製品を店舗に配分するロジックは，Ｓ社がとりまとめて要求化することになっていた。ところが，Ｓ社が要求した方法は，店舗の実績や地域性，セールの予定など，詳細なパラメタ

単に「日次バッチが3時間，月次バッチが6時間」と述べるのではなく，業務について言及することで具体的な業務経験を強調できる。

非定型的な業務ロジックは，無理にシステム化しても効果が低いことがある。身近な業務から，そのような例を探してみよう。

設定を行う非常に複雑なものであった。さらに，要件定義中も各店舗による綱引きがおさまらず，要求の複雑さは増大する一方であった。

600字

2．2　業務部門に提案した問題解消策の提案内容

（1）バッチ処理の圧縮

バッチ処理の突き抜けを防ぐため，私はバッチ処理の圧縮を提案した。具体的には，月次バッチで行う販売分析リポートの出力を，月次バッチの前日に実施することにした。これにより，販売分析リポートは月末日を除いた販売データから作成されることになるが，リポートの内容には大きな違いはないと考えた。

700字　800字

日次バッチ処理についても圧縮を試みた。具体的には日次バッチでのバックアップ処理を，フルバックアップ方式から1週間をサイクルとする差分バックアップ方式に変更した。さらに，フルバックアップについても，対象ファイルを分割し，曜日を変えて実施することにした。

900字

（2）配分の手動化

レア製品の配分については，細かなパラメタ設定や配分後の再調整の手間を考えると，自動化の意味がほとんどないことが判明した。そこで，配分をシステムで行うのではなく，担当者が手動で行うことを提案した。手作業に用いるいくつかのツールを，表計算のマクロを用いて提供することにした。

1,000字　1,100字

バッチ処理を圧縮するための一般的な方法
- 月次バッチの一部を事前に行う
- 日次バッチの一部をオンライン時間帯に行う
- バックアップ方式を見直して取得時間を短縮する

800字以上書くことを求められているので，1,000文字は超えておきたい。行数文字数で1125文字なので，ちょうどよい。

第3章　提示した評価項目と業務上の効果，評価結果について

（1）バッチ処理の圧縮

バッチ処理の圧縮を提案するにあたり，バッチ処理が突き抜けてしまう頻度とこれによる業務開始の遅延時間を，過去の実績をもとに試算して提示した。その上で，販売分析リポート出力の前倒しや，バックアップ方式の変更が，業務目的と外れていないかを評価した。具体的には，販売分析レポートの内容について，要求どおりの方法で出力したものと，前倒しで出力したものを比較し，販売動向の分析や需要予測に違いが生じるかどうかS社に検討してもらった。結果として，両者には大きな違いはなく，月末日を除いた販売分析レポートであっても十分目的を達成できることが判明した。

100字　200字　300字

バックアップ方式の変更については，変更後の手順であっても問題なく回復を行えることを説明した上で，バックアップの管理方法と回復手順について，バックアップ方式の変更前と変更後の違いを明らかにした。また，これらの違いが文書類だけではなく教育訓練にも影響を与えることを説明した。

400字　500字

これらの変更による影響は，バッチ処理の突き抜けによる翌日業務の遅延に比べると，比較にならないくらい小さいと評価され，2案とも採用された。

（2）配分の手動化

レア製品の配分については，配分に要する作業量を「

600字

本当は，バッチの突抜け頻度と業務開始時刻の遅れを，
- バッチ圧縮を行わない場合
- 月次バッチのみを圧縮した場合
- 月次，日次を共に圧縮した場合に分けて試算した…と書きたかった。

設問の要求事項である評価項目，提案を採用する場合としない場合の比較，評価結果について「もれなく述べること」を意識する。

配分を自動化した場合」と「手動で行った場合」についてそれぞれ試算して提示した。また，配分結果にどれだけ差が生じるかについても，過去の実績をもとにシミュレーションを行い，その結果をS社に提示した。S社で検討したところ，両者について作業量はほとんど変わらず，配分結果に至っては，販売店の意向をベースにして手動で配分するほうが，販売店の不満を抑えることができることが判明した。結果として，配分の自動化は「コストに合わない機能」と評価され，手動で行う提案は採用された。

700字

800字

評価では「提案は採用された」「方策は成功した」など，肯定的な評価で収めたい。

論述式問題の演習

最近の論述式問題は，要件定義からシステム設計までの広範囲を対象にした問題，機能要件と非機能要件の両方の要件定義を対象にした問題などがあり，システム開発の特定の作業にスポットを当てて論述させるのではなく，広い範囲を対象にして論述させる傾向がある。

問題は，論述内容を限定する問題文と解答を要求する設問から構成される。論文は，問題文で限定された論述内容と異なる体験談であってはならず，限定された論述内容にできる限り沿った論文でなければならない。問題文をしっかりと読み，その内容をもとに設問の要求に合った論文を作成することを忘れてはいけない。

論述に慣れるために，次の手順で論述式問題の演習を行ってみよう。

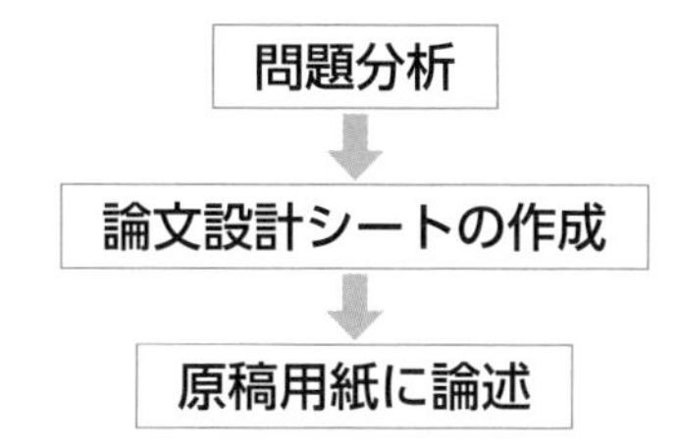

■ 問題分析

問題分析は，午後Ⅱ試験の解き方で説明した Step❶ の作業にあたる。結果は問題文に直接書き込み，章立て，論述する観点や方向を明らかにする。

■ 論文設計シートの作成

論文設計シートは，午後Ⅱ試験の解き方で説明した Step❷ と Step❸ の作業を行い，事例や論述ネタを章節ごとにまとめたものである。できあがった論述設計シートをもとに Step❹ の作業を行う。具体的には，設問アから設問ウまでの論述に破綻がないか，一貫性があるか，設問ウが設問イの内容を考慮した内容になっているか，設問で求められている論点に対して過不足はないかなど，論文全体を見通してあらすじの修正を行う。

演習問題は，設計作業のアプローチの違いによって，「新規システムの構築」と「既存システムの改善」の二つに分類している。問２から問６が「新規システムの構築」で，問７から問10が「既存システムの改善」である。問１は「既存システムの改善」で，最新の令和６年度本試験午後Ⅱ問題である。各演習問題には，解答例として掲載している論文を作成する際に作成した問題分析メモと論文設計シートを掲載している。「問題分析」や「論文設計シートの作成」の参考にしてほしい。演習問題を重ねていくうちに，掲載しているような丁寧な論文設計シートは不要になり，問題分析メモ，つまり問題用紙の空きスペースにメモをする程度ですむようになってくるはずである。

試験会場では，１問を120分で解くことになるが，実力養成のため，演習では１問に３時間位費やしてじっくりと解いてほしい。

最新問題

問1 バッチ処理の設計

（出題年度：R6問2）

業務処理において，一定のリソースの下で大量データを効率的に処理するためにバッチ処理を選択することがある。バッチ処理では，大量データを処理すると処理時間が長い，オンライン処理との並行実施が必要，など様々な課題が生じる。システムアーキテクトには，業務上の特性や制約に基づいて課題を解決することが求められる。

課題を解決するために，例えば次のように，バッチ処理の設計を工夫する。

・売上データの取込件数が多いので後続の締め処理に間に合わなくなる，という課題に対して，インメモリデータ処理やオフラインバッチ処理などの処理方式を選択してスループットを上げる。

・現在のリソースではピークの日に全ての取引を処理しきれない可能性がある，という課題に対して，1日の処理件数の上限を設け，業務上優先度が高い取引から処理し，上限を超過した取引を翌日の処理に持ち越すようにする。

・画面で入力しているデータをバッチ処理が同時に更新しようとするとデータの競合が生じる可能性がある，という課題に対して，画面で入力したデータを一時保存し，バッチ処理終了後に非同期でデータベースに反映する。

また，エラーが発生しても処理を継続させる仕組みを組み込んでおくことも重要である。例えば，給与振込データ作成時に後続処理に影響を与えないために，エラーデータを読み飛ばして後で再処理できるようにする。再処理時には，二重更新させないために，処理済データを読み飛ばして未処理データだけ処理するようにする。

あなたの経験と考えに基づいて，設問ア～ウに従って論述せよ。

設問ア　あなたが携わったバッチ処理の設計について，対象とする業務と情報システムの概要，及び業務上の特性や制約について，800字以内で述べよ。

設問イ　設問アで述べたバッチ処理について，どのような課題があったか。その課題を解決するために，どのような設計にしたか。工夫した点を中心に，800字以上1,600字以内で具体的に述べよ。

設問ウ　設問アで述べたバッチ処理で，エラーが発生しても処理を継続させるようにするために，どのような仕組みを組み込んだか。そのように設計した理由とともに，600字以上1,200字以内で具体的に述べよ。

●問題分析メモ

設問イのヒント

業務処理において，一定のリソースの下で大量データを効率的に処理するためにバッチ処理を選択することがある。バッチ処理では，大量データを処理すると処理時間が長い，オンライン処理との並行実施が必要，など様々な課題が生じる。システムアーキテクトには，業務上の特性や制約に基づいて課題を解決することが求められる。

バッチ処理での主な課題

課題を解決するために，例えば次のように，バッチ処理の設計を工夫する。

・売上データの取込件数が多いので後続の締め処理に間に合わなくなる，という課題に対して，インメモリデータ処理やオフラインバッチ処理などの処理方式を選択してスループットを上げる。（課題と設計上の工夫の例①）

・現在のリソースではピークの日に全ての取引を処理しきれない可能性がある，という課題に対して，１日の処理件数の上限を設け，業務上優先度が高い取引から処理し，上限を超過した取引を翌日の処理に持ち越すようにする。（課題と設計上の工夫の例②）

・画面で入力しているデータをバッチ処理が同時に更新しようとするとデータの競合が生じる可能性がある，という課題に対して，画面で入力したデータを一時保存し，バッチ処理終了後に非同期でデータベースに反映する。（課題と設計上の工夫の例③）

設問ウのヒント

また，エラーが発生しても処理を継続させる仕組みを組み込んでおくことも重要である。例えば，給与振込データ作成時に後続処理に影響を与えないために，エラーデータを読み飛ばして後で再処理できるようにする。再処理時には，二重更新させないために，処理済データを読み飛ばして未処理データだけ処理するようにする。（エラー発生時に処理を継続させるための仕組みの例）

あなたの経験と考えに基づいて，設問ア～ウに従って論述せよ。

設問ア　あなたが携わったバッチ処理の設計について，1.1 対象とする業務と情報システムの概要（2つに分けてもよい），及び 1.2 業務上の特性や制約について，800字以内で述べよ。

設問イ　設問アで述べたバッチ処理について，2.1 どのような課題があったか。その課題を解決するために，2.2 どのような設計にしたか。工夫した点を中心に，800字以上1,600字以内で具体的に述べよ。

設問ウ　設問アで述べたバッチ処理で，エラーが発生しても処理を継続させるようにするために，3.1 どのような仕組みを組み込んだか。そのように設計した理由とともに，600字以上1,200字以内で具体的に述べよ。

●論文設計シート

タイトルと論述ネタ	あらすじ
第1章　業務の概要と情報システムの概要，特性	
1.1　対象とする業務の概要	
工作機械の保守作業	グループ会社が製造し，販売した工作機械について，顧客と保守契約を結んで，定期保守・予防保守・インシデント対応などの保守業務を行う。
1.2　情報システムの概要	
保守管理システム	センターサーバと，各拠点に設置された拠点サーバを持つ。各拠点では，作業員が保守作業から帰社したのちに，拠点サーバに入力した保守作業実績から保守作業実績データを生成する。その後，センターサーバがバッチ処理で各拠点の保守作業実績データを取り込んで集計し，部品発注処理で使用する部品発注データと会計処理で使用する請求書データを生成する。二つのデータは，それぞれ，発注システムと会計システムに連携される。
1.3　業務上の特性や制約	
保守作業の特性	工作機械が稼働していない夜間時間帯や休日中に実施することが多いことから，保守作業の繁忙変動が大きい。
第2章　バッチ処理の課題とその解決	
2.1　バッチ処理の課題	
①1件当たりの保守作業実績データのデータ量の増大	工作機械の保守作業で収集した各種の数値データのほか，打鍵音声データや，画像データ，動画データといったマルチメディアデータがあり，データ量は増大する傾向にある。
②保守作業数の増大	保守作業数が最大となる繁忙期において，散発的に，センターサーバの全ての保守作業実績データの取込みが終了しない日が発生する可能性がある。
③作業実績データの入力とバッチ処理の並列化の必要性	保守作業が長引いた結果，拠点サーバへの保守作業実績の入力がバッチ処理時間帯にずれ込む場合がある。

2.2　業務のデジタル化の課題と対応策	
①クラウドサービスの利用	保守管理システムに入力する保守作業実績のうち，非構造データは現地で保守作業を行いながら，クラウドサーバにアップロードして前処理を行っておく。バッチ処理では数値データと前処理の完了した非構造化データを扱うため，スループットを向上させることができる。
②バッチ処理での１日の処理件数に上限を設定	バッチ処理件数が１日のバッチ処理件数の上限を超過することが見込まれる場合は，部品交換が発生した保守作業実績データから優先的にセンターサーバに取り込む。残りの保守作業実績データの取込みは翌日のバッチ処理に持ち越すようにした。
③保守作業実績データの生成先を必要に応じてバッファ領域に変更	拠点サーバにバッファ領域を作成し，バッチ処理時間帯には保守作業実績データの生成先をバッファ領域に変更する。バッチ処理終了後に，非同期でバッファ領域内の保守作業実績データをセンターサーバに取り込むことにした。

第３章　エラーが発生しても処理を継続させる仕組み	
3.1　仕組みを組み込んだ理由	
部品発注業務や会計処理への悪影響	バッチ処理でエラーが発生すると，後続の部品発注処理や会計処理が担保できなくなる。そのため，エラーが発生しても処理を継続させる仕組みが必要である。
3.2　組み込んだ仕組み	
状態フラグによる保守作業実績データの状態を管理する仕組み	バッチ処理には，(a) 拠点サーバからセンターサーバへの取込み，(b) 部品発注データの生成，(c) 請求書データの生成の三つの処理がある。保守作業実績データのフォーマットに，各処理の完了状況を「完了」「未了」の二つの値で管理できる三つのフラグを設定した。拠点サーバにのみ保守作業実績データが存在する段階ではフラグは三つとも「未了」であり，(a) (b) (c) 全ての処理が完了した状態で三つとも「完了」となる。バッチ処理で発生したエラーについては，対応する処理のフラグを「完了」に変更せずに読み飛ばすことで，処理を継続し，再処理する。

問1 解答例

第1章　業務の概要と情報システムの概要，特性

1.1　対象とする業務の概要

A社は，工作機械メーカーB社グループにおける，工作機械保守会社である。A社は，B社グループが製造し顧客に販売した工作機械の保守作業を行う。具体的には，顧客と締結した保守契約に従い，定期保守，予防保守，インシデント対応などを行う。保守作業の後に，A社内に構築した保守管理システムに保守作業実績を入力する。入力内容は，行った作業内容，交換が必要な部品の型番及び数量，契約形態によっては保守作業料などである。入力された保守作業実績は，保守作業の作業品質向上目的以外に，部品発注や請求書作成などに活用される。

1.2　情報システムの概要

保守管理システムは，A社のデータセンターに設置されたセンターサーバと，A社の各拠点に設置された拠点サーバを持つ。各拠点では，作業員が保守作業から帰社した際に，拠点サーバに保守作業実績を入力する。これにより，保守作業実績データが生成される。センターサーバではバッチ処理により各拠点の保守作業実績データを取り込んで集計し，部品発注データと請求書データを生成する。バッチ処理は日次起動で処理時間帯は午前4時から午前6時，バッチ処理の後続処理として，部品発注データによって部品発注処理を行う発注システム，請求書データによって会計処理を行う会計システムがある。

1.3　業務上の特性や制約

工作機械の保守は，工作機械が稼働していない夜間や休日中に実施することが多いことから，保守作業の繁忙変動が大きいという特性がある。また，B社グループの販路は拡大しており，今後保守管理システムの対象が拡大すると，深夜の保守作業後の保守作業実績入力とバッチ処理を並行して行う必要性が出てくる。

第2章　バッチ処理の課題とその解決

2.1　バッチ処理の課題

私は，1.2項に記載したバッチ処理の設計においては次の課題があると認識した。
①現在，保守管理システムに入力する保守作業実績データとしては，保守作業で収集した各種の数値データのほか，打鍵音声データや，画像データ，動画データといった

マルチメディアデータがあり，データ量は増大する傾向にある。これによって，保守作業実績データの取込みに時間を要するようになり，バッチ処理の完了が後続の部品発注処理や会計処理に間に合わなくなる可能性がある。
②年間で保守作業数が最大となる繁忙期において，散発的に，全ての保守作業実績データの取込みが完了しない日が発生する可能性がある。これは，過去の保守作業実績数と拠点サーバの増設計画から予想できる。
③バッチ処理時間帯である午前４時から午前６時に拠点サーバで保守作業実績が入力されると，入力タイミングとその拠点に対するバッチ処理のタイミングが重なると，入力した保守作業実績に関する保守作業実績データがセンターサーバに送信されたかが不明確になる。

2.2　バッチ処理の課題の解決

2.1項①については，打鍵音声データや，画像データ，動画データといったマルチメディアデータについては，保守作業を行っている現場から，リアルタイムにクラウドサーバにアップロードする方式を検討した。クラウドサーバに大量のデータをアップロードして，必要な前処理ができ，保守作業実績データとしていつでも呼び出すことが可能なクラウドサービスを採用した。バッチ処理では，数値データと前処理後のマルチメディアデータを扱うことで，バッチ処理のスループットを向上することができると考えたからである。

2.1項②については，過去の保守作業実績や部品発注実績を考慮し，バッチ処理における１日の処理件数の上限を設けた。部品発注処理が滞ると部品の交換作業に支障が出ることから，バッチ処理対象件数が１日の処理件数の上限を超過することが見込まれる場合は，部品交換が発生した保守作業実績データから優先的にセンターサーバに取り込み，１日の処理件数の上限を超過した保守作業実績データの取り込みは翌日のバッチ処理に持ち越すようにした。

2.1項③については，拠点サーバにバッファ領域を作成し，バッチ処理時間帯における保守作業実績データの生成先をバッファ領域に変更した。そして，バッチ処理の終了後に，非同期でバッファ領域内の保守作業実績データをセンターサーバに取り込むことにした。このとき，部品交換が発生した保守作業実績データから優先的に取込みを行う。

第３章　エラーが発生しても処理を継続させる仕組み

3.1　仕組みを組み込んだ理由

バッチ処理の際にエラーが発生した場合，その処理内容によって，全体が停止するのか，エラーが発生したデータの処理のみが停止するのかが不明確である。また，エラーの発生によって後続の部品発注処理が停止すると部品交換の早期対応ができなくなる可能性もある。そのため，正常なデータだけでもバッチ処理の結果を後続の発生システムや会計システムに保守作業実績データを渡す必要がある。このことから，エラーが発生してもバッチ処理を継続させる仕組みが必要であると考えた。

3.2　組み込んだ仕組み

1.2項に記載したバッチ処理には，

・拠点サーバからセンターサーバへの取込み
・部品発注データの生成
・請求書データの生成

の三つの処理がある。そのため，保守作業実績データのフォーマットに，各処理段階の完了状況を「完了」「未了」の二値で管理できる三つのフラグを設計した。拠点サーバにのみ保守作業実績データが存在する段階では三つのフラグ全てが「未了」であり，三つの処理全てが完了した状態では三つのフラグ全てが「完了」となる。また，バッチ処理において発生したエラーについては，対応する処理のフラグを「完了」に変更せずに読み飛ばすようにする。これにより，エラーが発生した際に，処理を継続し，各保守作業実績データの処理状況が把握することを可能とした。

作業段階が「未了」の状態である保守作業実績データについては，バッチ処理で再処理できるようにする。このとき，再処理の対象は処理ごとに「未了」となっている保守作業実績データのみとする。この再処理は一定回数だけ実行できるようにする。一定回数の再処理の時点でエラーが発生する場合は，その保守作業実績を入力した作業員に通知し，保守作業実績の再入力を要求するよう設計した。

新規システムの構築

問2 アジャイル開発における要件定義の進め方

(出題年度：R3問１)

情報システムの開発をアジャイル開発で進めることが増えてきている。代表的な手法のスクラムでは，スクラムマスタがアジャイル開発を主導する。システムアーキテクトはスクラムマスタの役割を担うことが多い。

スクラムでは，要件の“誰が・何のために・何をするか”をユーザストーリ（以下，USという）として定め，必要に応じてスプリントごとに見直す。例えば，スマートフォンアプリケーションによるポイントカードシステムでは，主なUSとして，“利用者が，商品を得るために，ためたポイントを商品と交換する”，“利用者が，ポイントの失効を防ぐために，ポイントの有効期限を確認する”などがある。

スクラムマスタはプロダクトオーナとともに，まずUSをスプリントの期間内で完了できる規模や難易度に調整する必要がある。そのためにはUSを人・場所・時間・操作頻度などで分類して，規模や難易度を明らかにする。USに抜け漏れが判明した場合は不足のUSを追加する。USの規模が大き過ぎる場合や難易度が高過ぎる場合は，操作の切れ目，操作結果などで分割する。USの規模が小さ過ぎる場合は統合することもある。

次に，USに優先順位を付け，プロダクトオーナと合意の上でプロダクトバックログにし，今回のスプリント内で実現すべきUSを決定する。スクラムでは，USに表現される“誰が”にとって価値の高いUSを優先することが一般的である。例えば先の例で，利用者のメリットの度合いに着目して優先順位を付ける場合，“利用者が，商品を得るために，ためたポイントを商品と交換する”のUSを優先する。

あなたの経験と考えに基づいて，設問ア～ウに従って論述せよ。

設問ア あなたが携わったアジャイル開発について，対象の業務と情報システムの概要，アジャイル開発を選択した理由を，800字以内で述べよ。

設問イ 設問アで述べた開発において，あなたは，どのようなUSをどのように分類し，規模や難易度をどのように調整したか。分類方法を選択した理由を含めて，800字以上1,600字以内で具体的に述べよ。

設問ウ 設問イで述べたUSに関して，あなたは，どのような価値に着目して，USの優先順位を付けたか。具体的なUSの例を交えて，600字以上1,200字以内で述べよ。

●問題分析メモ

設問アのヒント

情報システムの開発をアジャイル開発で進めることが増えてきている。代表的な手法のスクラムでは，スクラムマスタがアジャイル開発を主導する。システムアーキテクトはスクラムマスタの役割を担うことが多い。

設問イのヒント

スクラムでは，要件の“誰が・何のために・何をするか”をユーザストーリ（以下，USという）として定め，必要に応じてスプリントごとに見直す。例えば，スマートフォンアプリケーションによるポイントカードシステムでは，主なUSとして，“利用者が，商品を得るために，ためたポイントを商品と交換する”，“利用者が，ポイントの失効を防ぐために，ポイントの有効期限を確認する”などがある。

スクラム手法とユーザストーリ（US）の例

スクラムマスタはプロダクトオーナとともに，まずUSをスプリントの期間内で完了できる規模や難易度に調整する必要がある。そのためにはUSを人・場所・時間・操作頻度などで分類して，規模や難易度を明らかにする。①USに抜け漏れが判明した場合は不足のUSを追加する。②USの規模が大き過ぎる場合や難易度が高過ぎる場合は，操作の切れ目，操作結果などで分割する。③USの規模が小さ過ぎる場合は統合することもある。④

USの分類方法，規模や難易度の調整方法

設問ウのヒント

次に，USに優先順位を付け，プロダクトオーナと合意の上でプロダクトバックログにし，今回のスプリント内で実現すべきUSを決定する。スクラムでは，USに表現される“誰が”にとって価値の高いUSを優先することが一般的である。例えば先の例で，利用者のメリットの度合いに着目して優先順位を付ける場合，“利用者が，商品を得るために，ためたポイントを商品と交換する”のUSを優先する。

USの優先順位の付け方の例

あなたの経験と考えに基づいて，設問ア～ウに従って論述せよ。

設問ア　あなたが携わったアジャイル開発について，[1.1]対象の業務と情報システムの概要，[1.2]アジャイル開発を選択した理由を，800字以内で述べよ。

設問イ　設問アで述べた開発において，あなたは，[2.1]どのようなUSをどのように分類し[2.2]規模や難易度をどのように調整したか。分類方法を選択した理由を含めて，800字以上1,600字以内で具体的に述べよ。

設問ウ　設問イで述べたUSに関して，あなたは，[3.1]どのような価値に着目して[3.2]USの優先順位を付けたか。具体的なUSの例を交えて，600字以上1,200字以内で述べよ。

まとめて論述してもよい

●論文設計シート

タイトルと論述ネタ	あらすじ
第1章　アジャイル開発の対象と概要	
1.1　対象業務と情報システムの概要	
B社系列スーパーの集客アップを目的とする会員スマホアプリ	顧客離れを食い止め，新たな顧客も開拓するため，電子チラシ，割引クーポン，買い物金額に応じたポイント付与など，利用者にとって魅力的なサービスを提供する会員スマホアプリを開発することが決まった。
1.2　アジャイル開発を選択した理由	
システム開発の迅速性	スクラムならば，開発期間全体をいくつかの短い期間で区切って，各々の期間で小さな機能を確実に開発することで，迅速に開発できる。
要件が明確に定義しにくい	スマホアプリのユーザーインタフェースは実際に動作させないとその良し悪しを確認することが難しく，要件を明確に定義することができない。動作させて検証と改良を繰り返す手法が適している。
第2章　USの分類と規模・難易度の調整	
2.1　選択した分類方法と理由	
利用場所，利用頻度で分類	次の8項目のUSをリストアップした。 US1：B社が会員に電子チラシを配付する。 US2：会員が電子チラシを閲覧する。 US3：B社が特定商品の割引クーポンを配付する。 US4：会員がレジ会計時に，特定商品の割引クーポンを使用する。 US5：会員がレジ会計時に，会員証を提示する。 US6：B社のレジが，会員証を提示して買い物をした会員に，買い物金額の0.5パーセントのポイントをポイント残高に加算する。 US7：会員がレジ会計時に，100ポイント単位で1ポイント1円として，ポイントを買い物金額に充当する。 US8：B社のレジが，会員が提示したポイント額を支払い金額から差し引く。 8項目のUSを，利用場所，利用頻度で分類した。 利用場所，利用頻度で分類した理由は，利用目的の類似性を明らかにするためである。

2.2　USの規模・難易度の調整	
	利用場所が同じで機能が同じUS1とUS3を統合し，利用頻度が同じで利用者が裏返しのUS7とUS8を統合し，６項目とした。
第３章　USの優先順位付け	
3.1　優先順位付けの際に着目した価値	
利用者にとっての「有用性」の度合い	「有用性」に直結するUSの優先順位を，そうでないUSよりも高くする。「有用性」に直結するUSが複数ある場合には，「即納性（開発の容易性）」が高いUSの優先順位を高くする。さらに，US間に依存関係がある場合には，それも考慮して優先順位を決めることにした。
3.2　具体的な優先順位付け	
６項目のUSを，有用性で順位付け	６項目のUSを，有用性で順位付けした結果は，次のようになった。 ①US1（US3）：電子チラシと割引クーポンの配付 ②US4：割引クーポンの使用 ③US2：電子チラシの閲覧 ④US5：会員証の提示 ⑤US6：ポイントの付与 ⑥US7（US8）：ポイントの充当とポイント残高の更新 今回のスプリント内で実現すべきUSは①US1（US3）に決定した。

問2　解答例

第１章　アジャイル開発の対象と概要

1.1　対象業務と情報システムの概要

市内に系列スーパーを展開するＢ社の各店舗では，大手スーパーの大型店舗やコンビニの進出によって，近年顧客が徐々に離れつつあった。そこで，Ｂ社は経営戦略会議において，顧客離れを食い止め，新たな顧客も開拓するために，会員専用のスマートフォンアプリ（以下，会員スマホアプリという）の導入を決定した。会員スマホアプリでは，電子チラシ，割引クーポン，買い物金額に応じたポイント付与など，利用者にとって魅力的なサービスを提供する。

私が勤務するＩＴベンダーのＣ社は，Ｂ社から会員スマホアプリの開発を受注し，私はシステムアーキテクトとして，会員スマホアプリの開発に携わった。

1.2　アジャイル開発を選択した理由

会員スマホアプリの開発は，アジャイル開発の代表的な手法であるスクラムで行うことになった。Ｂ社の要求は，会員スマホアプリを早急にリリースすることであったため，開発には迅速性が求められた。開発期間全体をいくつかの短い期間で区切って，各々の期間で小さな機能を確実に開発することで，生産性を上げることが期待できるスクラムが最も適していると考えたからである。また，スマホアプリのユーザーインタフェースは実際に動作させないとその良し悪しを確認することが難しいことから，要件を明確に定義することができない。そのため動作させて検証と改良を繰り返すことが重要であったこともスクラムを選択する理由となった。

Ｂ社の責任者であるＣ課長がプロダクトオーナ（以下ＰＯという）となった。私は，スクラムマスタとして，ＰＯとも相談し，スプリント期間を２週間とし，５回のスプリントを設けることにした。そして，ＰＯとともにユーザーストーリ（以下，ＵＳという）の管理を行った。

第２章　ＵＳの分類と規模・難易度の調整

会員スマホアプリの要件であるＵＳは，スプリント期間内に開発ができるように，調整する必要があった。そこで私は，ＵＳの分類方法と規模の調整方法を検討した。

2.1　選択した分類方法と理由

私がリストアップしたＵＳは，次のとおりであった。ＵＳにおける会員とは，会員規約を承諾してＢ社の会員スマホアプリをダウンロードしたＢ社の顧客である。

ＵＳ１：Ｂ社が会員に電子チラシを配付する。
ＵＳ２：会員が電子チラシを閲覧する。
ＵＳ３：Ｂ社が特定商品の割引クーポンを配付する。
ＵＳ４：会員がレジ会計時に，特定商品の割引クーポンを使用する。
ＵＳ５：会員がレジ会計時に，会員証を提示する。
ＵＳ６：Ｂ社のレジが，会員証を提示して買い物をした会員に，買い物金額の0.5パーセントのポイントをポイント残高に加算する。
ＵＳ７：会員がレジ会計時に，100ポイント単位で１ポイント１円として，ポイントを買い物金額に充当する。
ＵＳ８：Ｂ社のレジが，会員が提示したポイント額を支払い金額から差し引く。

私はＰＯと相談しながら，リストアップしたＵＳを，利用場所と操作頻度で分類した。利用場所は，Ｂ社販促部，会員各所，レジの三つのカテゴリで，Ｂ社販促部に分類されるＵＳはＵＳ１とＵＳ３，会員各所がＵＳ２，レジがＵＳ４～ＵＳ８となり，利用場所はレジが圧倒的に多かった。操作頻度は，月２回，適時，頻繁，やや頻繁の四つのカテゴリで，月２回に分類されるＵＳはＵＳ１，適時がＵＳ２，ＵＳ３，ＵＳ７，ＵＳ８，頻繁がＵＳ５，ＵＳ６，やや頻繁がＵＳ４，となった。また，ＵＳ２にはＵＳ１が必須，ＵＳ４にはＵＳ３が必須であり，ＵＳ７とＵＳ８は利用者が会員とレジで裏返しになっていることを確認した。また，ＵＳ７には，「買い物金額に充当したポイント数をポイント残高から差し引く」が抜けているとＰＯから指摘されたため追加した。

このように分類することで，ＵＳの利用場面や利用目的の類似性を明らかにでき，規模・難易度見積もりの妥当性を相対的に確認することができた。また，リストアップしたＵＳ全てを見渡すことで，抜けているＵＳの追加ができ，使用しない機能を開発するようなムダも回避できた。

2.2　ＵＳの規模・難易度の調整

分類が終わった後，ＵＳの規模・難易度の調整を行った。スプリント期間内に開発が終わらない規模の大きなＵＳや難易度の高いＵＳは，いくつかに分割する必要があった。また，同じカテゴリに分類されたＵＳは規模・難易度を鑑みて統合する必要があった。確認したところ分解しなければならないＵＳは見つからなかった。一方利用場所が同じであるＵＳ１とＵＳ３は，機能が同じであることから一つのＵＳとして統合した。また，操作頻度が同じで利用者が裏返しになっているＵＳ７とＵＳ８も一つのＵＳとして統合した。

このように，各ＵＳの規模・難易度に大きなバラツキをなくすことによって，メンバーが繰り返すスプリントに一定のリズムが確保でき，開発の安定性が確保できることになった。

第３章　ＵＳの優先順位付け

3.1　優先順位付けの際に着目した価値

Ｂ社の目的は，系列スーパー各店舗の集客力を上げて売上げの増加につなげることである。そのためには，会員スマホアプリの利用者にとっての「有用性」の度合いに着目して，優先順位を決める方法がよいと考えた。この場合，「有用性」に直結するＵＳの優先順位を，そうでないＵＳよりも高くする。「有用性」に直結するＵＳが複数ある場合には，「即納性（開発の容易性)」が高いＵＳの優先順位を高くする。さらに，ＵＳ間に依存関係がある場合には，それも考慮して優先順位を決めることにした。この方法にすれば，会員スマホアプリを早急にリリースするというＢ社の要求に対し，「有用性」の高い機能を確実に開発できると考えたからである。私はＰＯにこの方法を理解してもらったうえで，「優先順位決定基本ルール」を定め，メンバーに説明した。

3.2　具体的な優先順位付け

まず，「優先順位決定基本ルール」を用いてＰＯがＵＳの優先順位付けを行い，次に，メンバーに優先順位を説明し，メンバーからの意見を反映して，必要に応じてＵＳの優先順位を見直す。そして，最終的にＰＯが優先順位を確定させるという手順をとった。その結果，プロダクトバックログは，優先順位の高いＵＳから順番に並べると次のようになった。

①ＵＳ１（ＵＳ３)：電子チラシと割引クーポンの配付
②ＵＳ４：割引クーポンの使用
③ＵＳ２：電子チラシの閲覧
④ＵＳ５：会員証の提示
⑤ＵＳ６：ポイントの付与
⑥ＵＳ７（ＵＳ８)：ポイントの充当とポイント残高の更新

結果，今回のスプリント内で実現すべきＵＳは①ＵＳ１（ＵＳ３）に決定した。ＵＳの規模を考慮して，次のスプリントで②ＵＳ４と③ＵＳ２，その次スプリントで④ＵＳ５と⑤ＵＳ６，最後のスプリントで⑥ＵＳ７（ＵＳ８）を実現することにした。スプリント回数は４回となり，当初の予定よりも短期間で開発が完了する見込みとなった。なお，必要に応じてスプリントログは随時見直しをした。

問3 ユーザビリティを重視したユーザインタフェースの設計

（出題年度：R元問１）

近年，情報システムとの接点としてスマートフォンやタブレットなど多様なデバイスが使われてきており，様々な特性の利用者が情報システムを利用するようになった。それに伴い，ユーザビリティの善しあしが企業の競争優位を左右する要素として注目されている。ユーザビリティとは，特定の目的を達成するために特定の利用者が特定の利用状況下で情報システムの機能を用いる際の，有効性，効率，及び満足度の度合いのことである。

優れたユーザビリティを実現するためには，利用者がストレスを感じないユーザインタフェース（以下，UIという）を設計することが重要である。例えば，次のように，利用者の特性及び利用シーンを想定して，重視するユーザビリティを明確にした上で設計することが望ましい。

- ・操作に慣れていない利用者のために，操作の全体の流れが分かるようにナビゲーション機能を用意することで，有効性を高める。
- ・操作に精通した利用者のために，利用頻度の高い機能にショートカットを用意することで，効率を高める。

また，ユーザビリティを高めるために，UIを設計する際には，想定した利用者に近い特性を持った協力者に操作を体感してもらい，仮説検証を繰り返しながら改良する，といった設計プロセスの工夫も必要である。

あなたの経験と考えに基づいて，設問ア～ウに従って論述せよ。

設問ア　あなたがUIの設計に携わった情報システムについて，対象業務と提供する機能の概要，想定した利用者の特性及び利用シーンを，800字以内で述べよ。

設問イ　設問アで述べた利用者の特性及び利用シーンから，どのようなユーザビリティを重視して，どのようなUIを設計したか。800字以上1,600字以内で具体的に述べよ。

設問ウ　設問イで述べたUIの設計において，ユーザビリティを高めるために，設計プロセスにおいて，どのような工夫をしたか。600字以上1,200字以内で具体的に述べよ。

●問題分析メモ

近年，情報システムとの接点としてスマートフォンやタブレットなど多様なデバイスが使われてきており，様々な特性の利用者が情報システムを利用するようになった。それに伴い，ユーザビリティの善しあしが企業の競争優位を左右する要素として注目されている。ユーザビリティとは，特定の目的を達成するために特定の利用者が特定の利用状況下で情報システムの機能を用いる際の，有効性，効率，及び満足度の度合いのことである。

設問イのヒント

優れたユーザビリティを実現するためには，利用者がストレスを感じないユーザインタフェース（以下，UIという）を設計することが重要である。例えば，次のように，利用者の特性及び利用シーンを想定して，重視するユーザビリティを明確にした上で設計することが望ましい。

- 操作に慣れていない利用者のために，操作の全体の流れが分かるようにナビゲーション機能を用意することで，有効性を高める。
- 操作に精通した利用者のために，利用頻度の高い機能にショートカットを用意することで，効率を高める。

利用者の特性とその特性に応じた設計内容と，高めたユーザビリティの例

設問ウのヒント

また，ユーザビリティを高めるために，UIを設計する際には，想定した利用者に近い特性を持った協力者に操作を体感してもらい，仮説検証を繰り返しながら改良する，といった設計プロセスの工夫も必要である。

あなたの経験と考えに基づいて，設問ア～ウに従って論述せよ。

の概要　2つに分けてもよい

設問ア　あなたがUIの設計に携わった情報システムについて，1.1 対象業務と提供する機能の概要，1.2 想定した利用者の特性及び利用シーンを，800字以内で述べよ。

設問イ　設問アで述べた利用者の特性及び利用シーンから，2.1 どのようなユーザビリティを重視して，2.2 どのようなUIを設計したか。800字以上1,600字以内で具体的に述べよ。

設問ウ　設問イで述べたUIの設計において，ユーザビリティを高めるために，3.1 設計プロセスにおいて，どのような工夫をしたか，600字以上1,200字以内で具体的に述べよ。

●論文設計シート

タイトルと論述ネタ	あらすじ
第1章　情報システムの概要	
1.1　対象業務の概要	
決済業務の現状と新たな決済方法の導入	スーパーマーケットチェーンである。店舗での決済は，現金決済が中心であった。アプリを使ったキャッシュレス決済の利便性のために，顧客が店舗から流出している。顧客の流出を食い止めるため，アプリを使ったキャッシュレス決済を導入することにした。
1.2　提供する機能の概要	
開発するスマートフォンのアプリの概要	スマートフォンのアプリを使ったポイント決済及びチャージ金決済機能である。顧客はアプリを使用して，会計時にポイントあるいはチャージ金で決済を行う。付帯機能として，ポイント付与，チャージ入金，チラシの配信などの機能もある。
1.3　想定した利用者の特性と利用シーン	
想定した利用者	高齢者や主婦などのスマートフォン操作に不慣れな顧客と若者やビジネスマンなどのスマートフォン操作に慣れている顧客。
想定した利用シーン	スマートフォン操作に不慣れな顧客の利用シーンは，「とりあえずポイント決済やチャージ金決済を始めてみよう」というものを想定した。スマートフォン操作に慣れている顧客の利用シーンとしては，アプリから配信されるチラシの活用など，決済機能だけでなく付帯機能の利用を想定した。
第2章　UIの設計	
2.1　重視したユーザビリティ	
有効性と満足度	スマートフォン操作に不慣れな顧客には，アプリの有効性と満足度を重視した。カード決済や現金決済の顧客を減少させるには，アプリを使うことの有効性を感じること，アプリを継続的に使用しようと思う満足度を得ることが重要である。

	効率	スマートフォン操作に慣れている顧客には，効率を重視した。操作にストレスを感じると，効率の良いアプリを持つ他のスーパーマーケットに移ってしまう可能性も出てくる。特に，頻繁に使用する機能については効率良くアクセスできることが重要である。
2.2 設計したUI		
	アプリ初回起動時のモード設定機能	アプリの初回起動時に，ポイント決済とチャージ金決済だけを行う限定モードとアプリの持つ全ての機能を使用できるフルモードのいずれかを設定する。限定モードでは，2回目以降のアプリ起動時には，ポイント決済とチャージ金決済二つのバーコードが表示されるため，起動すればすぐに決済できる。有効性の向上を期待した。
	ショートカットの追加機能	フルモードに設定した場合に，顧客がアプリのホーム画面にショートカットを追加できる機能である。ポイント決済とチャージ金決済の両機能はデフォルトでショートカットを作成しておく。定期的におすすめのショートカットを提案する。効率性の向上を期待した。
	インセンティブ付与機能	アプリを起動したことに対して訪問ポイントを付与する機能である。季節や曜日，アプリ起動時間帯ごとに異なるメッセージを表示し，顧客のストレスを緩和する機能も追加した。満足度の獲得を期待した。
	ナビゲーション機能	アプリの持つ全ての機能を分かりやすく表示・リンクするもので，有効性と効率性の向上を期待した。
	チラシと連携した販売機能	配信したチラシと連携して商品を販売する機能である。来店せずに買い物ができるため，効率性の向上を期待した。

第3章 設計プロセスにおける工夫		
3.1 アンケートの実施		
	具体的なUI要件	キャッシュレス決済への要求やアプリへの希望などをアンケート調査し，有効性と満足度，効率を確保するための具体的なUI要件として，五つの機能を設計した。

3.2　プロトタイプによる試運転	
プロトタイプの作成	具体的なUI要件を盛り込んだプロトタイプを作成した。
プロトタイプの試運用と評価	店舗を四つのブロックに分け，ブロックごとに順番にプロトタイプを一定期間試運用した。試運用期間が終了すると，顧客の評価を収集した。
3.3　プロトタイプの改良	
仮説検証の繰返し	評価結果をもとに，プロトタイプ改良の仮説を立案し，プロトタイプに反映し，次のブロックに試運用した。この作業を4ブロック分繰り返し，仮説を検証した。
3.4　プロトタイプの改良に関して留意したこと	
有効な顧客の評価	全顧客やC社の利益につながる評価から，プロトタイプ改良の仮説を立案し，それを次のブロックでの試運用によった検証するというプロセスを採用した。
プロトタイプの作成・評価・仮説の立案・改良の繰返し	プロトタイプの作成・評価・仮説の立案・改良の繰返しによって，アプリ初回起動時のモード設定機能，ポイント決済とチャージ金決済の両機能のショートカットのデフォルト設定，マスコットキャラクタのメッセージ表示が実現した。

問3 解答例

第1章　情報システムの概要

1.1　対象業務の概要

C社は，関東圏に50余りの店舗を展開するスーパーマーケットチェーンである。店舗での決済は，クレジットカード決済も扱ってはいたが，現金決済が中心であった。最近では，スマートフォンのアプリを使ったキャッシュレス決済が急速に広まってきており，その利便性のために，顧客が店舗から流出する傾向が顕在化している。そこで，C社では，顧客の流出を食い止めるため，さらには決済のオペレーションコストを節減するために，現行の決済方法の他に，アプリを使ったキャッシュレス決済を導入することにした。

1.2　提供する機能の概要

提供する機能は，スマートフォンのアプリを使ったポイント決済及びチャージ金決済機能である。顧客はアプリを使用して，会計時にポイントあるいはチャージ金で決済を行うというものである。付帯機能として，ポイント付与，チャージ入金，チラシの配信などの機能もある。

1.3　想定した利用者の特性と利用シーン

アプリの開発に先立って，私は顧客を二つのグループに分けた。一つは，高齢者や主婦などのスマートフォン操作に不慣れな（以下，Aグループという）顧客で，利用シーンとしては，「これからはキャッシュレス決済の時代。とりあえずポイント決済やチャージ金決済を始めてみよう」というものを想定した。もう一つは，若者やビジネスマンなどのスマートフォン操作に慣れている（以下，Bグループという）顧客で，利用シーンとしては，アプリから配信されるチラシの活用など，決済機能だけでなく付帯機能の利用を想定した。現時点では，Aグループの顧客が顧客全体の７割を占めている。しかし，キャッシュレス化のスピード感から，近い将来にはBグループがAグループを逆転すると考えた。

第２章　UIの設計

2.1　重視したユーザビリティ

私は，Aグループの顧客に対しては，使うことに意味があるのかという有効性と使ってよかったという満足度を，Bグループの顧客に対しては使用する際の効率の良さを，それぞれユーザビリティとして設定した。

Aグループの顧客は，アプリが使いにくいと，アプリの有効性を感じることや満足度を得ることができず，わざわざ使うことはないと使用をあきらめてしまうことが考えられた。せっかくアプリを開発しても，カード決済や現金決済の顧客は減少せず，オペレーションコストの節減につながらない。オペレーションコストを下げるためにも，Aグループの顧客が，アプリを使うことに有効性を感じること，アプリを継続的に使用しようと思う満足度を得ることが重要であると考えた。一方，Bグループの顧客は，時間がかかったり，手数が多いアプリにはストレスを感じてしまう。その結果，効率の良いアプリを評価し，競合する他のスーパーマーケットに移ってしまう可能性も出てくる。したがって，他社のアプリに負けないユーザビリティを確保する必要があった。特に，頻繁に使用する機能については効率良くアクセスできることがユーザビリティにつながると考えた。

2.2　設計したUI

私は，ユーザビリティを確保するUIとして，アプリ初回起動時のモード設定機能，ショートカットの追加機能，インセンティブ付与機能，ナビゲーション機能，チラシと連携した販売機能の五つを設計した。

アプリ初回起動時のモード設定機能は，Ａグループの顧客の「とりあえずポイント決済やチャージ金決済を始めてみよう」という利用シーンに対応した機能である。アプリの初回起動時に，ポイント決済とチャージ金決済だけを行う限定モードとアプリの持つ全ての機能を使用できるフルモードのいずれかを設定できるようにした。限定モードを設定した場合，２回目以降のアプリ起動時には，ポイント決済とチャージ金決済それぞれに対応した二つのバーコードが表示されるため，起動すればすぐに決済できる。これによって，Ａグループの顧客にとっての有効性の向上を期待した。

ショートカットの追加機能は，フルモードに設定した場合に，顧客がアプリのホーム画面にショートカットを追加できる機能である。使用頻度が高いと考えられるポイント決済とチャージ金決済の両機能はデフォルトでショートカットを作成しておき，その他の機能に関しては顧客が自由にショートカットを作成できる。さらに，使用環境の変化によるアプリの変更にも対応できるよう，定期的におすすめのショートカットを提案することにした。これによって，Ｂグループの顧客にとっての効率性の向上を期待した。

インセンティブ付与機能は，１日１回を限度に，アプリを起動したことに対して訪問ポイントを付与する機能である。さらに，Ｃ社の人気マスコットキャラクタが，季節や曜日，アプリ起動時間帯ごとに異なるメッセージを表示し，顧客のストレスを緩和する機能も追加した。これによって，Ａグループの顧客の満足度の獲得を期待した。

ナビゲーション機能は，アプリに慣れてきたＡグループの顧客やＢグループの顧客に提供する機能である。アプリの持つ全ての機能を分かりやすく表示・リンクするもので，有効性と効率性の向上を期待した。

チラシと連携した販売機能は，Ｂグループ顧客の購買行動を分析した結果，顧客に購入を促進するために配信したチラシと連携して商品を販売する機能である。この機能によって，顧客が来店せずに買い物ができるようにし，効率性の向上を期待した。

第３章　設計プロセスにおける工夫

3.1　アンケート調査の実施

私は，キャッシュレス決済を行うアプリで重視するユーザビリティとして，Ａグループの顧客に対しては，有効性と満足度を考え，Ｂグループの顧客に対しては，効率性を考えた。しかし，アプリの具体的なUI要件は，明らかになっていない状況であった。

そこで私は，まず，C社の顧客を対象に，アプリを利用したキャッシュレス決済について，キャッシュレス決済への要求やアプリへの希望などをアンケート調査した。このアンケートで，同時に，顧客のスマートフォンの使用状況も記入してもらうことで，Aグループ又はBグループのどちらに属するかを判断した。これらと従来から収集している「お客様の声」を合わせて分析・整理した。その結果，Aグループの顧客に訴求する機能として，アプリ初回起動時のモード設定機能，インセンティブ付与機能を設計し，Bグループの顧客に訴求する機能として，ショートカットの追加機能，チラシと連携した販売機能を設計した。また，どちらのグループの顧客にも訴求する機能として，ナビゲーション機能を設計した。

3.2　プロトタイプによる試運用

アプリの具体的なUI要件を明らかにした後で，プロトタイプを作成した。次に，店舗を四つのブロックに分け，ブロックごとに順番にプロトタイプを一定期間試運用した。試運用期間が終了すると，AグループとBグループそれぞれの顧客にプロトタイプを評価してもらった。

3.3　プロトタイプの改良

評価結果をもとに，C社内でプロトタイプ改良の仮説を立案し，プロトタイプに改善点を反映した。そして，改良されたプロトタイプを次のブロックに試運用した。この作業を4ブロック分繰り返して，アプリを完成させた。

3.4　プロトタイプの改良に関して留意したこと

顧客の評価は，個人の感覚や特定顧客の利益に依拠したものもあるため，全顧客やC社の利益につながるものとは限らない。そのため，「顧客の評価の背景には何があるのか」「全顧客やC社の利益のための真の課題は何か」という観点からプロトタイプ改良の仮説を立案し，それを次のブロックでの試運用によった検証するというプロセスを採用した。このプロトタイプの作成・評価・仮説の立案・改良の繰返しによって，アプリ初回起動時のモード設定機能，ポイント決済とチャージ金決済の両機能のショートカットのデフォルト設定，マスコットキャラクタのメッセージ表示といった，顧客がストレスを感じないUIをアプリに搭載することができた。

問4 業務ソフトウェアパッケージの導入

（出題年度：H30問2）

近年，情報システムの構築に，業務ソフトウェアパッケージ（以下，パッケージという）を導入するケースが増えている。パッケージを導入する目的には，情報システム構築期間の短縮，業務の標準化による業務品質の向上などがある。

パッケージは標準的な機能を備えているが，企業などが実現したい業務機能には足りない又は適合しないなどのギャップが存在することがある。そこで，システムアーキテクトは，パッケージが提供する機能と実現したい業務機能のギャップを識別した上で，例えば次のように，検討する上での方針を決めてギャップに対する解決策を利用部門と協議する。

・“原則として，業務のやり方をパッケージに合わせる”という方針から，まず，パッケージが提供する機能に合わせて業務を変更することを検討する。ただし，“企業の競争力に寄与する業務は従来のやり方を踏襲する”という方針から，特に必要な業務については追加の開発を行う。

・“投資効果を最大化する”という方針から，システム化の効果が少ない業務については，システム化せずに運用マニュアルを整備して人手で対応することを検討する。

あなたの経験と考えに基づいて，設問ア～ウに従って論述せよ。

設問ア　あなたがパッケージの導入に携わった情報システムについて，対象とした業務と情報システムの概要，及びパッケージを導入した目的を，800字以内で述べよ。

設問イ　設問アで述べたパッケージの導入において，パッケージの機能と実現したい業務機能にはどのようなギャップがあったか。また，そのギャップに対してどのような解決策を検討したか。検討する上での方針を含めて，800字以上1,600字以内で具体的に述べよ。

設問ウ　設問イで述べたギャップに対する解決策について，どのように評価したか。適切だった点，改善の余地があると考えた点，それぞれについて，理由とともに，600字以上1,200字以内で具体的に述べよ。

●問題分析メモ

近年，情報システムの構築に，業務ソフトウェアパッケージ（以下，パッケージという）を導入するケースが増えている。パッケージを導入する目的には，情報システム構築期間の短縮，業務の標準化による業務品質の向上などがある。

設問アのヒント

パッケージは標準的な機能を備えているが，企業などが実現したい業務機能には足りない又は適合しないなどのギャップが存在することがある。そこで，システムアーキテクトは，パッケージが提供する機能と実現したい業務機能のギャップを識別した上で，例えば次のように，検討する上での方針を決めてギャップに対する解決策を利用部門と協議する。

- “原則として，業務のやり方をパッケージに合わせる”という方針から，まず，パッケージが提供する機能に合わせて業務を変更することを検討する。ただし，“企業の競争力に寄与する業務は従来のやり方を踏襲する”という方針から，特に必要な業務については追加の開発を行う。
- “投資効果を最大化する”という方針から，システム化の効果が少ない業務については，システム化せずに運用マニュアルを整備して人手で対応することを検討する。

設問イのヒント

方針ごとのギャップの解決策の例

あなたの経験と考えに基づいて，設問ア～ウに従って論述せよ。

設問ア　あなたがパッケージの導入に携わった情報システムについて，1.1 対象とした業務と情報システムの概要，及び 1.2 パッケージを導入した目的を，800字以内で述べよ。

の概要

2つに分けてもよい

設問イ　設問アで述べたパッケージの導入において，2.1 パッケージの機能と実現したい業務機能にはどのようなギャップがあったか。また，2.2 そのギャップに対してどのような解決策を検討したか。検討する上での方針を含めて，800字以上1,600字以内で具体的に述べよ。

設問ウ　設問イで述べたギャップに対する解決策について，どのように評価したか。3.1 適切だった点，3.2 改善の余地があると考えた点，それぞれについて，理由とともに，600字以上1,200字以内で具体的に述べよ。

設問ウのヒントはないが，目的を満たせたかの視点でまとめるとよい

●論文設計シート

タイトルと論述ネタ	あらすじ
第１章　パッケージの導入に携わった情報システム	
1.1　対象業務の概要	
スーパーマーケットチェーン２社の合併後の小売り業務	スーパーマーケットチェーンＡ社が同業のＢ社を吸収合併することになった。合併前のＡ社では，高齢者向けの宅配サービスを開始し軌道に乗せていた。Ａ社とＢ社とでは，商品の入荷から販売，会計に関する業務には異なる点も多い。
1.2　情報システムの概要	
合併前２社における情報システム	それぞれ独自の店舗管理システムや販売管理システムを導入していた。合併を機に，店舗管理や販売管理のシステムとして，Ｃパッケージを導入することとなった。
1.3　パッケージを導入した目的	
Ｃパッケージ導入の目的	情報システム構築期間の短縮，業務の標準化による業務品質の確保を目的とする。
第２章　ギャップの識別と解決策の検討	
2.1　パッケージの機能と実現したい業務機能のギャップ	
次の業務機能とのギャップ ⑴商品の入荷から販売，会計に関する機能 ⑵店舗近隣の高齢者向け宅配サービスに関する機能 ⑶シール割引に関する機能	・Ａ社にはなかった返品時の上長承認機能や，Ｂ社にはなかったまとめ買いなどの割引入力機能などがＣパッケージで提供されている。 ・宅配サービスに限定した顧客管理機能や宅配履歴管理機能が提供されていない。 ・シール割引をリアルタイムに管理する機能が提供されていない。
2.2　ギャップ対応を検討する上での方針	
第一の方針	・Ｃパッケージが提供する業務機能を最大限に活用して，業務の標準化を図る。
第二の方針	・企業の競争力に寄与する業務はシステムで実現する。そのために必要となる開発コストや運用コストは，当該業務による収益によって回収する。
第三の方針	・優先度が低い業務はシステム化せず，人手で対応する。

2.3　ギャップに対して検討した解決策	
第一の解決策	・合併を機にCパッケージが提供する機能に業務を合わせてもらうために，Cパッケージの標準機能とその際の業務運用マニュアルを業務担当者の代表者に提供した。
第二の解決策	・競争力の源泉である「店舗近隣の高齢者向け宅配サービス」については，宅配サービスに限定した顧客管理機能や宅配履歴管理機能を追加開発する。
第三の解決策	・競争力の源泉ではない，シール割引については，システム化せずにCパッケージの機能を用い，販売後にシール割引の情報を手入力する運用を業務担当者の代表者に依頼した。

第3章　ギャップに対する解決策の評価	
3.1　適切だった点と理由	
導入目的を達成できた点	・Cパッケージ導入の立ち上げから構築完了までの期間は５か月，業務品質については合併前のＡ社，Ｂ社の間の業務の標準化を適切に達成できた。
三つの解決策に対する評価	・Cパッケージの業務機能に合併後のＡ社の業務を合わせることは，事前アンケートで担保していたので，適切と評価する。 ・追加開発した宅配サービスに限定した顧客管理機能や宅配履歴管理機能は，トラブルなく運用できていることから，適切と評価する。 ・シール割引の業務運用もトラブルなく運用できていることから，適切と評価する。
3.2　改善の余地があると考えた点と理由	
追加開発を極力回避した点	追加開発は極力回避する方針だったため，今後改めて追加開発を実施すべき機能がないか，再度精査する必要がある。

問4　解 答 例

第１章　パッケージの導入に携わった情報システム

1.1　対象業務の概要

Ａ社は，Ｘ県でスーパーマーケットチェーンを展開する小売業である。昨年４月に同業であるＢ社を吸収合併した。合併前のＡ社，Ｂ社とも，生鮮野菜，鮮魚，精肉，総菜，加工食品等の食料品，衣料品等を主力商品としている。合併前のA社は，昨今の少子高齢化，買い物難民対応として，店舗近隣の高齢者向けの宅配サービスを開始し，顧客からは定評を得ている。

合併前のA社，B社では取扱製品は類似するものの，商品の入荷から販売，会計に関する業務には異なる点も多い。なお，両社とも，閉店間際のシール割引など，商品ロスの低減に努力している。

1.2 情報システムの概要

合併前のA社，B社とも，店舗管理や販売管理のシステムには，それぞれ独自の情報システムを導入していた。しかし，合併を機に，店舗管理や販売管理のシステムとして，C社製の店舗管理・販売管理パッケージ（以下，Cパッケージという）を導入することとなった。

1.3 パッケージを導入した目的

Cパッケージの導入目的は，情報システム構築期間の短縮，業務の標準化による業務品質の確保である。

A社とB社の合併が決定されたのは，一昨年の10月である。そこから合併の完了までは6か月であったため，新規の店舗管理・販売管理システムの構築やA社側の店舗管理・販売管理への片寄せ移行を行っていたのでは，合併の完了に間に合わないと判断した。

また，異なる業務プロセスを共通化する必要があるが，その際，両社の販売現場に抵抗なく受け入れられることが重要である。そこで，Cパッケージが提供する業務機能を活用し，業務の標準化を行うこととした。

第2章 ギャップの識別と解決策の検討

2.1 パッケージの機能と実現したい業務機能のギャップ

Cパッケージと合併後のA社が実現したい業務機能のギャップについて検討した。その結果，次のようなギャップがあった。

第一に，商品の入荷から販売，会計に関してCパッケージが提供する機能は，合併前のA社，B社の業務とはわずかながら異なっている。例えば，A社にはなかった返品時の上長承認機能や，B社にはなかったまとめ買いなどの割引入力機能などがCパッケージで提供されている。

第二に，A社が強みとしている「店舗近隣の高齢者向け宅配サービス」に関する機能について，Cパッケージでは，宅配サービスに限定した顧客管理機能や宅配履歴管理機能が提供されていない。

第三に，Cパッケージでは，シール割引をリアルタイムで管理する機能が提供されていない。シール割引された商品について，販売後に会計上の値引き額を手入力する必要がある。

2.2　ギャップ対応を検討する上での方針

私は，Cパッケージの導入目的を考慮し，ギャップ対応を検討する上での方針を，次のとおりとした。

第一に，原則として，Cパッケージが提供する業務機能を最大限に活用する。特に，合併前のA社とB社の業務機能が異なる以上，合併後のA社が一企業として活動するためには一定基準に合わせて業務を整備する必要がある。

第二に，企業の競争力に寄与する業務はシステムで実現する。システムで実現するための開発コストや運用コストは必要となるが，当該業務による収益によって回収することが可能である。

第三に，企業にとって優先度が低い業務はシステム化せず，人手で対応する。

2.3　ギャップに対して検討した解決策

私は，合併前のA社，B社それぞれに所属する業務担当者の代表者と協議し，次の解決策を検討した。

第一に，A社，B社の業務は，合併を機にCパッケージが提供する機能に合わせてもらうことにした。これを実現するために，私はCパッケージの標準機能とその際の業務運用マニュアルを業務担当者の代表者に提供した。また，Cパッケージの導入前に，各店舗の代表者を招集し，Cパッケージの使用方法についての教育を計画し，実施した。さらに，合併準備期間に先行してCパッケージを導入する店舗において，営業時間外に各店舗の担当者に対する研修を実施する計画を立てた。

第二に，A社の競争力の源泉である「店舗近隣の高齢者向け宅配サービス」について，宅配サービスに限定した顧客管理機能や宅配履歴管理機能を追加開発することとした。そのため，合併前のA社の業務担当者の代表者から追加開発に必要な要件をヒアリングし，Cパッケージと連携して実現するための要件定義，設計，テストを行うこととした。

第三に，シール割引については，これ自体が競争力の源泉とは言えないので，個別にシステム化することはせずにCパッケージの機能を用い，販売後にシール割引の情報を手入力する運用を業務担当者の代表者に依頼した。そのために必要な運用マニュアルを私の指示で整備して，業務担当者の代表者に提供することとした。

3章　ギャップに対する解決策の評価

3.1　適切だった点と理由

合併後のA社では，２章で述べた解決策を採用した上で，Cパッケージの導入を行った。

導入の結果として，Cパッケージ導入の立ち上げから構築完了までの期間は５か月，業務品質については合併前のA社，B社の間の業務の標準化による業務品質の確保は適切に達成できたと考えている。導入目的を達成できた理由は，合併前のA社，B社それぞれの業務担当者の代表者とCパッケージの導入方針を整合しながら解決策を検討できたことにあると考えている。これにより，追加開発の極小化，両社の業務の標準化の合意を成し得たと考えている。

検討した解決策については，まず，Cパッケージの業務機能にA社の業務を合わせることは，合併前のA社，B社の業務担当者からも無理なく業務を実施できるとアンケートで確認できているので，適切であったと考えている。次に，宅配サービスに限定した顧客管理機能や宅配履歴管理機能の追加開発については，大きなトラブルなく追加開発機能を実施できたこと，運用開始後も宅配サービスを適切に運用できていることから，適切であったと考えている。シール割引の業務運用についても，運用開始後に大きなトラブルもなく，Cパッケージの導入コストについても，追加開発込みの見積りと比較して10%低減できていることから，適切であったと考えている。

3.2　改善の余地があると考えた点と理由

とはいえ，改善の余地もある。今回の検討では，構築期間６か月と限定されていることから，追加開発は極力回避する方針であった。そのため，確かに業務運用は確保されているものの，今後改めて追加開発を実施すべき機能がないか，再度精査する必要がある。

また，A社がX県で影響力があるスーパーマーケットチェーンであり続けるためにも，さらに新しいサービスを提供することも予想される。新しいサービスに対応した業務機能についても，Cパッケージで実現するか，追加開発を行うか，人手による業務運用とするかを判断する必要が生じてくる。その際の判断基準についても，今のうちから準備しておきたい。

問5 非機能要件を定義するプロセス （出題年度：H29問1）

情報システムは，非機能要件の考慮漏れによって重大な障害を引き起こすことがある。非機能要件とは，信頼性を含む品質要件，運用・操作要件など，機能要件以外の要件のことである。利用者は非機能要件を明確に認識していないことが多いので，システムアーキテクトは，利用者を含む関連部門へのヒアリングによって必要な情報を収集する。収集した情報を基に，業務及び情報システム両方の視点から非機能要件を検討し，検討結果を意思決定者に提示し，判断してもらう。

例えば，信頼性要件の場合，次のようなプロセスで検討する。

・リスクを洗い出し，想定される損失並びに事業及び業務への影響を分析する。

・分析結果に基づき，目標とすべき復旧時間を設定する。

・設定した復旧時間を達成するための情報システムの実現方法を具体化する。

その際，前提となるシステム構成，開発標準，システム運用形態など，非機能要件を定義するに当たって制約となる事項を示した上で，例えば次のように，意思決定者に判断してもらうための工夫をすることも必要である。

・複数のシステム構成方式について，想定される損失と，対策に必要なコストの比較を示す。

・信頼性を向上させるためにデュアルシステム方式にすると効率性の指標の一つであるスループットが下がる，といった非機能要件間でのトレードオフが生じる場合，各非機能要件の関連性を示す。

あなたの経験と考えに基づいて，設問ア～ウに従って論述せよ。

設問ア あなたが要件定義に携わった情報システムについて，対象業務の概要と情報システムの概要を，800字以内で述べよ。

設問イ 設問アで述べた情報システムについて，どのような非機能要件を，業務及び情報システム両方のどのような視点から，どのようなプロセスで検討したか。検討した結果とともに，800字以内1,600字以内で具体的に述べよ。

設問ウ 設問イで述べた非機能要件の検討の際，意思決定者に判断してもらうためにどのような工夫をしたか。600字以上1,200字以内で具体的に述べよ。

●問題分析メモ

情報システムは，非機能要件の考慮漏れによって重大な障害を引き起こすことがある。非機能要件とは，信頼性を含む品質要件，運用・操作要件など，機能要件以外の要件のことである。利用者は非機能要件を明確に認識していないことが多いので，システムアーキテクトは，①利用者を含む関連部門へのヒアリングによって必要な情報を収集する。②収集した情報を基に，業務及び情報システム両方の視点から非機能要件を検討し，③検討結果を意思決定者に提示し，判断してもらう。

例えば，信頼性要件の場合，次のようなプロセスで検討する。

- リスクを洗い出し，想定される損失並びに事業及び業務への影響を分析する。
- 分析結果に基づき，目標とすべき復旧時間を設定する。
- 設定した復旧時間を達成するための情報システムの実現方法を具体化する。

その際，前提となるシステム構成，開発標準，システム運用形態など，非機能要件を定義するに当たって制約となる事項を示した上で，例えば次のように，意思決定者に判断してもらうための工夫をすることも必要である。

- 複数のシステム構成方式について，想定される損失と，対策に必要なコストの比較を示す。
- 信頼性を向上させるためにデュアルシステム方式にすると効率性の指標の一つであるスループットが下がる，といった非機能要件間でのトレードオフが生じる場合，各非機能要件の関連性を示す。

あなたの経験と考えに基づいて，設問ア～ウに従って論述せよ。

（手書きメモ：設問イのヒント／設問ウのヒント／全ての非機能要件を検討する際のプロセス／非機能要件として信頼性を論じる場合の具体的なプロセス／3.1として論述するとまとまりやすい／意思決定者への説明方法の例）

設問ア　あなたが要件定義に携わった情報システムについて，[1.1]対象業務の概要と[1.2]情報システムの概要を，800字以内で述べよ。

設問イ　設問アで述べた情報システムについて，[2.1]どのような非機能要件を，[2.2]業務及び情報システム両方のどのような視点から，[2.3]どのようなプロセスで検討したか。検討した結果とともに，800字以上1,600字以内で具体的に述べよ。

（手書きメモ：2.2はどちらかに含めてもよい）

設問ウ　設問イで述べた非機能要件の検討の際，[3]意思決定者に判断してもらうためにどのような工夫をしたか。600字以上1,200字以内で具体的に述べよ。

●論文設計シート

タイトルと論述ネタ	あらすじ
第１章　銀行の預金業務システムの概要	
1.1　対象業務の概要	
預金業務の概要	Ｐ銀行では，ATMや店舗窓口からの入出金要求に対して，入出金を行う。顧客がATMで要求操作を行ってからATMが応答動作を開始するまでのATM応答時間に対する要求レベルは高い。
1.2　システムの概要	
預金業務システムの概要	現在の障害対策はコールドスタンバイ方式の待機系システムであるため，障害が発生してから再起動までに数時間を要していた。 勘定系システムの更改を機に，預金業務システムに障害が発生しても，システムの再起動を短時間で行い，ATM利用者にシステム障害を認識させない，という信頼性要件を定義した。
第２章　非機能要件の検討プロセス	
2.1　検討した非機能要件	
ATM応答要件 障害回復時間 障害復旧方式	システム障害発生時に，ATM利用者にシステム障害を認識させないことを，ATM応答要件と定義した。これは業務の視点から見た要件である。ATM応答要件は，システムの視点から見ると，障害回復時間という非機能要件になる。そこで，障害回復時間を最短にする障害復旧方式の要件定義を行った。
2.2　障害復旧方式の要件定義と検討プロセス	
(1)　デュアルシステムとホットスタンバイシステム	デュアルシステムは，切替時間はほぼ必要ないが，ハードウェアコストが２倍になる。ほかにも，オンライントランザクション処理のスループットが下がるというデメリットがある。 ホットスタンバイシステムは，待機系システムへの切替処理時間をいかに短くできるかが課題である。切替処理時間は，①障害検出，②ネットワーク切替え，③データベース引込み，④未完了トランザクションの検出，⑤待機ホストでの処理再開，にかかる時間の総和である。①から⑤の総和は２分となった。また，コスト面では，CPUコストが倍になってしまう。
(2)　ATM応答要件についての検討	論理エラー発生時に表示する『初めから入力してください』という再入力催促メッセージを，障害検出時にも表示可能な仕組みとする。ATMに表示し，利用者が再入力している間に，待機系システムへの切換処理を行う。

2.3 検討した結果	
相互ホットスタンバイシステムの提案	待機系ホストでも預金業務を立ち上げ，預金業務の半分の処理をさせ，その待機システムを従来の稼働系ホストに立ち上げる。どちらかのホストに障害が発生した場合，ホットスタンバイでもう片方のホストに業務を切り替え，一つのホストで業務を実行する。待機系システムを有効利用することで，コスト面での条件をクリアできる。再入力催促メッセージを表示して，入力情報を再入力させている間に，待機系システムへの切替処理を実行する。

第３章　非機能要件の検討において，意思決定者に判断してもらうために工夫した点	
3.1　非機能要件を定義するにあたって制約となる事項	
負荷のピーク時のATM応答要件	負荷のピーク時でも，１分30秒で待機系システムに切り替わることの保証を要求された。
相互ホットスタンバイシステムのコスト	デュアルシステムに比べれば安価だがホットスタンバイシステムのコストがかかる。
3.2　意思決定者に判断してもらうために工夫した点	
負荷のピーク時のATM応答要件の検証	Ｐ銀行の協力を得て，従来のホットシステム用の負荷テストツールをATMと接続できるように改造して実演した。その結果，負荷のピーク時でも１分30秒で切り替わることを実証できた。
相互ホットスタンバイシステムのコストの削減	システム障害発生の確率，稼働リソースと待機リソースの割合の検証などを分かりやすい図にまとめ，ホットスタンバイシステムに比べて20％のコスト削減になることを説明した。

第１章　銀行の預金業務システムの概要

1.1　対象業務の概要

私が要件定義に携わった情報システムは，大阪を中心に約100店舗を展開するＰ銀行の預金業務システムである。預金業務では，ATMや店舗窓口からの入出金要求に従い，入出金を行う。近年のITの進展に伴い，ATM応答時間（顧客がATMで要求操作を行ってからATMが応答動作を開始するまでの時間）に対する要求レベルは極めて高い，すなわち短いものになっている。

1.2　システムの概要

預金業務システムでは，ATMからの入出金要求があると，顧客の口座情報を格納した元帳を参照し，要求が妥当であることを確認したのち，元帳の口座情報を更新して，要求があったATMにおいて入出金を行う。

P銀行の預金業務システムはコールドスタンバイ方式の待機系システムを備えていたが，稼働中のホストが障害を起こすと，待機系システムの状況を整え，処理を再開するまでに数十分を要していた。このままでは，システム障害発生時に預金業務に重大な影響を及ぼすことから，早期の見直しが求められていた。

このたびP銀行では，預金業務システムを含む勘定系システムの大幅な更改を行うことになった。新たな預金業務システムには時代に則した高い信頼性が求められた。P銀行では，信頼性要件の一つとして，預金業務システムに障害が発生した場合であっても，“ATM利用者にシステム停止を意識させない”（以下，ATM応答要件という）ことを挙げた。

私は，現在の勘定系システムを開発したS社のシステムアーキテクトとして，ATM応答要件を満たす，新たな預金業務システムの方式を検討した。

第2章　非機能要件の検討プロセス

2.1　検討した非機能要件

ATM応答要件は，P銀行の業務から見た信頼性の要件であるが，システムから見た具体的な非機能要件にはなっていなかった。そこで私は，このATM応答要件を実現するための非機能要件として，預金業務システムの障害回復時間を挙げた。次に，P銀行システム担当者とともに，ATM，通信ネットワーク，ホスト，データベースまでを含めた，障害回復時間を最短にする，預金業務システムの障害復旧方式の要件定義を行った。

2.2　障害復旧方式の要件定義と検討プロセス

(1)　デュアルシステムとホットスタンバイシステム

障害復旧方式として，第一に考えられる方式はデュアルシステムである。デュアルシステムは，万一，片方のシステムが障害でダウンしても，もう一方のシステムが動作している限り業務は継続される。しかし，シングルシステムに比べ，CPU，ディスクなどハードウェアコストは倍になってしまう。また，二つのシステムでの処理結果の照合処理が必要となり，スループットが下がるというデメリットもあった。

第二に考えられる方式は，ホットスタンバイシステムである。ホットスタンバイシステムの場合，重要になるのは，障害発生時の切替処理時間である。切替処理時間は，①障害の検出，②ネットワーク切替え，③データベース引込み，④未完了トランザクションの検出，⑤待機ホストでの処理再開，にかかる時間の総和となる。私は，①から⑤までの最大所要時間を積み上げて，切替処理時間は2分必要と結論づけた。また，コスト面では，CPUコストが倍になってしまう。

⑵　ATM応答要件についての検討

ホットスタンバイシステムを採用した場合，障害発生時に２分もATM利用者をATMの前で待たせるのでは，ATM応答要件が満足できない，と私は考えた。そして，ATM応答要件に関する条件を，再度洗い直した。

預金業務システムでは，入力情報の整合性がとれないなどの論理エラーの発生時には，ATMで利用者に対して，『初めから入力してください』の再入力催促メッセージを表示して，再入力を促す。現在のシステムで障害が発生した場合には，コールドスタンバイの待機システムの起動後に，再入力催促メッセージを表示する処理フローであった。私は，新方式では，システムに障害が発生した時点（厳密には，障害を検出した時点）で，この再入力催促メッセージを表示することで，ATM利用者に不審を抱かせずに，システム切替処理時間を稼ぐことができると考えた。

2.3　検討した結果

以上を検討した結果，私は，待機系システムを有効活用してコスト面での条件をクリアする方式として，相互ホットスタンバイシステムを提案した。これは，新たな待機系ホストでは，預金業務を立ち上げ，預金業務の半分の処理をさせ，その待機システムを，従来の稼働系ホストに立ち上げるというシステムである。相互ホットスタンバイシステムでは，二つのホストは預金業務を，余力を持って半分ずつ分担することになり，どちらかのホストが障害になった場合，ホットスタンバイでもう片方のホストに業務を切り替え，一つのホストで業務を実行する。障害発生ホストが回復したら，そのホストに待機系を立ち上げ，切戻しをすることにより，相互ホットスタンバイ状態に戻ることになる。

また，業務処理レベルでの障害検出機能の強化を図ることによって，現在よりも早期にシステム障害を検出して，ATM利用者に対して，再入力催促メッセージを表示する。入力情報を再入力させている間に，待機系システムへの切替処理を実行する。これらの対策によって，システム障害が発生してから，１分30秒後には，待機系システムでの業務処理を可能にできると定義した。

第３章　非機能要件の検討において，意思決定者に判断してもらうために工夫した点

3.1　非機能要件を定義するにあたって制約となる事項

相互ホットスタンバイシステムによって，ATM応答要件が実現できることを，Ｐ銀行の意思決定者に説明するにあたっての課題は，次の二点であった。

一点めは，負荷のピーク時でも，１分30秒で切り替わるのかという点であった。二点めは，相互ホットスタンバイシステムのコストがホットスタンバイシステムと比べてどの程度削減できるかという点であった。

以上の二点について，私は，Ｓ社内のハードウェア及びソフトウェア部門と検討した。また，Ｐ銀行のシステム部門及び業務部門の協力を得て，Ｐ銀行の意思決定者に判断してもらうために判断材料となる資料を準備した。

3.2　意思決定者に判断してもらうために工夫した点

一点めのピーク負荷時の切替時間については，Ｐ銀行と調整した結果，擬似システムで現在のＰ銀行のピーク負荷と同等以上の負荷をかけた状態で，切替えを実演するのが一番であるという結論に達した。そのため，従来の負荷テストツールを改造し，実演することにした。従来の負荷テストツールは，ATMのようなネットワークを介しての負荷ではなかったので，Ｐ銀行の協力を得られるように説得して，ネットワークを介するようにツールを改造し，切替処理の実演を行った。その結果，ピーク負荷時でも１分30秒の切り替え時間を実現できることを実証することができた。

二点めの相互ホットスタンバイシステムのコストがホットスタンバイシステムと比べてどの程度削減できるかという点については，負荷のピーク時における切替後のスループットをどの程度保証するのか，に大きく依存する。そのため，「負荷のピーク時にシステム障害が発生する確率」と，「相互ホットスタンバイシステムにおける稼働系ホストに占める稼働リソースと待機リソースの割合」の関係を対比図に表した。その結果，相互ホットスタンバイシステムにおける稼働系ホストに占める稼働リソースと待機リソースの割合は，１対0.8が妥当であることを明確化することができた。さらに，負荷のピーク時にはバッチ処理の縮退運転を行うことなどで，全体としてのシステムリソースをATMトランザクション処理にかたむけることで，ATM応答要件を満足することを説明した。

相互ホットスタンバイシステムについての負荷テストの検証結果と，ホットスタンバイシステムに比べて20％のコスト削減が可能という明快な説明によって，Ｐ銀行の意思決定者の承認を得ることができた。

問6 柔軟性をもたせた機能の設計 （出題年度：H29問2）

販売管理システムにおける販売方法の追加，生産管理システムにおける生産方式の変更など，業務ルールが度々変化する情報システムや業務ソフトウェアパッケージの開発では，様々な変化や要望に対して，迅速かつ低コストでの対応を可能にする設計，言い換えると柔軟性をもたせた機能の設計が求められる。

システムアーキテクトは，情報システムの機能に柔軟性をもたせるために，例えば，次のような設計をする。

・"商品ごとに保管する倉庫が一つ決まっている"という多対１の業務ルールを，"商品はどの倉庫でも保管できる"という多対多の業務ルールに変更できるように，商品と倉庫の対応を関係テーブルにしておく。

・多様な見積ロジックに対応できるように，複数の見積ロジックをあらかじめ用意しておき，外部パラメタの設定で選択できるようにしておく。

また，このような柔軟性をもたせた機能の設計では，処理が複雑化する傾向があり，開発コストが増加してしまうことが多い。開発コストの増加を抑えるためには，例えば，次のように対象とする機能や項目を絞り込むことも重要である。

・過去の実績，事業環境の変化，今後の計画などから変更の可能性を見極め，柔軟性をもたせる機能を絞り込む。

・業務の特性などから，変更可能な項目を絞り込むことで，ロジックを簡略化する。

あなたの経験と考えに基づいて，設問ア～ウに従って論述せよ。

設問ア　あなたが設計に携わった情報システムについて，対象業務の概要，情報システムの概要，柔軟性をもたせた機能の設計が必要になった背景を，800字以内で述べよ。

設問イ　設問アで述べた情報システムで，機能に柔軟性をもたせるために，どのような機能に，どのような設計をしたか。柔軟性の対象にした業務ルールを含めて，800字以上1,600字以内で具体的に述べよ。

設問ウ　設問イで述べた設計において，開発コストの増加を抑えるために実施した機能や項目の絞り込みについて，その絞り込みが適切であると考えた理由を，600字以上1,200字以内で具体的に述べよ。

●問題分析メモ

販売管理システムにおける販売方法の追加，生産管理システムにおける生産方式の変更など，業務ルールが度々変化する情報システムや業務ソフトウェアパッケージの開発では，様々な変化や要望に対して，迅速かつ低コストでの対応を可能にする設計，言い換えると柔軟性をもたせた機能の設計が求められる。

（設問イのヒント）

システムアーキテクトは，情報システムの機能に柔軟性をもたせるために，例えば，次のような設計をする。

- “商品ごとに保管する倉庫が一つ決まっている”という多対１の業務ルールを，“商品はどの倉庫でも保管できる”という多対多の業務ルールに変更できるように，商品と倉庫の対応を関係テーブルにしておく。
- 多様な見積ロジックに対応できるように，複数の見積ロジックをあらかじめ用意しておき，外部パラメタの設定で選択できるようにしておく。

（柔軟性をもたせた業務ルールとそのための設計内容の例）

（設問ウのヒント）

また，このような柔軟性をもたせた機能の設計では，処理が複雑化する傾向があり，開発コストが増加してしまうことが多い。開発コストの増加を抑えるためには，例えば，次のように対象とする機能や項目を絞り込むことも重要である。

- 過去の実績，事業環境の変化，今後の計画などから変更の可能性を見極め，柔軟性をもたせる機能を絞り込む。
- 業務の特性などから，変更可能な項目を絞り込むことで，ロジックを簡略化する。

（機能や項目の絞り込みの例）

あなたの経験と考えに基づいて，設問ア～ウに従って論述せよ。

設問ア　あなたが設計に携わった情報システムについて，［1.1］対象業務の概要，［1.2］情報システムの概要，［1.3］柔軟性をもたせた機能の設計が必要になった背景を，800字以内で述べよ。（それぞれ合体してもよい）

設問イ　設問アで述べた情報システムで，機能に柔軟性をもたせるために，［2.1］どのような機能に，［2.2］どのような設計をしたか。柔軟性の対象にした業務ルールを含めて，800字以上1,600字以内で具体的に述べよ。（→最初に2.1としてもよい）

設問ウ　設問イで述べた設計において，［3.1］開発コストの増加を抑えるために実施した機能や項目の絞り込みについて，［3.2］その絞り込みが適切であると考えた理由を，600字以上1,200字以内で具体的に述べよ。

●論文設計シート

タイトルと論述ネタ	あらすじ
第1章　設計に携わった情報システムの概要	
1.1　対象業務及び情報システムの概要	
勤務管理システムと勤務管理業務	勤務管理の標準パッケージを導入して，不足機能を追加開発した。パッケージには標準機能として，出張や外出といった勤務区分，作業開始時刻，作業終了時刻を翌営業日にPCから，入力する機能がある。
1.2　柔軟性をもたせた機能が必要になった背景	
プロジェクト単位での残業コスト，及び社員の残業時間の管理業務	・標準パッケージの勤務管理の業務ルールは，「月締めで，勤務データを精査する」である。月締め時点で，残業時間がオーバーしていることが判明しても，有効な対策をうてない。そこで，残業調整や有効な指導を行えるように，業務ルール「勤務データを精査する仮締めを，月当たり何度も実施する」を可能にすることが要望された。
勤務実績の入力支援機能	・入力支援機能で入力することになる，勤務場所や勤務時間についての制約が，将来なくなる可能性があった。
第2章　柔軟性をもたせた機能と設計内容	
2.1　仮締めと月末予測機能	
「仮締めを任意の時点で，月当たり何度も実施する」を可能にするための設計内容	仮締めn回と月締め１回の構造体を確保する必要があった。１回仮締めをした場合，次の仮締めはそこから計算し，残業調整や指導の成果が分かるようにする必要があった。プロジェクトの残業コストの予測方法としては簡便なプロジェクト全体での総量予測方式とした。
2.2　勤務実績入力の支援機能	
過去の勤務実績から，想定される値をあらかじめ表示し，差異がある場合にだけ修正入力すればよい機能	・社員ごとに過去の作業開始・終了時間及び勤務区分から，想定される値をあらかじめ表示し，それと差異がある場合にだけ修正入力するようにし，入力負荷を軽減する機能を考えた。 ・将来的に，自宅やカフェといった不特定な場所で仕事をできるようにし，優秀な人材を集めたい，という経営陣の希望があった。不特定な場所での仕事を可能にする場合，システムとしては登録項目を一つ増やす必要があった。

第3章　開発コストを抑えるための絞り込みと適切性	
3.1　開発コストを抑えるための絞り込み	
仮締めを20日締め１回に制限	・仮締めの業務ルール「仮締めを任意の時点で実施可能にし，月当たり何回も実施する」を実現すると開発コストが膨らむおそれがあった。拡張性をもたせるため，仮締めの回数は２回とし，仮締め日付は外部指定可とする設計を行って実装した。ただし，ユーザー見えは，仮締めは20日の１回とした。
勤務場所についての柔軟性	・勤務実績入力支援機能で，入力負荷を軽減する機能は，設計した内容をそのまま実装した。ただし，勤務場所として不特定な場所を可能にすることは，今回は見送った。
3．2　絞り込みが適切な理由	
仮締めの時期と回数	・プロジェクト関係者から，仮締めの時期は20日くらいが妥当だという意見があった。早すぎると，残業超過するか否か判断が難しく，遅すぎると，代休取得などの調整やほかの社員との作業調整ができなくなってしまう。
勤務実績入力の支援機能	・勤務場所と勤務時間の自由裁量についての見通しを，人事部に問い合わせたところ，引き続き総合的に検討していくが，具体的な実施時期は未定とのことであった。

問6　解 答 例

第１章　設計に携わった情報システムの概要

1.1　対象業務及び情報システムの概要

私が設計に携わった情報システムは，ソフトウェア開発会社である自社の勤務管理システム（以下，システムという）である。システム開発にあたっては，勤務管理の標準パッケージを導入して，不足機能を追加開発した。

標準パッケージには，フロア設置のＩＣカードリーダー端末による社員の入退出の時刻の読込み機能のほかに，出張や外出などについて，勤務区分，作業開始時刻，作業終了時刻などの勤務実績を翌営業日にPCから入力する機能がある。

1.2　柔軟性をもたせた機能設計が必要になった背景

Ｂ社ではプロジェクト単位で業務を行うことが多く，複数のプロジェクトに参画する社員も存在する。そのため，勤務管理は，組織上の上司ではなく，プロジェクトマネージャ（以下，ＰＭという）が行う。ＰＭの勤務管理業務としては，プロジェクトコスト面からの残業コスト管理と，プロジェクト要員である社員の残業時間の管理が重要な課題である。

しかし，標準パッケージの月締めの業務ルールは「月締めで，管理者はイントラネットを通じて，部下の勤務データを精査する」であった。その時点で，特定の社員の残業時間が規定をオーバーしていることが判明しても，残業時間調整としてうてる対策は少ない。また，損益の厳しいプロジェクトでは，残業コストの予算オーバーのリスクをできるだけ早く察知して，有効な対策をうちたい。そこで，業務ルール「部下の勤務データを精査する仮締めを任意の時点で，月当たり何回も実施する」を可能にすることが追加機能として要望された。

また，社員の勤務実績の入力支援機能の要望があった。社員の勤務条件については，将来，勤務場所や勤務時間の制約がなくなる可能性があった。

第２章　柔軟性をもたせた機能と設計内容

2.1　仮締めと月末予測機能

業務ルール「仮締めを任意の時点で，月当たり何回も実施する」を可能にするための設計内容を考えた。実装設計にあたっては，仮締めｎ回と月締め１回の構造体を確保する必要があった。これは，後で構造体を追加変更するとプログラムに影響が大きいという経験則に基づいている。また，１回仮締めをした場合，次の仮締めはそこから計算し，残業調整や指導の成果が分かるように設計する必要があった。

社員の残業に関しては，月次の残業実績と，月末までの残業時間予測を提示する必要があった。残業は，年度合計でも規定が設けられていたので，年度初めからの月次残業実績を提示するとともに，年間残業時間予測を提示する必要があった。

プロジェクトの残業コストは，社員ごとの予測を積み上げる方式と，プロジェクト全体で総量予測する方式とが考えられた。社員個別に予測を積み上げる方式のほうが精度は高そうに見えたが，投資対効果を考えて，プロジェクト全体で総量予測する設計とすることにした。ただし，予測精度を向上させるため，プロジェクトの過去数か月の月別傾向を考慮して予測する方式で設計した。

2.2　勤務実績入力の支援機能

社員の勤務実績入力を支援する機能としては，社員ごとに過去の作業開始・終了時間及び勤務区分から，想定される値をあらかじめ表示し，それと差異がある場合にだけ修正入力するようにし，入力負荷を軽減する機能を考えた。設計内容としては，単純な過去数回の履歴を表示するだけであれば，簡単なテーブルと表示ロジックを追加すればよい。

社員の現在の勤務場所は，本社，事業所のほか，出向先企業といったあらかじめ決められた場所であるが，将来的には，自宅やカフェといった不特定な場所で仕事をできるようにし，優秀な人材を集めたい，という経営陣の希望があった。不特定な場所での仕事を可能にする場合，システムとしては登録項目を一つ増やす必要があった。

第３章　開発コストを抑えるための絞り込みと適切性

3.1　開発コストを抑えるための絞り込み

仮締めの業務ルール「仮締めを任意の時点で実施可能にし，月当たり何回も実施する」をそのまま実現するには開発コストが膨らみ過ぎる懸念があった。そこで，仮締めの回数を１回に制限し，20日締めにすることを提案し，社内の合意を得た。

仮締めの回数を１回とし，20日締めに固定することは，将来的な必要性を考慮すると柔軟性に乏しいと，私はアーキテクトとして考えた。そこで，仮締めの回数は２回とし，仮締め日付は外部指定可とする拡張性を考慮した設計をして，実装した。ただし，ユーザー見えとしては，仮締めは20日の１回とした。

社員の勤務実績入力を支援する機能については，設計した内容をそのまま実装した。工数的に可能であったからである。ただし，勤務場所として不特定な場所を可能にすることについては，今回は見送った。システム上の修正は，登録項目を一つ増やすだけであった。しかし，生産性の個人差が非常に大きいソフトウェア開発という業務の性格上，勤務場所だけでなく，勤務時間の自由裁量も可能にしなければ実装する価値が低くなる。また，セキュリティなどの問題からも，勤務場所と勤務時間の自由裁量制が直近に実現することは難しいと判断したからである。

3.2　絞り込みが適切な理由

仮締めの時期については，プロジェクトの損益の厳しさ度合い，人員の不足度合いによって大きく異なるが，20日くらいが妥当ではないかというのが，Ｂ社のプロジェクト関係者の総意であった。あまり早すぎると，残業超過するか否か判断が難しくなる。また，あまり遅いと，代休取得などの調整や他の社員との作業調整ができなくなってしまう。

仮締めの回数については，月半ばと20日過ぎがあったほうがよいというＰＭの意見があった。また，20日締めで残業調整が必要になった社員については，月締めまでに予定通りかを何回か精査したいという意見もあった。しかし，それらの利用頻度はどれくらいかと問うと，プロジェクトの多忙さと損益の厳しい場合以外は，必要性が低いという答えだった。

勤務実績入力の支援機能を検討する際，勤務場所と勤務時間の自由裁量制についての見通しを，Ｂ社の人事部に問い合わせた。人事部からは，自由裁量制については，総合的に検討しているが，具体的な実施時期は未定との回答があった。

以上の点から，仮締めの回数と時期について，柔軟性をもたせて，２回に増やし時期も外部指定できるようにしたこと，勤務場所についての柔軟性はもたせなかったことは，妥当だと考えている。

既存システムの改善

問7 デジタルトランスフォーメーションを推進するための情報システムの改善

（出題年度：R5問１）

近年，企業においては競争優位の獲得や企業自身の存続のために，デジタルトランスフォーメーション（DX）を推進することが増えている。しかし，DXの推進に必要な情報が整備されていないなどの課題が原因で，推進が困難になる場合も多い。

そのため，システムアーキテクトは，課題を解決してDXの推進を支援する必要がある。このような課題には例えば，次のようなものがある。

・飲料の製造販売会社で，自動販売機が保有する，販売した日時・場所・商品・電子マネー情報・ポイントカードIDなどのPOS情報が，基幹情報システムに連携されていない。そのため，POS情報を利用したキャンペーンやビジネスができない。
・車載機器製造販売会社で，企業向けと個人向けがそれぞれ別の情報システムになっており，商品コードの体系が企業向けと個人向けで異なる。そのため，企業向け製品を個人向けに展開するビジネスが困難である。

このような場合，DXの推進のために情報システムを改善する必要がある。例えば，次のような改善が考えられる。

・基幹情報システムにPOS情報を連携して，DXの推進に必要な情報を蓄積する。
・マスター管理システムを追加し，部門別の情報システムと連携させ，データ項目の名寄せや，単位，区分の共通化と統合化を行い，全社や外部との共有を可能にする。

また，これらの情報システムを改善する際に工夫すべき点が考えられる。例えば，POS情報を利用する場合，購入者の行動履歴を把握しつつ個人を特定できないようにするために情報の一部を匿名化したり，全社や外部とのデータ共有を可能にする場合，業務横断でのデータの活用を推進するためにデータ項目の意味を標準化したりする。

あなたの経験と考えに基づいて，設問ア～設問ウに従って論述せよ。

設問ア あなたが携わったDXの推進では，どのような課題があったか。DXの目的と情報システムの概要を含め，800字以内で述べよ。

設問イ 設問アで述べた課題の解決のために，情報システムをどのように改善しようとしたか。解決できると考えた理由を含め，800字以上1,600字以内で具体的に述べよ。

設問ウ 設問イで述べた情報システムの改善において，何のためにどのような工夫を検討したか。600字以上1,200字以内で具体的に述べよ。

●問題分析メモ

近年，企業においては競争優位の獲得や企業自身の存続のために，デジタルトランスフォーメーション（DX）を推進することが増えている。しかし，DXの推進に必要な情報が整備されていないなどの課題が原因で，推進が困難になる場合も多い。

そのため，システムアーキテクトは，課題を解決してDXの推進を支援する必要がある。このような課題には例えば，次のようなものがある。

設問アのヒント

・飲料の製造販売会社で，自動販売機が保有する，販売した日時・場所・商品・電子マネー情報・ポイントカードIDなどのPOS情報が，基幹情報システムに連携されていない。そのため，POS情報を利用したキャンペーンやビジネスができない。（課題の例①）

・車載機器製造販売会社で，企業向けと個人向けがそれぞれ別の情報システムになっており，商品コードの体系が企業向けと個人向けで異なる。そのため，企業向け製品を個人向けに展開するビジネスが困難である。（課題の例②）

設問イのヒント

このような場合，DXの推進のために情報システムを改善する必要がある。例えば，次のような改善が考えられる。

・基幹情報システムにPOS情報を連携して，DXの推進に必要な情報を蓄積する。（課題①の改善策①）

・マスター管理システムを追加し，部門別の情報システムと連携させ，データ項目の名寄せや，単位，区分の共通化と統合化を行い，全社や外部との共有を可能にする。（課題②の改善策②）

設問ウのヒント

また，これらの情報システムを改善する際に工夫すべき点が考えられる。例えば，POS情報を利用する場合，購入者の行動履歴を把握しつつ個人を特定できないようにするために情報の一部を匿名化したり（改善策①での工夫），全社や外部とのデータ共有を可能にする場合，業務横断でのデータの活用を推進するためにデータ項目の意味を標準化したりする。（改善策②での工夫）

あなたの経験と考えに基づいて，設問ア～設問ウに従って論述せよ。

設問ア あなたが携わったDXの推進では，[1.1]どのような課題があったか。[1.2]DXの目的と[1.3]情報システムの概要を含め，800字以内で述べよ。

設問イ 設問アで述べた課題の解決のために，情報システムを[2.1]どのように改善しようとしたか。[2.2]解決できると考えた理由を含め，800字以上1,600字以内で具体的に述べよ。

設問ウ 設問イで述べた情報システムの改善において，[3.1]何のためにどのような工夫を検討したか。600字以上1,200字以内で具体的に述べよ。（目的と工夫内容に分けてもよい）

●論文設計シート

タイトルと論述ネタ	あらすじ
第1章　私が携わったDXの推進	
1.1　DXの目的	
飲料販売会社A社の売上向上，商品在庫の適正化による収益向上	飲料販売会社A社では，自動販売機による売上が伸び悩んでおり，商品在庫や商品廃棄が増加傾向にある。自動販売機には，電子マネー決済ユニット，広告用デジタルサイネージ，省電力化のための人感センサーなどを搭載済みである。
1.2　情報システムの概要	
自動販売機でのPOSデータ収集	・自動販売機では販売日時，商品及び数量をPOSデータとして収集し，基幹情報システムと連携している。
A社自販機アプリ	・スマートフォンのA社自販機アプリで，自販機での飲料購入ポイントを貯め，ポイントを飲料に交換できる。
1.3　DXの推進における課題	
売上向上，商品在庫適正化に寄与する情報の不足	自販機アプリでは，新商品のPRを行ったりキャンペーン時期にポイント還元率を上げたりすることだけで，DXを推進するための情報を収集できていない。
第2章　ＤＸを推進するための情報システムの改善	
2.1　情報システムの改善	
個人情報の収集	・自販機アプリにおいて，利用者の承諾を得て，自販機アプリID，年齢，性別，検索キーワード履歴，時系列ごとの位置情報及び身体活動量を得て，DXを進める。
在庫管理の適正化	・リアルタイムに，自動販売機に供給できる在庫を管理できるようにする。
2.2　解決できると考えた理由	
自動販売機で飲料を買おうとする人への適切な提案	自販機アプリで得た情報でDXを進め，飲料を買おうとする人に，適切な飲料を提案できるから
リアルタイムな在庫情報	自動販売機に供給できる在庫を管理できることで，飲料を買おうとする人に，A社在庫状況に応じた提案が可能になるから

第3章　情報システムの改善における工夫		
3.1　工夫の目的		
	①個人情報の保護	データの活用にあたり個人を特定されないように対応する必要がある。
	②在庫管理システムにおける在庫が存在する地点の定義	エリア内の倉庫在庫と自動販売機内の在庫のみが管理されていた。全社レベルで自動販売機に供給できる在庫情報を把握する場合，自動販売機に供給できる在庫を定義する必要がある。
3.2　工夫の内容		
	①個人情報の保護	自販機アプリID，検索キーワード，位置情報については，当該データを出力する際には，一部の桁を匿名化する。
	②在庫管理サブシステムにおける在庫が存在する地点の定義	データの区分を再整理し，各自動販売機に供給可能な在庫の範囲を再定義した。

問7 解答例

第1章　私が携わったＤＸの推進

1.1　ＤＸの目的

Ａ社は，Ｂ鉄道の系列の飲料販売会社である。飲料の販売，自社商品の企画や開発などを手掛けており，自社商品に必要となる契約農家などの他事業者との連携も行っている。Ａ社はこれまでＢ鉄道の駅やターミナルビル内という利便性が高い場所に自社の自動販売機（以下，自販機）を配置し，また，自販機に，電子マネーで決済が可能な電子マネー決済ユニット，広告用デジタルサイネージ，省電力化のための人感センサーなどを搭載して，自販機での売上を伸ばしてきた。しかし，昨今はコンビニエンスストアでの安価なコーヒー飲料をはじめとして，競争が激化している。顧客が他に流出した分，商品在庫や商品廃棄も増加傾向にある。これらを踏まえ，Ａ社では，売上向上と在庫管理の改善による収益向上を実現するために，ＤＸを推進することとした。

1.2　情報システムの概要

Ａ社では，自販機から販売日時，商品及び数量をＰＯＳデータとして収集し，基幹情報システムと連携している。また，自販機での飲料購入ごとにポイントが貯まり，貯まったポイントを飲料と交換できるスマートフォン用の自販機アプリを運用していた。この自販機アプリは，電子マネー決済ユニットにスマートフォンをかざすと電子マネーによる支払いができる電子マネー決済アプリとも連携している。

1.3　ＤＸの推進における課題

現状の自販機アプリでは，新商品のＰＲを行ったりキャンペーン時期にポイント還元率を上げたりすることだけで，ＤＸを推進するための情報を収集できていない。そのため，自販機アプリの利用者に，その人の年齢，性別，身体状況，嗜好などに合わせた商品を提案できない状況にある。

第２章　ＤＸを推進するための情報システムの改善

2.1　情報システムの改善

私は，自販機アプリでは，その自販機アプリの利用者に関する多くの情報を収集可能であるにもかかわらず，Ａ社側にはその情報がほぼ連携されていないことに原因があると考えた。自販機アプリでは，利用者から利用者に関する情報を得る承諾を得ることによって，スマートフォンでの操作履歴や行動履歴などを取得することが可能である。そこで私は，自販機アプリからＡ社の基幹情報システムに連携すると有効と思われる項目を検討した。その結果，自販機アプリＩＤ，年齢，性別，検索キーワード履歴，時系列ごとの位置情報及び身体活動量を自販機アプリから新たに受け取ることにし，自販機アプリを改善した。

自販機アプリからの情報連携だけでなく，Ａ社の基幹情報システムから自販機に連携する情報の有無についても検討した。自販機アプリを利用して，自販機で飲料を購入しようとする利用者（以下，購入者）にＡ社の利益率が高い商品や在庫が過剰傾向にある商品を適切に提案するために，商品情報，在庫情報をリアルタイムに自販機と連携することを検討した。在庫管理については，各自販機の在庫情報，駅内の在庫情報，複数の駅をまとめたエリアごとの在庫情報などと階層化されてはいたものの，夜間のバッチ処理で処理されていた。Ａ社の基幹情報システムとしてはエリア内の倉庫ごとの階層と各自販機の情報を管理しているのみで，駅内の在庫管理については管理外であった。これを機に，駅内の商品在庫管理を含めて全社的な在庫管理の統合を目的として基幹情報システムに在庫管理サブシステムを追加し，ここから在庫情報を自販機と連携することとした。

2.2　解決できると考えた理由

自販機アプリＩＤ，年齢，性別，検索キーワード履歴，時系列ごとの位置情報及び身体活動量を連携することにより，個人レベルの嗜好，年代ごとの嗜好傾向を把握することができる。また，類似した検索，行動を行う購入者グループの購入商品，身体活動量の強弱に応じた購入商品も把握することができる。よって，特定の自販機アプリＩＤ，年代，性別，検索キーワード，身体活動量などに応じて，目の前の購入者に適した自販機からのキャンペーンの発信や商品の提案が可能になる。

このキャンペーンの発信や商品の提案にあたっては，Ａ社の基幹情報システムから受信した商品マスターや在庫情報を参照できるようになる。例えば，果樹の産地で近隣の産品で開発したジュース飲料を，果汁飲料をよく購入している購入者に提案する，在庫過剰気味のスポーツ系飲料を直近の身体活動量が大きい購入者に提案する，Ａ社が低コストで利益率が高く販売可能なミネラルウォーターを「健康」などのキーワードで多く検索する購入者に提案する，といった自販機でのマーケティングが可能になる。これにより，高付加価値の自社商品の販売強化，商品在庫の適正化に資することができると考えた。

第3章　情報システムの改善における工夫

3.1　工夫の目的

自販機アプリからＡ社の基幹情報システムに連携するデータには，個人情報が多く含まれる。データの活用にあたっては，個人を特定されないように対応する必要があった。

在庫情報の管理については，リアルタイムに基幹システムで管理されているその時点でエリア内の倉庫在庫と自販機内の在庫のみが管理されていた。全社レベルで自販機に供給できる在庫情報を把握する場合，自販機に供給できる在庫を定義する必要があった。

3.2　工夫の内容

個人情報の保護のためには，個人の特定につながる自販機アプリＩＤ，検索キーワード，位置情報については，データ解析を行う担当者をはじめとした業務担当者が当該データを出力する際には，一部の桁を匿名化することとする。ただし，トラブル対応等の場合には匿名化前のデータを参照しなければならない場合がある。この場合にも，多重の認証システムを経由することで緊急時のみ個人情報にアクセス可能な仕組みとする。

在庫情報については，データの区分を再整理し，各自販機に供給可能な在庫の範囲を再定義することにした。

現状では，エリア，駅，自販機相互の移動中の飲料の在庫を管理できていなかった。そこで，移動中の在庫は到着点の倉庫，駅もしくは自販機を目的地とする移動中在庫として定義することにした。自販機に供給可能な在庫の範囲としては，自販機が属するエリアに存在する倉庫及び駅をその範囲として新たに定義した。これらを実現するため，倉庫，駅ならびに自販機の在庫情報についても，実在庫と移動中在庫を扱えるよう，意味を標準化した。

問8 業務のデジタル化 (出題年度：R 4問2)

近年，紙媒体の管理コストの削減及び業務の効率化を目的とした，情報システムを活用したデジタル化が加速している。デジタル化の実現によって，情報が検索しやすくなったり，モノの動きがリアルタイムに把握できたりすることで業務改善が図れる。

システムアーキテクトは，現行の業務において改善の余地がある業務プロセスを見極めてデジタル化することが求められる。一方，現行の業務をデジタル化した場合に生じる課題を想定し，対応策を検討しておくことも必要である。例えば，りん議業務をリモートワーク環境でも実施できるようにするために，ワークフローシステムを用いて業務をデジタル化する場合，次のように検討する。

・従来の印鑑の代替とするために，承認欄にログインユーザの氏名，所属，職位及びタイムスタンプを記録するようにする。

・決裁ルートに長期の不在者がいた場合でも，緊急で決裁が必要な案件を円滑に処理するために，代理決裁者を設ける仕組みにする。

・情報漏えいや決裁者のなりすましなどのセキュリティリスクに対処するために，アクセス権限管理の強化やログの監視ができるようにする。

また，紙媒体などで運用していた業務をデジタル化すると，業務手順が従来と変わるので，利用者が新しい業務に習熟するまでに時間が掛かることがある。そこで，例えばどの業務で作成されたか判別できるように業務の頭文字で電子文書をアイコン化する，情報システムへのガイド機能を組み込むなど，利用支援の仕組みを工夫する。

あなたの経験と考えに基づいて，設問ア～ウに従って論述せよ。

設問ア あなたが携わった業務のデジタル化について，対象業務，情報システムの概要，デジタル化を通じて実現を期待した業務改善の内容を，800字以内で述べよ。

設問イ 設問アで述べた業務改善を実現するために，どのような業務プロセスを，どのようにデジタル化することを検討したか。また，どのような課題があり，どのような対応策を検討したか。800字以上1,600字以内で具体的に述べよ。

設問ウ 設問イで検討した内容について，利用者がデジタル化した業務に習熟できるよう，どのように工夫したか。情報システムに組み込んだ利用支援の仕組みを含めて，600字以上1,200字以内で具体的に述べよ。

●問題分析メモ

近年，紙媒体の管理コストの削減及び業務の効率化を目的とした，情報システムを活用したデジタル化が加速している。デジタル化の実現によって，情報が検索しやすくなったり，モノの動きがリアルタイムに把握できたりすることで業務改善が図れる。

システムアーキテクトは，現行の業務において改善の余地がある業務プロセスを見極めてデジタル化することが求められる。一方，現行の業務をデジタル化した場合に生じる課題を想定し，対応策を検討しておくことも必要である。例えば，りん議業務をリモートワーク環境でも実施できるようにするために，ワークフローシステムを用いて業務をデジタル化する場合，次のように検討する。

・従来の印鑑の代替とするために，承認欄にログインユーザの氏名，所属，職位及びタイムスタンプを記録するようにする。

・決裁ルートに長期の不在者がいた場合でも，緊急で決裁が必要な案件を円滑に処理するために，代理決裁者を設ける仕組みにする。

・情報漏えいや決裁者のなりすましなどのセキュリティリスクに対処するために，アクセス権限管理の強化やログの監視ができるようにする。

また，紙媒体などで運用していた業務をデジタル化すると，業務手順が従来と変わるので，利用者が新しい業務に習熟するまでに時間が掛かることがある。そこで，例えばどの業務で作成されたか判別できるように業務の頭文字で電子文書をアイコン化する，情報システムへのガイド機能を組み込むなど，利用支援の仕組みを工夫する。

あなたの経験と考えに基づいて，設問ア～ウに従って論述せよ。

設問ア　あなたが携わった業務のデジタル化について，対象業務，情報システムの概要，デジタル化を通じて実現を期待した業務改善の内容を，800字以内で述べよ。

設問イ　設問アで述べた業務改善を実現するために，どのような業務プロセスを，どのようにデジタル化することを検討したか。また，どのような課題があり，どのような対応策を検討したか。800字以上1,600字以内で具体的に述べよ。

設問ウ　設問イで検討した内容について，利用者がデジタル化した業務に習熟できるよう，どのように工夫したか。情報システムに組み込んだ利用支援の仕組みを含めて，600字以上1,200字以内で具体的に述べよ。

●論文設計シート

タイトルと論述ネタ	あらすじ
第1章　情報システムの概要	
1.1　対象業務及び情報システムの概要	
A社の設備購入のりん議業務とりん議ワークフローシステム	工作機械メーカA社の設備購入のりん議業務は，起案，審査・決裁，進捗管理の各業務プロセスから成る。また，決裁が下りた設備購入のりん議書は，調達部門に渡され，発注業務が行われる。りん議書は紙文書であり，設計設備・製造設備・一般設備の設備の種類，及び設備の購入金額によって，決裁ルートが異なる。決裁ルートの設定は，設備管理部門が行う。審査・決裁は承認印を押印することで完了する。 このりん議業務をりん議ワークフローシステム（以下，システム）でデジタル化する。
1.2　業務改善の内容	
審査・決裁プロセス	審査・決裁にかかる時間を短縮できる。
進捗管理プロセス	決裁ルートのどこに紙のりん議書があるのかを追跡する作業をなくすことができ，設備りん議書の審査・決裁状況をリアルタイムで把握できる。
発注業務	発注作業の負荷を軽減できる。
第2章　業務のデジタル化	
2.1　デジタル化を検討した業務プロセス	
起案プロセス	設備購入の要求者（起案者）が，システムにログインし，電子ファイルの設備りん議書を作成する。システムが決裁ルートを自動で設定する。
審査・決裁プロセス	審査部門や決裁者が電子ファイルの設備りん議書を閲覧して，審査や決裁の結果，承認する。 設備管理部門が，設備りん議書の一覧，審査・決裁状況を閲覧できるようにする。これにより，紙のりん議書を追跡する必要がなくなり，設備りん議書の滞留状況を関係部門で共有できるようになる。
調達部門での発注業務	決裁が下りた設備りん議書をメールで調達部門に送る。これにより，調達部門は勤務場所の制限なく，発注業務を行うことができる。

2.2　業務のデジタル化の課題と対応策		
	審査・決裁	審査・決裁が決裁ルートに設定された本人が，確かに審査・決裁をした結果，承認したことを担保する必要があった。そこで，承認欄に，ログインユーザーの氏名，所属，職位，タイムスタンプを記録することを検討した。 決裁ルートの決裁者が長期不在の場合，電子ファイルの設備りん議書が長期間放置されてしまい，緊急で決裁する必要が生じたときに対応できないという課題があった。そこで，A社の権限委譲制度に準じた代理決裁者を設定することを検討した。また，第三者が代理権限者の妥当性をチェックできる仕組みを検討した。 設備りん議書の漏えい，審査部門や決裁者のなりすましなどのセキュリティリスクが課題であった。そこで，アクセス権限管理を強化することを検討した。また，アクセスログを採取し，不正なログインを監視できる仕組みを検討した。

第3章　利用者の習熟支援の工夫		
3.1　ガイド機能の組込み		
	設備りん議書の作成を容易にする 設備りん議書の不備をなくす	ガイド機能によって，設備りん議書作成に不慣れな起案者であっても，容易に作成できるようにする。所属部門，設計設備・製造設備・その他の一般設備のいずれか，及び設備の購入金額を，選択肢の中から選ぶと，最適なりん議書フォーマットが表示される。添付すべき資料なども提示される。
3.2　設備りん議書一覧の並び替え機能		
	複数の設備りん議書の優先順位を判断する機能	所属長・審査部門・決裁者が，審査・決裁すべき設備りん議書の一覧を表示する際に，必要時期や購入金額などを表示して，並び替えることのできる機能を組み込んだ。並び替えによって，ある程度の優先順位を判断することができるようにする。

問8 解答例

第1章　情報システムの概要

1.1　対象業務及び情報システムの概要

A社は中規模の工作機械メーカである。対象となったのは設備購入のりん議業務（以下，設備りん議業務という）で，現在の各業務プロセスは次のとおりである。

①起案：設備購入の要求者が，目的，仕様，必要時期，金額を記載した紙の設備りん議書を作成する。

②審査・決裁：要求者の所属長が設備りん議書を審査し，設備管理部門に渡す。設備管理部門では，審査する審査部門部署と決裁者を設備りん議書に記入して決裁ルートに送る。審査部門の審査を受け，決裁者が決裁する。審査と決裁は承認印（押印）によって完了する。

③進捗管理：設備管理部門は，月次で設備りん議書の審査・決裁の進捗を確認し，滞留している設備りん議書の状況を決裁者に報告する。

なお，調達部門は，決裁が下りた設備りん議書に従って，設備を発注する。

A社では，設備を設計設備，製造設備，一般設備に分けており，設備によって決裁者が異なり，購入金額によって審査部門での審査部署が異なる。

A社では設備りん議業務をデジタル化するためのワークフローシステム（以下，システムという）を導入することを決定した。

1.2　業務改善の内容

A社ではシステムの導入によって，審査・決裁プロセスにかかる時間の短縮化，及び調達部門の発注作業の負荷軽減を期待した。また，進捗管理プロセスでは，決裁ルートのどこに設備りん議書があるのかが分からず，決裁ルートを人が追跡する作業が頻発している。この追跡作業をなくし，設備りん議書の審査・決裁状態をリアルタイムで把握できるようにする。

第2章　業務のデジタル化

2.1　デジタル化を検討した業務プロセス

紙媒体で行われている設備りん議業務をデジタル化し，各業務プロセスに対して次のような仕組みを検討した。

①起案：設備購入の要求者がシステムにログインして，設備りん議書を電子ファイル

として作成する。その後，システムが，設備りん議書に，決裁ルートを設定する。決裁ルートの設定にあたっては，あらかじめ要求者の所属部署と購入金額の組合せによって，要求者の属する所属長，審査部門での審査部署及び決裁者をシステムに定義しておいたものを用いる。
②審査・決裁：審査部門や決裁者が，電子ファイルの設備りん議書を閲覧して，審査や決裁の結果，承認する。
③進捗管理：設備りん議書の一覧，審査・決裁状況を閲覧できるようにする。これによって，月次でしか確認できなかった審査・決裁状況や決裁者にしか報告されなかった設備りん議書の滞留状況を，当該設備りん議書の関係者全てが確認できるようになる。

また，調達部門に対しては，決裁が下りた設備りん議書をメールで送付する。この仕組みによって，調達部門はリモートワークであっても，設備りん議書に記載された仕様，必要時期及び金額に従った発注が可能になる。

2.2　業務のデジタル化の課題と対応策

従来の審査・決裁は，承認印（押印）によって完了していた。デジタル化した場合にも，決裁ルートに設定された本人による審査・決裁の結果，承認されたことを担保する必要があった。そこで対応策として，承認欄にログインユーザーの氏名，所属，職位及びタイムスタンプを記録することを検討した。

また，決裁ルートの決裁者が長期不在の場合，電子ファイルの設備りん議書が長期間放置されてしまうことが考えられた。これは，電子ファイルの設備りん議書を決裁者しか閲覧できないことが原因で，緊急で決裁する必要が生じた場合の対応が必要であった。そこで, 代理権限者を設けて設備りん議の決裁が滞らない仕組みを検討した。Ａ社の権限規定では権限委譲制度が定められており，決裁者が不在の場合の代理決裁者を定めることができる。業務のデジタル化において，権限委譲制度に則った代理決裁者を設定できる仕組み，代理決裁者を他者が確認して誤りがある場合に指摘ができる仕組みを検討した。

また，設備りん議書の漏えい，審査部門や決裁者のなりすましも想定された。そこで，アクセス権限管理を強化する仕組みを検討した。具体的には，人事システムが運用する役職や部門によるアクセス権限を参考にし，要求者，審査部門，決裁者と設備りん議書に直接関係する関係者だけが，当該設備りん議書にアクセスできる仕組みを検討した。ログインに関しては，Ａ社内のシングルサインオン環境と連携し，パスワードが定期的に更新される当該シングルサインオン環境におけるセキュリティと同等のセキュリティを確保する仕組みを検討した。さらに，アクセスログを採取し，不正なログインを監視できる仕組みも検討した。

第3章　利用者の習熟支援の工夫

3.1　ガイド機能の組込み

高額な設備であればあるほど，購入するための設備りん議書を作成する機会は滅多にない。そのため，要求者は，類似した過去のりん議書を探し出したり，作成したことのある経験者に確認したりしながら作成している。また，設備りん議書の不備が原因で審査が通らず，差し戻されることもあった。そこで，システムを使用してりん議書を作成する際に，不慣れな者でも，指示される作成手順通りに操作していけば，不備のない設備りん議書が完成する，ガイド機能を組み込んだ。具体的には，要求者の所属，設備の種別，購入金額などを選択肢の中から選ぶと，最適な設備りん議書のフォーマットがシステムによって表示される。同時に，添付すべき資料なども提示されるようにした。

3.2　設備りん議書一覧の並び替え機能

2.2で述べたように，設備りん議書に関与する部門・関係者だけが当該設備りん議書にアクセスできる仕組みによって，所属長・審査部門・決裁者には，審査すべき設備りん議書の一覧が表示される。従来，複数の紙の設備りん議書が手元に届いている場合には，それぞれの必要時期や購入金額などを見て，所要時間などを考慮して，複数の設備りん議書を審査・決裁する順番を決めることができる。しかし，デジタル化後はそれができない。そこで，設備りん議書の一覧に，必要時期や購入金額を表示して，審査する部門・決裁者が並び替えることのできる機能を組み込んだ。これによって，個々の設備りん議書を審査・決裁する前に，ある程度の優先順位を判断することができるようにした。

問9 情報システムの機能追加における業務要件の分析と設計

（出題年度：R3問2）

現代の情報システムは，法改正，製品やサービスのサブスクリプション化などを背景に機能追加が必要になることが増えている。

このような機能追加において，例えば，新サービスの提供を対外発表直後に始めるという業務要件がある場合，システムアーキテクトは次のように業務要件を分析し設計する。

1．新サービスの特性がどのようなものなのかを，契約条件，業務プロセス，関連する情報システムの機能など様々な視点で分析する。

2．新サービスは従来のサービスと請求方法だけが異なるという分析結果の場合，情報システムの契約管理機能と請求管理機能の変更が必要であると判断する。

3．契約管理機能では，契約形態の項目に新サービス用のコード値を追加して，追加した契約形態を取扱い可能にする。同時に請求管理機能に新たな請求方法のためのコンポーネントを追加し，新サービスの請求では，このコンポーネントを呼び出すように設計する。

このような設計では，例えば次のような設計上の工夫をすることも重要である。

- 対外発表前にマスタを準備するために，契約形態のマスタに適用開始日時を追加し，適用開始前には新サービスを選択できないようにしておく。
- 他のシステムに影響が及ばないようにするために，外部へのインタフェースファイルを従来と同じフォーマットにするための変換機能を用意する。

あなたの経験と考えに基づいて，設問ア～ウに従って論述せよ。

設問ア　あなたが携わった情報システムの機能追加について，対象の業務と情報システムの概要，環境の変化などの機能追加が必要になった背景，対応が求められた業務要件を，800字以内で述べよ。

設問イ　設問アで述べた機能追加において，あなたは業務要件をどのような視点でどのように分析したか。またその結果どのような設計をしたか，800字以上1,600字以内で具体的に述べよ。

設問ウ　設問イで述べた機能追加における設計において，どのような目的でどのような工夫をしたか，600字以上1,200字以内で具体的に述べよ。

●問題分析メモ

設問アのヒント

現代の情報システムは，法改正，製品やサービスのサブスクリプション化などを背景に機能追加が必要になることが増えている。

背景と業務要件の例

このような機能追加において，例えば，新サービスの提供を対外発表直後に始めるという業務要件がある場合，システムアーキテクトは次のように業務要件を分析し設計する。

設問イのヒント

1．新サービスの特性がどのようなものなのかを，契約条件，業務プロセス，関連する情報システムの機能など様々な視点で分析する。

分析する際の視点の例

2．新サービスは従来のサービスと請求方法だけが異なるという分析結果の場合，情報システムの契約管理機能と請求管理機能の変更が必要であると判断する。

分析結果を受けた判断

3．契約管理機能では，契約形態の項目に新サービス用のコード値を追加して，追加した契約形態を取扱い可能にする。同時に請求管理機能に新たな請求方法のためのコンポーネントを追加し，新サービスの請求では，このコンポーネントを呼び出すように設計する。

設計内容

設問ウのヒント

このような設計では，例えば次のような設計上の工夫をすることも重要である。

・対外発表前にマスタを準備するために，契約形態のマスタに適用開始日時を追加し，適用開始前には新サービスを選択できないようにしておく。

・他のシステムに影響が及ばないようにするために，外部へのインタフェースファイルを従来と同じフォーマットにするための変換機能を用意する。

目的と設計上の工夫のヒント

あなたの経験と考えに基づいて，設問ア～ウに従って論述せよ。

設問ア　あなたが携わった情報システムの機能追加について，[1.1]対象の業務と情報システムの概要，環境の変化などの[1.2]機能追加が必要になった背景，[1.3]対応が求められた業務要件を，800字以内で述べよ。

設問イ　設問アで述べた機能追加において，あなたは[2.1]業務要件をどのような視点でどのように分析したか。またその結果[2.2]どのような設計をしたか，800字以上1,600字以内で具体的に述べよ。

分けて論述してもよい

設問ウ　設問イで述べた機能追加における設計において，[3.1]どのような目的でどのような工夫をしたか，600字以上1,200字以内で具体的に述べよ。

第4部　午後Ⅱ試験対策

●論文設計シート

タイトルと論述ネタ	あらすじ
第1章　情報システムの概要	
1.1　対象業務と情報システムの概要	
オンラインショップでの電子書籍の販売	電子書籍の購入に対して従量制で課金し，月単位で請求する。決済はコンビニ決済かクレジットカード決済のいずれかである。これらは利用規約に明記されている。
オンラインショップを構成する三つのシステム	オンラインショップは，顧客との接点となるフロントシステム，会員の情報と購入履歴を管理する販売管理システム，会員の請求や決済情報を管理する請求管理システムの三つのシステムで構成される。販売管理システムは，会員の販売実績を社内の販促システムに提供している。
1.2　機能追加が必要になった背景	
オンラインショップの不振	電子書籍を複数回購入する会員が少なく，収益が低迷している。そこで，収益の向上と安定を図るために，定額制のサブスクリプションを導入することになった。
1.3　対応が求められた業務要件	
月額定額制（サブスクリプション）の導入期間と発表時期	同業他社に動向を知られないために，対外発表はサブスクリプションサービスの開始直前に行い，サービスの開始は4か月後とされた。

第2章　業務要件の分析と設計	
2.1　業務要件を分析する視点	
業務プロセスという視点	契約形態が従量制と定額制から選べることから会員の登録プロセス，購入金額の表示が必要ではないことから購入プロセス，定額料金の決済方法がクレジットカードだけであることから請求プロセスの三つの視点で分析を行った。
2.2　業務要件の分析方法	
業務比較による差分の抽出	従来のオンラインショップの業務と新サービスに求められる業務を比較し，差分を抽出した。
関連部門との連携	企画部門や運用部門と連携して分析した。

2.3　業務分析を受けた設計内容	
業務分析結果 ・会員登録・変更プロセス ・購入プロセスと請求管理プロセス ・請求管理プロセスと会員管理プロセス	 ・会員の契約形態の追加と変更を行う。 ・購入の有無や量に関わらず毎月定額が請求されることを利用規約に明記する。購入金額の非表示は大きな変更となるため，請求時には定額が請求されることを画面表示することにし，購入金額は今までどおりの表示とする。 ・決済方法がクレジットカードのみになることに関して大きな変更はない。定額制会員に対して定額請求を行うようにする。
設計内容 ・販売管理システムの会員管理機能 ・フロントシステムの会員登録・変更機能 ・フロントシステムの購入機能 ・請求管理システム	 ・会員レコードに，従量制か定額制かを示す契約形態フラグを追加する。 ・契約形態を選択する項目を入力フォームに追加する。フォームから入力された顧客情報を処理するためのコンポーネントに契約形態の処理を追加する。 ・定額制会員に対しての，請求額が定額になる旨のメッセージを表示する。 ・月単位の請求額を請求するタイミングで，会員レコードの契約形態フラグを参照し，定額制会員であれば無条件に定額料金を請求額とする処理を追加する。

第3章　機能追加の設計における工夫	
3.1　対外発表直後のサービス開始のための工夫	
順調なシステム切替えのための工夫	新サービス開始前に新サービスを組み込んだオンラインショップに移行しておき，新サービスが開始されるまでは新サービスを選択できない仕組みを講じておくことにした。
3.2　他のシステムへの影響を低減するための工夫	
販促システムに影響が及ばないようにするための工夫	販売実績として販促システムへ提供していた会員レコードの形式が変更になったことから，そのままでは販促システムに影響を生じる。販促システムへの影響をなくすために，従来のフォーマットに変換して販促システムに渡す，会員レコード変換機能を用意した。

問9 解答例

第1章 情報システムの概要

1.1 対象業務と情報システムの概要

私は，インターネット通販を事業とするA社の電子書籍を販売するオンラインショップへの機能追加に携わった。A社の顧客は，初回にオンラインショップの利用規約に同意し，顧客情報を登録して会員になる。会員は，電子書籍を購入し決済する。利用規約には，決済はコンビニ決済かクレジットカード決済のいずれかで，購入に対して従量制で課金し，請求は月単位で行う旨の記載がある。

オンラインショップは，顧客・会員との接点となるフロントシステム，会員の情報と購入履歴を管理する販売管理システム，会員の請求や決済情報を管理する請求管理システムの三つのシステムで構成されている。販売管理システムは，A社の販促システムに販売実績を提供し，他の商品の販売促進を支援している。

1.2 機能追加が必要になった背景

A社では，オンラインショップの収益が低迷していることから，会員の購入傾向を調べた。すると，複数回購入する会員が少ないこと，また複数回購入している会員においてもその頻度が低いことが分かった。従量制の課金が会員に割高感を与えており，その結果，収益が安定せず低迷していると判断した。そこで，A社では，定額制のサブスクリプションを導入し，割安感をアピールして会員を増やし，収益の向上と安定を図ることにした。

1.3 対応が求められた業務要件

従来のサービスに，サブスクリプション（以下，新サービスという）を加えたオンラインショップの開始は4か月後とされ，対外発表は開始直前に行うことが決定された。これは，顧客の関心度の高さからの混乱と同業他社に動向を知られないためであった。また，新サービスの決済方法はクレジットカード決済のみとされた。

第2章 業務要件の分析と設計

2.1 業務要件を分析する視点

新サービスの開始によって，オンラインショップの契約形態が従量制と定額制の二つになった。そして，新サービスの特性として，購入金額の表示が必要でないこと，購入のない月でも請求が発生すること，決済方法がクレジットカード決済のみであることが挙げられた。そこで私は，これらが関係する，会員の登録プロセス，電子書籍の購入プロセス及び請求プロセスの三つの視点で業務要件の分析を行った。

2.2　業務要件の分析方法

従来のオンラインショップの業務と新サービスに求められる業務を比較し，差分を抽出する方法で業務要件を分析した。分析にあたっては，後工程の設計が円滑に進められるよう，企画部門や運用部門とも連携した。

2.3　業務分析を受けた設計内容

私は，新サービスの開始によって，順調に稼働しているオンラインショップに不具合が生じることは絶対に避けなければならないと考え，変更を最小限に留めることに注力した。会員の登録プロセスでは，契約形態の追加は，初回の会員登録に変更が生じるだけでなく，会員情報として二つの契約形態を持つように変更する必要があった。また，購入プロセス及び請求プロセスにおいては新サービスでは，購入の有無や量に関わらず毎月定額請求されることを，利用規約に明記する必要があった。一方，購入金額を非表示にすることは，画面の設計や表示に大きな変更を必要とするため，現行のまま表示することとし，請求時には定額請求になることを画面に表示することで解決することにした。決済方法がクレジットカード決済のみであることに関しては，従来からコンビニ決済とクレジットカード決済の両方があったため，契約形態でクレジットカード決済に振り分けることができると考えた。これらから，私は，従来のオンラインショップの販売管理システムの会員管理機能，フロントシステムの会員登録・変更機能，フロントシステムの購入機能及び請求管理システムに変更が必要であると判断した。この判断を企画部門と運用部門に提示した結果，合意を得ることができたため，分析結果をもとに設計を開始した。

販売管理システムの会員管理機能において，格納している会員レコードに新たに契約形態フラグを追加した。契約形態フラグは，契約が従量制か定額制かを示すフラグである。

フロントシステムの会員登録・変更機能では，登録フォームと登録内容変更フォームに契約形態を選択する項目を追加した。さらに，フォームから入力された顧客情報を処理するためのコンポーネントも契約形態の追加に対応して変更した。このコンポーネントは，申請された会員情報をＡ社内で審査し，問題がないと判断した場合は，販売管理システムに格納している会員レコードに会員情報の追加や変更をするものであるが，従来からコンビニ決済とクレジットカード決済の両方の審査を行っていたので大きな変更にはならなかった。

フロントシステムの購入機能では，「サブスクリプションを契約されている会員は表示された購入金額に関係なく定額請求となります」というメッセージを画面に追加するだけの設計とした。

請求管理システムには，定額制契約会員の請求額設定処理を追加した。具体的には，月単位の請求額を請求するタイミングにおいて，会員レコードの契約形態フラグを参照し，定額制であれば無条件に定額料金を請求額とする処理を新たに追加した。

第3章　機能追加の設計における工夫

3.1　対外発表直後のサービス開始のための工夫

戦略的に，新サービスを対外発表直後に順調に開始できることが重要であった。そのためには，従来のオンラインショップから新サービスを組み込んだオンラインショップに切り替える際にトラブルがあってはならなかった。そこで私は，新サービスを組み込んだオンラインショップへの移行を対外発表前に完了しておき，新サービス開始日時までは新サービスが稼働しないようにする方法をとることにした。具体的には，開始日時に対外発表が終了する予定の日時を設定する。そして，新サービスを組み込んだオンラインショップで稼働の開始日時以前か以後かを判定し，開始日時以前であれば会員が新サービスを選択できないようにした。開始日時以前か以後かの判定はフロントシステムの会員登録・変更機能だけで必要とされるため，その負荷はさほど大きく影響しないと考えたからである。

3.2　他のシステムへの影響を低減するための工夫

新サービスの開始まで4か月しかないことから，運用テスト期間を含む移行期間を十分に確保できなかった。そのため，新サービスを組み込んだオンラインショップが他のシステムに与える影響を最小限に抑える必要があった。特に，A社の事業を横断的に支援するシステムでトラブルが許されない販促システムに影響が及ばないようにすることが重要であると考えた。しかし，販売管理システムの会員の情報と購入履歴を管理する会員レコードのフォーマットが契約形態フラグの追加によって変更され，フロントシステムの会員登録・変更機能のコンポーネントが会員レコードを更新している。そして，会員レコードは販売実績として販促システムへのインタフェースファイルとなっていた。そこで，会員レコードに関しては変換する機能を用意し，従来のオンラインショップの販促システムと連携する際と同じフォーマットのインタフェースファイルにし，販促システムに影響を及ぼすことなく今までと同様に連携することができるよう対応した。

これらの設計時の工夫によって，オンラインショップの新サービスは，対外発表においてアナウンスした新サービス開始日時から順調に稼働した。同業他社に先んじたサブスクリプションの導入は話題となり，オンラインショップの会員数もサービス開始直後には急激に増え，その後も順調に増加している。

問10 業務からのニーズに応えるためのデータを活用した情報の提供

（出題年度：H30問１）

近年，顧客の行動記録に基づき受注可能性が高い顧客像を絞り込む，宣伝方法と効果の関係を可視化するなどの業務からのニーズに応えるために，データを活用して情報を提供する動きが加速している。

このような場合，システムアーキテクトは，業務からのニーズを分析した上で，どのような情報を提供するかを検討する必要がある。

例えば，スーパマーケットのチェーンで，"宣伝効果を最大にしたい"というニーズから，宣伝媒体をより効果的なものに絞り込むための情報の提供が必要であると分析した場合に，次のような検討をする。

- ・対象にしている顧客層に宣伝が届いている度合いを測定するための情報はどのようなものか
- ・宣伝の効果が表れるタイミングと期間を測定するための情報はどのようなものか

検討の結果から，"男女別／年齢層別の，来店者数のうち購入者数の占める割合が，特定の宣伝を実施した後の時間の経過に伴い，どのように推移したか"を情報として提供することにする。

また，このような情報の提供では，来店者数のデータがない，年齢層の入力がされていないケースがあるなどの課題があることも多い。そのため，発行したレシート数に一定の数値を乗じた値を来店者数とみなす，年齢層が未入力のデータは年齢層不明として分類するなど，課題に対応するための工夫をすることも重要である。

あなたの経験と考えに基づいて，設問ア～ウに従って論述せよ。

設問ア　あなたが携わった，業務からのニーズに応えるためのデータを活用した情報の提供は，どのようなものであったか。ニーズのあった業務の概要及びニーズの内容，関連する情報システムの概要とともに，800字以内で述べよ。

設問イ　設問アで述べた情報の提供では，ニーズをどのように分析し，どのような情報の提供を検討したか。800字以上1,600字以内で具体的に述べよ。

設問ウ　設問イで述べた検討で，情報の提供においてどのような課題があったか。また，その課題に対応するためにどのような工夫をしたか。600字以上1,200字以内で具体的に述べよ。

●問題分析メモ

近年，顧客の行動記録に基づき受注可能性が高い顧客像を絞り込む，宣伝方法と効果の関係を可視化するなどの業務からのニーズに応えるために，データを活用して情報を提供する動きが加速している。

設問イのヒント

このような場合，システムアーキテクトは，業務からのニーズを分析した上で，どのような情報を提供するかを検討する必要がある。

例えば，スーパマーケットのチェーンで，“宣伝効果を最大にしたい”というニーズから，①宣伝媒体をより効果的なものに絞り込むための情報の提供が必要であると分析した②場合に，次のような検討を③する。

- 対象にしている顧客層に宣伝が届いている度合いを測定するための情報はどのようなものか
- 宣伝の効果が表れるタイミングと期間を測定するための情報はどのようなものか

（提供する情報の検討）

検討の結果から，“男女別／年齢層別の，来店者数のうち購入者数の占める割合が，特定の宣伝を実施した後の時間の経過に伴い，どのように推移したか”を情報として提供することにする。

（提供する情報の例）

設問ウのヒント

また，このような情報の提供では，来店者数のデータがない，年齢層の入力がされていないケースがあるなどの課題があることも多い。そのため，発行したレシート数に一定の数値を乗じた値を来店者数とみなす，年齢層が未入力のデータは年齢層不明として分類するなど，課題に対応するための工夫をすることも重要である。

（有用な情報が足りない場合の工夫の例）

あなたの経験と考えに基づいて，設問ア～ウに従って論述せよ。

設問ア　あなたが携わった，業務からのニーズに応えるためのデータを活用した情報の提供は，どのようなものであったか。[1.1]ニーズのあった業務の概要及びニーズの内容，[1.2]関連する情報システムの概要とともに，800字以内で述べよ。

設問イ　設問アで述べた情報の提供では，[2.1]ニーズをどのように分析し，[2.2]どのような情報の提供を検討したか。800字以上1,600字以内で具体的に述べよ。

設問ウ　設問イで述べた検討で，情報の提供において[3.1]どのような課題があったか。また，その課題に対応するために[3.2]どのような工夫をしたか。600字以上1,200字以内で具体的に述べよ。

●論文設計シート

タイトルと論述ネタ	あらすじ
第１章　業務からのニーズと関連する情報システムの概要	
1.1　ニーズのあった業務の概要とニーズの内容	
ソフトウェア会社Ａ社の労務管理業務	Ａ社全体の総残業時間は減少傾向にあったが，社員の担当業務や所属部門，チームによって，残業時間減少の度合いにバラつきがあった。そこで，人事労務部から，“一般職及び管理職社員の実勤務時間を把握し安全衛生管理対策に活用したい”というニーズが出された。
1.2　関連する情報システムの概要	
労務管理システムのうちの勤怠管理システム	社員は自分の勤務実績を自分のPCから勤怠管理システムに入力している。勤務実績及び残業の事前申請に対する上司の承認も，勤怠管理システムで行っている。
第２章　ニーズの分析結果と提供を検討した情報の内容	
2.1　ニーズの分析結果	
人事労務部の上長及び担当者へのヒアリング結果	・会社として，長時間労働の社員が存在した場合にはそれを放置せず対策を講じる必要がある。 ・今後，法令で残業時間の上限規程が定められる場合に備え，勤務の実状を頻繁に把握し分析できる仕組みを用意する必要がある。 ・現在の勤怠管理システムで管理している勤怠情報は，実際の勤務時間と必ずしも一致していない。本人が申告し上司が承認した勤務時間ではなく，実際に会社で勤務していた時間を把握したい。 以上のヒアリング結果から導き出したニーズの分析結果は，“全社員の勤怠情報を補完する客観的な情報を提供すること”である。

2.2　提供する情報の内容についての検討	
必要な情報をシステムでどのように把握して提供するかの検討	必要となる情報の要件は，人の意図や恣意性が入り込まず，かつ，入力忘れなどが起きないことと考え，提供する情報の内容を，次の三項目で定義した。 1）PCの利用状況を機械的に記録して管理する「PC利用ログ」をシステムで出力する。 2）ログに記録されたPC電源ON/OFFの時刻などから社員ごと出勤日ごとに「想定勤務時間」という時間値をシステムで導出する。 3）人事労務担当者に提供する情報の内容として，“月別／部門別／社員別の勤怠・PC利用状況”を情報として提供し，勤怠情報に「想定勤務時間」を関連付けて実勤務状況を把握する。

第3章　情報の提供における課題と課題に対する工夫	
3.1　情報の提供における課題	
「PC利用ログ」情報の過不足によって「想定勤務時間」に誤差が生じる	・外出業務でPCを使用しない場合，当日の記録が取れず，「PC利用ログ」が不足する。 ・PC内のソフトウェア更新作業中などで電源OFFせずに帰宅した場合，「PC利用ログ」をもとに導出した「想定勤務時間」が勤務実績と大きく乖離する。 ・PCの電源ONと実際の始業時刻，PCの電源OFFと終業時刻との間にズレが生じる場合がある。
3.2　課題に対する工夫	
判断支援情報の提供	システムで導出した「想定勤務時間」が，勤務実績と乖離する場合には，乖離レベルを表示して，実勤務時間の把握に役立てる。

問10 解答例

第１章　業務からのニーズと関連する情報システムの概要

1.1　ニーズのあった業務の概要とニーズの内容

私は，ソフトウェア会社であるＡ社に勤務するシステムアーキテクトである。今回，データを活用した情報を提供することになった業務は，Ａ社の労務管理業務である。Ａ社は，ソフトウェアの受託開発やシステム運用業務の受託を中心に事業展開している。この業界では長らく社員の長時間労働の問題があったが，労働者の働き方を改善する経済界全体の動きに後押しされ近年は改善傾向にある。Ａ社内においても，一般職社員の残業時間は減少傾向にあったが，担当業務の違いや，所属部門・チームの違いで，残業時間減少の度合いにバラつきがある状況であった。そんな中，人事労務部から，"一般職及び管理職社員の実勤務時間を把握し安全衛生管理対策に活用したい"というニーズが出された。

1.2　関連する情報システムの概要

Ａ社では全社員に一意の社員番号兼ユーザーＩＤを発番している。また，一部テレワーク対象社員も含めて全社員に１台ずつ安全対策を講じたＰＣを貸与している。社員はこのＰＣを利用し，業務の遂行及び勤怠管理システムへの自身の勤務実績の入力を行っている。約250名の一般職社員は毎日退社時に当日の勤怠入力を行い，翌営業日午前中に上司が承認するルールとなっている。残業については事前に「残業申請ＤＢ」で申告し，当日17：00までに上司が承認することで，無駄な残業を抑制し，特定の従業員に負荷が集中しないよう部門内で対策を講じている。業務ニーズに応えるため，私は，労務管理システムの１つである勤怠管理システム周辺について必要な機能改善を行うべく要件定義を行った。

第２章　ニーズの分析結果と提供を検討した情報の内容

2.1　ニーズの分析結果

私はまず，"一般職及び管理職社員の実勤務時間を把握し安全衛生管理対策に活用したい"というニーズをきちんと分析する必要があると考えた。そこで，関係者である人事労務部の上長及び担当者へのヒアリングを行った。ヒアリング結果は次の内容であった。

・会社は安全衛生管理義務の観点から，長時間労働の社員が存在した場合にはそれを放置せず会社として対策を講じる必要がある。また今後，法令で残業時間の上限規程が定められる動きがあるため，社員の勤務の実状を頻繁に把握し分析する必要がある。

・現在の勤怠管理システムで管理している勤怠情報は，社員の給与計算のもとになる会社としての正式な情報であるが，実際の勤務時間と必ずしも一致していない。安全衛生管理対策を進めるうえで，本人が申告し上司が承認した勤務時間ではなく，実際に会社で勤務していた時間を把握したい。

・そのためのシステム化予算はあまり確保できない。

これらから導き出した，ニーズの分析結果は，“全社員の勤怠情報を補完する客観的な情報を提供すること”である。現在の勤怠情報を新たにシステム化する客観的な情報で補うというところがポイントとなる。この分析結果について人事労務部から了承を得ることができた。

2.2　提供する情報の内容についての検討

次に分析結果を踏まえ，必要な情報をシステムでどのように把握して提供するか具体的に検討を進めた。まず，勤怠情報を補完し信頼性を高めるために必要となる情報の要件としては，人の意図や恣意性が入り込まず，かつ，入力忘れなどが起きない仕組みが必要であると考えた。また，情報の範囲としては，一般職と管理職の全社員の情報を網羅的に把握する必要があった。検討の結果，提供する情報の内容を，次の三項目で定義した。

1）ＰＣの利用状況を機械的に記録して管理する「ＰＣ利用ログ」をシステムで出力する。

2）ログに記録されたＰＣ電源ＯＮ／ＯＦＦの時刻などから社員ごと出勤日ごとに「想定勤務時間」という時間値をシステムで導出する。

3）人事労務担当者に提供する情報の内容として，“月別／部門別／社員別の勤怠・ＰＣ利用状況”を情報として提供し，勤怠情報に「想定勤務時間」を関連付けて実勤務状況を把握する。

第３章　情報の提供における課題と課題に対する工夫

3.1　情報の提供における課題

今回検討した情報提供の仕組みでは，「ＰＣ利用ログ」情報に大きな過不足が生じその結果，システムで導出する「想定勤務時間」が必ずしも社員の実際の勤務時間と一致しないケースが生じる。具体的には，不足のケースとして，例えば業務都合で外出のためＰＣを利用しない日がある場合，当該社員の当日の記録が取れない。過剰なケースとして，ＰＣ内のソフトウェア更新作業中のまま電源ＯＦＦせず帰宅することがまれにみられ，この場合，ログの記録上，連続勤務しているように見えてしまう。また，出社してＰＣの電源を入れる時刻と実際の始業時刻，及び，実際の終業時刻とＰＣの電源を切る時刻との間には多少のズレが生じることが少なくないと考えられる。このままでは，提供された情報を見て人事労務担当者が安全衛生対策要否の判断に役立てることが困難となる。

3.2　課題に対する工夫

課題の解決方法を検討するにあたり，「ＰＣ利用ログ」を補正する機能で対応する方法が考えられる。しかしこの方法は問題がある。仮に「ＰＣ利用ログ」を直接補正する仕組みの場合，機械的に記録したログ情報に人が意図して補正することになり，情報の客観性が失われる可能性があるからである。情報の客観性が担保できない場合，業務ニーズを満たせなくなる。そこで，過不足情報を直接補正するのではなく，判断支援情報という位置づけで，システムで導出した情報を付加・補完する方法を考えた。具体的には，あらかじめ想定される過不足のケースを洗い出してパターン化しておき，「ＰＣ利用ログ」がそのパターンに合致した場合には，情報の利用者が容易にそのことを認知できるよう，警告情報として，過不足パターンを明示する仕組みである。例えば，勤怠情報側では，出勤となっているが，「ＰＣ利用ログ」に当日の電源ＯＮ／ＯＦＦが存在しない場合には，警告情報として「矛盾あり。ＰＣ利用ログなし」と表示する。また，あらかじめ誤差として許容するしきい値をいくつかのレベルに分けて設定しておき，勤怠情報と「想定勤務時間」との差をレベル分けして表示するものである。例えば，１時間以内の差は誤差レベル０（誤差無し），１時間以上２時間未満は誤差レベル１，７時間以上は誤差レベル５などとする。情報を利用する人事労務担当者は，この誤差レベルを見て容易に状況を把握でき，情報の分析時間の短縮と作業負荷の軽減に資するという工夫である。

この工夫は概ね有益で，“一般職及び管理職社員の実勤務時間を把握し安全衛生管理対策に活用したい”というニーズに応える情報を提供することができた。

さ行

た行

は行

ま行

や行

ら行

わ行

情報処理技術者試験

2025年度版 ALL IN ONE パーフェクトマスター システムアーキテクト

2024年8月20日 初 版 第1刷発行

編著者 TAC株式会社（情報処理講座）
発行者 多田敏男
発行所 TAC株式会社 出版事業部（TAC出版）

〒101-8383
東京都千代田区神田三崎町3-2-18
電話 03(5276)9492(営業)
FAX 03(5276)9674
https://shuppan.tac-school.co.jp

組版 株式会社 グラフト
印刷 株式会社 光邦
製本 株式会社 常川製本

ISBN 978-4-300-11216-8
N.D.C. 007

乱丁・落丁による交換,および正誤のお問合せ対応は,該当書籍の改訂版刊行月末日までといたします。なお,交換につきましては,書籍の在庫状況等により,お受けできない場合もございます。
また,各種本試験の実施の延期,中止を理由とした本書の返品はお受けいたしません。返金もいたしかねますので,あらかじめご了承くださいますようお願い申し上げます。

情報処理講座

選べる 5つの学習メディア

豊富な5つの学習メディアから、あなたのご都合に合わせてお選びいただけます。
一人ひとりが学習しやすい、充実した学習環境をご用意しております。

通信【自宅で学ぶ学習メディア】

Web通信講座 [eラーニングで時間・場所を選ばず学習効果抜群!]

インターネットを使って講義動画を視聴する学習メディア。
いつでも、どこでも何度でも学習ができます。
また、スマートフォンやタブレット端末があれば、移動時間も映像による学習が可能です。

おすすめポイント
- ◆動画・音声配信により、教室講義を自宅で再現できる
- ◆講義録（板書）がダウンロードできるので、ノートに写す手間が省ける
- ◆専用アプリで講義動画のダウンロードが可能
- ◆インターネット学習サポートシステム「i-support」を利用できる

DVD通信講座 [教室講義をいつでも自宅で再現!]

Webフォロー付き

デジタルによるハイクオリティなDVD映像を視聴しながらご自宅で学習するスタイルです。
スリムでコンパクトなため、収納スペースも取りません。
高画質・高音質の講義を受講できるので学習効果もバツグンです。

おすすめポイント
- ◆場所を取らずにスリムに収納・保管ができる
- ◆デジタル収録だから何度見てもクリアな画像
- ◆大画面テレビにも対応する高画質・高音質で受講できるから、迫力満点

資料通信講座 [TACのノウハウ満載のオリジナル教材と丁寧な添削指導で合格を目指す!]

配付教材はTACのノウハウ満載のオリジナル教材。
テキスト、問題集に加え、添削課題、公開模試まで用意。
合格者に定評のある「丁寧な添削指導」で記述式対策も万全です。

おすすめポイント
- ◆TACオリジナル教材を配付
- ◆添削指導のプロがあなたの答案を丁寧に指導するので記述式対策も万全
- ◆質問メールで24時間いつでも質問対応

通学【TAC校舎で学ぶ学習メディア】

ビデオブース講座 [受講日程は自由自在!忙しい方でも自分のペースに合わせて学習ができる!]

Webフォロー付き

都合の良い日を事前に予約して、TACのビデオブースで受講する学習スタイルです。教室講座の講義を収録した映像を視聴しながら学習するので、教室講座と同じ進度で、日程はご自身の都合に合わせて快適に学習できます。

おすすめポイント
- ◆自分のスケジュールに合わせて学習できる
- ◆早送り・早戻しなど教室講座にはない融通性がある
- ◆講義録（板書）付きでノートを取る手間がいらずに講義に集中できる
- ◆校舎間で自由に振り替えて受講できる

教室講座 [講師による迫力ある生講義で、あなたのやる気をアップ!]

Webフォロー付き

講義日程に沿って、TACの教室で受講するスタイルです。受験指導のプロである講師から、直に講義を受けることができ、疑問点もすぐに質問できます。
自宅で一人では勉強がはかどらないという方におすすめです。

おすすめポイント
- ◆講師に直接質問できるから、疑問点をすぐに解決できる
- ◆スケジュールが決まっているから、学習ペースがつかみやすい
- ◆同じ立場の受講生が身近にいて、モチベーションもアップ!

情報処理講座

2025年4月合格目標

TAC公開模試

TACの公開模試で本試験を疑似体験し弱点分野を克服!

合格のために必要なのは「身に付けた知識の総整理」と「直前期に克服すべき弱点分野の把握」。TACの公開模試は、詳細な個人成績表とわかりやすい解答解説で、本試験直前の学習効果を飛躍的にアップさせます。

全6試験区分に対応!

会場受験 3/23㊐

自宅受験 2/28㊎より問題発送

◎応用情報技術者
◎システムアーキテクト
◎ネットワークスペシャリスト
◎ITサービスマネージャ
◎ITストラテジスト
●情報処理安全確保支援士

※実施日は変更になる場合がございます。

チェックポイント 厳選された予想問題

★出題傾向を徹底的に分析した「厳選問題」!

業界先鋭のTAC講師陣が試験傾向を分析し、厳選してできあがった本試験予想問題を出題します。選択問題・記述式問題をはじめとして、試験制度に完全対応しています。
本試験と同一形式の出題を行いますので、まさに本試験を疑似体験できます。

同一形式

本試験と同一形式での出題なので、本試験を見据えた時間配分を試すことができます。

〈応用情報技術者試験 公開模試 午後問題〉より一部抜粋

〈情報処理安全確保支援士試験 公開模試 午後Ⅰ問題〉より一部抜粋

チェックポイント 解答・解説

★公開模試受験後からさらなるレベルアップ!

公開模試受験で明確になった弱点分野をしっかり克服するためには、短期間でレベルアップできる教材が必要です。
復習に役立つ情報を掲載したTAC自慢の解答解説冊子を申込者全員に配付します。

詳細な解説

特に午後問題では重要となる「解答を導くアプローチ」について、図表を用いて丁寧に解説します。

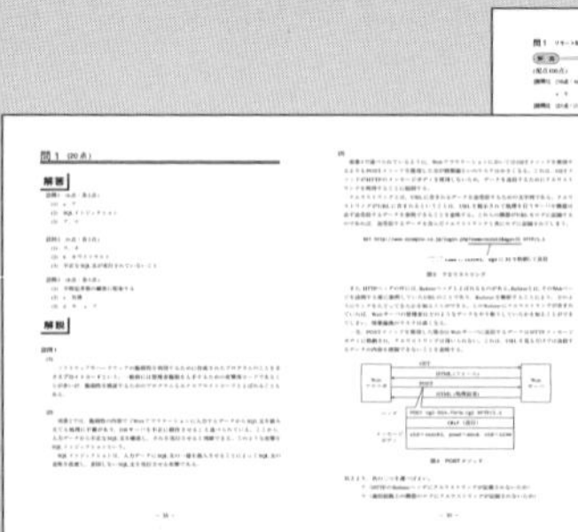

〈応用情報技術者試験 公開模試 午後問題解説〉より一部抜粋

〈情報処理安全確保支援士試験 公開模試 午後Ⅱ問題解説〉より一部抜粋

特典1

本試験終了後に、TACの「本試験分析資料」を無料で送付します。全6試験区分における出題のポイントに加えて、今後の対策も掲載しています。
(A4版・80ページ程度)

特典2

応用情報技術者をはじめとする全6試験区分の本試験解答例を申込者全員に無料で送付します。
(B5版・30ページ程度)

TAC出版 書籍のご案内

TAC出版では、資格の学校TAC各講座の定評ある執筆陣による資格試験の参考書をはじめ、資格取得者の開業法や仕事術、実務書、ビジネス書、一般書などを発行しています！

TAC出版の書籍

*一部書籍は、早稲田経営出版のブランドにて刊行しております。

資格・検定試験の受験対策書籍

- 日商簿記検定
- 建設業経理士
- 全経簿記上級
- 税　理　士
- 公認会計士
- 社会保険労務士
- 中小企業診断士
- 証券アナリスト
- ファイナンシャルプランナー(FP)
- 証券外務員
- 貸金業務取扱主任者
- 不動産鑑定士
- 宅地建物取引士
- 賃貸不動産経営管理士
- マンション管理士
- 管理業務主任者
- 司法書士
- 行政書士
- 司法試験
- 弁理士
- 公務員試験(大卒程度・高卒者)
- 情報処理試験
- 介護福祉士
- ケアマネジャー
- 電験三種　ほか

実務書・ビジネス書

- 会計実務、税法、税務、経理
- 総務、労務、人事
- ビジネススキル、マナー、就職、自己啓発
- 資格取得者の開業法、仕事術、営業術

一般書・エンタメ書

- ファッション
- エッセイ、レシピ
- スポーツ
- 旅行ガイド（おとな旅プレミアム/旅コン）

書籍の正誤に関するご確認とお問合せについて

書籍の記載内容に誤りではないかと思われる箇所がございましたら、以下の手順にてご確認とお問合せをしてくださいますよう、お願い申し上げます。
なお、正誤のお問合せ以外の**書籍内容に関する解説および受験指導などは、一切行っておりません。**
そのようなお問合せにつきましては、お答えいたしかねますので、あらかじめご了承ください。

1 「Cyber Book Store」にて正誤表を確認する

TAC出版書籍販売サイト「Cyber Book Store」の
トップページ内「正誤表」コーナーにて、正誤表をご確認ください。

CYBER BOOK STORE TAC出版書籍販売サイト

URL:https://bookstore.tac-school.co.jp/

2 1の正誤表がない、あるいは正誤表に該当箇所の記載がない ⇒ 下記①、②のどちらかの方法で文書にて問合せをする

★ご注意ください★

お電話でのお問合せは、お受けいたしません。
①、②のどちらの方法でも、お問合せの際には、「お名前」とともに、
「対象の書籍名(○級・第○回対策も含む)およびその版数(第○版・○○年度版など)」
「お問合せ該当箇所の頁数と行数」
「誤りと思われる記載」
「正しいとお考えになる記載とその根拠」
を明記してください。
なお、回答までに1週間前後を要する場合もございます。あらかじめご了承ください。

① ウェブページ「Cyber Book Store」内の「お問合せフォーム」より問合せをする

【お問合せフォームアドレス】

https://bookstore.tac-school.co.jp/inquiry/

② メールにより問合せをする

【メール宛先 TAC出版】

syuppan-h@tac-school.co.jp

※土日祝日はお問合せ対応をおこなっておりません。
※正誤のお問合せ対応は、該当書籍の改訂版刊行月末日までといたします。

乱丁・落丁による交換は、該当書籍の改訂版刊行月末日までといたします。なお、書籍の在庫状況等により、お受けできない場合もございます。
また、各種本試験の実施の延期、中止を理由とした本書の返品はお受けいたしません。返金もいたしかねますので、あらかじめご了承くださいますようお願い申し上げます。

TACにおける個人情報の取り扱いについて
■お預かりした個人情報は、TAC(株)で管理させていただき、お問合せへの対応、当社の記録保管にのみ利用いたします。お客様の同意なしに業務委託先以外の第三者に開示、提供することはございません(法令等により開示を求められた場合を除く)。その他、個人情報保護管理者、お預かりした個人情報の開示等及びTAC(株)への個人情報の提供の任意性については、当社ホームページ(https://www.tac-school.co.jp)をご覧いただくか、個人情報に関するお問い合わせ窓口(E-mail:privacy@tac-school.co.jp)までお問合せください。

(2022年7月現在)